✿HARMONY
extra

D. Rawlins - M. Rowen - C. Green

ESOTICI PIACERI

HARMONY

Immagine di copertina:
Depositphotos/gstockstudio

Titoli originali delle edizioni in lingua inglese:
The Honeymoon That Wasn't
Touch and Go
When the Sun Goes Down...
Harlequin Blaze
© 2006 Debbi Quattrone
© 2010 Michelle Rowen
© 2009 Chris Marie Green
Traduzioni di Giorgia Lucchi, Valentina D'Antoni e Giovanna Cavalli

© 2007 Harlequin Mondadori S.p.A., Milano
Prime edizioni Harmony Temptation
febbraio 2007; febbraio 2012; agosto 2012
Questa edizione Harmony Extra
dicembre 2020

HARMONY EXTRA
ISSN 1824 - 6567
Periodico mensile n. 185 del 24/12/2020
Direttore responsabile: Sabrina Annoni
Registrazione Tribunale di Milano n. 651 del 20/09/2004
Spedizione in abbonamento postale a tariffa editoriale
Aut. n. 21470/2LL del 30/10/1981 DIRPOSTEL VERONA
Distribuzione canale Edicole Italia: m-dis Distribuzione Media S.p.A.
Via Carlo Cazzaniga, 19 - 20132 Milano

HarperCollins Italia S.p.A.
Viale Monte Nero 84 - 20135 Milano

Caduta in tentazione

Prologo

Da: *LegallyNuts@EvesApple.com*
A: *tutta la gang della* Eve's Apple
Oggetto: *pazzia*

Non so con esattezza perché vi sto scrivendo, ragazze. A parte il fatto che sono le tre del mattino e non riesco a dormire. Conoscere la ragione della mia insonnia non mi aiuta per niente. Domani sera, anzi, tecnicamente questa sera, ci sarà la cena di prova per il matrimonio di mia sorella. Questa è la parte positiva, ha incontrato un ragazzo stupendo e sono felice per lei.
Il problema è che rivedrò Tony, un amico di mia sorella che ho incontrato un anno fa. Oddio, ricordo ancora che indossava una maglietta bianca aderente e aveva dei pettorali da sogno...
Come se non bastasse, è anche alto, per lo meno un metro e ottanta, con occhi color cioccolato e lineamenti scolpiti. Insomma, mi avete capito: uno schianto!
Sono nervosa come se dovessi andare dal dentista, ma allo stesso tempo non vedo l'ora di rivederlo. Riuscite a spiegarmi il perché?
In tutta sincerità, se fossi da sola e lo incontrassi in un locale, non mi farei problemi. Non mi interessano le avventure di una notte, ma per lui farei volentieri un'eccezione. Invece il fatto che conosca mia sorella e che questa sera incontrerà i miei genitori e nostro fratello, complica ogni cosa. Non mi interessa una storia seria, al momento non rientra nei miei programmi. Sono un avvocato, la mia carriera sta decollando e non ho tempo per una vita sociale.

Tra sei ore dovrò andare in tribunale e vorrei tanto riu-
scire a dormire, ma so che non sarà possibile. Se qual-
cuna di voi può darmi qualche consiglio, o vuole con-
fermarmi che sono completamente pazza, ve ne sarei
molto grata.
Grazie per aver letto il mio messaggio. D.

Dakota fissò per un momento lo schermo del laptop, la tentazione di cancellare l'e-mail era forte. Scriverla era stato terapeutico, non c'era bisogno di inviarla, né di ricevere una risposta. Niente avrebbe potuto indurla ad agire d'impulso e a trascorrere una notte con Tony, era troppo codarda per farlo.

Le sue dita esitarono, sospese sulla tastiera. Cos'aveva da perdere? Se avesse ricevuto una risposta, quanto meno avrebbe avuto qualcosa da fare, dal momento che non sarebbe riuscita a dormire comunque. Premette il tasto *Invio* prima di cambiare idea un'altra volta.

Posato il laptop sul comodino, spostò uno dei cuscini che si era messa dietro la schiena, sprimacciò l'altro e si sdraiò, lo sguardo fisso sul soffitto avvolto dalle ombre.

Era decisamente bizzarro scrivere a un gruppo di donne che non aveva mai incontrato. Eppure le conosceva tutte, dopo aver letto per ore le loro confessioni del tutto prive di censura.

L'idea del sito web *Eve's Apple* era geniale. Per farne parte bastava desiderare follemente un uomo, in particolar modo il genere di persona che una ragazza non avrebbe mai presentato ai propri genitori, ma che non riusciva assolutamente a togliersi dalla testa. L'unica soluzione era averlo, per poi tornare a una vita normale e mettere la testa a posto con l'uomo giusto. Inviare un messaggio al gruppo era catartico, anonimo, e tutte lo avrebbero letto, pronte a dare un consiglio qualora si fossero sentite nell'animo di farlo.

Strano come Dakota riuscisse a dire tutto a quelle sconosciute, ma non potesse parlare di Tony con Dallas.

Sua sorella non avrebbe certo disapprovato, al contrario, probabilmente l'avrebbe esortata a buttarsi. Quella era la differenza tra loro. Dallas faceva quel che voleva, i desideri della sua famiglia significavano poco per lei; Dakota, invece, aveva sempre cercato di essere la figlia modello, seguendo perfino le impronte del padre e del fratello.

Ma per lei non era stato un sacrificio, amava la giurisprudenza e adorava il suo lavoro. *Dakota Shea per la difesa, Vostro Onore* era una delle sue battute preferite. Non avrebbe cambiato nulla nel suo lavoro, ma la vita privata era tutta un'altra cosa, ammesso che uscire a bere un drink con i colleghi una volta la settimana e cenare dai suoi genitori un sabato al mese potesse essere definito *vita privata*.

Chiuse gli occhi, pregando di riuscire ad addormentarsi, ma era troppo su di giri, così tentò di prepararsi per l'apparizione in tribunale che la aspettava poche ore dopo.

La distrazione, tuttavia, funzionò solo per pochi minuti, poi i suoi pensieri tornarono alla serata che la aspettava. E a Tony.

Sospirando, si voltò e riprese il cuscino che aveva spostato. Si mise a sedere, si sistemò il laptop in grembo e si accorse di avere ricevuto un messaggio. Qualcuno della *Eve's Apple* aveva già risposto!

Da: *BabyBlu@EvesApple.com*
A: *LegallyNuts@EvesApple.com*
Oggetto: *perdere la testa*

Ciao, D., ho appena letto la tua e-mail. Già, anch'io soffro di insonnia. E abbiamo un problema in comune: un ragazzo. Ma per te non è ancora troppo tardi, io invece ho già bruciato la mia opportunità. Sai, una volta ero proprio come te: anch'io pensavo soprattutto al lavoro, mi preoccupavo per ciò che avrebbero pensato i

miei genitori (io sono ebrea, lui no) e non volevo che
qualcosa ostacolasse la mia carriera...

Dakota smise di leggere. *Problema in comune?* Il suo
caso era diverso. Okay, i suoi genitori avevano delle a-
spettative nei suoi confronti, l'avevano incoraggiata a
studiare giurisprudenza e speravano che sarebbe diventata giudice. Ma non controllavano la sua vita. Certo, Dakota desiderava la loro approvazione, ma quale figlia
non la voleva?

Quanto alla sua carriera, era relativamente sicura e
non le dava problemi.

Nonostante quelle ovvie differenze, il suo sguardo
tornò all'e-mail e riprese a leggere.

Con grande soddisfazione da parte dei miei sono diven-
tata un'agente immobiliare di successo. È stato così che
ho incontrato Larry. Lui lavorava come carpentiere in
uno degli edifici che dovevo mostrare a un cliente...

Dakota smise di leggere. Un *carpentiere*? Particolare
inquietante: Tony non era un carpentiere, ma lavorava
nell'edilizia. Dunque c'era un'analogia, il binomio pro-
fessionista di successo-manovale. Sarebbe potuto diventare il tema di uno di quei terribili talk show televisivi in
cui tutti sbraitavano l'uno contro l'altro.

Rabbrividì; la stanchezza stava giocando un brutto
scherzo alla sua immaginazione. Non terminò l'e-mail e
ne lesse un altro paio arrivate nel frattempo, che la spro-
navano a buttarsi. Poi spense il laptop, aveva bisogno di
dormire. Non solo per l'apparizione dell'indomani in tribunale, ma soprattutto per riuscire a sopravvivere alla serata che la aspettava.

Possibilmente senza fare la figura dell'idiota.

1

«È in ritardo.»

Tony Santangelo guardò l'amica Dallas. «Chi?»

Lei sorrise e sorseggiò il Martini. «Dakota è sempre in ritardo il venerdì sera. Invariabilmente capita qualcosa allo studio legale.»

«Stai per sposarti! Mi stai dicendo che non riesce ad arrivare in orario nemmeno alla cena per il matrimonio di sua sorella?»

«Mi basta che non sia in ritardo domani per la cerimonia» rispose lei, assestandogli una gomitata amichevole. «Non preoccuparti. Verrà.»

«Come se m'importasse.»

«Oh-oh.» Dallas bevve un altro sorso, cercando di nascondere un sorriso.

«Bel locale» commentò Tony, fingendosi interessato alla sala da pranzo dell'elegante ristorante di Manhattan. Dallas gli aveva detto che non aveva speranze con sua sorella, ma non le aveva creduto. «Spero che tu ed Eric non vi siate rovinati per questa cena.»

«Eric ha insistito per organizzarla, dal momento che i miei pagheranno per il matrimonio. Mio padre ha cercato di obiettare, perché i genitori di Eric sono morti, eccetera eccetera. Le solite ostentazioni di orgoglio maschile, hai presente, no?»

«Cosa vorresti insinuare? Potresti ferirmi, sai?»

«Scherzavo» si affrettò a spiegarsi Dallas. «Sei il ragazzo meno *macho* che conosca.»

«Ahi! Adesso sì che mi hai ferito!»

«Okay, ci riprovo. Sei *macho*, ma non *machista*. Così va meglio?»

«Ancora a parlare, voi due? La gente potrebbe cominciare a

pensare male» li interruppe Eric avvicinandosi. «Ciao, Tony. Piacere di vederti.»

«Non potevo perdermelo. La piccola Dallas che si sposa. Spero che tu intenda farle sfornare subito un bel pargolo.»

Dallas lo colpì al braccio.

Eric rise piano. «Bambini, comportatevi bene...»

A Tony Eric era piaciuto subito, era perfetto per Dallas, anche se era un dirigente importante che lavorava nei pressi di Madison Avenue.

Un cameriere disse qualcosa al padre di Dallas; lui annuì, poi richiamò l'attenzione dei presenti, avvertendoli che entro due minuti la cena sarebbe stata servita.

Gli invitati stavano già sbocconcellando tartine, annaffiate generosamente da cocktail squisiti. Perfino il fratello di Dallas, un tipo un po' snob, era arrivato in orario, benché fosse uno dei pezzi grossi dello studio legale dove lavorava anche Dakota.

Tony finì la sua birra e si sedette in fondo alla lunga tavola apparecchiata con eleganza. Da dove si trovava poteva controllare agevolmente la porta, benché non fosse affatto ansioso di rivedere Dakota. Okay, forse un po'. Quella donna era stupenda: capelli biondi, occhi grigi, gambe incredibili. Ma la vera ragione che lo aveva indotto a scegliere quella posizione era restare il più lontano possibile dai signori Shea.

I genitori di Dallas erano stati cortesi, tuttavia Tony avrebbe preferito non dover conversare con loro; li trovava diversi, troppo seri, lui era un giudice, lei una professoressa. Tony invece aveva lasciato gli studi per lavorare nell'edilizia. Non aveva rimpianti, gli piaceva il suo lavoro, senza grattacapi, e adorava vivere a modo suo.

Nancy gli si sedette accanto. Era l'unica persona che Tony conoscesse oltre a Dallas, perché tutti e tre avevano lavorato insieme a un progetto.

Dapprima Tony credette che Nancy gli avesse urtato il ginocchio per errore, avvicinando la sedia al tavolo, ma lei lo fece di nuovo. La guardò.

«A che servono tutte queste forchette?» mormorò lei, muovendo appena le labbra.

«Non ne ho idea. So solo che bisogna cominciare a usarle dall'esterno.»

«Okay.» Titubante, Nancy si guardò in giro poi, imitando gli altri commensali, si sistemò in grembo il tovagliolo di lino bianco.

«Al diavolo, mangerò con le mani.»

Lei lo guardò con orrore.

«Scherzavo.»

Nancy gli scoccò un'occhiata di rimprovero, poi sorrise, quando un cameriere le servì la *Caesar salad*.

Tony sospirò, il problema dei locali di classe come quello era che non ci si poteva divertire, rilassare. A ogni modo, avrebbe tenuto per sé quell'opinione, non voleva ferire Dallas, dopotutto si trattava del *suo* matrimonio e dei *suoi* parenti.

Riportò l'attenzione alla porta, dove non c'era traccia di Dakota. Nessuno sembrava preoccupato, nemmeno gli Shea: probabilmente approvavano che anteponesse il lavoro a ogni altra cosa.

Accidenti, non riusciva proprio a capire certa gente! Arrivare in orario a una festa dei Santangelo non era mai stato un problema. Quando la sorella maggiore di Tony si era sposata, i festeggiamenti erano cominciati due giorni prima delle nozze e il ricevimento era terminato alle tre del mattino successivo.

Era stato appena servito l'agnello quando, finalmente, Dakota arrivò. Indossava ancora un severo tailleur blu scuro e portava i capelli raccolti sul capo come una vecchia signora. Nancy e le altre damigelle indossavano raffinati vestiti da sera, mentre Dallas aveva optato per l'eleganza più casual di un semplice abito di seta color crema.

Dakota lo guardò e Tony sorrise, lei distolse lo sguardo e il sorriso di lui si allargò.

«Non avevo mai mangiato l'agnello cucinato così in vita mia» sussurrò Nancy.

Tom ridacchiò, poi la sua attenzione tornò a Dakota.

Lei si sedette al posto rimasto libero accanto a Dallas e lo guardò furtivamente.

«Tony?»

«Che c'è?»

Nancy fece una smorfia. «Mi stai ascoltando?»

«Cos'hai detto?»

«Ti ho chiesto se sai cos'è questa specie di gelatina verde.»

«Salsa alla menta. Si mangia con l'agnello.»

Nancy sbuffò, incredula. «Se non lo sai puoi anche... Ma cosa stai guardando?» Tony non si era accorto di aver fissato Dakota finché Nancy non seguì il suo sguardo. «Oh, è arrivata Dakota! Ciao!» esclamò la giovane agitando la mano. Dakota la salutò a sua volta.

Salutò solo Nancy, non lui. Buon segno.

Tony sorrise, ricordando il giorno in cui si erano incontrati. L'*unico* giorno in cui si erano incontrati. Lei si era presentata al cantiere per vedere Dallas e, per Tony, era stato amore a prima vista.

Okay, forse sarebbe stato meglio dire desiderio. Dallas aveva notato il suo interesse e gli aveva consigliato di lasciar perdere. Ma lo sguardo che aveva scambiato con Dakota gli aveva suggerito tutt'altro. Se fosse durato un secondo di meno sarebbe stato diverso. Quando poi lei era arrivata in fondo alla strada e si era voltata, Tony aveva capito.

«Come mai la conosci?» domandò a Nancy.

«È stata lei ad aiutarci a convincere Capshaw a prendere sul serio le nostre lamentele per le molestie sul lavoro. Gratuitamente.»

Lo sguardo di Tony tornò a Dakota, decisamente una donna piena di sorprese. Avrebbe creduto che lei fosse troppo occupata per aiutare un gruppo di donne a battersi contro la discriminazione da parte di una delle più importanti imprese edili del paese.

Nancy lo osservò circospetta. «Voi due vi conoscete?»

«Perché?»

Nancy osservò Dakota, probabilmente domandandosi perché non avesse salutato anche Tony e traendo le sue conclusioni, a giudicare dal sorriso beffardo apparso sul suo volto. «Ti ha ignorato.»

«Come?»

16

«Finalmente una donna in questa città che non ti muoia dietro!»

«Ma smettila» disse Tony, prima di bere un lungo sorso di birra.

«Non dirmi che non sai che tutte le donne al lavoro sono pazze di te.»

«Oh, certo. Soprattutto Jan.»

Nancy alzò gli occhi al cielo. «Intendo quelle etero. Allora, cos'è successo?»

«Ci siamo incontrati una sola volta.»

Nancy sogghignò. «Il tuo fascino sta arrugginendo? In genere alle donne basta un solo istante per perdere la testa per te.»

«A te quanto ci è voluto?»

Il ghigno di lei scomparve e le sue guance arrossirono; Tony sapeva che quella domanda l'avrebbe messa in imbarazzo. Però non avrebbe immaginato di essere oggetto di pettegolezzi.

Non era forse stato l'unico disposto a schierarsi a favore delle colleghe, benché gran parte dei suoi colleghi maschi fosse colpevole delle molestie che la direzione aveva cercato di ignorare? Avrebbe potuto tenere la bocca chiusa, invece aveva scelto di parlare. E, come conseguenza, non lavorava più per la *Capshaw Constructions*.

Gli andava bene, quel che non gradiva era essere oggetto delle chiacchiere di un gruppo di donne.

Per il resto della cena lui e Nancy si scambiarono solo qualche parola.

Lei si concentrò sulle portate e le posate da usare, lui tentò di non fissare troppo Dakota. Quella ragazza avrebbe dovuto sorridere di più, era troppo seria, anche la pettinatura non le donava per niente.

All'improvviso lei lo guardò, i loro occhi rimasero incatenati per un lungo momento ipnotico, poi Dakota sbatté le palpebre e voltò la testa.

Un fremito di eccitazione riecheggiò dentro di lui; la consapevolezza dei suoi occhi grigi gli serrò la gola come un cappio,

17

rendendogli difficoltoso respirare. Per non parlare degli effetti scatenati più in basso... Quella donna lo teneva letteralmente in pugno.

«Mamma ti ha parlato del fotografo?» chiese Dakota a sua sorella, nel vano tentativo di tenere mente e occhi lontani da Tony.

«Certo» rispose lentamente Dallas, osservando la sorella con interesse.

«Bene, meglio essere sicuri.» Dakota abbozzò un sorriso, poi finì lo Chardonnay che aveva nel bicchiere.

Gli angoli delle labbra di Dallas ebbero un guizzo mentre lei guardava in fondo al tavolo. Tony.

Maledizione.

Dakota serrò la mascella, era così prevedibile? D'altra parte, Dallas la conosceva meglio di chiunque altro, quindi avrebbe anche intuito che Tony non era per niente il suo tipo.

Quel pensiero la colpì come un fulmine a ciel sereno, riempiendola di vergogna. Dakota si guardò in giro, temendo che qualcuno potesse leggere quei pensieri riprovevoli.

I suoi genitori stavano chiacchierando con Tom, un amico di Eric, e sua moglie Serena, entrambi invitati al matrimonio. Nancy, una ragazza con cui Dallas aveva lavorato, e Wendy, la compagna di stanza di Dallas, sedevano di fronte a Eric.

E poi c'era Tony che stava guardando proprio lei, gli occhi sfavillanti nel morbido scintillio dei candelieri di cristallo. Le sue labbra si incresparono in un sorriso, poi lui le strizzò l'occhio.

Dakota abbassò lo sguardo e si portò il tovagliolo di lino alle labbra, benché non avesse nemmeno assaggiato l'antipasto.

Sospirò e prese le posate; se non altro, mangiando, avrebbe potuto ignorare Tony. Dallas ed Eric stavano tubando e Cody aveva lasciato libero il posto accanto a Dakota pochi minuti prima, assentandosi per fare una telefonata. Non che lei avesse molto da dirgli; passare dodici ore al giorno allo studio legale con lui era più che sufficiente.

Guardò furtiva in direzione di Tony, ma vide che la

sedia accanto a Nancy era vuota. Sussultò quando una mano le si posò sulla spalla e si voltò di scatto.

Tony le sorrise, i denti straordinariamente bianchi in contrasto con il viso abbronzato. «Sei Dakota, la sorella di Dallas, giusto?»

«Sì, ci siamo già incontrati, vero?»

Gli angoli della bocca di lui si sollevarono e Tony indicò la sedia vuota. «Posso?»

«Accomodati.» Dakota detestò il tono sulla difensiva della sua voce.

Lui non sembrò notarlo e si sedette, apparentemente senza accorgersi di averle sfiorato la coscia con la sua. Quando allungò il braccio e lo posò sullo schienale della sedia di Dakota, lei temette che il cuore stesse per esploderle nel petto.

«Vorrei farti una domanda.»

«Sì?» Lei arretrò il capo, per guardarlo senza trovarsi naso a naso con lui. Era già devastante che il suo respiro caldo e dolce le accarezzasse il mento. Aveva delle ciglia così folte... Non era giusto! E il suo sorriso quando avvicinò la testa era...

«Si tratta di una domanda un po' personale.»

Lei deglutì. Cosa avrebbe potuto chiederle?

«Ah, Tony» intervenne Dallas chinandosi su di loro. «Rieccoti qui.» Si scambiarono uno sguardo da amici di vecchia data. «Ti ricordi di Dakota, vero?» continuò lei, con una luce maliziosa negli occhi.

«Certo, stavamo proprio per cominciare a chiacchierare, prima che tu ci interrompessi» rispose Tony, ironico.

Dallas scoppiò a ridere. «Irresistibile, non è vero?» Guardò Dakota per un momento, poi tornò a fissare lo sguardo sull'amico, l'espressione più seria. «Vorrei parlarti un momento, prima che tu scompaia di nuovo.»

«Scomparire?» Tony scoccò un sorriso a Dakota. «Il mio motore ha appena cominciato a scaldarsi.»

Lei cercò di restare impassibile, di non guardarsi in giro per accertarsi che nessuno avesse sentito quel commento, soprattutto i suoi genitori. Scostò indietro la sedia. «Scusatemi, devo andare a fare una telefonata.»

«È per qualcosa che ho detto?» domandò Tony; i suoi occhi scuri la osservarono divertiti, soffermandosi per un momento sul seno di lei. Non tanto a lungo da essere maleducato, ma sufficientemente perché Dakota si sentisse di nuovo una dodicenne imbarazzata, desiderosa di scomparire pur di non dover affrontare lo sguardo severo della madre che la rimproverava per essersi messa immotivatamente in mostra.

«Non finisci di mangiare?» le domandò Tony divertito, osservando il suo piatto. «Niente dolce finché non avrai pulito il piatto, conosci la regola.»

Lei lo ignorò e guardò Dallas. «Andate pure a parlare adesso.»

«Assolutamente no, tu sei appena arrivata. E poi, devo parlare anche a te.» Dallas le rivolse un'occhiata implorante che quasi la convinse; dopotutto l'indomani sarebbe stato il gran giorno per sua sorella.

Per quanto le dispiacesse, Dakota scosse il capo e prese la ventiquattrore. Non le piaceva dove stava andando a parare la conversazione con Tony, non finché fossero stati circondati da un pubblico. «Devo andare.»

«Tra poco serviranno il cognac, poi avremo finito» disse Dallas, voltandosi a guardare il capo cameriere. «Se proprio non puoi restare...»

«Come?» chiese Tony, allibito. «Non si balla?»

«Tranquillo, balleremo domani sera» rispose Dallas. «D'altronde, perché ti importa? Tanto non sai ballare.»

«Ehi! Sai chi ha insegnato a John Travolta i passi per *La febbre del sabato sera*?»

«Quanti anni avevi? Tre?»

Lui si strinse nelle spalle, sogghignando. «Volevo solo dire...»

Dakota scosse il capo, un po' invidiosa di quell'amichevole cameratismo. «Comunque devo andare.»

«A domani» la salutò Tony.

Gli altri commensali sembravano presi dalla conversazione, pertanto Dakota non si fermò oltre.

«Cerca di non arrivare in ritardo» soggiunse lui.

Dallas scoppiò a ridere scuotendo il capo.

Indispettita, Dakota si fermò per un attimo, ma preferì non attirare l'attenzione su di loro. Riprese a camminare, domandandosi come diavolo fosse riuscita a trovare attraente quell'uomo.

Vedendo la sorella uscire col portamento rigido da donna offesa che conosceva fin troppo bene, Dallas sospirò. «Perché l'hai tormentata in quel modo?»

Tony staccò lo sguardo dall'ingresso, ormai vuoto. «Penso di piacerle.»

«Sei impossibile!»

Lui sorrise. «Un po' di vino e di tango domani sera e...» Si posò una mano sull'addome, roteando il bacino. «... sarà pronta.»

«Ehi! Stiamo parlando di mia sorella!»

«Intendevo pronta per chiederle di uscire con me. Cosa credevi?»

Lei finse di scoccargli un'occhiataccia. Tony era un gran ragazzo e sarebbe stato perfetto per Dakota, se solo sua sorella gli avesse dato un'opportunità. Ma non l'avrebbe fatto; troppe aspettative altrui ostruivano la strada: suo padre si aspettava che diventasse un giudice, suo fratello Cody che diventasse socia dello studio legale e procacciasse clienti di alto livello, quanto alla madre, aveva sempre preteso troppo da tutti.

«Scherzi a parte, Tony, ho davvero bisogno di un favore.»

«Sentiamo.»

Lei guardò con la coda dell'occhio l'amico di Eric, per assicurarsi che non potesse sentirla. «Come sai, ho incontrato Eric grazie a uno scherzo organizzato dal suo amico Tom.»

«Sì, ricordo.»

«Temiamo stia cercando di sabotare il nostro viaggio di nozze.»

Tony si rabbuiò. «Il viaggio di nozze? Ma chi potrebbe mai anche solo pensare di...»

«Tu non conosci Tom. A volte sembra che viva per giocare degli scherzi.»

«Vuoi che gli parli?»

«No, non voglio che sappia che sospettiamo qualcosa. Per questo vorrei che tu facessi da esca.»

«Esca? Come?»

«Pensi di poterti prendere un fine settimana lungo di ferie?»

«S... sì...» rispose lui, titubante.

«Sei mai stato alle Bermuda?»

Tony scosse il capo, incredulo. «Non vorrai che...»

«L'aereo parte subito dopo il ricevimento e l'albergo è già prenotato e pagato.»

«Ma lo sai che è una pazzia! Dite a Tom che andrete alle Hawaii» suggerì lui, ridendo.

«Ha sentito Eric prenotare, ma non sa che invece abbiamo deciso di fare una crociera e non voglio che lo scopra.»

«Mi sembra ugualmente assurdo. Non riesco a credere che sia disposto a seguirvi fino alle Bermuda.»

«Dai, Tony! Considerala una vacanza gratis.»

«Ti renderai conto che nel tuo piano c'è qualcosa che non va» replicò lui con condiscendenza. «In genere, in viaggio di nozze si va in *due*.»

A quel punto fu lei a guardare l'amico con condiscendenza. «Infatti, Dakota verrà con te.»

2

«Vi dichiaro marito e moglie.»

Tony guardò Eric abbracciare Dallas, poi osservò Dakota; aveva gli occhi lucidi e il suo sorriso tremò mentre guardava la sorella.

Era la prima volta che la vedeva con i capelli sciolti; più lunghi di quanto si fosse aspettato, le arrivavano sotto le spalle, ed erano di una tonalità calda come il miele. Quando l'aveva vista entrare in chiesa, quei capelli gli erano parsi una matassa di seta brillante.

Aveva sempre avuto un debole per le donne con i capelli lunghi. Sentì una contrazione all'inguine al pensiero dell'indomani: Dakota, una spiaggia soleggiata, un bikini ridottissimo e tutti quei capelli.

Ammesso che lei avesse accettato il piano che Dallas le avrebbe dovuto proporre prima della cerimonia. Tony aveva già preparato una piccola valigia che aveva lasciato in auto, pronta per essere trasferita sulla limousine.

Dallas era certa che Dakota avrebbe acconsentito, anche se, forse, non si sarebbe fermata alle Bermuda per l'intero fine settimana. La sua intenzione, probabilmente, sarebbe stata di tornare a Manhattan quella notte stessa; Tony avrebbe dovuto convincerla a restare.

In quel momento lei lo guardò e lui le sorrise. Anche le labbra di Dakota si incurvarono un poco. Finalmente un progresso! Appena i violoncelli cominciarono a suonare, segnalando che gli sposi potevano lasciare l'altare, Dakota riportò lo sguardo sulla sorella. Dallas ed Eric si avviarono lungo la navata centrale, seguiti dagli invitati senza un ordine prestabilito. Gli uomini indossavano lo smoking, le donne abiti lunghi. Il modo in cui Dakota riempiva l'abito rosso scuro rendeva difficile a Tony tenere lo sguardo su Dallas ed Eric; la scollatura non era eccessivamente profonda, ma mostrava una quantità allettante di pallida pelle serica. Era stato tanto fortunato da riuscire a mettersi alle sue spalle, o forse era stata una sfortuna, perché l'ondeggiare ritmico dei suoi fianchi, fasciati dall'abito, ebbe su di lui un effetto che non fu facile nascondere.

Usciti dalla chiesa amici e familiari si salutarono abbracciandosi, stringendosi le mani e baciandosi, ma nessuno tirò nemmeno una manciata di riso. Quando la sorella di Tony si era sposata, il padre aveva distribuito tra gli invitati dieci chili di riso, che aveva acquistato appositamente a Chinatown.

«Bene, signori!» esclamò il fotografo dopo che l'affettuosa confusione iniziale si fu acquietata, quindi fece sistemare il gruppo di fronte a una delle grandi vetrate istoriate.

La chiesa unionista di Pocantico Hills era davvero splendida, perfino i turisti si fermavano per ammirare le magnifiche vetrate colorate, create da Matisse e Chagall. Tony non sapeva niente dei due artisti, ma aveva letto la targa posta all'esterno per i turisti. Quel pomeriggio la chiesa era *off limits* per via del matrimonio, evidentemente gli Shea avevano conoscenze influenti.

Anche tra gli invitati i loro amici importanti spiccavano per gli smoking costosi, gli abiti di seta e le perle. Tony riconobbe molti volti noti della scena forense, non ricordava tutti i loro nomi, ma era certo di averli visti in televisione e sui giornali.

«Mi scusi, signore, si metta qui per cortesia.» Il fotografo allampanato indicò a Tony di sistemarsi accanto a Dakota.

Non fu necessario ripetere quella richiesta: Tony le si avvicinò, sfiorandole il fianco con il proprio, e inalò la sua fragranza misteriosa. Forse inspirò con entusiasmo eccessivo, perché lei gli scoccò un'occhiata infastidita. O forse fu il contatto tra i loro corpi a non piacerle.

«Dallas è bellissima» le sussurrò mentre il fotografo terminava di mettere in posa gli invitati.

L'espressione di Dakota si addolcì immediatamente. «E anche molto felice.»

Lui avrebbe voluto chiederle del piano per la notte, ma Tom era troppo vicino e non voleva rischiare che scoprisse il contrattacco preparato.

«Siete tutti pronti?» chiese il fotografo, cominciando a scattare.

Nei venti minuti che seguirono il gruppo fu separato, rimesso insieme, diviso in coppie e trasferito da una vetrata istoriata all'altra.

Quando il fotografo si ritenne soddisfatto, o forse fu Dallas a intimargli che poteva bastare, gli invitati si avviarono alle limousine che li aspettavano per portarli al ricevimento presso il country club del quale gli Shea erano soci.

Tony riuscì a dividere la limousine con Dakota, ma Nancy, Wendy e Trudie si sedettero con loro. Sarebbe andata molto peggio se si fosse ritrovato con i signori Shea, Cody e quella snob della sua fidanzata.

«Come ti trovi circondato da sole donne?» gli domandò Wendy, mentre cercava una posizione comoda per le sue gambe lunghissime. Se Tony non ricordava male lavorava come ballerina a Broadway.

Lui allargò le braccia sullo schienale, poi le sorrise, sicuro di sé. «Non male, direi.»

«Non ne dubitavo» ribatté la ragazza con un sorriso invitante; se solo fosse stata Dakota a guardarlo in quel modo...

Ma lei gli sedeva di fronte, il viso rivolto verso il finestrino, apparentemente disinteressata alla conversazione.

Finché Wendy disse: «Dakota, adesso tocca a te!».

«*Cosa* mi tocca?»

«Sposarti, è ovvio!» Wendy sorrise per l'espressione allibita dell'altra.

«Perché io? Tu sei più vecchia di me. Non dovresti essere tu a sentire ticchettare l'orologio biologico?»

«Sei irremovibile, eh?»

Trudie rise. «Per questo è un ottimo avvocato!»

Il sorriso di Dakota si offuscò, ma solo Tony parve notarlo. Le altre continuarono a ridere e a scherzare mentre Dakota taceva. Buono a sapersi: l'argomento lavoro era delicato per lei,

Tony lo avrebbe tenuto a mente e avrebbe evitato battute a riguardo.

«Pensate che dovremo restare vestiti così, oppure potremo cambiarci?» domandò Wendy quando imboccarono il viale che conduceva al country club.

«Non lo so, ma speravo che qualcuno lo avrebbe chiesto.» Nancy guardò le altre, poi si concentrò su Dakota.

«Dubito che per Dallas sarebbe un problema se ci cambiassimo, ma probabilmente è meglio aspettare fino alla fine della cena, così il fotografo potrà scattare il resto delle foto.»

«Hai ragione, non vogliamo che a vostra madre venga una crisi di nervi.»

«Quel che è giusto è giusto» intervenne Tony, benché non fosse abituato a portare la cravatta e si sentisse soffocare.

Wendy gli sorrise. «Sei troppo carino. Non riesco a credere che Dallas non ci abbia mai presentati in tutti questi anni.»

Lui sentì una vampata di calore risalirgli lungo il collo. Non arrossiva facilmente, ma con una ragazza diretta come Wendy correva quel rischio.

«Ora che Dallas mi ha piantata, mi serve di un coinquilino, se ti interessa.» Wendy gli rivolse un sorriso invitante e gli sfiorò il ginocchio con il suo.

«Ehi, è già prenotato» intervenne Nancy, strofinando amichevolmente la spalla contro quella di Tony.

Lui e Dakota la guardarono, interdetti.

Nancy rise. «O almeno così crede la mia bambina di sei anni. Ogni volta che lo vede si illumina come un albero di Natale.»

Tony arretrò il capo, stupito. «Megan ha già *sei anni*?»

«Sì, li ha compiuti un paio di mesi fa.»

«Non sapevo fossi sposata, Nancy. Credevo fossi single come noi» intervenne Wendy, meravigliata.

«Infatti sono divorziata» replicò Nancy. «Può andare bene lo stesso?»

«Altroché» rispose Wendy, prima di rivolgere lo sguardo sui prati impeccabili e i laghetti artificiali che si estendevano per chilometri. «Wow, questo posto è spettacolare!» Guardò

Dakota. «Sai se tra gli invitati ci sia gente di Broadway?»

L'altra si strinse nelle spalle. «Non credo.»

«Solo noiosissimi avvocati, vero?»

Trudie sospirò e guardò Dakota, allarmata. «Wendy, vuoi stare zitta?»

Ma Dakota rise. «So cosa intendi» ribatté, fingendo di sbadigliare. «Logorroici, pesanti e pieni di sé.»

Tutti la fissarono, allibiti.

Lei inclinò il capo di lato e sorrise. «Con le debite eccezioni, ovviamente.»

Era bellissima, pensò Tony mentre la guardava incantato. Il sorriso dolce delle labbra color pesca, i capelli illuminati dai raggi obliqui del sole... Sarebbe stata perfetta per un cartellone pubblicitario. Qualunque cosa avesse reclamizzato, sarebbe stata acquistata da ogni maschio degno di quel nome, perfino se si fosse trattato di un tagliaunghie.

Palesemente non era l'unico di quel parere, perché Wendy chiese: «Dakota, perché non fai anche tu la modella come Dallas?».

«Mi piace il mio lavoro.»

«Hai tempo per la carriera legale. Adesso potresti approfittare della tua bellezza per fare un mucchio di soldi.»

Trudie scosse il capo, anche lei doveva aver notato la suscettibilità di Dakota. «Vuoi stare zitta?»

«Dai, Trudie! Volevo solo...»

«Siamo arrivati. Ecco Dallas ed Eric.» L'intervento tempestivo di Tony fu accolto da Dakota con un sorriso, lui le strizzò l'occhio e lei distolse immediatamente lo sguardo, ma non prima che Tony notasse il rossore delle sue guance.

Dakota lo nascose scendendo dalla macchina e conducendoli nel foyer, dove molti invitati si stavano già mettendo in fila per congratularsi con gli sposi.

Dopo altre fotografie gli invitati poterono accedere alla sala da pranzo privata. Date le dimensioni, con tavoli apparecchiati per almeno centocinquanta invitati, sarebbe potuta essere una sala da ballo. Ovunque c'erano composizioni di fiori freschi, soprattutto orchidee e, ai due lati della stanza, erano stati preparati due tavoli con barman in smoking. Tony preferì non pensare a quanto tutto ciò fosse costato agli Shea; evidentemente per loro non era un problema.

«Ehi! Dove sono i palloncini colorati?» domandò a Dakota.

Lei lo guardò interdetta per un momento, augurandosi che stesse scherzando, ma senza esserne del tutto certa. Poi lo sorprese domandandogli: «Vuoi qualcosa da bere?».

«Volentieri.»

«Vieni.»

Tony la seguì oltre gli invitati che si erano già messi in fila di fronte a uno dei tavoli. Dakota si avvicinò a uno dei camerieri in guanti bianchi e gli sussurrò qualcosa. L'uomo annuì e sorrise entusiasta, come se lei avesse appena accettato di partorire i suoi figli.

Tony vide l'uomo voltarsi e scomparire oltre una porta, celata dietro una tenda. «Dove va?»

«A prenderci da bere»

Lui annuì. «Vieni qui spesso, eh?»

Lei sollevò un sopracciglio. «Vuoi aspettare in fila con gli altri?»

«Nossignora. Però dimmi che per me non hai ordinato champagne.»

«Niente champagne.»

«Non vorrei sembrarti un ingrato, ma...»

Il cameriere tornò reggendo un vassoio in una mano e usando l'altra per porgere a Dakota un calice di vino bianco e a Tony una bottiglia di birra. Senza bicchiere! Chiaramente lei aveva notato cosa stesse bevendo la sera prima.

Il fine settimana si prospettava promettente.

Forse Dakota aveva deciso di accettare l'offerta di Dallas per una minivacanza con lui. Prima di menzionare l'argomento, Tony si guardò in giro per assicurarsi che Tom non fosse nei paraggi. Non c'era, ma Wendy si stava dirigendo verso di loro.

Maledizione.

L'unica consolazione fu che Dakota gli parve infastidita quanto lui.

I capelli rossi sciolti, Wendy odorava vagamente di tabacco; guardò il bicchiere in mano a Dakota, poi la fila di ospiti al bancone. «Dove avete trovato da bere?»

Dakota indicò distrattamente alle sue spalle. «È passato un cameriere con un vassoio poco fa.»

«Ottimo.» Wendy si allontanò nella direzione indicata.

Tony ridacchiò.

«Non ho mentito.»

L'importante era che si fossero liberati di Wendy; per quanto fosse affascinante, lui voleva solo Dakota. E la voleva tutta per sé. Non desiderava altro che perdersi in quegli occhi grigi, nell'attesa della notte che sarebbe seguita. Soli, liberi di conoscersi meglio e di trascorrere ore intere esplorando l'uno il corpo dell'altro.

Meglio pensare a qualcos'altro, prima che tutto il suo sangue si concentrasse in basso, pensò Tony, spostando il peso del corpo da un piede all'altro. Bevve un sorso di birra gelata, poi incontrò lo sguardo divertito di Dakota.

Lei gli sorrise e sorseggiò il vino, le ciglia folte e scure che le sfiorarono le guance. Portava pochissimo trucco, non ne aveva bisogno: i suoi lineamenti erano quasi perfetti. Zigomi alti, naso elegante, labbra piene, la pelle tanto liscia da sembrare trasparente. Gli occhi erano più piccoli di quelli della sorella, più grigi che blu, ma era altrettanto bella.

Cosa non avrebbe dato Tony per leggere l'espressione di chi la vedeva entrare in tribunale per la prima volta. Non era la tipica avvocatessa, a meno che indossasse sempre abiti formali come quello con cui si era presentata la sera prima.

Un trio di violinisti cominciò a suonare musica di sottofondo; nella sala c'era un palco per un'orchestra e una pista da ballo.

«Oh-oh» mormorò Tony, scorgendo la signora Shea dirigersi verso di loro con passo deciso. «Qualcuno ci cerca.»

Dakota si guardò dietro le spalle e si irrigidì. «Ho l'impressione che voglia me.»

Interessante come lei si innervosisse al solo sentir menzionare la madre. Dallas gli aveva parlato della formidabile signora Shea, eminente docente universitaria e madre esigente. A ogni modo, Tony doveva ammetterlo, la donna aveva cresciuto due figlie in gamba, spronandole a proseguire gli studi invece di affidarsi unicamente alla loro bellezza per fare carriera.

Dakota sospirò. «Vado a vedere cosa vuole.»

«Ho un'idea migliore. Andiamo a fare una passeggiata.»

Lei lo guardò negli occhi, incredula. «Ma siamo appena arrivati!»

«E allora? Vuoi liberarti di lei o no?»

Le labbra di Dakota si dischiusero, indignate, ma una scintilla divertita avvampò nei suoi occhi. Lanciò un'occhiata alle proprie spalle, vide la madre che si avvicinava e disse: «Andiamo».

3

Dakota uscì con Tony in un patio laterale, sapendo che sua madre non gliel'avrebbe lasciata passare liscia per quella fuga. La donna sarebbe stata capace di seguirla all'esterno, non fosse stato per il vento freddo che avrebbe assicurato loro un poco di privacy.

Deglutì. Perché voleva restare là fuori sola con lui? Era assurdo, visto che sapeva come sarebbe finita: non si sarebbero limitati a parlare. Lo guardò e gli sorrise. «Pessima idea, fa un po' troppo fresco per i miei gusti.»

«Mettiti questa.» Tony si sfilò la giacca e lei non poté fare a meno di notare come la camicia bianca gli aderisse al petto atletico.

«No, non voglio che sia *tu* a prendere freddo. Torniamo dentro.»

Lui le posò la giacca sulle spalle, poi la voltò verso di sé. Dakota non poté scorgere la sua espressione, visto che il patio era illuminato fiocamente da piccoli lampioni a energia solare. Quel pensiero le trasmise un'eccitazione pericolosa che indebolì la sua volontà, stimolandola allo stesso tempo.

«Questa dovrebbe tenerti calda.» Lui avvicinò i risvolti della giacca e Dakota barcollò; gli posò le mani sul petto per riprendere l'equilibrio.

«Scusa» sussurrò, abbassando le mani con riluttanza.

Tony lasciò andare i risvolti e le strofinò le mani sulle braccia. «Hai un buon profumo.»

Lei rabbrividì quando l'alito tiepido di Tony le sfiorò la guancia e lui le strinse le mani tra le sue, indurite dal lavoro manuale. Non era mai stata con un uomo con le mani rese callose dal lavoro. Come sarebbe stato sentirle sulle parti più delicate del suo corpo? Accarezzare l'areola intorno ai capezzoli? La pelle morbida tra le cosce?

Tony chinò il capo e Dakota trattenne il respiro quando le labbra di lui sfiorarono le sue per un attimo, prima che Tony mormorasse: «Non vedo l'ora che sia più tardi».

«Più tardi?»

Le porte scorrevoli si aprirono e loro si allontanarono bruscamente l'uno dall'altro con espressione colpevole. Fortunatamente era Dallas, il cui abito bianco sembrava splendere anche al buio.

«Ragazzi, la cena sarà servita tra venti minuti.»

Dakota sospirò. «Sei venuta fin qui per dircelo?»

«Meglio io della mamma. Comunque vorrei parlarti, Dakota.»

«Adesso?»

«Sì. Mi dispiace, Tony. Ho bisogno di lei per cinque minuti.»

Lui le salutò con la mano. «Ci vediamo dentro.»

«La tua giacca» disse Dakota, togliendosi l'indumento dalle spalle per renderglielo.

«Tienilo finché resti qui fuori.»

«Non intendo restare qui. Fa freddo.»

«Dakota, è meglio se rimaniamo qui a parlare» intervenne Dallas.

A lei non piacque il suono di quelle parole; anche Tony si rabbuiò mentre cercava di ridarle la giacca. Lei scosse il capo. «Non ne ho bisogno.»

Dopo aver guardato Dallas con curiosità, lui si allontanò. Anche Dakota era incuriosita. «Che succede?»

«Devo chiederti un favore.»

«Dimmi.»

«È un favore enorme, ma è vitale che accetti.»

«Di che si tratta?»

«Prima promettimi che accetterai.»

Dakota esitò, ma sapeva di non essere capace di dire no a sua sorella. Sospirò. «Okay, accetto.»

«Questa sera, alla fine del ricevimento, ho bisogno che tu funga da esca fingendoti me.»

«Perché?»

«Sai che a Tom, l'amico di Eric, piace giocare scherzi plateali. Siamo praticamente certi che cercherà di sabotare la nostra luna di miele.»

Dakota scosse il capo, ritenendola una paranoia inutile. «Non farebbe mai un'idiozia del genere.»

«Lo conosci, sai che lo troverebbe scandalosamente divertente. Ho bisogno del tuo aiuto!»

«Cosa dovrei fare?» chiese Dakota, mentre sua sorella la prendeva sottobraccio e si dirigeva verso la sala da pranzo.

Dallas aprì la porta e la luce della sala le illuminò il sorriso. «Partire per la luna di miele al mio posto. Con Tony.»

Accidenti a Dallas! Appena furono rientrate, qualcuno la chiamò e sua sorella la lasciò senza fornirle ulteriori spiegazioni, limitandosi solo a informarla di avere già preparato una valigia per lei.

Dakota si rifugiò nella toilette, i pensieri turbinavano tanto velocemente nella sua testa da darle le vertigini. Oppure era l'eccitazione per ciò che l'aspettava? L'intera idea era folle. E perfetta. Un fine settimana con Tony? Lei stessa non avrebbe potuto architettare un piano migliore, non fosse stato che lunedì non si sarebbe proprio potuta assentare dallo studio.

Due colleghe di sua madre si stavano rinfrescando il trucco. Dakota sorrise loro, poi si chiuse in un gabinetto. Non aveva nemmeno chiesto a Dallas se Tony sapesse già del piano. Forse era a quello che lui aveva voluto alludere con le parole *più tardi*?

Dallas aveva aspettato di proposito per dirglielo, per non darle il tempo di inventarsi una scusa e rifiutare. Lei era una codarda e sua sorella lo sapeva.

Era Dallas la più indipendente delle due; aveva sempre fatto di testa sua mentre Dakota, l'agnellino buono, aveva sempre obbedito.

Eppure la infastidiva che Dallas e Tony avessero cospirato alle sue spalle; solo per quella ragione avrebbe voluto dire a Dallas di trovarsi un'altra complice. Peccato che in quel preciso istante lei fosse pronta ad abbandonare il ricevimento, a restare sola con Tony e a strappargli i vestiti di dosso.

Elettrizzata, inspirò profondamente; era folle anche solo prendere in considerazione quella richiesta, ma rifiutarla lo sarebbe stato ancor di più. In quel momento la porta della toilette si aprì e Dakota sentì qualcuno avvertire che la cena era servita. Andò davanti allo specchio e si sistemò i capelli, sorridendo.

Mentre tornava al ricevimento, Dallas le si avvicinò. «Indovina cosa vuole la mamma?»

Tony era dietro di lei e i loro sguardi si incontrarono. Dakota percepì una corrente tra loro, ma non le parvero arrabbiati. «Cosa?»

«Cambiare posti.»

«Avrei dovuto immaginarlo.»

Dallas sbuffò. «Ho accettato di organizzare un matrimonio in grande stile e ho tenuto la bocca chiusa quando ha voluto invitare metà della comunità accademica e forense della città, persone che non ho mai visto né conosciuto. Ma questo è troppo!»

«Calmati» le disse Tony, cingendole le spalle con un braccio. «È una delle regole fondamentali del matrimonio. Le madri ostentano i figli e riducono i mariti al limite dell'indigenza. Se non ci credi, chiedi a mio padre.»

Dallas roteò gli occhi. «Ah, be', se avessi saputo che è una regola non me la sarei presa.» Sospirò, sorrise e baciò Tony sulla guancia. «Tieni compagnia a mia sorella, okay?»

«Non c'è bisogno che...» cominciò Dakota, ma Dallas si era già allontanata. Si voltò e guardò Tony. «Non ho bisogno...»

«Lo so» la interruppe lui con un sorriso sexy che fece aumentare i battiti del suo cuore. «Tieni tu compagnia a me.»

«Meglio andarci piano con l'alcol» suggerì Tony, osservando di sottecchi il bicchiere di brandy nella mano di Dakota, il secondo a quanto ne sapeva, seguito a numerosi bicchieri di vino, uno diverso per ciascuna portata. Lui aveva continuato a bere birra; chissà perché, due bicchieri di vino bastavano per metterlo al tappeto.

«Una madre mi basta e avanza, grazie.» Dakota bevve un lungo, deliberato sorso di cognac e gli sorrise. «Sto bene, non preoccuparti.»

«Okay» replicò lui, poco convinto. Il fatto che Dakota avesse parlato con voce più alta del normale dimostrava che aveva già bevuto fin troppo.

A ogni modo, doveva ammettere che non sembrava alticcia; se non fosse stato seduto accanto a lei durante la cena, non avrebbe immaginato che avesse bevuto tanto.

Avevano finalmente terminato il dessert mezz'ora prima e gli invitati avevano cominciato a ballare alle prime note dell'orchestra. Tony voleva chiedere a Dakota di ballare, ma aspettava il brano giusto; nonostante le sue spacconate, non era un ballerino provetto e aveva bisogno di un ritmo lento per non doversi concentrare troppo sui movimenti dei piedi.

Avrebbe rinunciato all'idea, ma da come la signora Shea lo aveva tenuto d'occhio, Tony sospettava che ballare con Dakota fosse l'unico modo per poterle stare vicino. Dallas ed Eric stavano danzando, anche Wendy e Trudie, che avevano trascinato Tom con loro.

Il brano terminò e l'orchestra ne iniziò subito un altro, più lento e adatto a lui. Si voltò verso Dakota, ma il padre di lei lo batté sul tempo.

Il signor Shea la prese per mano, sorridendole affettuosamente. «Spero che tu abbia lasciato un ballo per il tuo vecchio.»

«Uno solo? Nessuno mi ha ancora invitata a ballare» ribatté lei, sorridendo maliziosa a Tony mentre posava il bicchiere sul tavolo.

«Errore mio» ammise lui. «Riservami il prossimo.»

Ridendo lei si alzò e si lasciò condurre dal padre sulla pista da ballo. Il vestito le fasciava i fianchi in modo quasi illecito e lei sembrava ancheggiare più del solito, forse proprio a causa di Tony. Difficile non restare a guardarla, ma lui percepì qualcuno alle sue spalle e si girò.

«Le spiace se mi siedo un momento con lei?» La signora Shea non aspettò la sua risposta e si sedette con grazia al posto di Dakota.

«Speravo che volesse invitarmi a ballare.»

Lei sorrise e guardò la pista da ballo. «Sembra che si stiano divertendo tutti.»

«Un po' di alcol mette immancabilmente di buonumore.»

Un'espressione infastidita le offuscò lo sguardo: un battito di ciglia e scomparve.

Tony cercò di non sorridere e sorseggiò la birra.

«Non le piacciono i vini che abbiamo scelto?»

«Sono certo che fossero ottimi, ma personalmente preferisco la birra.»

«Ah.» La donna tornò a guardare i ballerini.

Non sembrava la madre di tre figli adulti; alta, bionda e snella, sembrava poco più che quarantenne, la si sarebbe potuta scambiare addirittura per la sorella maggiore di Dallas e Dakota.

Lei si accorse che Tony la stava fissando.

Lui tossicchiò. «Stavo pensando che lei sembra più la sorella delle sue figlie. Saranno fortunate se tra vent'anni appariranno come lei.» Era sincero, la signora Shea era una donna molto attraente.

L'espressione infastidita di lei aggiunse improvvisamente dieci anni al suo viso. «Non è l'aspetto esteriore quel che più conta in una persona.»

«Non potrei essere più d'accordo» replicò Tony, bevendo un sorso di birra per evitare commenti sarcastici; lei stessa dimostrava quanto potesse essere vera la sua osservazione.

«Prenda Dakota.» Lo sguardo della signora Shea si fissò sulla figlia. «Sarebbe potuta diventare una modella di successo, ma ha capito che sarebbe stata una mossa azzardata e ha deciso di proseguire gli studi, per dare basi più solide al proprio futuro.» Lo guardò negli occhi. «Sa che potrebbe diventarc giudice?»

«Dallas me l'ha accennato. Quel che mi stupisce è che Dakota abbia terminato gli studi solo da tre, o forse quattro anni. Sono certo che sia molto intelligente, nondimeno sono stupito dalla rapidità con cui sta facendo carriera.» Sorrise e si portò la birra alle labbra. «D'altronde, sono sicuro che suo marito abbia le conoscenze giuste per aiutarla, se è ciò che voi due desiderate per Dakota» disse, prima di bere un lungo sorso.

Dovette ammettere che quella donna sapeva come restare impassibile, forse avrebbe dovuto scegliere anche lei la carriera forense. L'unico segno della sua irritazione furono i secondi necessari per formulare la domanda successiva. «Dove ha frequentato il college, signor Santangelo?»

«Università di New York e mi chiami pure Tony.» Si godette l'espressione stupita di lei; probabilmente immaginava che non avesse nemmeno finito il liceo. Ma non sarebbe rimasta delusa a lungo.

«In cosa si è laureato, Tony?»

Il divertimento durò trenta secondi. «Lasciai gli studi a metà del secondo anno.»

Le sopracciglia di lei si sollevarono. «Posso chiederle il perché?»

Lui scosse il capo. «L'università non faceva per me. A me piace il lavoro manuale.»

«Sì, ma...»

Tony alzò una mano. «Senza offesa, professoressa

Shea, conosco la sua posizione, ma mi piace ciò che faccio e non intendo cambiare idea.»

«Non era mia intenzione interferire. Ognuno è libero di fare le proprie scelte.»

Il brano terminò e Dakota e suo padre tornarono indietro; perfino da lontano Tony colse l'espressione allarmata di Dakota e, sorprendentemente, quella contrariata di suo padre.

La signora Shea gli sorrise, alzandosi. «Mio marito e io siamo stati fortunati, tutti i nostri figli hanno capito il valore della loro formazione. È stato un piacere chiacchierare con lei, Tony.»

Lui avrebbe voluto ricordarle che Dallas aveva intrapreso una strada diversa, ma decise di tenere la bocca chiusa. Non aveva importanza, aveva recepito il messaggio: viveva dalla parte sbagliata della recinzione.

La donna si allontanò un attimo prima che Dakota li raggiungesse; suo padre salutò Tony con un cenno del capo, poi seguì la moglie.

Accigliata, Dakota li raggiunse con lo sguardo. «Cosa voleva mia madre?» gli chiese con espressione intimidatoria, probabilmente quella che utilizzava in tribunale.

Lui sorrise e la prese per mano. «Chiedermi di ballare con te.»

«Ne sono certa» ribatté lei, sarcastica.

Tony fu fortunato, l'orchestra suonò un altro lento. La condusse al centro della pista per avere un po' di privacy; non molta, ma sempre meglio che sentirsi gli occhi della signora Shea incollati addosso mentre stringeva Dakota tra le braccia e posava le mani appena sopra la curva dei glutei. Non estese il braccio sinistro all'esterno, voleva sentire il petto di lei contro il suo, le cosce muoversi con le proprie.

Lei sospirò, poi inclinò il capo all'indietro per guardarlo. «Cosa voleva?»

Tony non aveva intenzione di parlarne, non sarebbe stato capace di restare imparziale nei confronti di sua madre. «Come mai tuo fratello non aspira alla posizione di giudice?»

Le labbra di Dakota si socchiusero e lei esitò. Se fossero stati altrove, Tony avrebbe accettato immediatamente quell'invito, ma non in mezzo a tutti.

«Cody è troppo mercenario per poter servire la collettività.» Rise piano e si guardò in giro. «Oops! L'ho detto davvero?»

Tony non aveva considerato quell'aspetto. «Quindi gli avvocati difensori guadagnano di più?»

Lei lo guardò, incredula. «Stai scherzando?»

Lui si strinse nelle spalle. «Come potrei saperlo?»

«Un avvocato difensore può guadagnare dollari a palate. Soprattutto se difende qualche pezzo grosso... Il genere di criminale che mio fratello preferisce» soggiunse a bassa voce.

«Che ne è stato della regola *innocente fino a prova contraria*?»

«Non mi riferivo agli innocenti. Anche se in genere finiscono per accumulare più spese legali.»

«Sei carina quando sei materialista.»

Lei gli pizzicò gentilmente la spalla. «Macché materialista, cercavo solo di essere analitica.»

Tony sorrise e la strinse di più, finché Dakota gli posò la guancia sul collo e le sue labbra le sfiorarono la fronte. Ecco come voleva restare, altro che analizzare i pro e i contro della carriera forense!

La pista da ballo, inoltre, era più affollata e ciò gli fornì una scusa valida per tenerla stretta. Peccato che a lei convenisse tacere, dal momento che almeno metà dei ballerini intorno a loro erano giudici o avvocati.

«Ciao, Dakota.»

Lei alzò il capo e sorrise all'anziano uomo che ballava accanto a loro in compagnia di una ragazza assai più giovane di lui. «Salve, giudice Hawkins.»

Lui salutò Tony con un cenno, poi guardò Dakota. «Non siamo in tribunale. Puoi anche chiamarmi David.»

«Mi sembrerebbe troppo strano.»

L'uomo sorrise, annuì, poi si allontanò ballando, non prima di aver squadrato Tony dalla testa ai piedi.

Lui lo ignorò. «È sua moglie?»

«No. Ha divorziato già tre volte.»

«Sembra abbastanza vecchio per essere suo padre.»

«Già. Gli piacciono giovani.»

E, palesemente, gli piaceva anche Dakota, ma Tony non lo disse. Il brano fu seguito da un altro lento e le coppie continuarono a ballare, ma sfortunatamente tutte sembravano conoscere Dakota. Era peggio che trovarsi alla stazione centrale!

Finalmente fu annunciato il taglio della torta, forse dopo lui e Dakota se ne sarebbero potuti andare. Anche se si fossero recati solo all'aeroporto insieme, senza genitori né colleghi, e tutto fosse finito là, Tony sarebbe stato contento. Non felice, ma almeno contento.

Calici di champagne furono distribuiti mentre Dallas ed Eric si preparavano al taglio. Dallas perse la pazienza quando il fotografo chiese loro di cambiare posizione per l'ennesima volta, prese un pezzo di torta con le mani e lo porse a Eric da sbocconcellare. Tutti risero, eccetto la signora Shea, ovviamente.

A quanto ne sapeva Tony, gli sposi avrebbero dovuto lasciare il ricevimento poco dopo il taglio della torta. Ciò significava che presto lui e Dakota se ne sarebbero andati.

Un uomo distinto sulla sessantina aveva intercettato Dakota prima del taglio della torta; Tony la individuò dall'altra parte della sala, in tempo per vederla vuotare un calice di champagne e prenderne un altro. Lei incrociò il suo sguardo e gli sorrise, poi alzò il calice verso di lui, prima di bere metà del contenuto.

Ma che cosa stava combinando? Cercava forse di ubriacarsi? Forse non le piaceva volare, meglio quella motivazione che una più personale. Tony voleva trascorrere il fine settimana con lei, ma non se Dakota era costretta a ubriacarsi per sopportare la sua compagnia.

«Tra poco dovremo andare» gli ricordò Dallas, pulendosi le labbra con un tovagliolino. «Dov'è Dakota?»

«Là.»

«Ah, sta parlando con il giudice Mayfield e sua moglie. Ci vediamo all'ingresso tra un quarto d'ora. Eric sta facendo portare la limousine.»

«Tutto bene con Dakota?»

Dallas sorrise. «Certo, fidati. A dopo.»

Non aveva altra scelta. «Sarò pronto.» Il suo sguardo tornò a Dakota.

Stava ridendo per una battuta del giudice e le guance erano leggermente arrossate; si gettò i capelli sulle spalle e le ciocche color miele riflessero le luci dei lampadari. Il vestito rosso scintillava quando si muoveva, enfatizzando la curva allettante dei glutei. Sì, Tony era pronto. Lo era dalla prima volta in cui l'aveva vista.

«Non si è mai vista una limousine senza champagne!» Dakota sospirò, alzandosi l'abito fino alle cosce per appoggiare le gambe sul sedile dove si era accomodata, di fronte a Tony. Com'era prevedibile, lo sguardo di lui volò all'orlo del vestito, poi le scese lungo le gambe. «Dovremo chiedere all'autista di fermarsi per prenderne un po'.» Dakota tese la mano per battere con le nocche sul vetro divisorio, ma lui le afferrò il polso, fermandola.

«Non ti sembra di aver già bevuto abbastanza?» Si spostò sul suo sedile, usando il fianco per scostarle le gambe.

Lei alzò il mento, indignata, e biascicò leggermente quando gli chiese: «Credi che sia ubriaca?».

Tony sospirò, esasperato. Non gli fu facile restare impassibile. «Non possiamo fermarci, perderemo l'aereo.»

«Aereo? Quale aereo?»

Lui la fissò. «Stai scherzando, vero?»

«Certo che scherzo.» Dakota sollevò ancora l'orlo del vestito e gli fece scorrere la punta delle scarpe lungo le gambe. «Dove andiamo?»

«Oh, no.» Lui si strofinò una mano sul viso ed espirò rumorosamente.

«Perché mi tieni ancora il polso?»

«Cosa? Oh, scusa.»

Appena la lasciò andare, lei bussò contro il vetro divisorio.

«Cosa desidera, signora?» chiese immediatamente la voce dell'autista.

Tony premette il bottone per rispondere. «Mi scusi, errore mio. Va tutto bene, non si preoccupi.»

«Ehi! Io volevo...»

Lui la interruppe con un bacio leggero, poi le sussurrò: «In aereo potrai avere tutto lo champagne che vuoi».

Lei gli cinse il collo con le braccia e lo attirò più vicino. «E se volessi qualcos'altro?»

Il respiro caldo e irregolare di Tony le accarezzò la guancia. «Per esempio?»

Lei si spostò, strofinando il bacino contro di lui. Tony trattenne il respiro. Dakota lo lasciò aspettare alcuni secondi prima di rispondere. «Cioccolato.»

«Ah...» Lui rise sommessamente. «Quando arriveremo in aeroporto potrai avere anche quello.»

«Per ora mi accontenterò di un bacio.»

«Davvero?»

Lei annuì, e aspettò, sorpresa dall'incertezza che lesse nei suoi occhi. Forse era solo uno scherzo delle ombre, o forse Tony non voleva approfittarsi di lei, credendola ubriaca. L'idea la intenerì e lei gli si avvicinò ancora, strofinando il naso contro il suo. Poi piegò la testa e incontrò le sue labbra.

La reticenza di Tony durò solo un secondo, poi lui la baciò a sua volta, assecondando i suoi movimenti quando Dakota si sdraiò sul sedile. Il vetro divisorio scurito impediva all'autista di vederli e sarebbe stato facile lasciarsi trascinare dal momento. Soprattutto con il petto atletico di Tony premuto sul suo e l'erezione crescente che le solleticava il bassoventre.

Ma erano troppo vicini all'aeroporto, meglio sfruttare quei minuti per tormentarlo.

Tony aveva cospirato con Dallas alle sue spalle e meritava una piccola punizione, prima che si dedicassero insieme ad attività più serie, rifletté Dakota quando la lingua di lui le dischiuse le labbra e la sua determinazione cominciò a evaporare. Mosse la coscia, massaggiandogli l'erezione, e lui sospirò sulla sua bocca.

Dakota, tuttavia, non aveva previsto che sarebbe stata una tortura anche per lei, quando ogni cellula del suo corpo si destò, i capezzoli tanto tesi da dolerle. Per fortuna aprì gli occhi in tempo per vedere il primo cartello dell'aeroporto. Sapendo che presto sarebbero stati interrotti, gli abbassò la lampo dei pantaloni. Nascose un sorriso quando Tony emise un mugolio.

«Ora potete slacciare la cintura di sicurezza e siete liberi di alzarvi. Se decidete di restare seduti, vi preghiamo di tenere la cintura allacciata. Grazie.»

Appena la hostess terminò di parlare, Dakota fece per slacciarsi la cintura di sicurezza.

Tony la fermò. «Dove vai?»

Lei gli rivolse un sorriso assonnato e si girò verso di lui. «Da nessuna parte.»

Entrambi erano senza soprabito e Tony le aveva dato la propria giacca da indossare sul vestito, ma quella posizione gli lasciò intravedere un'anteprima che in quel momento sarebbe potuta risultare pericolosa. Dakota lo aveva mandato talmente su di giri sulla limousine che Tony non era certo di potersi fidare di se stesso.

Le procedure per il check-in lo avevano aiutato a distrarsi e rivide quella scena nella sua mente. La hostess di terra lo aveva guardato come se pensasse che Tony stesse rapendo Dakota; fortunatamente lei era stata sufficientemente lucida da fornire i propri documenti e raccontare a chiunque potesse sentirla che erano in viaggio di nozze.

«Dove stiamo andando?» chiese Dakota, coprendosi la bocca per sbadigliare.

«Lo sai dove stiamo andando, Dakota. Tua sorella te l'ha spiegato, ricordi?»

Lei sbatté le palpebre. «Più o meno.»

Tony si schiarì la voce, quella situazione non gli piaceva. «Cosa ti ricordi esattamente?»

«Ha preparato una valigia per me, vero?»

Lui annuì.

«Si è ricordata di prendere il mio spazzolino da denti? Quello elettrico?» Sbadigliò di nuovo.

«Sono certo di sì.»

«Penso che adesso farò un pisolino.»

«Buona idea.»

Dakota gli appoggiò la testa alla spalla, Tony stese su di lei la coperta che una hostess gli aveva lasciato poco prima e lei gli si accoccolò vicino.

Si augurò che Dallas sapesse cosa stava facendo, gli aveva assicurato che Dakota non era ubriaca, ma solo un po' brilla e si era dichiarata certa che sua sorella sapesse benissimo cosa stava succedendo. In caso contrario, quel fine settimana e ogni opportunità che Tony e Dakota avrebbero potuto avere, sarebbero andati in fumo.

4

«Ti ringrazio, Otis. Va' pure.»

«Posso portarle del ghiaccio, signore?»

Tony scosse il capo. «No, siamo a posto così.» Lasciò al facchino una mancia astronomica, nella speranza che non chiamasse la sicurezza o, peggio, la polizia. Per tutto il tragitto dalla reception alla loro suite, l'uomo lo aveva guardato come se temesse che fosse Jack lo Squartatore. Tony non poteva dargli torto: da come si comportava Dakota, chiunque, dalle hostess al tassista, doveva aver sospettato che l'avesse drogata.

Aveva dovuto sorreggerla per scendere dall'aereo e, disorientata, lei aveva continuato a chiedergli dove si trovassero fino a tre minuti prima, quando erano entrati nella suite.

«Ho dei vestiti?» chiese lei con uno sbadiglio, prima di sprofondare sul divano.

Otis le si avvicinò cautamente. «Posso aiutarla in qualche modo, signorina?» le domandò solenne, evitando deliberatamente di guardare Tony.

Lei si era tolta la sua giacca sul taxi e, nella posizione in cui si era messa, la scollatura del vestito risultava ancora più generosa. Le sue labbra si distesero in un sorriso divertito. «Non credo. Siamo in viaggio di nozze.»

Il sollievo che apparve sul volto dell'uomo fu quasi ridicolo. «Ah, capisco. Molto bene.» Si diresse verso la porta, guardando Tony con approvazione. «Molto bene, signore. Vi auguro la buonanotte.»

«Ci vediamo, Otis.» Tony si affrettò a sprangare la porta appena l'uomo si fu allontanato; quando si girò verso Dakota, lei aveva chiuso gli occhi.

Era pallida sullo sfondo dei cuscini color blu e crema, ma niente che un paio di giorni su una spiaggia soleggiata non potessero risolvere.

«Dakota» la chiamò a voce bassa, per non svegliarla in caso si fosse addormentata.

Lei sospirò e si accoccolò tra i cuscini; una delle scarpe con il tacco le cadde a terra. Aveva i piedi affusolati, le dita minuscole; attraverso il velo della calza nera, Tony notò che le unghie erano smaltate di rosso.

I capelli scarmigliati la rendevano ancora più sexy e il ricordo di quanto fosse stata morbida e calda sulla limousine lo spronò quasi a riprendere da dove si erano interrotti. Ma non con Dakota in quelle condizioni; ci voleva del caffè, forte e nero.

Lui si guardò in giro, studiando il salotto; quella suite in stile tropicale doveva essere costata una piccola fortuna. Tony non era un esperto di arte o arredamento, ma si intendeva di legno e carpenteria e il parquet da solo sarebbe bastato per pagare un anno di affitto per un appartamento a Queens. Palesemente i mobili in rattan erano di prima qualità e quadri e statue disposti ad arte nella suite non erano cianfrusaglie da due soldi.

Anche l'area bar era degna di nota; situato dall'altra parte del salotto, di fronte a una parete ricoperta di specchi, il bancone era fornito di bottiglie di liquore di ogni genere, di dimensioni normali, non formato ridotto. Anche il frigorifero era capiente, colmo di una notevole varietà di marche di birra, stando a Otis. Quattro sgabelli con cuscini blu e crema, coordinati con il divano, erano disposti intorno al bancone in rattan.

Non c'erano piante finte, due palme alte più di due metri si fronteggiavano ai lati della portafinestra scorrevole che conduceva al balcone. Benché fosse buio, Tony sapeva che la suite si affacciava sull'oceano, sentiva le onde frangersi sulla spiaggia.

Era un vero peccato che Eric e Dallas avessero speso tutto quel denaro e Tom avesse rovinato i loro piani. Indubbiamente avevano trovato qualcosa di altrettanto bello altrove, ma non era quello il punto. Non era una questione di soldi, Tony aveva già deciso di pagare per la suite e per le restanti spese, indipendentemente dalle eventuali obiezioni di Dallas. Era il fatto che lei si fosse dovuta dare tanta pena per sottrarsi ai tiri di Tom a irritarlo.

Ma non poteva pensarci in quel momento, aveva un altro problema del quale occuparsi... far smaltire la sbornia a Dakota. La guardò e, per un attimo, credette che lei avesse gli occhi aperti, ma avvicinandosi ipotizzò che si fosse trattato di uno scherzo della luce.

Si era già tolto la cravatta e si sfilò la giacca, che posò sulla poltrona in rattan coordinata con divano e sgabelli, poi prese le valigie e le portò in camera da letto.

La stanza era grande quasi quanto il salotto, con un letto a baldacchino enorme, coperto da una di quelle zanzariere trasparenti che si vedono nei film, legata ai sostegni del letto. Scorse un altro divano e un'altra portafinestra che conduceva a un balcone indipendente, altre piante e persino opere d'arte.

Trovò la cabina armadio e posò le valigie sugli appositi sostegni. Si sfilò le scarpe e la cintura e la appese a un gancio dorato dietro la porta. Poi estrasse la camicia dai pantaloni e cominciò a sbottonarla mentre tornava in camera da letto.

Dakota era sulla porta, appoggiata alla cornice. Accigliata, cercò di sistemarsi i capelli, ma alcune ciocche le ricaddero sul viso. «Dove siamo?»

Lui si schiarì la voce. «Non ricordi niente, vero?»

«Certo che mi ricordo.» Il suo sguardo si abbassò sul petto nudo di lui, soffermandovisi sornione per un lungo momento.

«Cosa ti ricordi esattamente?»

«Il matrimonio.»

«Lo spero bene!» Tony rise sommessamente. «Cos'altro?»

Lei si portò due dita alle tempie. «Ho un gran mal di testa.»

«Capita, quando si beve troppo.»

Lei gli scoccò un'occhiataccia rassicurante. Sì, si stava riprendendo.

Tony sogghignò. «Vediamo se Dallas ti ha messo in valigia anche dell'aspirina.»

Andò a prendere il bagaglio nella cabina armadio e lo posò sul letto, poi andò a cercare dell'acqua.

Nel frigorifero trovò numerose bottiglie di *Perrier* ed *Evian*. Prese due *Evian*, una per ciascuno, poi tornò in camera.

Dakota scosse il capo. «Niente aspirina.»

«Aspetta un momento. Do un'occhiata qui intorno.» La suite era dotata di ogni comodità, Tony non si sarebbe stupito se il bagno fosse stato pieno di prodotti per la cura della persona.

Appena entrato nella stanza si bloccò, fischiando ammirato. Aveva già visto bagni eleganti, ma quello era davvero spettacolare.

Un'enorme vasca alla quale si accedeva grazie a tre gradini di marmo; il pavimento stesso era di autentico marmo color crema e marrone. I rubinetti della vasca e dei due lavandini erano dorati, e nell'angolo c'era una cabina doccia che avrebbe potuto ospitare tre persone contemporaneamente.

Ammesso che a qualcuno interessassero giochi del genere.

Tony era un uomo semplice, voleva solo Dakota. Nuda. In quella vasca. O sotto la doccia, non aveva importanza, purché fosse stata con lui.

«Tony?»

Il suono della sua voce lo fece sussultare. «Che c'è?»

«Perché ci stai mettendo ta... Oh, santo cielo!» Lei lo raggiunse, guardandosi intorno allibita. «Wow! Non mi dispiacerebbe avere un bagno così a casa.» Barcollava un poco, ma a parte quello sembrava lucida.

«Volevo vedere se c'era dell'aspirina.»

«Una doccia» replicò lei. «Ecco cosa mi ci vuole.»

«Buona idea.» Tony arretrò verso la porta. «Io vado a ordinare del caffè.»

«Aspetta. Mi serve aiuto con la lampo.» Gli offrì la schiena.

Lui le si avvicinò, prese la linguetta tra le dita e la abbassò lentamente, il cuore a mille mentre scopriva, centimetro dopo centimetro, la pelle pallida e vellutata della schiena. Lo sorprese notare che lei non indossava un reggiseno, il suo seno era così sodo e alto che non se lo sarebbe immaginato. Quando arrivò in fondo alla schiena, scoprì che Dakota indossava un perizoma rosso.

Inspirò rapidamente e arretrò. «Serve altro?»

Lei estrasse le braccia dalle maniche e, tenendosi il vestito premuto sui seni, si voltò. «Grazie.»

«Non c'è di che.» La guardò negli occhi e gli parvero attenti e consapevoli; si chinò verso di lei. Dakota gli sfiorò le labbra con le sue, passandogli delicatamente la punta della lingua lungo il labbro inferiore. Tony sentì una contrazione all'inguine, poi Dakota gli infilò la lingua in bocca con un impeto che lo riportò alla realtà. Non era Dakota ad agire, ma l'alcol.

Facendo appello a ogni grammo di forza di volontà in suo possesso, arretrò.

«Qualcosa non va?» Lei si strinse il vestito al petto.

«Vuoi che ti apra l'acqua?»

Dakota si strinse nelle spalle, un movimento semplice e sexy allo stesso tempo. «Certo.»

Lui si arrotolò la manica e infilò il braccio nella cabina doccia per aprire l'acqua. Il calore dello sguardo di lei gli bruciava la schiena e Tony aspettò che l'acqua raggiungesse la temperatura giusta, approfittando di quegli attimi per decidere quanto essere nobile.

«Pronta.» Si asciugò il braccio con un soffice asciugamano di cotone bianco, poi si srotolò la manica, sempre evitando di guardarla.

«Non sono ubriaca» dichiarò Dakota in tono serio. «Se è questo che ti preoccupa. Perché è così, vero?»

Lui la guardò, e il suo sesso ebbe un fremito quando Tony scorse la curva del fianco nudo. «Hai bevuto molto.»

«Meno di quanto credi.»

Le sorrise, poi Dakota si inumidì le labbra e la punta della lingua le lasciò un'allettante lucentezza sul labbro inferiore; a quel punto Tony dimenticò ogni possibile pensiero razionale.

«Vuoi unirti a me?» sussurrò lei.

Lui si schiarì la voce e si passò una mano tra i capelli; nello specchio scorse il riflesso della schiena nuda di Dakota. Il perizoma era praticamente invisibile.

«Tony?»

La guardò negli occhi, segnati. Avrebbe dovuto dire qualcosa, ma non gli venne in mente nulla.

Lei sospirò, poi si coprì la bocca per sbadigliare. «Se non vuoi fare la doccia con me, ti dispiace uscire?»

Tony le sorrise e si diresse alla porta; lo sbadiglio e gli occhi stanchi lo avevano convinto. Altre tre ore e il sole sarebbe sorto, non sarebbe stato un male per nessuno dei due dormire un po'. Per il momento Tony si sarebbe sistemato sul divano, l'indomani, quando Dakota fosse stata sobria, sarebbe stata un'altra storia.

Cos'era saltato in mente a Dallas? Dakota disfece incredula la valigia che la sorella aveva preparato per lei. Due bikini, uno rosso e uno giallo, talmente striminziti che quasi non capiva come indossarli. Il pareo di voile giallo probabilmente sarebbe dovuto essere un copricostume, ma Dakota dubitava che avrebbe coperto alcunché.

Perfino le due paia di short color kaki erano indecenti, così corti che ci voleva una ceretta brasiliana per indossarli. E i top e i miniabiti ridottissimi? Dakota scosse il capo, doveva assolutamente trovare la boutique dell'albergo.

Controllò l'ora, le nove e dieci.

50

Il suo sguardo andò alla porta della camera, l'unica cosa che la separasse da Tony; inconsapevolmente, strinse intorno alla vita la cintura dell'accappatoio.

La sera prima aveva bevuto più vino e champagne di quanto avesse creduto; le doleva la testa e trasalì un poco ripensando a quanto fosse stata audace con Tony. Non aveva cambiato idea riguardo all'opportunità di qualche ora di sesso incandescente con lui, ma in genere non era così spudorata.

Se non avesse bevuto tanto, avrebbe potuto dormire con Tony, invece che da sola. Lui aveva guadagnato parecchi punti per essersi comportato in modo estremamente corretto, ma accidenti... Ironicamente, proprio in quel momento Tony bussò alla porta.

Dakota inspirò. «Entra pure.»

Lui comparve, incorniciato dallo stipite; niente camicia né calze, solo i pantaloni dello smoking. La mascella era scurita dalla barba e il suo petto era così ben definito che Dakota avrebbe voluto passarci sopra la mano, toccare i capezzoli scuri, la peluria soffice...

«Ti ho sentita muovere e ho immaginato fossi sveglia.» Indicò la cabina armadio. «Mi serve la valigia.»

«Certo.»

«Anche il bagno. Quello di là non ha la doccia.»

Dakota faticava a guardarlo negli occhi, ma lui non se ne accorse: il suo sguardo si era abbassato sul petto di lei, dove Dakota si stringeva il bavero dell'accappatoio con tale forza che cominciavano a dolerle le dita.

Lei si schiarì la voce e allentò la presa. «È tutto tuo, io ho già fatto la doccia» disse. Informazione superflua, dal momento che aveva ancora i capelli umidi.

«Non ci metterò molto.» Si fermò mentre si dirigeva verso la cabina armadio e osservò i vestiti che Dakota aveva lasciato sul letto. «Spero che Dallas abbia incluso qualcosa per la spiaggia.»

«Mmh, purtroppo no.»

«E quello cos'è, scusa?»

Lei seguì lo sguardo troppo interessato di Tony fino al bikini giallo. «L'idea di uno scherzo secondo mia sorella.»

Tony la studiò per un momento. «Devo dedurne che ora ricordi tutto?»

«Certo.» Lei cominciò a piegare i vestiti, troppo imbarazzata per guardarlo negli occhi. Un flashback della notte prima la indusse a desiderare di trovarsi in tribunale; avrebbe preferito avere a che fare perfino con il giudice Hadley, incubo di tutti gli avocati, pur di non dover affrontare Tony. «Sapevo cosa stava succedendo.»

«Allora va tutto bene?»

Dakota non ebbe bisogno di guardarlo per sapere che stava sorridendo, lo sentì nella sua voce. «Sono ancora qui, no?»

«Un po' irritabile stamattina? Ho sentito dire che il Bloody Mary fa miracoli per i postumi di sbornia.»

«Macché postumi di sbornia, sto benissimo» ribatté lei, sistemando i vestiti nella valigia.

«Che stai facendo?»

Dakota lo guardò, colpita dal tono allarmato della voce.

Era ancora senza camicia; lei non si aspettava che ne apparisse magicamente una a coprirgli il petto, ma come poteva parlargli finché Tony era in quello stato? «Come, scusa?»

«La suite è già pagata per il fine settimana. Non vorrai andartene subito?»

«No... non me ne sto andando.» Si strinse nelle spalle, al tempo stesso lusingata e imbarazzata dal suo desiderio che restasse. «Sto solo mettendo via i vestiti che non userò.»

Un sorriso malizioso gli increspò le labbra. «Se intendi restare nuda per l'intero fine settimana, non sarò io a obiettare.»

«Molto divertente. Andrò a cercare nella boutique dell'albergo qualcosa di più adatto da mettermi.»

«Cosa può averti messo in valigia di tanto terribile tua sorella?»

Lei sospirò. «Non puoi immaginarlo. Aspetta di vedere cosa troverai nella *tua* valigia.»

«So già cosa c'è dentro. L'ho preparata io» ribatté Tony, uscendo dalla cabina armadio con la sua valigia di pelle.

Dakota incrociò le braccia davanti al petto. Dunque Tony *aveva* cospirato con Dallas contro di lei. «Quando?»

«Ieri mattina.»

«Che fortuna avere un po' di preavviso» commentò, sarcastica. «Io non ho avuto questa fortuna.»

Tony si rabbuiò. «Non sapevo che Dallas te l'avrebbe chiesto all'ultimo momento.»

Dakota si sedette a riflettere sul bordo del letto; passati il panico e la rabbia, la cosa aveva perfettamente senso. Dallas aveva avvertito Tony in anticipo, perché immaginava che non avrebbe rifiutato, invece aveva colto lei di sorpresa, per non darle modo di trovare una scappatoia. Avrebbe dovuto ringraziarla! Dakota cercò di non sorridere.

«Non prendertela con Dallas» disse Tony, posando a terra la valigia prima di sedersi accanto a lei. «Aveva talmente tante cose per la testa...»

«Non devi cercare di difenderla.» Ridicolo quanto le battesse il cuore solo perché lui le si era seduto accanto. Però non aveva lasciato molto spazio tra i loro corpi.

«Probabilmente pensava che tu avessi bisogno di una vacanza. Lavori sempre fino a tardi e...»

«Tu che ne sai del mio lavoro?»

«So più di quanto credi» rispose lui strizzandole l'occhio. «Hai già dato un'occhiata fuori?»

Lei scosse il capo, sperando che Tony non si precipitasse a spalancare le tende.

Lui rimase dov'era, anzi, le si avvicinò ancora un poco. «Cielo e acqua tanto tersi e azzurri che ti verrà voglia

53

di vendere il tuo appartamento a Manhattan per trasferirti sulla spiaggia in pianta stabile.»

«Mi piace New York. Ma tu come sai che vivo a Manhattan?»

«Mi sembravi il tipo.»

«Cosa vuoi dire?»

Lui sorrise. «Non siamo in tribunale, non puoi interrogarmi come se fossi un teste. Come stavo dicendo, la spiaggia è bianca come la neve e...»

«Viviamo a New York, vediamo già abbastanza neve, mi pare.» Tony le aveva preso la mano senza che lei se ne accorgesse e le stava massaggiando l'interno del polso con il polpastrello del pollice.

«Continui a interrompermi. Dovrò prendere delle contromisure.»

«Ah, sì?»

«Sì.» Smise di accarezzarle il polso.

Chinò il capo e il cuore di lei accelerò. Le sfiorò soltanto le labbra, ma Dakota credette che il petto stesse per esploderle. Lasciò scivolare la lingua tra le sue labbra e lei sperò che il gemito appena udito non provenisse dalla sua gola. Quando Tony le posò una mano sulla coscia, capì che non le importava.

Gli toccò titubante il petto, la pelle tesa e calda sotto il palmo, la peluria soffice come aveva immaginato. Il bacio divenne più profondo e l'accappatoio le scese su una spalla; Dakota rabbrividì e le labbra calde di Tony lasciarono le sue per scenderle lentamente lungo il collo, fino alla clavicola. Lei rabbrividì di nuovo e lui alzò la testa.

«Hai freddo?»

Dakota scosse il capo.

Tony le sorrise. «Sicura? Se vuoi posso scaldarti.»

Dakota gli sorrise di rimando. «L'hai già fatto» disse, e scoprì anche l'altra spalla.

5

Tony si accorse di avere la bocca secca. Dakota era stupenda. E morbida. Non era mai stato con una donna con la pelle così morbida, benché al college si fosse dato parecchio da fare. Dakota era speciale.

Usò l'indice per sfiorare la pelle serica scoperta dall'accappatoio; lei non batté ciglio quando il dito scese più in basso, seguendo la curva del seno.

Bussarono alla porta e Tony si maledisse; aveva dimenticato di avere ordinato la colazione!

Dakota si ritrasse. «Chi può essere?»

«Servizio in camera. Ho ordinato caffè e croissant.»

Lei si sistemò l'accappatoio sulle spalle.

Tony le mise un dito sotto il mento e la baciò delicatamente. «Se non rispondiamo, lasceranno il carrello nel corridoio.»

Bussarono di nuovo, con maggiore insistenza.

«O anche no» sospirò lui, passandosi una mano tra i capelli. «Torno subito» disse alzandosi, benché fosse chiaro che il momento magico era ormai sfumato.

«Mi vesto e ti raggiungo per bere il caffè.»

Lui fece una smorfia. «Devi proprio vestirti?»

Dakota rise, si alzò e lo spinse giocosamente. «Fuori. Ho bisogno di caffeina.»

«Ti faccio vedere io di cosa hai bisogno» ribatté lui, afferrandola per prenderla tra le braccia.

Lei dischiuse le labbra e si lasciò sfuggire un piccolo sospiro, poi gli cinse il collo con le braccia e reclinò il capo all'indietro.

Bussarono ancora alla porta.

Maledizione.

«Lo so» mormorò Dakota prima di allontanarsi. «Arrivo subito.»

Riluttante, Tony andò ad aprire al cameriere fastidiosamente allegro. Dopo avergli lasciato una mancia generosa, lo scortò nuovamente alla porta.

Sistemò il vassoio sul tavolo e riempì due tazze di caffè, pensando a Dakota e a quanto fosse diversa dalla sua famiglia. Probabilmente Dallas gli aveva raccontato fin troppo, quando le capitava di sfogarsi dopo le cene mensili del sabato sera con i suoi.

«Ho disperatamente bisogno di caffeina.»

Tony alzò lo sguardo e ci mancò poco che lasciasse cadere la tazza. Attraverso l'impalpabile tessuto giallo che la avvolgeva, intravide alcuni nastri gialli. Un bikini, molto, *molto* ridotto. I seni di Dakota si ergevano perfetti sotto il pareo e quella vista bastò per spedire in basso gran parte del suo sangue, confondendolo.

Era tutta opera di Dallas e Tony le sarebbe stato debitore, probabilmente per sempre.

«È per me?» domandò Dakota, prendendo l'altra tazza di caffè.

«Uh, sì.»

Lei scelse una bustina rosa di dolcificante e versò nella tazza il contenuto. «Panna?»

«Eccola.»

Versò alcune gocce di panna dalla minuscola brocca e girò il caffè, senza mai guardare Tony. «Sbaglio, o sento profumo di pane alla banana?»

«Nel cestino.» Finalmente Tony capì il perché del suo atteggiamento: Dakota si sentiva a disagio, benché lui non riuscisse a capire il motivo, dal momento che era perfetta. «È bello vederti con indosso qualcosa di diverso da un severo tailleur» disse calmo, cercando di versarsi dell'altro caffè. «Queste tazze sono troppo piccole, due sorsi e sono già vuote.»

«Vuoi che ti faccia portare una tinozza?» propose lei, mentre sbirciava nel cestino di vimini.

«Forse mi troverei meglio.» Tony approfittò della distrazione di lei per guardarle le gambe lunghissime. Non sapeva più cosa dirle per metterla a suo agio e placare il proprio desiderio. Meritava un premio per il semplice fatto di essere ancora in grado di parlare.

Lei mise una fetta di pane alla banana su un piatto e se ne portò un boccone alle labbra. Masticò e chiuse gli occhi per un momento, estasiata. «È squisito.»

Tony la guardò avvicinarsi al divano, posare la tazza sul tavolino e sedersi con il piatto in grembo, osservò la curva dei polpacci, le caviglie sottili e le unghie smaltate di rosso.

«Meglio che vada a fare la doccia» disse all'improvviso, senza guardarla. Si diresse immediatamente in bagno, prima che Dakota potesse vedere *quanto* il suo sangue si stesse surriscaldando.

Dakota divorò la fetta di pane alla banana e ne prese una seconda. Quando era depressa non mangiava, ma quando era nervosa...

Era impazzita a restare là con lui? Sarebbe dovuta essere già su un aereo, di ritorno a casa. Non era mai mancata un sabato dallo studio.

Cercò con lo sguardo un orologio, ma non lo vide; non importava, avrebbe chiamato il concierge per chiedere a che ora sarebbe partito il volo successivo per New York.

Esitò, ripensando ai pettorali di Tony, alla peluria che si infoltiva scendendo verso la cintura. Voleva esplorare ogni centimetro del suo corpo, scoprire le braccia e le cosce muscolose. Tony svolgeva un lavoro manuale, usava ogni muscolo del suo corpo. Colta dal panico, Dakota cercò il telefono. Perché lui l'aveva fermata la sera prima? Sarebbe stato più facile saltargli addosso con la scusa dell'alcol.

Era una codarda, ma non poteva farci niente.

Il telefono squillò proprio mentre stava per sollevare il ricevitore.

«Ciao!» Era Dallas.

«Dove sei?»

«Ancora in città. Lì come va?»

«Tony ha usato i vostri nomi ma, per quanto ne so, finora Tom non si è visto.»

«Bene. Penso che sua moglie lo abbia tenuto a bada. Serena è stanca dei suoi scherzi.»

«Era ora.» Ma perché era delusa? Dopotutto aveva già deciso di andarsene. «Quindi non c'è bisogno che restiamo qui.»

«Dakota, non fare la vigliacca.»

«Di che stai parlando?» Sua sorella non poteva alludere a Tony. «Cos'hai combinato?»

«Niente.»

«Tom non aveva alcuna intenzione di sabotare la tua luna di miele, vero?»

«Ascolta, Dakota...»

«Io non ho mai interferito con la tua vita!»

«Non sto interferendo. Ti ho chiesto un favore. Avresti potuto dirmi di no.»

Dakota inspirò bruscamente. Anche se le costava ammetterlo, sua sorella aveva ragione.

«Devo andare» riprese Dallas. «Partiamo oggi pomeriggio per l'Europa. Faremo una crociera fluviale di due settimane lungo il Danubio.»

«Due settimane? Wow!» Dakota non voleva litigare con Dallas, in special modo prima di un viaggio.

«Dopo aver discusso con la mamma per ogni singolo dettaglio del matrimonio, una lunga vacanza è proprio quel che mi ci vuole.»

Dakota non riusciva a immaginare di assentarsi tanto a lungo dallo studio legale; per lei sarebbe stato snervante. «Divertitevi.»

«Certo. Anche tu. Lasciati un po' andare, okay? Lì nessuno potrà giudicarti e non potresti trovare una persona migliore di Tony.» Dallas agganciò senza dire altro.

Dakota sorrise. Chi era la codarda? Si sistemò il nodo del pareo con un sospiro. Quello scampolo di stoffa era talmente ridotto, che definirlo *pareo* le sembrava eccessivo.

Forse, quando fossero arrivati in spiaggia, con il sole e l'aria fresca dell'oceano, si sarebbe sentita meglio.

Si avvicinò alla portafinestra, ancora nascosta dalle tende. *Lì nessuno potrà giudicarti*, le aveva detto Dallas. Il fine settimana, la situazione... tutto era perfetto. Se avesse scritto alle ragazze della *Eve's Apple*, tutte l'avrebbero spronata ad approfittare della situazione. Era ciò che voleva, lo aveva ammesso lei stessa due notti prima. Allora perché esitava?

Trovò il cordone delle tende e le aprì.

«È squillato il telefono?»

Dakota sentì Tony avvicinarsi, ma rimase a guardare fuori, il cielo grigio, l'oceano turbolento e il balcone, umido di pioggia recente.

«Cosa guardi?» Lui le si fermò accanto, profumava di sapone e del croissant che teneva in mano. Con disappunto di lei, aveva indossato una maglietta, però aveva avuto la cortesia di indossare un paio di pantaloncini, troppo lunghi perché lei potesse ammirargli le cosce, ma ideali per vedere i polpacci.

Dakota lo guardò, perplessa. «Che ne è stato del cielo azzurro e del sole?»

Lui diede un morso al croissant; quando ebbe finito di masticare disse: «Abbi fede, Dakota, tutto finirà per il meglio. Guarda là».

«Cosa devo guardare?»

«Vedi quello sprazzo di blu?»

«Sì.» Non sapeva dove lui volesse arrivare, ma adorava sentire il suono della sua voce, profonda e suadente, sexy e allo stesso tempo amichevole. Forse era proprio la sua giocosa amicizia a renderlo tanto sexy.

«Bene, hai avuto fede e sei stata ricompensata.»

«Tu sei matto.»

Lui sorrise, mangiò l'ultimo boccone di croissant e la prese per mano. «E tu sei bellissima.»

«Smettila.»

Tony l'attirò più vicino. «Come se non te l'avessero detto migliaia di volte» precisò suadente.

Lei sospirò, delusa; non voleva che fosse come gli altri, quelli che non riuscivano a vedere oltre l'esteriorità. Aveva preso voti migliori di loro al college, ma non era servito. «È per questo che sei qui con me?»

«In parte.»

«Qual è l'altra parte?»

Lui si rabbuiò per un momento, mentre riprendeva a massaggiarle l'interno del polso. «Forse perché sembri irraggiungibile.»

Dannatamente onesto da parte sua. «Non ti è mai venuto in mente che potrei non essere interessata?»

«No.»

Lei scoppiò a ridere. «Sei sempre così sicuro di te?»

«Se non comincio a esserlo io, non lo sarà nessun altro.» Le passò la mano sul braccio. «Vuoi sentire il resto?»

«Perché, c'è altro?» Cercò di restare impassibile quando lui le sfiorò la spalla e il collo.

«Dallas mi ha parlato un po' di te, ma non metterti subito sulla difensiva» disse, appena le vide aprire la bocca per protestare. «Non stava parlando specificatamente di te. Parlava di se stessa e ha accennato anche a te.»

«Cosa ti ha detto?»

Lui sorrise e le massaggiò la nuca. «Non mi aveva detto che sei irascibile.»

«Perché non lo sono.»

«Gli occhi non mentono.»

Lei gli rivolse un sorriso melenso. «E in questo momento cosa ti dicono?»

«Ahi!»

Dakota non riuscì a trattenere una risata, benché la mano di Tony, che le massaggiava il collo, costituisse una distrazione considerevole.

«Come stavo dicendo, anche se hai il fisico di una...» Vedendole sollevare le sopracciglia, esitò.

«Non è necessario che tu smetta di massaggiarmi il collo mentre pensi.»

Lui annuì e riprese a manipolarla, le sopracciglia unite come se stesse cercando di decidere il destino del mondo. Radendosi aveva dimenticato un punto, dove la pelle si increspava quando sorrideva; lo faceva spesso e a Dakota quella caratteristica piaceva. «Okay, di una dea» terminò Tony, guardandola come per chiedere la sua approvazione.

Lei roteò gli occhi.

«Avresti preferito che dicessi: "Sei il sogno segreto di ogni uomo"?»

Le guance di lei arrossirono e Dakota si allontanò. «La vuoi smettere, per favore?»

«C'è dell'altro.» Le prese la mano e la attirò a sé. Dakota trattenne il respiro quando il suo braccio le cinse la vita, portando i loro corpi a contatto. «Nonostante il fatto che sei stupenda e potresti avere tutto ciò che vuoi, hai lavorato duro per costruirti una carriera. E hai trovato anche il tempo per aiutare Nancy, Trudie e le altre ragazze a farsi ascoltare da Capshaw.»

«Non ho fatto molto.»

«Le molestie sono cessate. Il tuo lavoro è stato importante.»

Lei gli sorrise, titubante. Fu il massimo che poté fare, considerato quanto fossero sensibili i suoi seni premuti contro il petto di lui.

Tony abbassò lo sguardo sulla sua bocca, poi chinò il capo e le sfiorò le labbra con le sue. Un tocco delicato come un sussurro, mentre le mani le esploravano il dorso e scendevano fino ai glutei. Dakota si mosse contro di lui, sentì la sua erezione crescere e questo la eccitò, rendendola audace.

Gli passò la lingua sulla bocca, poi prese tra i denti il labbro inferiore; Tony lasciò che lo esplorasse, la tensione del suo corpo alimentò quella di lei e Dakota dovette opporsi alla tentazione di arretrare, rifugiandosi nella sua vita tranquilla e ordinata.

Cos'è che non andava in lei? Quanto tempo era passato dall'ultima volta che era stata con un uomo? Tony non era una minaccia.

Lui percepì la sua titubanza, scostò il capo e la guardò. Le accarezzò la guancia con il dorso delle dita, lasciandole lo spazio di cui aveva bisogno. «Hai notato che il cielo sta cominciando a schiarirsi?»

«Un paio di volte è perfino uscito il sole.»

«Non ti avevo detto di avere fede?»

«Un raggio di sole non fa una bella giornata.»

Lui si portò scherzosamente una mano al petto. «Anche spiritosa! Credo di essere innamorato!»

Lei lo spinse giocosamente via e sentì il suo petto compatto sotto le palme delle mani. Percorsa da una vampata di calore, abbassò lo sguardo e notò che lui era ancora eccitato. Difficile distogliere lo sguardo a quel punto, pensare a qualcosa di diverso dal trascinarlo a letto. Dubitava che a Tony sarebbe dispiaciuto.

«Guarda là.» Tony le indicò due coppie in costume che camminavano lungo la spiaggia, tenendo in mano maschere e boccagli. «Altri fiduciosi.»

Il sole fece capolino da dietro due nuvole bianche, il tempo stava incontestabilmente migliorando, perfino l'oceano stava passando da grigio a un bel verde blu. Altre persone emersero dai bungalow vicini alla spiaggia, tutte in costume.

«Forse ci converrebbe approfittarne finché c'è il sole» propose lei, sperando che Tony cercasse di convincerla a tornare insieme nel grande letto morbido dove aveva dormito.

«Buona idea.» Lui arretrò di un passo. «Vado a mettermi il costume.»

Lei si strinse nelle spalle, cercando di nascondere la delusione. «Prendo i sandali e sono pronta.»

Tony indietreggiò ancora di qualche passo, divorandola con lo sguardo. «Non vedo l'ora che battezzi quel costume.»

«Dovrai aspettare più di quanto credi. Non so nuotare.»

«Meglio, ti insegnerò io.»

Ridendo e scuotendo il capo, lei gli indicò il bagno. «Va' a prepararti.»

«Non vedi l'ora di entrare in acqua con me, eh?»

«Mi imbarazza che tu l'abbia capito» scherzò Dakota.

Lui le strizzò l'occhio e scomparve nel bagno.

Dakota non riusciva a smettere di sorridere; aveva mentito, sapeva nuotare benissimo, non per niente era stata una delle migliori nella squadra di nuoto del college. Ma se Tony voleva insegnarle, perché obiettare?

6

Finalmente lo sapeva.

Tony sorrise tra sé mentre spostava due sdraio vicino all'acqua: la signorina Shea lo desiderava. Arrivare addirittura a fingere di non saper nuotare! Sapeva bene che era stata nella squadra di nuoto del suo college.

«Preferisci cercare un ombrellone?» le domandò, dopo aver sistemato la sdraio accanto alla sua.

«Non ce n'è bisogno, ho messo la crema solare.»

«Ottimo, ma a volte sole e postumi di sbornia non vanno bene insieme.»

Lei portava gli occhiali scuri, ma Tony colse ugualmente la sua occhiataccia. «Non ho preso una sbornia e non sono così esperta in materia come sembri tu.»

«Non mi sbronzo da quando ero al college. Quando pensi di toglierti quell'affare?»

Dakota ignorò la richiesta di vederla in bikini. «Sei stato al college?»

«Mi ferisce che questo ti sorprenda.» Si tolse i sandali scalciando e la sabbia volò dappertutto.

«E a me stupisce che Dallas non me l'abbia mai detto.»

«Le hai chiesto di me?» Tony sorrise, vedendola alzare gli occhi al cielo come faceva sempre quando la scherniva. «Non ho terminato gli studi. Troppo noioso, abbandonai a metà del secondo anno.»

Si sfilò la maglietta e la piegò. Forse si sarebbe dovuto mettere una crema solare, dal momento che non gli capitava più tanto spesso di lavorare all'aria aperta e l'abbronzatura era sbiadita. Per la verità, sperava che non sarebbero rimasti al sole a lungo e che presto si sarebbero dedicati ad attività più interessanti in camera da letto.

Si accomodò sulla sdraio e guardò Dakota, aspettando che si scoprisse, impaziente come un ragazzino la mattina di Natale. Lei però non sembrava avere alcuna fretta.

Tony non riusciva ancora a capire come lei potesse essere tanto imbarazzata con quel corpo magnifico. Era per quella ragione che si vestiva in modo tanto severo quando lavorava, o per uniformarsi alla sua immagine di avvocato? Tony capiva l'importanza dell'abbigliamento sul lavoro, ma aveva l'impressione che Dakota stesse esagerando.

«Guarda.» Attese che lei alzasse la testa, poi le indicò con il mento una donna che stava entrando in acqua. «Ecco, *quello* è davvero un costume francobollo.»

«Oh, mio Dio.»

«Il tuo non è così...» Il cuore gli martellava nel petto. «Comunque non è una cosa negativa. E poi...»

Dimenticò cosa stesse per dire quando Dakota si alzò, slacciò il nodo tra i seni e lasciò cadere il pareo. Pur sapendo che sarebbe potuto sembrare scortese, non riuscì a toglierle gli occhi di dosso. Quasi non riusciva a capire come i tre minuscoli triangoli gialli, uno sul monte di Venere e due sui seni, potessero stare su. Il resto era unicamente Dakota: curve morbide, pelle pallida e un addome piatto che doveva esserle costato ore in palestra.

Lei si sedette rapidamente e, guardandosi dietro le spalle, commentò: «Se non altro non mi conosce nessuno». Si accomodò, allungando le gambe flessuose, il viso rivolto verso il sole.

Lui tacque. Con tutto il sangue concentrato nella regione inguinale rischiava solo di dire idiozie. Anche altri uomini l'avevano notata, perfino quelli in compagnia di una partner. Tony si sentì come quando, diciassette anni prima, era riuscito a portare al ballo della scuola Jackie Ricci, la reginetta di bellezza di quell'anno.

«Sta arrivando un cameriere. Vuoi bere qualcosa?» propose.

Dakota si inumidì le labbra. «Magari un po' di spremuta d'arancia.»

Vedere la punta della sua lingua bastò per portare la mente

di Tony dove non sarebbe dovuta andare. «Coraggio, non vuoi un cocktail con un bell'ombrellino?»

«Scommetto che, se glielo chiedo, metterà un ombrellino anche nella mia spremuta.»

Tony sbuffò; probabilmente il cameriere sarebbe stato disposto a soddisfare ogni desiderio di Dakota, a meno che fosse gay. Lei aveva l'addome piatto perfino da seduta; i seni non erano enormi, ma perfetti per la sua corporatura snella. Si accorse che due uomini la stavano osservando e ciò lo irritò.

«Pronta per una nuotata?» I suoi motivi non erano del tutto disinteressati; l'erezione cominciava a metterlo a disagio e giocare in acqua sarebbe potuto essere molto divertente.

«Ci siamo appena seduti.»

«Ordino da bere, così quando usciremo dall'acqua troveremo i nostri drink ad aspettarci.»

«Va' avanti tu, io preferisco prima dissetarmi.» Dakota si sistemò il pareo lungo i fianchi, nascondendo parzialmente il corpo.

Tony sospirò, aggiustò l'asciugamano per nascondere la parte anteriore dei pantaloncini da bagno, poi si sdraiò di nuovo.

Gli piaceva la sua modestia; di solito le donne con un corpo come il suo erano tutto il contrario.

Il cameriere prese il loro ordine, insieme con il numero di camera; anche Tony ordinò un succo di frutta, non voleva rischiare che l'alcol lo ostacolasse, in caso...

«Okay, andiamo a farci una nuotata.» Lei posò i piedi sulla sabbia. «Non sopporto di vedere un uomo adulto mettere il muso.»

«Alludi a me?»

«Ahi! La sabbia scotta!»

«Vediamo chi arriva prima all'acqua?»

Lei gli scoccò un'occhiata di sfida e partì diretta verso il mare. Accidenti, quant'era veloce! Tony la raggiunse quando Dakota era già immersa fino alle cosce e le onde la lambivano schiumando.

Lei rise e Tony si trattenne, avrebbe voluto schizzarle

dell'acqua in faccia; Dakota non fu altrettanto controllata e l'acqua lo investì in pieno viso, cogliendolo di sorpresa.

Si asciugò con le mani. «Allora vuoi la guerra!»

Ridendo come una bambina, lei arretrò. «No, aspetta! Tregua!»

Lui avanzò, scherzosamente minaccioso.

Dakota si voltò e si immerse sott'acqua. Quando riemerse cominciò a nuotare con bracciate decise, muovendosi con rapidità impressionante. Tony la seguì; benché fosse a sua volta un buon nuotatore, non riuscì a raggiungerla, così aspettò che tornasse indietro.

Lei si prese il suo tempo, fendendo l'acqua con grazia; quando finalmente si diresse verso Tony, lui era già stanco solo per essersi tenuto a galla.

Cominciò a tornare verso la riva. «Mi sembrava avessi detto che non sai nuotare.»

Lei sorrise. «Potrei non essere stata sincera.»

Tony cercò di non restare indietro, anche se dovette impegnarsi al massimo.

Quando raggiunsero la spiaggia, pur non essendo senza fiato, Dakota era palesemente affaticata. Quanto a Tony, sarebbe strisciato fino alla sua sdraio e là sarebbe probabilmente caduto in coma.

«Avevi ragione, è stato magnifico.» Dakota si tamponò il viso con l'asciugamano, poi se lo passò sulle braccia, le gambe e il petto.

Inebriata dalla nuotata, non si accorse della gente che la fissava; uomini e donne la guardavano, probabilmente chiedendosi se fosse una top model o un'attrice.

Era veramente bellissima e, all'improvviso, Tony si accorse di non essere poi così stanco. Sospirando, si sdraiò nuovamente, usando ancora una volta l'asciugamano per nascondere l'erezione imponente.

Il cameriere aveva lasciato i loro bicchieri su un piccolo vassoio fissato ai braccioli delle sdraio. A Tony bastarono due sorsi per finire il suo succo, la freschezza gelida un ristoro mentre cuoceva sotto il sole. Dakota sorseggiò la spremuta, gli occhi chiusi, prima di rimettersi gli occhiali da sole e appoggiarsi ai gomiti.

Una parte del seno sinistro faceva capolino da sotto il costume, quanto bastò per accendere l'immaginazione di Tony. Per distrarsi e ignorare i capezzoli premuti contro il costume umido, lui cominciò a masticare un cubetto di ghiaccio.

«Tony, tutto okay?»

«Sì. Perché?»

«Mi è sembrato di sentirti gemere.»

Lui frantumò il ghiaccio. «Mi stavo solo schiarendo la voce.»

«Okay.» Dakota allungò le braccia sopra il capo. «Questa brezza fresca è una meraviglia.»

«Sì, ma guarda quelle nuvole nere che si stanno avvicinando.»

Lei guardò verso l'orizzonte, poi le sue labbra si distesero in un sorriso ironico. «Che ne è stato dell'avere fede?»

Cercare di placare il desiderio aveva messo la fede in secondo piano. «Vero, ma resto dell'idea che dovremmo rientrare.»

«Restiamo ancora un po'...»

«Vuoi vedermi mettere di nuovo il broncio?»

Il sorriso di lei si allargò. «Chiuderò gli occhi.»

«Ti piace il gioco duro?»

«Preferisco ignorare questo commento.»

«Con un tono del genere, saresti potuta essere una professoressa.»

Lei stava per ribattere, ma un frisbee rosso cadde sulla pancia di Tony e lui brontolò, interrompendola. La mira non sarebbe potuta essere migliore, per fortuna la sua erezione si stava placando.

Dakota scattò a sedere. «Tutto bene?»

«No.»

Un ragazzino con i capelli rossi arrivò di corsa. «Mi scusi, signore. Il vento lo ha portato fuori traiettoria.»

«Non c'è problema, tieni» replicò Tony, lanciandogli il frisbee.

«Qui fuori sta diventando pericoloso, te l'ho detto. Meglio

andarcene.» Lui si mosse e fece una smorfia: il frisbee aveva colpito nel segno.

«Ti ha fatto male?» Dakota si tolse gli occhiali per osservarlo, allarmata.

«No, è tutto okay. Certo, forse non potrò mai avere figli...»

«Vuoi un bacio così passa tutto?»

Tony la fissò, senza parole.

«Oops!» Ridendo, Dakota si coprì la bocca, ma la scintilla maliziosa nei suoi occhi gli confermò che quelle parole non erano state per niente innocenti.

Quella ragazza era un rompicapo. «Mi stai facendo impazzire, lo sai?»

«Allora il mio lavoro qui è terminato.» Si rimise gli occhiali e riprese a venerare il sole.

«Dakota, vorrei chiederti una cosa, ma se non vuoi rispondermi non sei obbligata.»

«Ci puoi contare.»

Tony sorrise. «Perché ti vesti in modo tanto severo?»

Lei strinse le labbra. «Sono un avvocato. Dovrei vestirmi come una spogliarellista?»

«Ecco che ti metti subito sulla difensiva.»

«Io ho forse criticato come ti vesti?»

«Non ti sto criticando.» Era sempre più difficile tenere l'impazienza lontana dalla sua voce. «Sono solo curioso, perché sembra che tu *voglia* apparire... ordinaria.» Avrebbe voluto dire *dimessa*, ma preferì usare un termine meno forte.

«Cerco solo di avere un look professionale.»

«Mettiamola così, se avessi preparato tu la valigia per venire qui, cosa avresti portato?»

«Un costume intero, perché è più pratico per nuotare, dei pantaloncini e forse...» Sospirò. «Perché è tanto importante?»

«Perché non mi sembri una persona esageratamente castigata, ma ti vesti come se lo fossi e vorrei capire il motivo.»

Lei sospirò e si girò sul fianco, sostenendo il capo con la mano. In quella posizione il seno destro scivolò parzialmente fuori del costume, minacciando la concentrazione di Tony.

Dakota si alzò gli occhiali e lo guardò con occhi sinceri.

«Nostra madre ha sempre voluto che Dallas e io vestissimo in modo dimesso. Anche quando eravamo bambine, non ci ha mai messo niente di vezzoso. Ti puoi immaginare quanto sia stata severa con noi da adolescenti. Voleva che fossero la nostra intelligenza e i risultati a metterci in luce, non la bellezza.»

«L'idea mi sembra lodevole.» Tuttavia Tony non riusciva a capire. «Vostra madre è a sua volta una donna affascinante. Deve aver avuto...» Fu zittito dall'espressione ombrosa di Dakota: evidentemente le pesava molto parlare della madre.

Tony pensò in silenzio a Dallas; lei accennava spesso alla sua famiglia e alla madre esigente, ma non aveva mai menzionato la questione dell'abbigliamento.

Lavorando nell'edilizia come lui, aveva sempre indossato jeans e magliette al pari degli altri colleghi. E quando era capitato che andassero a bere qualcosa dopo il lavoro, si era cambiata mettendo jeans e magliette pulite, in linea con i locali che frequentavano. Però aveva anche avuto una breve carriera come modella. Un momento di ribellione?

Come se avesse letto i suoi pensieri, Dakota disse: «Come Dallas, anch'io mi ribellai, al college. Cominciai a indossare gonne corte, jeans aderenti e magliette striminzite. Niente di orribile, vestivo come le altre ragazze. Ma presto capii che mia madre aveva ragione». Dakota deglutì visibilmente. «Quella non era l'attenzione che volevo.»

A giudicare da come il suo corpo si era irrigidito, c'era molto di più. «Vuoi parlarne?»

«No.»

«Okay. Che ne pensi degli *Yankees*?»

«Giocano a basket, giusto?»

«Sacrilegio!»

Lei rise. «Scommetto che sono stata a più partite degli *Yankees* di te.»

O sapeva bluffare come poche, o diceva la verità; a ogni modo non importava, Tony sarebbe potuto restare a guardarla tutto il giorno: le sue guance cominciavano a colorirsi e gli occhi grigi avevano assunto le sfumature del cielo e del mare. Lui avrebbe voluto leccarle via dalla pelle il sale rimastole addosso dopo la nuotata, cominciando dalle labbra per scendere fino alle cosce vellutate.

Lei sorrise. «Il baseball mi piace davvero.»

«Tuo padre è un fan?»

«Più o meno, il vero appassionato è mio fratello.»

«Cody?»

«È l'unico fratello che ho.»

«Non mi sembra il tipo.»

«Giocava da bambino, e al liceo, benché mia madre la ritenesse una completa perdita di tempo. Ma nostro padre era convinto che gli avrebbe fatto bene e alla fine saltò fuori che a Cody piaceva.»

«Interessante.» Tony non riusciva a immaginare Cody Shea imbrattato di polvere e fango, nemmeno da ragazzino.

Dakota gli sorrise, divertita. «Pensavi di averci già inquadrati tutti, vero?»

«Più o meno.»

Lei lo osservò, pensosa. «Stai guadagnando punti per la tua sincerità.»

«Tipo *club Mille Miglia* per quelli che viaggiano di frequente? Quando avrò totalizzato punti sufficienti, avrò diritto a un giretto gratis?»

Lei si morse il labbro, fingendo un'espressione indignata.

Tony arretrò il capo, come se quell'espressione lo avesse offeso. «Non crederai che intendessi... Signorina Shea, mi meraviglio di lei.»

«Tony, devo ammettere che sei davvero unico. Ora tocca a te raccontarmi qualcosa di personale.»

Lui si strinse nelle spalle. «Non ci sono scheletri nel mio armadio. Ho avuto un'infanzia noiosa. Mio padre lavora ancora nell'officina che ha ereditato da suo padre e mia madre è rimasta a casa per occuparsi di noi. Ho due fratelli e una sorella.»

«Sono più grandi o più piccoli di te?»

«Ho un fratello maggiore.»

«Sono sposati? Hai nipoti?»

«Sono tutti sposati, eccetto nostra sorella minore, e tutti hanno talmente tanti bambini che fatico a ricordarmi i loro

71

nomi.» Mentì, conosceva bene ciascuno di quei bricconcelli e non si perdeva nessun compleanno.

«Vivono tutti a New York?»

«No, mio fratello minore si è appena trasferito ad Atlanta. Mia madre viene dalla Georgia e tutto quel ramo della mia famiglia risiede ancora là.»

«Interessante. Come si incontrarono i tuoi?»

«Mia madre venne qui come turista. Il primo giorno un tassista la spaventò e lei decise di noleggiare una macchina, ma ebbe un piccolo incidente.»

«Oops!»

«Già. Mio padre trainò l'auto nella sua officina. Il resto lo conosci.»

«Una vacanza che ha lasciato il segno, non c'è che dire.» Dakota finì la spremuta. «E tu? Perché non ti sei ancora sposato?»

«Ho un buon paio di scarpe da corsa.»

Lei sorrise e inclinò il bicchiere per raggiungere l'ultimo cubetto di ghiaccio.

Incantato, Tony rimase a guardare la curva snella del collo di lei, la mascella ben definita, il mento gradevolmente a punta, le labbra, increspate da un sorriso perfino in quel momento.

Dakota succhiò il ghiaccio e a Tony piacque perfino vederla deglutire.

«Tony?»

Lui incontrò i suoi occhi languidi e sexy e dovette coprirsi di nuovo con l'asciugamano. «Sì?»

«Quando andiamo a mangiare?»

Ottimo. Lui pensava al sesso, lei al cibo... «Prima dimmi una cosa.» Tenne lo sguardo su di lei mentre cambiava posizione, domandandosi se lo stesse torturando di proposito. «Perché sei rimasta?»

Lei alzò una spalla. «Per il sesso.»

7

Dakota sapeva come restare impassibile, lo faceva costantemente in tribunale, ma non le fu facile farlo quando vide la mascella di Tony rischiare di cadere a terra.

«E me lo dici *adesso*, dopo essere usciti dall'acqua?»

Lei rise, la voce un po' tremula al pensiero delle parole che aveva appena pronunciato e del rigonfiamento che lui stava cercando di nascondere. «Siamo sulla spiaggia e c'è un mucchio di gente. Mi sembra un buon deterrente, che ne pensi?»

«Non pretenderai che in questo momento io sia anche in grado di pensare!»

«Povero piccolo!» Fu lieta di potersi nascondere dietro gli occhiali da sole mentre si sdraiava; Tony aveva un torso magnifico, la quantità giusta di pettorali e addominali, a differenza di certi ragazzi che si allenavano in palestra pompandosi fino a non avere più collo.

«Fa sempre più caldo qui fuori o sono io che vado a fuoco?»

Dakota lo guardò e sorrise. «Facciamo a chi arriva prima» lo sfidò, poi balzò in piedi e gettò gli occhiali da sole sulla sdraio. Tony non riuscì nemmeno a ribattere.

Raggiunse l'acqua più in fretta della prima volta e le schizzò la schiena. Prima che lei potesse immergersi, Tony la afferrò per la vita ed entrambi finirono sott'acqua ridendo.

Quando Dakota cercò di rimettersi in piedi, scoprì di avere una gamba incastrata tra quelle di Tony in modo tale che a ogni movimento gli si strofinava intimamente contro.

Tony le afferrò la caviglia. «Tra te e il frisbee, rischio di restare bloccato per un anno.»

«Mi spiace.»

«Potresti sforzarti di sembrare più sincera.»

Dakota era nervosa; aveva ammesso di essere là per fare sesso, l'aria salmastra doveva averle arrugginito il cervello. A ogni modo, era davvero quello che voleva e lo desiderava anche Tony. Era chiaro.

Premette le labbra insieme, si schiarì la voce, ma non riuscì a parlare. Ritentò e disse: «Mi spiace davvero».

Lui sorrise, i denti bianchissimi contro il viso abbronzato, mentre il sole regalava pagliuzze dorate ai suoi occhi castani. «Dimostramelo e ti perdonerò.»

«Prima dovrai lasciarmi andare la caviglia.»

«Okay, voglio fidarmi di te» disse lui, prima di liberarla.

«Per dimostrarti che la tua fiducia non è stata mal riposta...» Gli posò le mani sul petto e sentì i capezzoli induriti sotto le palme, poi gli cinse il collo con le braccia.

Quando le loro labbra si incontrarono un'onda li investì e loro barcollarono; Tony la sostenne e ambedue guardarono verso il mare aperto, per evitare altre sorprese. Non videro arrivare altre onde, ma le nubi ormai si stavano avvicinando alla terraferma.

Tony la strinse di nuovo; l'acqua li lambiva all'altezza del petto così, quando abbassò le mani per accarezzarle i glutei, Dakota gli si spinse addosso senza timore che qualcuno potesse vederli.

La cosa strana era che l'eventualità non la preoccupava, l'intera situazione era del tutto avulsa dai suoi schemi, ma era incredibilmente liberatorio essere là con Tony e godersi la libertà di fare tutto ciò che voleva, senza preoccuparsi che il minimo errore potesse compromettere il suo futuro.

«Guarda, le nuvole stanno mandando via la gente dalla spiaggia» disse Tony con un cenno del capo.

Dakota guardò verso la terraferma, ormai erano rimasti pochi bagnanti. «Ah, mi si spezza il cuore!»

Lui le strinse delicatamente i glutei con entrambe le mani; quando insinuò le dita sotto l'elastico, l'intero corpo di Dakota vibrò.

«Se vuoi possiamo tornare alla suite.» Le solleticò il collo con le labbra e lei chiuse gli occhi.

«No, restiamo ancora un po'.» Rabbrividì quando Tony la mordicchiò in un punto particolarmente sensibile.

«Sicura di non voler rientrare?»

Lei scosse il capo; non avrebbe mai ammesso quanto fosse eccitante abbandonarsi alle sensazioni, tanto per cambiare. Per un uomo come lui doveva essere del tutto normale.

«Arriva un'altra onda, tieniti forte.» La cinse con le braccia e si voltò, in modo da subire per primo l'impatto con l'acqua.

Dakota gli nascose il viso contro il petto e assaporò il sale sulla sua pelle; Tony sobbalzò quando la lingua gli si avvicinò al capezzolo.

Lei rise e lo guardò. «Soffri il solletico?»

«No. E tu?»

Accadde così in fretta che Dakota non riuscì a capire come Tony avesse fatto a insinuare le dita nello slip tra le sue gambe. Lei allargò un poco le cosce e lui trovò il punto che cercava, strofinandolo con gentile fermezza, fino a che un calore vibrante si diffuse dentro di lei.

Incapace di guardarlo, Dakota chiuse gli occhi e cercò di non graffiargli il petto; si irrigidì un poco quando Tony trovò il punto perfetto per farla sciogliere come miele tiepido. Abbassò una mano e gli esplorò la parte anteriore dei pantaloncini; il membro di Tony era eretto nonostante l'acqua si stesse raffreddando rapidamente.

Un'altra onda li fece barcollare quando bastò per spostare le dita di lui e costringere Dakota ad aggrapparglisi con entrambe le mani.

Ridendo piano, lui le lasciò scorrere la mano sul corpo, come per memorizzare le sue forme. Infine, la sostenne tenendola per le braccia.

La sua bocca si increspò in un sorriso diverso dal solito, forse perché l'espressione degli occhi era differente: quasi neri e colmi di uno struggimento che la fece tremare per il desiderio. «Adesso sei pronta per tornare dentro?»

«Non puoi immaginare quanto» rispose lei con un sussurro quasi impercettibile a causa delle onde. «Non vedo l'ora» ribadì benché, a giudicare dall'espressione degli occhi di Tony, lui l'avesse già compreso.

«Chi si fa la doccia per primo?»

«Stai scherzando.» Tony chiuse la porta della suite e tolse la borsa da spiaggia dalle mani di lei. «Spero.»

«Io...» Dakota non aveva idea di cos'avesse detto di tanto sbagliato.

«Ho intenzione di lavare personalmente questa schiena morbida e allettante» dichiarò Tony, attirandola a sé per baciarle il collo.

«Capisco.» Dakota lasciò cadere il capo all'indietro. Fare la doccia insieme le sembrava fin troppo intimo, per la prima volta. Poi pensò a ciò che avevano appena fatto in acqua, davanti a una decina di persone, e rise sommessamente. «Quindi anch'io posso occuparmi della tua schiena.»

«Qualunque parte di me tu voglia, considerala tua.»

Lei calciò via i sandali. «Offerta interessante.»

Tony si sfilò un sandalo. «Spero che tu ne approfitti.» Non riuscì a sfilarsi il secondo e imprecò, saltellando in equilibrio precario.

Dakota rise e gli offrì la spalla. «Appoggiati a me.»

Lui le posò una mano sulla spalla e usò l'altra per sfilarsi la scarpa.

Lei abbassò lo sguardo sui suoi pantaloncini e intuì cosa poteva avergli fatto perdere l'equilibrio; deglutì e gli strinse il braccio snello e muscoloso. Non un grammo di grasso deturpava quell'addome piatto. Ed era tutto a sua disposizione.

Tony lasciò cadere il sandalo a terra, poi ambedue si diressero lentamente in camera da letto. Le slacciò il pareo, ma tenne le due estremità dell'indumento per condurla con sé, baciandola mentre camminava all'indietro, noncurante delle risate di lei e della cornice della porta contro cui andò a sbattere.

Arretrò il capo per guardarla. «Ti sto baciando e tu ridi. Come potrà funzionare tra di noi se tu mortifichi così il mio ego?»

Lei sorrise. «Tra di noi, *cosa*?»

Lui le pizzicò il fondoschiena. «*Questo*. E questo...»

Dakota gli fermò la mano. «Ho capito.»

«Sicura?» Le morse il labbro inferiore.

«Mmh... Dammi un minuto.»

«Solo uno.» Allungò la mano dietro di lei e, prima che Dakota potesse accorgersene, le slacciò il top del bikini. Boccheggiando, lei si coprì i seni con le mani. Tony le sorrise, posando le mani sulle sue. «Sto solo cercando qualcosa da fare mentre aspetto.»

Dakota esitò, poi lui le accarezzò il dorso delle mani; a quel punto Dakota rilassò la presa e lasciò che il top cadesse a terra. Tony indietreggiò di un passo, lo sguardo sui suoi seni nudi, le narici dilatate, gli occhi neri come la notte.

«Dakota.» Scosse lentamente il capo e sospirò.

«Qualcosa non va?» Lei fece un passo indietro, insicura.

«Al contrario.» Tony rise con voce incrinata dall'emozione. «Sei davvero bellissima.»

Lei esalò il respiro che non si era accorta di avere trattenuto, allungò il braccio e gli posò la mano sul petto. «Anche tu.»

«Avresti potuto pensare a una battuta più fantasiosa.» Tony sembrava imbarazzato, una reazione inaspettata.

Divertente, pensò Dakota. «Hai un corpo perfetto per un uomo. Spalle ampie, muscoloso ma non tropo...»

«La vuoi smettere?» Non le lasciò scelta, tacitandola con un bacio mentre le copriva i seni con le mani leggermente ruvide, accarezzandole i capezzoli induriti fino a portarla sull'orlo della pazzia.

Chinò il capo e ne prese uno in bocca, succhiandolo, la sensazione tanto dolce e soddisfacente che Dakota si lasciò sfuggire un gemito. Poi Tony prese in bocca l'altro, usando i polpastrelli di pollice e indice per consolare quello che aveva abbandonato.

Dakota gli conficcò le unghie nelle spalle; appena se ne accorse trasalì, ma Tony non parve averlo notato. Si inginocchiò, posandole le mani sui fianchi, mentre le lambiva l'ombelico e le prendeva l'elastico del bikini tra i denti.

Dakota gli insinuò le dita tra i capelli e li strattonò gentilmente. «Prima la doccia, ricordi?»

La sua lingua continuò a solleticarla in modo diabolico, affievolendo la sua forza di volontà.

«Tony?»

Lui la guardò, le labbra umide, lo sguardo annebbiato.

«Doccia?»

«Giusto.» Chinò di nuovo il capo e le morse delicatamente l'addome, poi si alzò in piedi, soffermandosi a baciare ciascun capezzolo.

Dakota non era tanto impaziente di farsi la doccia, quanto di vederlo nudo; i pantaloncini da bagno blu coprivano le parti più interessanti.

Quel pensiero la indusse ad alzargli bruscamente il capo; Tony la guardò, sorpreso, ma lei lo baciò, poi lo prese per mano e si diresse in bagno.

Mentre Tony si sfilava i pantaloncini, Dakota aprì l'acqua e aspettò che raggiungesse la temperatura giusta. Quando si voltò, lui esibiva solo l'abbronzatura e una vistosa erezione.

«Tocca a te» le disse, abbassando lo sguardo sui seni nudi e poi sul costume.

Avrebbe dovuto lasciare che fosse lui a preparare la doccia, Dakota detestava spogliarsi di fronte a qualcuno, benché non le fosse rimasto molto da togliersi.

Infilò i pollici sotto il costume e se lo fece scivolare fino alle caviglie; barcollò mentre se lo sfilava, giurando a se stessa che, se Tony avesse riso, lo avrebbe steso. Dopo essersi svestita, raddrizzò la schiena.

Tony non stava ridendo, il suo membro era completamente eretto, pronto e vigoroso, e lei non poté fare a meno di fissarlo. Cercò di pensare a qualcosa da dire, ma non le venne in mente niente.

La sua unica consolazione fu che anche lui le parve altrettanto turbato; la fissò, lo sguardo talmente famelico che lei sentì un brivido correrle lungo la schiena.

Si inumidì le labbra secche e parlò per prima. «L'acqua è pronta.»

Tony sorrise. «Anch'io.»

Lei reagì con una risatina nervosa; uno di loro doveva fare

la prima mossa, ma i suoi piedi non sembravano voler cooperare. «Credo ci sia del sapone nell'armadietto.»

Tony si voltò. «Eccolo.»

Aveva un gran bel fondoschiena; Dakota alzò lo sguardo nel momento in cui Tony si voltò, indicandole di andare per prima. Un punto a suo favore. Entrò nella cabina e si mise direttamente sotto il getto dell'acqua tiepida; Tony scivolò alle sue spalle, cingendole la vita con le braccia e premendosela contro il petto.

I glutei di Dakota si schiacciarono contro l'erezione di lui e, quando le sue mani le coprirono i seni, lei fu certa che Tony potesse sentire il suo cuore battere tanto rapidamente da indurla a dubitare di sopravvivere a quell'esperienza. Lui le strinse i capezzoli tra le dita, poi spostò una mano sull'addome di Dakota; lei inspirò rapidamente e roteò il bacino, torturandogli il membro.

Tony sospirò, poi Dakota lo sentì rabbrividire; lui le posò le mani sulle spalle e la girò, le prese il viso tra le mani e la baciò con impeto.

Istanti dopo si separarono, boccheggianti; Dakota rise piano, il respiro ancora affrettato. Alcune ciocche di capelli bagnati le si erano appiccicate al viso e Tony le scostò delicatamente, massaggiandole la cute.

Dakota rilassò il capo all'indietro, ma lo rialzò poco dopo, non voleva sciogliersi troppo. «L'acqua ti piace proprio, vero?»

Lui sorrise. «Mare, piscina, doccia, vasca da bagno... va tutto bene, purché si sia nudi.» Abbassò lo sguardo e imprecò sottovoce.

«Che c'è?» Anche Dakota abbassò lo sguardo.

«Mi sarei dovuto radere. Guarda come ti ho ridotta» rispose lui, accarezzando la pelle dei seni, arrossata dalla barba.

«Non ti preoccupare» lo rassicurò Dakota, sfiorandogli il viso. «Ho la pelle sensibile.» Soprattutto perché era da parecchio che non veniva a contatto con la barba di un uomo, ma preferì tenere la considerazione per sé. «Ma non sento niente, giuro.»

Lui si finse raccapricciato. «Non senti niente?»

Dakota intuì dove volesse andare a parare e cercò di nascondere un sorriso. «Niente» ribadì.

«Dovremo cercare di rimediare.» Senza esitazione, Tony cercò di toccarla tra le gambe.

Dakota si ritrasse appena in tempo e prese il sapone. «Voltati» disse.

La bocca di Tony si allargò in un sorriso malizioso. «Piccola, adoro quando mi dai degli ordini.»

«Bene, allora obbedisci.» Non sarebbe mai potuta diventare una dominatrice, le veniva troppo da ridere.

Lui si voltò e premette le mani sulle piastrelle scivolose.

Per un momento Dakota si limitò a fissarlo, lasciando che l'acqua gli scorresse sulla schiena. I glutei di Tony erano muscolosi, le spalle ampie e ben modellate, la schiena delineata e, in quella posizione, incredibilmente larga.

Dakota moriva dalla voglia di lasciar scorrere le palme delle mani su ogni centimetro del suo corpo. Gli baciò il dorso, cominciò a insaponarlo, poi passò al petto. Lo sentì inspirare bruscamente quando gli solleticò i capezzoli, poi abbassò le mani sull'addome. Si fermò, sorridendo tra sé, sapendo che l'impazienza di Tony stava crescendo. Per la verità anche la sua, e parecchio.

Tony si voltò all'improvviso, una spugna rosa tra le mani.

«Dove l'hai presa?»

«Lì sopra.»

Dakota seguì il suo sguardo fino a tre piccoli ripiani inseriti nella parete. Vide un tubetto di gel per doccia. «Ingegnoso! Non li avevo notati.»

«Ho dei ripiani simili nella doccia a casa mia, solo che sono un po' più grandi e li uso per... No, non voglio dirti altro, lo vedrai tu stessa.»

Dakota si irrigidì. *Lo vedrai tu stessa?* Non sarebbe mai stata a casa di Tony, loro due non si sarebbero più visti, una volta tornati in città. Era solo un'avventura, una breve fuga dalla realtà.

Era talmente oberata dal lavoro, che a New York trascorreva la maggior parte del tempo in ufficio; una vita sociale era improponibile in quella fase della sua carriera. Non avrebbero avuto motivi per rivedersi, eccetto forse il sesso. Ma sarebbero stati troppo vicini e Dakota non poteva correre quel rischio.

Tony si rabbuiò. «Qualcosa non va?»

«No» mentì lei scuotendo il capo. «Ma mi sento un po' cotta.»

Tony si guardò il palmo delle mani, la pelle dei polpastrelli era raggrinzita. «Hai ragione, anch'io comincio a somigliare a una prugna secca. Usciamo da qui: metterci orizzontali potrebbe essere una gradevole novità.»

Dakota accettò il suo bacio con minor entusiasmo di prima, ma fortunatamente lui non lo notò. Finirono di lavarsi senza indugiare oltre; lei bloccò giocosamente ogni mossa di Tony, benché non fosse più dell'umore per scherzare. Prima avrebbero dovuto parlare: voleva essere certa che a Tony fossero chiari i termini della loro avventura.

8

Dopo essersi asciugata, Dakota si infilò l'accappatoio. Colse l'espressione confusa di Tony, ancora nudo, benché la sua erezione apparisse ridimensionata. Era tanto bello, che lei fu tentata di gettare al vento ogni cautela, dimenticando il breve discorso che si era preparata nella sua mente. Ma sapeva che sarebbe stato incredibilmente sciocco, meglio stabilire le regole di base prima di procedere.

«C'è un altro accappatoio in camera da letto. Te lo vado a prendere.»

Lui la afferrò per il polso. «Pensavo che saremmo rimasti nudi.»

«Mi è venuta sete, beviamo prima qualcosa. Otis ha detto che il frigo è pieno di birre.» Diretta verso il salotto, si guardò brevemente dietro la spalla. «Ma tu resta pure nudo, se preferisci.»

Continuò a camminare, sforzandosi di ignorare l'espressione ferita dei suoi occhi. Tony pensava che qualcosa non andasse, ma appena avessero definito la loro situazione, tutto sarebbe tornato a posto.

Estrasse una lattina di Coca-cola e una birra dal frigorifero; Tony la raggiunse mentre lei metteva alcuni cubetti di ghiaccio in un bicchiere. Pensoso, lui si sedette su uno sgabello di fronte a lei.

«Cosa c'è, Dakota?» le chiese, posando sul bancone la birra che lei gli aveva porto.

«Niente» rispose lei, versandosi la bibita. «Davvero, niente. Però vorrei parlarti.»

«Di cosa?»

«Non è il caso di preoccuparsi, niente di importante.» Posò la lattina sul bancone e gli si avvicinò, guardandolo negli occhi. Afferrò il bavero dell'accappatoio e lo tirò a sé per un bacio.

Tony la accontentò prontamente, mettendole le mani sui fianchi per attirarla tra le sue gambe. Dakota cercò di restare concentrata, ma era difficile, sapendo cosa si celava sotto l'accappatoio.

Interruppe il bacio. «Prima parliamo, prima potremo tornare a divertirci.»

«Suona male.»

Lei arretrò e si mise le mani sui fianchi; lo sguardo di Tony le si abbassò sul petto e Dakota si accorse che l'accappatoio si era aperto, scoprendole i seni. Il desiderio che lesse negli occhi di Tony fu quasi la sua rovina.

Si voltò, si ricompose e inspirò profondamente per schiarirsi la mente.

«Okay, parliamo» convenne lui, stappando la birra e bevendone un sorso.

Lei si schiarì la voce. «So che è un po' tardi, ma ritengo che dovremmo stabilire delle regole per il fine settimana.»

Le sopracciglia scure di lui si avvicinarono; aveva i capelli umidi e una ciocca gli ricadde sulla fronte. Era talmente adorabile che Dakota avrebbe voluto mangiarselo di baci.

«No, per meglio dire, non abbiamo bisogno di regole, finché siamo qui dove niente ha importanza, lontani da Manhattan.»

Sorrise, ma Tony non la imitò.

«Okay, ecco come stanno le cose, quando torneremo in città, dovrò lavorare parecchio per recuperare questi due giorni persi. Anche nelle circostanze migliori, non avrò tempo per una cena o un cinema all'ultimo momento.»

Si rese conto che stava camminando avanti e indietro, come in tribunale quando si rivolgeva alla giuria; si appoggiò al bancone, di fronte a Tony. Il viso di lui era una maschera indecifrabile, benché Dakota fosse molto abile nel leggere le persone.

Si schiarì di nuovo la voce. «Sono sicura che per te sia un sollievo. Non ci saranno richieste di sorta quando lasceremo quest'isola.»

Lui non le parve per niente sollevato. «Perché hai sentito la necessità di specificarlo?» chiese infine.

«Pensavo che parlarne avrebbe potuto metterti a tuo agio.»

«Quindi l'hai fatto per me?»

«Per entrambi.» Percepì la sua rabbia, benché non la capisse. «Forse avrei potuto evitare di affrontare l'argomento.»

«Sono lieto che tu l'abbia fatto.» Annuì, meditabondo. Guardò fuori dalla portafinestra prima di tornare a fissare lei. «Hai finito?»

«Mi hai fraintesa. Ricordati che io non ho avuto tempo per prepararmi a questa sorpresa. Inoltre, ieri sera non ero del tutto sobria.» Il panico la pungolò. «Con questo, però, non voglio dire che non sono contenta di essere qui.»

Lui si alzò senza dire una parola, lasciando la birra sul bancone.

«Il tuo silenzio non è di grande aiuto» disse Dakota, quando lo vide dirigersi in camera da letto.

«Torno subito.» Non si guardò nemmeno indietro.

Lei lo seguì con lo sguardo, stupita e un po' amareggiata. Tony non capiva e lei non sapeva come spiegargli la sua situazione; la sua carriera le chiedeva sempre di più e anche i suoi genitori. Perfino Cody. Tutti sembravano volere un pezzetto di Dakota e a lei non restava niente.

Pochi minuti dopo Tony uscì dalla camera da letto; appena lei vide che indossava una camicia con motivi tropicali e un paio di pantaloncini kaki, capì di avere rovinato tutto. Lui posò qualcosa sul bancone: il suo biglietto aereo.

«Il concierge ti saprà sicuramente indicare l'orario del prossimo volo» disse in tono piatto, poi le sorrise con riluttanza, l'espressione delusa e rassegnata. «Fa' buon viaggio.»

La baciò sulla guancia, ma per Dakota fu come se l'avesse schiaffeggiata.

Normalmente Tony apprezzava la musica reggae, ma non in quel momento. Metà dei tavoli era occupata, per lo più da coppie che parlavano e ridevano. Era stata un'idiozia scegliere di andare a commiserarsi proprio in un bar.

All'inferno.

Probabilmente non sarebbe nemmeno più riuscito a bagnarsi il viso senza pensare a Dakota. Nuda, l'acqua che scorreva su quel corpo incredibile, i capezzoli rosei e turgidi. Forse gli sarebbe bastato immaginarla dietro la sua grande scrivania per raffreddarsi rapidamente.

«Ne vuoi un'altra?» gli chiese il barman.

«Perché no?» Tony gli porse la bottiglia vuota e socchiuse gli occhi per leggere il suo nome sulla targhetta identificativa. «Grazie.» Tony si portò la nuova bottiglia alle labbra.

«Sicuro di non volere un bicchiere?» gli chiese Edward, asciugandosi le mani nello strofinaccio giallo che portava sulla spalla. «Li tengo in fresco nel ghiaccio.»

«No, ti ringrazio.» Tony sbuffò. «Ho appena lasciato qualcosa di ghiacciato in camera.»

Il barman rise e appoggiò gli avambracci robusti sul bancone. «Se hai un problema, parlane con lo zio Eddie. Le ha sentite tutte.»

«Un problema, io? Nah!» Bevve un lungo sorso di birra e prese una manciata di salatini da una ciotola posata sul bancone.

«Ti piacciono le noccioline?» gli chiese Eddie con un sussurro. «Le tengo per i miei clienti preferiti.» Gli posò di fronte un'altra ciotola, colma di arachidi e anacardi. «Non hai una bella faccia, amico. Sicuro di non volerne parlare?»

«C'è un cliente che ha bisogno di te.» Tony indicò con un cenno del capo un uomo con una vistosa camicia hawaiiana e un bicchiere vuoto.

«Torno subito.» Eddie si mise in bocca una manciata di arachidi e si spostò all'estremità del bancone.

Tony si augurò che restasse là; Eddie gli sembrava una brava persona, ma in momenti come quello lui preferiva restare solo. Il barman stava solo facendo il suo lavoro, cercando di procurarsi una bella mancia, e lui gliel'avrebbe data volentieri, purché l'avesse lasciato in pace.

Il suo stomaco brontolò e Tony afferrò un'altra manciata di arachidi. Era inutile aspettare il pranzo, o la cena. Dopo che

Dakota se ne fosse andata, probabilmente sarebbe ripartito anche lui.

Accidenti a lei.

Sospirò. Perché aveva voluto rovinare tutto? Stavano andando così bene e poi... Era come se lei lo avesse colpito con una chiave inglese sulla testa.

A voler essere onesti, Dakota aveva ragione dicendo di essersi trovata in svantaggio la sera prima; Dallas non avrebbe dovuto aspettare che sua sorella avesse bevuto tanto per parlarle del suo piano. E forse, quando aveva notato quanto fosse alticcia, Tony non avrebbe dovuto lasciarle prendere l'aereo.

A ogni modo, non era quello l'importante. Ciò che Dakota aveva cercato di spiegargli con il suo irritante tono da avvocato, non riguardava il fine settimana. La preoccupava quel che sarebbe potuto succedere al loro ritorno. Come se Tony non fosse degno di uscire con lei. L'idea lo aveva ferito.

«Ciao.»

Sentendo una voce femminile lui alzò la testa, il cuore palpitante. Perché rimase deluso, se aveva capito subito che quello non era il timbro leggermente roco di Dakota?

«È occupato questo posto?» La sconosciuta era una bionda minuta e giovane, anzi, giovanissima.

«È tutto tuo, accomodati.»

Lei posò un fianco sullo sgabello accanto a lui, poi si sistemò contro lo schienale in rattan. Il vestito, già cortissimo, le salì sulle cosce, ma lei non parve preoccuparsene.

«Mi chiamo Celine.» Gli tese la mano. «Come la cantante.» Aveva una di quelle strette di mano inconsistenti che Tony detestava, anche in una donna.

«Io sono Tony. Come la tigre dei cereali.»

Lei rise; non la risata sexy e profonda di Dakota, una risatina stridula, da ragazzina.

«Celine, il solito per te?» le chiese Eddie da in fondo al bancone.

Lei annuì e indicò Tony con un cenno. «Preparane uno anche per lui.»

Lui alzò la mano. «No, grazie. Ho già bevuto a sufficienza.»

Le labbra di lei si imbronciarono. «Sei qui in vacanza?»

«Più o meno.» Non aveva voglia di chiacchierare, ma non voleva essere scortese. «E tu?»

«Qualcosa di simile.» Sorrise e chiuse le dita sul cocktail che Eddie le posò di fronte. «Praticamente vivo qui. Sull'isola, non in albergo.»

«Cosa bevi?»

«Piña colada. Vuoi assaggiare?» offrì, togliendo la fetta d'ananas che Eddie aveva usato per decorare il bordo del bicchiere.

Tony guardò Eddie, che si stava già occupando di un altro cliente. «Sei abbastanza grande per bere quel cocktail?»

Lei ridacchiò di nuovo; Tony si ripromise di evitare altre battute per non dover più udire quel suono sgradevole.

«Ho ventidue anni» lo informò la giovane, chinandosi verso di lui per mettere in evidenza la scollatura letale. «Totalmente legale.»

Eddie si avvicinò, lucidando il bancone. «Quando sei arrivata, Celine?»

«Stamattina. Papà voleva attraccare ieri pomeriggio, ma siamo stati ostacolati dal maltempo.»

«Dovresti mostrargli il tuo yacht» le suggerì il barman, strizzando l'occhio a Tony senza che la ragazza lo notasse.

Qualcosa gli sfiorò la spalla destra; lui si voltò e vide Dakota, che gli si stava sedendo accanto.

«Ciao.» Indossava un miniabito rosso aderente, con una profonda scollatura.

«Ciao» replicò lui. «Sei ancora qui.»

Lei annuì. «Per te va bene?» soggiunse a bassa voce.

Tony si strinse nelle spalle. «Non mi riguarda.»

Lei sospirò. «So che sei arrabbiato e non ti biasimo.» Si inumidì le labbra. «Ho sbagliato e mi dispiace.»

Eddie si avvicinò. «Buon pomeriggio, bella signora. Cosa posso portarti?»

«Vorrei...» Titubante, Dakota guardò Tony, poi Celine.

«Vino bianco, Chardonnay» rispose Tony per lei, per farle capire che era la benvenuta.

«Grazie.»

Tony avrebbe preferito andarsene, ma non voleva che Dakota fraintendesse quella proposta. Meglio allontanare gli altri due. Si voltò verso Celine. «Scusaci, siamo in luna di miele.»

«Oh, mi dispiace! Non lo sapevo.»

«Nessun problema. Non hai fatto niente di male.» Tony non vedeva l'ora di gustarsi l'espressione di Dakota; probabilmente sarebbe apparsa indignata per quella bugia.

La guardò. Contrariamente alle sue attese, lei sorrideva.

«Hai detto che siete in luna di miele?» chiese Eddie, posando il calice di vino di fronte a Dakota. «Per i miei clienti preferiti, tengo in fresco uno champagne speciale.»

Dakota fece una smorfia. «Grazie, ma devo declinare. Ieri sera dopo la cerimonia ho esagerato.»

«Sì, si è perfino messa a ballare sui tavoli. Ho dovuto fermarla quando ha cominciato uno spogliarello.»

Tutti risero, perfino una coppia seduta a un tavolo vicino.

Dakota gli scoccò un'occhiataccia. «Non è vero.»

«Non preoccuparti, amore. So che non ti ricordi niente di ieri sera.»

Lei si guardò intorno. «Sta mentendo.»

Eddie gli scoccò un'occhiata ammonitrice e si allontanò, scuotendo il capo.

Dakota serrò le labbra, poi si costrinse a sorridere. «Okay, me lo sono meritato» disse sottovoce.

Tony scosse il capo. «Non era un tentativo per fartela pagare. Hai bisogno di scioglierti e divertirti un po', ti stavo solo prendendo in giro.»

«Ma ho sbagliato. Sei ferito e arrabbiato e dovrei...»

Tony le prese la mano per impedirle di scendere dallo sgabello. «Non sono ferito. Perché dovrei? Mi ha infastidito che ti stessi comportando come un dannato avvocato.»

«Io *sono* un avvocato.»

«Non in camera da letto.»

Lei arrossì e girò il capo.

«È stato un piacere conoscerti, Tony» disse Celine alle sue

spalle. Si era dimenticato di lei. «Meglio che vada a cercare mio padre.»

Quando si fu allontanata, Dakota domandò: «Ma è grande abbastanza per poter entrare qui?».

Lui si strinse nelle spalle. «Ha ventidue anni.»

«Ventidue? Sembra più giovane.»

«Più diventi vecchia, più giovane ti sembrano.»

Dakota lo guardò, un sopracciglio sollevato. «Ho capito, mi stai prendendo in giro. Ah, ah, molto divertente.»

«Non essere così permalosa.»

«Per niente. Certo, se avessi più di trent'anni la situazione sarebbe un po' diversa...» Bevve un sorso di vino e prese una nocciolina.

«Ehi! Se vuoi una nocciolina devi chiederla a me. Me le ha date Eddie perché sono un cliente speciale.»

«Posso?»

Gli rivolse un sorriso talmente affettuoso, che Tony temette che stesse per proporgli di restare amici. «Serviti pure.»

Dakota prese un paio di noccioline e le masticò lentamente, una dopo l'altra. Tony rimase interdetto; com'era possibile mangiare una sola nocciolina alla volta? «Quanti anni hai?»

Lei lo guardò, sorpresa. «Perché me lo chiedi?»

«Stavamo parlando di età, non mi sembra una domanda tanto bizzarra.»

«Ventotto.»

Tony emise un fischio basso e modulato.

«Che c'è? Sono troppo vecchia per te?» Guardò lo sgabello dov'era stata seduta Celine.

«Come se ventotto anni significasse essere vecchie. Credevo ne avessi di più.»

Lei lo guardò, esterrefatta.

«Non per il tuo aspetto. Ho fatto due conti. College, specializzazione, carriera e presto giudice. Tutto questo a soli ventotto anni. Sei ambiziosa.»

«Per diventare giudice bisogna essere lungimiranti e programmare in anticipo la propria carriera.»

«Non era una critica. Ciascuno dovrebbe essere libero di vivere come meglio crede.»

Lei lo guardò per un momento, un sorriso triste sulle labbra prima di spostare lo sguardo sul bancone.

Tony non riuscì a trattenersi. «Che c'è?»

Dakota sospirò. «Alcuni pensano che i miei mi abbiano spinta a intraprendere la carriera forense perché sono loro a volere che diventi giudice, non io. Penso che anche Dallas ne sia convinta. Ma non è vero. Mi è piaciuto studiare giurisprudenza, conoscere il nostro sistema legale.» Rise. «Non sempre apprezzo come funziona, ma lo amo. Non so come spiegarmi...»

«Non mi devi spiegare niente. Lo capisco, anch'io amo quello che faccio. Mi piace lavorare con le mani.» Decise di bere un'altra birra e richiamò l'attenzione di Eddie. «Solo che non mi piace ammazzarmi di fatica tanto quanto fai tu.»

«A volte non piace nemmeno a me.» Dakota scosse il capo con espressione malinconica. «Ma non ho scelta. Non è facile avere come padre un giudice famoso. Devo essere sempre alla sua altezza.»

Eddie portò la birra a Tony e, mentre Dakota chiedeva al barman che cocktail avesse appena servito a un altro avventore, Tony ne approfittò per osservare il suo profilo. Credeva di avere capito, ma fino a quel momento non aveva compreso realmente. Dakota *doveva* lavorare il doppio, essere una Shea aveva il suo prezzo.

9

Dakota scelse un cocktail analcolico, non era una buona idea mescolare vino e superalcolici, inoltre aveva dei progetti per la serata, progetti importanti che auspicabilmente l'avrebbero tenuta impegnata tutta la notte. Avrebbe avuto bisogno di tutte le sue energie.

Sentì il peso dello sguardo di Tony e accavallò deliberatamente le gambe, le unghie rosse che facevano capolino dai sandali, puntate verso di lui. Ciò attirò immediatamente la sua attenzione, per fortuna gli uomini erano creature semplici.

«Hai già mangiato?» gli domandò, dondolando il polpaccio e osservandolo distogliere lo sguardo con riluttanza.

«Ehm, no. Solo qualche salatino e delle arachidi.»

«Ti andrebbe di cenare con me?» La mancanza di una risposta immediata le serrò lo stomaco. Aveva rovinato tutto?

Quando in camera Dakota aveva cominciato a dettare le sue condizioni, Tony avrebbe potuto accondiscendere a ogni sua parola, solo per il sesso. Invece le aveva tenuto testa per principio; non era come i tanti ragazzi al college che non erano stati capaci di vedere oltre il suo aspetto esteriore.

Dakota si vergognò di se stessa, pensando all'impressione che probabilmente gli aveva dato, come se Tony andasse bene per l'avventura di un fine settimana ma non fosse degno di entrare a far parte della sua vita. La cosa più triste era che quel pensiero aveva attraversato *davvero* la sua mente. Dakota aveva temuto che lo sforzo di frequentare una persona tanto diversa da lei avrebbe finito per nuocere alla sua carriera.

Quando era diventata tanto arrogante? Tony era pieno di vita, sicuro di sé e divertente, era un privilegio frequentarlo, non una vergogna. «Forse prima avrei dovuto chiederti se pensi di restare» disse infine.

«Dubito che riuscirei a trovare un volo a quest'ora» commentò Tony.

«Oh.»

«Comunque non lo cercherei.» Sorrise, strizzandole l'occhio. «Sarei un pazzo se rinunciassi alla nostra luna di miele.»

La speranza sfarfallò nel cuore di lei. «Posso dedurne che sono perdonata?»

Tony le rivolse un'occhiata che avrebbe potuto scioglierla, poi si chinò per sfiorarle le labbra con un bacio. «Sono contento che tu sia rimasta.»

«Anch'io.»

«Basta parlare del *dopo*. Un giorno alla volta, okay?»

«Sono d'accordo.»

«Bene. Cosa dicevamo della cena?»

«Ci sono tre ristoranti. Uno più casual, uno elegante e uno indonesiano. Scegli tu dove andare.»

«C'è un'altra opzione.» Le prese la mano e le baciò il dorso. «Potremmo cenare in camera.»

«Ottima idea!» Dakota spostò la gamba in modo da accarezzargli il polpaccio con l'alluce. «Mi piace.»

Le sopracciglia scure di lui si alzarono. «Però è ancora presto per cenare.»

«Vero. Qualche idea?»

Tony sorrise. «Una ce l'avrei.»

Le porte scorrevoli dell'ascensore si aprirono e Tony imprecò sottovoce. «Maledizione.»

«Che c'è?» Dakota allungò il collo per vedere cosa lo avesse contrariato. La porta della loro suite era aperta e il carrello della cameriera era parcheggiato di fronte. «Non è possibile!»

Tony tenne aperte le porte dell'ascensore, poi la seguì nel corridoio. «Speriamo abbia finito, altrimenti la butteremo fuori.»

Sentite delle voci, la cameriera fece capolino dalla porta.

Un sorriso illuminò il suo viso tondeggiante. «Venite, venite pure, ho quasi finito.» Li invitò a entrare con la mano paffuta, mentre spostava il carrello per lasciare loro spazio.

Dakota entrò per prima, qualcosa in sala da pranzo attirò la sua attenzione. Sul tavolo vide un enorme bouquet di rose rosse, garofani bianchi e velo da sposa accanto a un secchiello con una bottiglia di champagne. Cioccolatini e pasticcini erano sistemati su un vassoio in rattan coperto con un centrino di pizzo.

«Wow, guarda!»

Tony la raggiunse e le posò la mano sulla parte della schiena lasciata scoperta dal vestito. Dakota sentì il riverbero di quel contatto in tutto il corpo.

«Scusatemi» disse la cameriera in uniforme bianca e nera, dirigendosi rapidamente in bagno con alcuni asciugamani color crema.

Tony sospirò e prese un cioccolatino.

«C'è un biglietto?»

«Al diavolo il biglietto. Nocciole ricoperte di cioccolato bianco, tartufi, cioccolatini alle mandorle... Fantastico.»

«Lasciami indovinare... ti piace il cioccolato.» Dakota trovò un biglietto tra i fiori.

Lei aprì la busta. «È di Dallas ed Eric. Ci ringraziano per averli aiutati.»

«Eh, sì. In effetti è una vera fatica.»

La cameriera uscì sorridendo dal bagno. «Tutto bene?»

«Benissimo, grazie.»

Dakota la accompagnò alla porta e, quando fu uscita, la chiuse a chiave. Si voltò e vide che Tony le sorrideva. Era chiaro a cosa stesse pensando, contraddirlo sarebbe stato inutile: era ansiosa di restare sola con lui.

Tony stava assaporando il secondo cioccolatino. «Dallas ha scritto altro?»

Dakota scosse il capo, osservando i fiori e lo champagne. «Vorrei che non l'avessero fatto. Questo fine settimana costerà una fortuna. Tom si meriterebbe un bel calcio nel sedere.»

«Lo so, ma non preoccuparti. Penserò io al conto. È da parecchio che non mi prendevo una vacanza.»

Dakota esitò, non voleva ferire i suoi sentimenti. L'albergo era costoso, ne era certa, benché non avesse un'idea precisa di quanto potesse costare una suite. «Per la verità avrei voluto pensarci io. Dopotutto è mia sorella.»

«Per la verità» ribatté lui con un sorrisetto, «è troppo tardi.»

«Cosa vuoi dire?»

«Sono passato in reception prima di andare al bar e ho lasciato il numero della mia carta di credito.»

«Oh.» Avrebbe voluto chiedergli se avesse visto il conto e sapesse quanto gli sarebbe costato. Era certo di poterselo permettere con le sue entrate? Dakota avrebbe voluto pagare la sua parte, ma non sapeva come proporlo senza urtare la sensibilità di Tony.

«Non preoccuparti, posso permettermelo» la rassicurò lui, intuendo i suoi pensieri. «Vuoi un cioccolatino?»

Meglio tacere ed evitare altri guai. «Sì, cioccolato al latte, se c'è.» Gli si avvicinò, spronandosi a rilassarsi, dopotutto Tony era libero di fare le sue scelte.

«Tieni» disse lui, posandole un pezzetto di cioccolato tra le labbra.

Lei lasciò che la morbidezza cremosa le ricoprisse la lingua. «Mmh... Paradisiaco.»

«Fammi assaggiare.»

«Troppo tardi.»

«Non credo proprio.» Le alzò il mento con un dito e la baciò prima delicatamente, poi con tanto impeto che Dakota dovette reclinare il capo all'indietro.

Gli posò le mani sugli avambracci, con l'intenzione di rallentare, invece gli lasciò risalire le palme fino ai bicipiti; quando Tony le posò le mani sui fianchi, Dakota sentì i muscoli gonfiarsi sotto la sua pelle. Gli sbottonò la camicia.

Sorridendo sulle sue labbra, Tony cercò di slacciare le fasce che le si incrociavano sul seno. Non sarebbe stato facile e Dakota dubitava che ci sarebbe riuscito, ma lo lasciò provare mentre gli esplorava i contorni del petto.

Tony si arrese e la lasciò andare; lei non avrebbe voluto interrompere la sua esplorazione, ma lui le prese i polsi. «Che ne diresti di andare a provare il magnifico letto che c'è di là?»

«L'ho già provato. È fantastico.»

«Grazie tante, anche il divano.»

«Povero piccolo!»

«Non mi interessa la tua compassione. Voglio solo capire come si toglie questo dannato vestito.»

Dakota rise. «È come un rompicapo. Se capisci come funziona, puoi avere il premio nascosto all'interno.»

«Il più delle volte strappo e rompo tutto pur di ottenere ciò che voglio.»

«Non ci provare! Questo vestito mi piace.»

«Sono d'accordo con te. Lo indosserai ancora?»

«Sì.»

«Quando? A New York?»

Lei gli scoccò un'occhiataccia. Tony aveva la camicia aperta e lei ricordava con precisione come fosse sentire quei pettorali magnifici premuti contro il suo seno. Perché stavano perdendo tempo? «Scusa, che ne è stato dell'idea di vivere giorno per giorno?»

Tony alzò le mani in segno di resa. «Hai ragione. Perdonami.»

Lei afferrò il colletto della sua camicia. «Al diavolo le scuse, voglio che mi baci.»

Tony le sfiorò le labbra con le sue prima di sussurrare: «In tal caso, togliti quel dannato vestito».

Dakota si lasciò sfuggire una risatina, ma non se ne curò, concentrata sull'idea di spogliarsi. Non le ci volle molto, dal momento che sotto quel vestito era riuscita a indossare solo un minuscolo perizoma, indumento che non era avvezza a portare.

Anche Tony si sfilò camicia e pantaloncini; i loro indumenti finirono sulla poltrona accanto alla finestra. Dakota scostò il copriletto, mentre lui cercava di distrarla, tempestandole la schiena di baci.

Lei stava per abbassare le lenzuola, quando Tony la spinse con urgenza sul letto e le si sdraiò sopra, baciandole la bocca, gli occhi e il collo. Senza alcuna inibizione, Dakota gli passò le mani sul petto e le spalle, poi gli strinse i muscoli sodi dei glutei, beandosi del contatto del suo membro eretto contro il proprio addome e l'inguine, che in quel momento sembrava in fiamme.

«Tony?» chiamò il suo nome senza sapere cosa dire. Quando lui ritrasse il capo e la guardò negli occhi, capì. «Sono contenta di essere qui con te.»

Lui sorrise. «Anch'io.» Le scostò i capelli dal viso e le passò il polpastrello del pollice sul labbro inferiore. «Anch'io» ripeté, prima di coprirle un seno con la bocca.

Prese il capezzolo eretto tra i denti e ne solleticò la punta con la lingua, mentre le palpava l'altro seno. Dakota chiuse gli occhi, rapita dalle sensazioni che avevano assunto il controllo del suo corpo. Avrebbe voluto toccarlo a sua volta, ma non riusciva a muoversi.

Quando infine riuscì ad alzare il braccio destro, Tony lo spinse gentilmente sul materasso; le chiuse le dita intorno al polso, imprigionandola in un modo che non la spaventò ma, al contrario, la eccitò indicibilmente.

Per certi versi, Dakota fu egoisticamente contenta, non desiderava altro che restarsene sdraiata e assorbire tutte le deliziose sensazioni delle quali il suo corpo era stato privato troppo a lungo. Per quanto bene potesse conoscersi, prendersi cura da sola del suo piacere era ben diverso; Tony sembrava sapere esattamente dove e come toccarla, spingendola fino al limite e riportandola indietro, sempre più impaziente.

Lui si prese il suo tempo, scoprendo ogni curva e avvallamento; non doveva essere facile per Tony procedere con tale lentezza, data la sua evidente eccitazione.

L'impazienza di Dakota crebbe con il desiderio di toccarlo e lei si liberò per passargli le palme delle mani lungo i fianchi e la schiena. Lui si mosse sopra di lei, le braccia tremanti per la tensione.

«Tony?»

Lui la baciò, sapeva ancora di cioccolato. Le sfiorò le labbra delicatamente, ma ben presto l'urgenza ebbe il sopravvento e le insinuò la lingua tra i denti, prendendo tutto ciò che lei gli offriva.

Quando infine ritrasse il capo, aveva la voce roca. «Sì?»

Dakota lo fissò, smarrita. «Ho dimenticato cosa volevo dirti.»

Lui rise piano e rotolò sul fianco; dopo averle toccato la punta di ciascun capezzolo con la lingua, si appoggiò al braccio. La guardò dalla testa ai piedi, poi il suo sguardo si fermò sul viso di lei.

«Hai bisogno di riprendere fiato?»

«No, ma pensavo potessi averne bisogno tu.»

«Presuntuoso.» Dakota allungò la mano e gli passò due dita lungo la parte inferiore del sesso eretto, arrivando fino alla punta e usando il pollice per inumidirla.

Tony chiuse gli occhi, imprecò sottovoce, poi le allontanò la mano.

«Scusa, dimenticavo che volevi riprendere fiato.» Si sdraiò, posandosi la mano sopra il seno destro.

Lo sguardo di Tony seguì la mano, osservandola mentre accarezzava oziosamente il capezzolo. Trasse un respiro tormentato, implorandola tacitamente di toccarlo ancora.

«Sei stupendo» gli sussurrò Dakota.

Tony la guardò negli occhi, sorpreso e divertito allo stesso tempo.

«Dico sul serio.» Gli posò la mano sul petto, sfiorandogli appena le curve muscolose.

Lui rise sommessamente, scuotendo il capo; dalla sua espressione Dakota capì di averlo messo in imbarazzo.

«I ragazzi che si allenano nella palestra dove vado ucciderebbero per avere un corpo come il tuo.» Gli passò la mano sull'addome piatto e gli accarezzò l'erezione, osservando le dita che ne sfioravano la sommità.

Tony emise un suono profondo e gutturale che la eccitò quanto la mano che le stava risalendo lungo la coscia. Raggiunto il punto in cui le gambe si univano, le dischiuse. Non fu difficile, Dakota lo desiderava tanto da tremare.

Quando fece scivolare un dito dentro di lei, Dakota gli si aggrappò alla spalla. Tony si spostò in modo da poter vedere cosa stesse facendo; iniziò a massaggiarle il suo punto più sensibile, che la portò all'esplosione. Le bastarono pochi secondi perché gli spasmi la accecassero, conducendola al limite dell'oblio. Avrebbe voluto fermarlo e al tempo stesso avrebbe voluto che durasse per sempre.

Strinse le cosce e Tony si ritrasse riluttante, il respiro affannoso sui suoi seni. Dakota non riusciva ad aprire gli occhi né a parlare, ma voleva di più, voleva sentire Tony dentro di sé.

Il borbottio di lui la indusse a guardarlo, Tony si era seduto sul letto.

«Un minuto» le disse, alzandosi e dirigendosi verso la poltrona dove avevano lasciato i vestiti. Trovò i suoi pantaloncini e, quando estrasse una busta dalla tasca, Dakota capì.

Rimase immobile a osservarlo dirigersi verso il letto, fissando la sua erezione e stringendo i denti per l'impazienza. Appena lui si sedette sul bordo del letto, lo sorprese mordendogli delicatamente un gluteo.

Tony si voltò di scatto, sorridendo. «E così ti piace il gioco duro, eh?»

Lei sorrise, fingendosi intimidita, poi gli diede un altro morso giocoso.

«Okay.» Tony finì di srotolare il preservativo, poi si gettò su di lei.

Ridendo, Dakota cercò di sfuggirgli; lui le afferrò la caviglia e le si mise sopra, intrappolandole il fianco tra le cosce muscolose e piantando le mani ai lati della sua testa, mentre la fissava.

Le sorrise. «Tu mi sorprendi.»

«Non puoi essere più sorpreso di me.»

Gli angoli dei suoi occhi si strinsero e Tony chinò il capo per un bacio sorprendentemente dolce. La baciò di nuovo sul mento e poi tra le clavicole. Senza alcun preavviso, scivolò dentro di lei.

Non appena avvertì quell'invasione, Dakota si irrigidì, poi si rilassò, chiuse le dita sul lenzuolo e inarcò la schiena per accoglierlo più in profondità. Tony la penetrò e si ritrasse ancora e ancora, finché lei tremò dalla testa ai piedi.

«Dakota» sussurrò lui. «Ora, Dakota.» Mandò il capo all'indietro e, con un'ultima spinta, proruppe in un ruggito.

Chiunque nella suite adiacente avrebbe potuto sentirli, ma a Dakota non importava; una sensazione di pura eccitazione le consumava il corpo e la mente, alimentando la sua passione. Sapeva già che avrebbe voluto di più, molto di più.

Tony si rilassò e coprì il suo corpo con il proprio, ancora fremente. Le sue braccia tremavano e Dakota capiva bene perché.

«Wow» boccheggiò lui guardandola, il respiro affannoso e roco.

«Già» confermò lei, cercando di riprendere fiato mentre si inumidiva le labbra.

Tony interpretò quel gesto come un invito e la baciò con impeto prima di staccarsi da lei per recuperare il fiato e lasciarsi cadere sul dorso. Non dovette insistere affinché Dakota gli si sdraiasse accanto, posandogli la guancia sul petto.

Un minuto dopo si addormentarono.

«Ehi.» Tony accarezzò la guancia morbida di Dakota, poi le scostò i capelli dal viso.

Lei aprì lentamente gli occhi assonnati. «Che ore sono?»

«Sei in vacanza, che te ne importa?»

«Hai ragione.» Sorrise lentamente, poi si coprì la bocca per sbadigliare. «Forza dell'abitudine.»

Nudi, non si erano mossi; Dakota aveva dormito tranquilla sul petto di Tony. Lui sapeva che ore erano, appena si era svegliato aveva controllato l'orologio sul comodino. Per curiosità, più che altro, perché il sole era già tramontato.

Lei si stiracchiò, ruotando una spalla all'indietro. «Da quanto sei sveglio?»

«Un paio d'ore.»

Dakota alzò la testa di scatto, fissandolo incredula e completamente sveglia. «E cos'hai fatto per tutto questo tempo?»

«Ti ho guardata dormire.»

Dakota si passò la lingua sui denti mentre si scostava indietro i capelli. «Dimmi che stai scherzando.»

«Perché?» Le alzò il mento con un dito. «Sei bellissima, come sempre.»

L'espressione scettica di lei si trasformò in un sorriso malizioso. «Anche tu.»

«Ah, ci risiamo con le battute fantasiose.» Sapeva che Dakota stava cercando di punzecchiarlo, ma non intendeva reagire.

Fece per alzarsi, ma lei lo fermò. «Ammetto che il tempismo non era dei migliori, ma dico sul serio. I ragazzi in palestra si allenano per ore, ma non hanno un fisico come il tuo.»

Lui alzò le spalle, imbarazzato. «È perché passano troppo tempo seduti dietro una scrivania. Basterebbe alzare le chiappe e fare qualche lavoro manuale di tanto in tanto. Presenti esclusi, ovvio.» Non c'era niente di sbagliato nel fondoschiena di Dakota, tondo e sodo, né tanto meno nei seni, sormontati dai capezzoli rosa... Dovette distogliere lo sguardo.

«Non usi pesi?» gli domandò Dakota, posandogli una mano sul bicipite e seguendo la curva del muscolo quasi con riverenza.

L'ego di Tony si inorgoglì. «Ho un paio di manubri a casa, ma li uso più che altro per rilassarmi. Tutto qui.»

Lei gli sorrise. «Non avevamo deciso di ordinare la cena in camera?»

«Affamata?»

Dakota allungò la mano verso la sua erezione. «Sì, ma il mio piatto preferito non è sul menu.»

100

10

Il mix di nuvole bianche e scure contribuiva a creare un tramonto suggestivo. Bande di color rosa salmone e arancio attraversavano il cielo, tingendo l'acqua sottostante. La luna aveva già cominciato a sorgere e Dakota era tentata di correre a comprare una macchina fotografica per immortalare quello splendore.

Ma era troppo pigra, la vista dal balcone troppo spettacolare e Tony troppo vicino per muoversi. Lo guardò, coricato sulla sdraio a pochi centimetri da lei.

«Non riesco a credere che domani mattina torneremo a casa» gli disse, togliendogli la birra di mano.

Divertito, lui la osservò bere un sorso e posare la bottiglia sul suo bracciolo. «Vuoi che vada a prendertene una?»

«No, grazie. Preferisco bere la tua.»

«Accomodati.»

Dakota lo guardò e gli sorrise. «Mi piacerebbe poter restare più a lungo.»

«Cosa ce lo impedisce?»

«Sai che non posso. Venerdì devo essere in tribunale e mi ci vorranno ore per prepararmi. Non riesco ancora a credere di aver accettato di partire domani mattina invece di stasera.»

Tony le prese la mano e le baciò il palmo. «Non sei contenta di averlo fatto?»

Dakota annuì e sospirò. «È stato il miglior fine settimana di tutta la mia vita.»

«Il miglior fine settimana o il miglior sesso?»

Lei finse di scoccargli un'occhiata sdegnata. «Entrambe le cose. Vanesio!»

Tony le strinse la mano. «Anche per me.»

«Davvero?»

La studiò per un momento, pensoso. «Non te ne sei accorta?»

Dakota ritrasse la mano. «Non so niente della tua vita privata. Comunque non sono affari miei.» Sospirò. «E, francamente, ho meno esperienza di quanta dovrei.» Si strinse tra le dita il setto nasale e batté un paio di volte la testa contro la sdraio. «Non riesco a credere di averlo ammesso proprio con te. Ma sono certa che te n'eri già accorto.»

«Basta birra per te.»

Dakota lo guardò, perplessa.

«No, non me n'ero accorto, perché sei magnifica. E lo so perché probabilmente io ho troppa esperienza. Non recente, risale a quand'ero più giovane.» Fece una smorfia. «Non esco molto ultimamente.»

«Oh.»

«Ancora una cosa. Non mi risulta ci siano delle regole che stabiliscono quanta esperienza si dovrebbe avere.»

«Be', al giorno d'oggi una donna come me che ha frequentato il college e lavora, dovrebbe essere uscita con più uomini.»

Tony esitò, Dakota si augurò che lasciasse perdere, ma era improbabile. Era troppo curioso. «Perché non sei uscita con più uomini?»

Se l'era cercata, aveva parlato troppo. Come poteva sentirsi già tanto a suo agio con lui? Non poteva essere perché avevano fatto l'amore almeno sette volte in due giorni, e avevano parlato di tutto, dal terrorismo all'allevamento dei cuccioli. Nei momenti in cui non si erano dedicati al sesso.

Sospirando, incrociò le braccia sul petto. «Ricordi quanto ti ho parlato della mia breve ribellione al college?»

Lui annuì, la curiosità nei suoi occhi subito sostituita da sincera preoccupazione.

«Non fu per niente piacevole.» Gran parte dell'arancio e del rosa era svanito dal cielo, coperto dalle nuvole. La fiaba era finita. «Una notte, il secondo anno, andai alla festa di una confraternita con alcuni amici. Conoscevo gran parte dei partecipanti e li consideravo miei amici, ma alla fine della serata, due fusti di birra più tardi, due di loro cercarono di aggredirmi.»

«Oh, mio Dio...»

Nonostante l'oscurità incipiente, Tony scorse la rabbia e il dolore sul viso di lei. «Non fui violentata. Avevo bevuto meno di loro e ne misi fuori combattimento uno.»

Tony sollevò le sopracciglia. «Davvero?»

Lei si strinse nelle spalle. «Dallas e io abbiamo preso lezioni di difesa personale. Inoltre adoro fare kickboxing.»

«Accidenti! Carino da parte di Dallas non avermi messo in guardia.» Le prese di nuovo la mano. «Come andò a finire?»

«Li denunciai, ma poi il rettore mi convinse a lasciar cadere le accuse. Uno di quei bastardi era un giocatore fondamentale per la squadra di football del college e non volevano pubblicità negativa. Nemmeno io, perché temevo che i miei genitori scoprissero cos'era successo.»

«Ma tu eri la vittima.»

«Già.» Dakota aveva creduto che l'amarezza per l'accaduto fosse svanita, ma non era così. «Ma avevo solo diciannove anni, mi sentivo umiliata ed ero terrorizzata all'idea che i miei lo scoprissero. Quei due se la cavarono con un rimprovero e io cercai di scomparire. Quello stesso giorno tutti i miei vestiti nuovi finirono nella pattumiera.»

«Non è successo molto tempo fa. Credevo che cose del genere non accadessero più alle donne.»

«Quando si tratta di proteggere i loro atleti migliori, la maggior parte delle scuole è pronta a calpestare l'etica.» Dakota bevve un altro sorso di birra, cominciava a sentirsi meglio. «Da quel giorno seppi senz'ombra di dubbio di voler studiare legge e diventare avvocato.»

103

«Per essere certa che quel che ti era successo non potesse più accadere ad altre donne.» Tony le posò la mano sul collo e le massaggiò i muscoli irrigiditi.

Dakota chiuse gli occhi e lasciò cadere il capo in avanti. «Indovinato.»

«Credevo avessi voluto seguire le impronte di tuo padre e tuo fratello.»

«I miei lo avevano sempre dato per scontato. Guai a te se smetti» lo ammonì, quando Tony fece per allontanare la mano dal collo di lei.

«Non ci penso nemmeno» replicò lui, continuando a massaggiarla.

«A ogni modo, feci la brava e accontentai i miei genitori. Avevo sempre pensato che l'attività forense fosse affascinante, ma dopo quell'esperienza divenne la mia missione.»

«Posso farti una domanda?»

«La risposta è *sì*.»

«Ehi! Non sono un supereroe! Ho bisogno di un po' di tempo per recuperare le forze.»

Ridendo, Dakota scosse il capo. «Okay, ammetto di essere un po' stanca anch'io.»

«Adesso non esagerare. Non intendevo dire niente sesso. Basterà aspettare un'oretta.»

«Un'oretta? A me potrebbero servirne un paio.» minimizzò lei, benché fosse indolenzita ovunque. Ma dal momento che quella sarebbe stata la loro ultima notte...

Quel pensiero le trafisse il cuore; Tony le sarebbe mancato da pazzi, ne era sicura. Ma non sarebbe stato pratico cercare di rivedersi una volta tornati in città, Dakota preferiva non pensare alla montagna di lavoro che la aspettava.

Ma immaginare di non vedere Tony era anche peggio.

Si affrettò ad allontanare quei pensieri dalla sua mente, erano del tutto inaccettabili, impossibili.

«Mi hai sentito?»

«Cosa?» gli chiese, riscuotendosi dal momentaneo torpore.

«Non metterti subito sulla difensiva, ma mi stavo chiedendo se non pensi di averla data vinta a quegli idioti, vestendoti come pensano che una donna dovrebbe vestirsi.»

«Osservazione sensata, ma non vale la pena faticare troppo. Più comodo vestire in modo formale.»

«Anche nel tempo libero? Anche qui? Questo non significa che...»

«E va bene. Sono una codarda. E allora?»

Tony espirò rumorosamente. «Scusa. Non sono affari miei.»

Dakota tacque, meglio il silenzio che ammettere come in effetti non fossero affari di Tony. A ogni modo, lui non avrebbe potuto capire lo sconforto di essere oggetto delle attenzioni di uomini sposati, superiori, clienti e vecchi conoscenti di suo padre. Vestire in modo severo e professionale rendeva la vita assai più facile.

«Bene, prossimo argomento» riprese Tony, sistemando la sdraio in modo da stare seduto diritto. «Intendi parlare a Dallas di noi?»

Lei sentì il cuore sprofondare. «E cosa dovrei dirle?»

«Sai che chiederà come è andato il fine settimana. Se preferisci, possiamo dirle che non ci siamo fermati. Non le arriverà il conto dell'albergo, quindi non potrà sapere che non è vero.»

Dakota si rilassò quando capì che Tony non alludeva ad alcun legame futuro tra loro. «Tu che ne pensi?»

«È tua sorella.»

La stava mettendo alla prova? Con l'oscurità crescente, Dakota non riusciva a vedere bene il suo viso, ma aveva l'impressione che quella fosse più di una domanda casuale. «Le diremo la verità.»

Lui finse un colpo di tosse. «La verità *vera*?»

Lei rise piano. «Ne esistono altri tipi? Le diremo che siamo rimasti e ci siamo divertiti. Dubito che chiederà qualcosa di più personale. In caso contrario... A me non importa, a te?»

Ridacchiò sornione. «No.»

Dakota si stiracchiò oziosamente. «Quanto hai detto che ti ci sarebbe voluto per riprenderti?»

«Quanto ti ci vorrà per alzare quelle splendide chiappe.» Tony si mise in piedi e la invitò a fare altrettanto.

Avevano spento il condizionatore, lasciando la portafinestra aperta per godersi la brezza tiepida e profumata. Però non avevano pensato a lasciare una luce accesa. Rientrarono a tentoni nel salotto, dove Tony trovò una lampada e la accese.

Dakota lo prese per mano e si diresse in camera da letto, ma lui non si mosse. Quando lei si voltò a guardarlo, le sorrise, le prese il viso tra le mani e la baciò. Quel bacio fu così diverso dagli altri, così incredibilmente tenero, che Dakota soffrì al pensiero che presto tutto sarebbe finito.

Quando fosse tornata in ufficio, tutto sarebbe tornato a posto; raramente il lavoro le lasciava il tempo per pensare ad altro. Quella notte si sarebbe goduta ogni minuto con Tony, ogni carezza, ogni bacio. Le sue attenzioni la facevano sentire speciale.

«Non sarebbe meglio tirare le tende?» chiese, mentre lui le mordicchiava il lobo dell'orecchio.

«Stai tranquilla, nessuno può vederci» le rispose Tony, sfilandole la canotta.

Dakota non portava il reggiseno, ma non provò alcun imbarazzo nello spogliarsi di fronte a lui. Com'era possibile sentirsi tanto a proprio agio dopo solo tre giorni?

«Cosa stai pensando? Perché quell'espressione triste?» le sussurrò lui, coprendole un seno con la mano mentre le baciava la punta del naso.

«Mi stavo solo chiedendo perché hai ancora la maglietta.» Così dicendo gliela sfilò, lasciandola cadere sul divano insieme alla sua canotta.

L'espressione di Tony le disse chiaramente che non le credeva, ma lui non la sfidò. La abbracciò, premendo i seni di lei contro il petto forte, la guancia sul punto in cui il sangue pulsava alla base del collo.

Tony le abbassò la mani lungo la schiena, arrestandole sulla curva dei glutei, come aveva fatto un centinaio di volte quel fine settimana. Una familiarità confortante la pervase di nuovo, spaventandola allo stesso tempo.

Non sarebbe stato facile separarsi l'indomani; per un paio di giorni si sarebbe sentita sola nel suo piccolo appartamento. Ma era così che doveva andare.

Al loro ritorno furono accolti da una giornata grigia; era prevista pioggia e l'aria autunnale odorava già di neve.

Nessuno dei due aveva il soprabito, ma quando Tony accennò a cingere con il braccio le spalle di Dakota, per riscaldarla, lei si irrigidì. Lui capì e si allontanò.

«Accidenti, abbiamo dormito per tutto il volo di ritorno» disse sbadigliando, mentre le si sedeva accanto nel taxi.

«Cosa ti aspettavi? Ieri notte abbiamo riposato solo due ore!»

«Davvero era solo ieri notte?»

Lei rise piano. «Sembra già un vago ricordo, vero?»

«Non esattamente.» Tony allungò il braccio sullo schienale ma, quando Dakota si irrigidì, non si ritrasse. Erano soli, perché no? La trasse a sé. «Ricordo dei momenti assolutamente memorabili.»

Lei rabbrividì, forse al ricordo dell'accaduto o forse per il freddo. A Tony non importò, gli bastava che gli si fosse accoccolata addosso. «Non parliamone.»

«Perché?»

«Perché no.»

«Capisco.»

Dakota rise piano, spintonandolo giocosamente con la spalla prima di stringerglisi contro. «Detesto doverlo ammettere, ma credo che potrei addormentarmi di nuovo.»

«E chi te lo impedisce?» Le accarezzò i capelli. «Con questo traffico ci vorrà almeno un'ora per arrivare a Manhattan.»

«Tu dove abiti?»

«Manhattan.»

«Sei sempre vissuto lì?»

Tony scosse il capo. «Ho traslocato da Queens circa un mese fa.»

«Oh.»

Tony aspettò che Dakota soggiungesse qualcos'altro; avrebbe potuto giurare che lei fosse stata sul punto di chiedergli in che parte di Manhattan vivesse. Invece lei si raddrizzò sul sedile e guardò fuori dal finestrino.

Il traffico era completamente bloccato. Dakota sospirò. «Arriverò spaventosamente in ritardo.»

«Dove?»

«Al lavoro!»

«Intendi andare a lavorare oggi?»

Lei lo guardò, sorpresa. «Certo. Probabilmente resterò in studio fino a mezzanotte, cercando di rimettermi in pari.»

«Pensavo che avremmo potuto fare colazione insieme.»

«Non posso.»

«Un boccone a pranzo?»

Dakota gli sorrise.

«Ma dovrai pur mangiare!»

«Tengo delle barrette ai cereali nel cassetto della mia scrivania.»

Tony guardò fuori dall'altro finestrino; sapeva che sarebbe cambiato tutto quando fossero tornati a New York, perché se la prendeva tanto? Un giorno per volta, lo aveva detto lui stesso; quello, infatti, era un altro giorno. La decisione di Dakota poteva non piacergli, ma era un problema unicamente suo.

Maledizione.

Rimasero in silenzio per qualche minuto, poi Dakota gli chiese: «Tu oggi non lavori?».

«Forse domani.»

«Forse?» Dakota sbuffò, incredula. «Il tuo capo potrebbe non essere d'accordo.»

Tony sorrise. «Ne dubito.»

Calò nuovamente il silenzio, mentre entrambi guardavano fuori dal rispettivo finestrino. La verità era che Tony aveva un mucchio di lavoro da sbrigare; la sua nuova casa aveva bisogno di una ristrutturazione consistente, i pavimenti erano stati danneggiati da una perdita della lavapiatti e i muri del primo piano erano di un orrendo verde menta. Anche i bagni, antiquati, dovevano essere rifatti. Le scale potevano aspettare, ma prima o poi anch'esse avrebbero dovuto essere rifatte. A ogni modo non si lamentava, aveva acquistato l'edificio per una cifra straordinariamente vantaggiosa. Era il capo di se stesso, ma doveva sbrigarsi a ristrutturare il palazzo e afferrare l'affare successivo. Il mercato degli immobili era in continuo movimento.

Fu lui a rompere il silenzio. «Il tuo capo sa dove sei stata?»

«Mio fratello è uno dei soci. Dallas ha parlato con lui. Gli ha detto che mi sarei presa un giorno di ferie per farle un favore. Cody non farà domande, credimi, è troppo occupato a chiedere alla sua segretaria di impilare un documento sopra l'altro sulla mia scrivania. Gli importa solo che mi metta in pari non appena rientro.»

Tony scosse il capo; non riusciva a capire come Dakota, o chiunque altro, potesse vivere in quel modo. Una scadenza dopo l'altra, sempre di fretta, la vita lasciata in secondo piano.

Per il resto del tragitto fino in centro alternarono sbadigli a chiacchiere su qualunque argomento, dagli *Yankees* alle notizie trasmesse dalla radio.

Superarono una limousine all'altezza di Columbus Circle e Tony esclamò: «Ehi! Perché abbiamo dovuto prendere il taxi per tornare in città? Che fine ha fatto la nostra limousine?».

«Dallas mi sentirà» convenne Dakota, sorridendo. «Comunque non ti facevo tipo da limousine.»

Tony sbuffò. «Scherzi? Rinunciare a birra e champagne gratis?»

«Già. Per non parlare di Otis...»

«Ho un'idea. Potremmo tornare là il prossimo fine settimana. Stesso albergo, stessa suite... Che ne dici?»

Dakota rise.

«Dico sul serio.» Le coprì la mano con la sua quando il taxi si fermò. «Di' solo una parola e penserò io a tutto.»

Una linea sottile apparve sulla fronte di Dakota e le sue labbra si arricciarono, ma lei tacque.

«Ehi, il tassametro continua a correre. Qualcuno ha intenzione di scendere o no?» chiese il tassista da sopra la spalla.

«Solo un momento» gli disse Dakota con espressione severa, poi si voltò verso Tony, gli occhi pieni di rammarico.

Lui si strinse nelle spalle. «Era solo un'idea.»

«Molto bella, ma non funzionerà. Sarò davvero oberata di lavoro.»

«Lo so. A proposito... avrei dovuto farlo prima.» Si batté la mano sul taschino della giacca. Trovò solo il tovagliolino dell'aereo. «Hai una penna?»

Lei ne estrasse una dalla borsa.

Dopo aver scritto il suo numero di cellulare, lui le porse il tovagliolino. «Non ho un fisso, solo questo.»

Dakota studiò il tovagliolino per un momento, l'altra mano già sulla maniglia della portiera. Brutto segno. Non le venne in mente di lasciargli il *suo* numero di telefono.

Tony inghiottì la delusione, abbozzò un sorriso e la baciò sulla guancia. «Cerca di non lavorare troppo.»

«Certo.» Gli sorrise, triste, e aprì la portiera. «Ciao, Tony.»

Lui annuì. Probabilmente non c'era più nulla da dire.

11

Sara bussò sulla cornice della porta aperta di Dakota. «Scusa, vuoi che ti porti qualcosa da mangiare per pranzo?»

Dakota guardò l'orologio, era già la una. «Dove vai?»

Sara sorrise, gli occhi azzurri scintillanti. «Avevo voglia di pizza, ma posso portarti quel che vuoi.»

«Non ti sei ancora stancata della pizza che fanno all'angolo?»

«Nossignora. Questa settimana voglio provare quella con i peperoni.» La nuova assistente a tempo determinato aveva un sorriso solare e un aspetto fresco che si adattavano alla perfezione al suo accento del Sud.

Dakota prese la borsa sotto la scrivania. «Accanto alla pizzeria c'è un takeaway dove preparano anche insalate. Se hanno ancora un'insalata greca prendo quella, altrimenti un'insalata dello chef.»

«Niente pizza?»

Dakota si alzò per porgere il denaro alla ragazza, che le andò incontro. «Sono sempre vissuta da queste parti, ho mangiato pizza a sufficienza, grazie.»

«Immagino che prima o poi verrà a noia anche a me. Ma sono qui soltanto da un mese.»

«Di dove sei?»

«Georgia.»

Cody entrò nello studio e si schiarì la voce. Sara lo guardò da dietro la spalla, poi tornò a fissare Dakota. «Torno subito con la tua insalata» disse. Mentre passava accanto a Cody esagerò l'accento del Sud per salutarlo. «Buon pomeriggio, signor Shea.»

Lui non rispose, non a Sara; scosse il capo e sbuffò con quell'espressione arrogante che Dakota detestava.

«Qualcosa non va?»

«E me lo chiedi?» Posò una cartelletta sulla sua scrivania, sopra alcuni documenti che lei stava controllando.

«Se ti riferisci a Sara, non capisco cosa intendi.» Andò a sedersi dietro la scrivania e spostò con un gesto plateale la cartelletta nel raccoglitore dei documenti in arrivo.

Cody sollevò un sopracciglio con condiscendenza poi si accomodò sulla poltrona di fronte alla scrivania. Dakota soppresse una smorfia. «Non è adatta al nostro studio» dichiarò.

«Sara? Sei impazzito? I clienti la adorano!»

«Non veste particolarmente bene e non...»

«Scusami, ma Sara è un'assistente a tempo determinato e lo studio non le paga uno stipendio principesco.» Dakota si appoggiò allo schienale della poltrona, osservando il completo da duemila dollari del fratello. «Quando sei diventato così snob?»

Lui la fissò per un momento, preoccupato. «È tutta la settimana che sei intrattabile. Da quando sei tornata dalla tua missione segreta per Dallas. Spero che non ti abbia messa in qualche guaio.»

Lei sospirò. «Certo che no.» Cody aveva ragione, era intrattabile e forse era anche nei guai: non riusciva a smettere di pensare a Tony.

Immagini di lui apparivano nella sua mente in ogni momento, al lavoro, in taxi, perfino in tribunale, il che era del tutto inammissibile. Soprattutto quando il suo cliente pagava trecento dollari l'ora per la sua attenzione.

Il momento in cui pensava di più a lui, tuttavia, era la notte, quando cercava di addormentarsi e la sua mente era più suscettibile. A volte le sembrava perfino di sentire le sue braccia intorno a sé, il respiro sul collo, una sensazione allo stesso tempo meravigliosa e terrificante.

«Dakota, non so cosa ti sia successo, ma spero che tu ti riprenda al più presto» disse Cody, alzandosi.

«Ho dormito male ultimamente» disse lei, quando capì che suo fratello era sinceramente preoccupato. Non era una bugia.

Cody le sorrise a sua volta. «Stai invecchiando, sorellina.»

«Senti chi parla!»

112

«Non me lo dire. La settimana scorsa ho scoperto il mio primo capello grigio.»

«Oh. Con i capelli sale e pepe avrai un look ancora più distinto.»

Cody le scoccò un'occhiataccia giocosa. «Sabato prossimo Janice e io andiamo a teatro e abbiamo un biglietto in più.»

«Janice? Cos'è successo a... *Non-mi-ricordo-come-si-chiama*?»

«Preferisco non parlarne» rispose lui, spazzolandosi con la mano i pantaloni grigi.

«Okay. Grazie per l'offerta, ma devo rinunciare.»

Lui annuì, si diresse verso la porta, poi si fermò. «Nella cartelletta che ti ho lasciato ci sono alcuni rapporti della polizia riguardanti il caso Draper.»

Lei inghiottì, la gola improvvisamente secca. «Grazie.»

Cody se ne andò e Dakota rimase sbigottita. Come si era potuta dimenticare il caso Draper? Aveva ancora tempo, anche se avrebbe significato lavorare fino a più tardi del solito. Ciò che la turbava era che fosse stata capace di dimenticarsene.

Il problema era collegato a Tony: monopolizzava i suoi pensieri troppo spesso. I sei giorni passati da quando lo aveva visto l'ultima volta erano stati piatti e lei era sempre più inquieta. Il suo livello di concentrazione doveva essere poco più alto di quello di un cucciolo.

Colta da un'improvvisa paranoia, sfogliò velocemente l'agenda, per accertarsi che non la aspettassero altre sorprese. Fortunatamente non ce n'erano. Appoggiò la testa allo schienale della poltrona di pelle nera e si premette le dita sulle tempie, nella speranza di fermare il mal di testa incipiente.

Il numero del cellulare di Tony era ancora nella sua borsa. Avrebbe voluto chiamarlo, chiedergli cosa stesse facendo; non doveva necessariamente incontrarlo. Ma sentire la sua voce le sarebbe bastato? Oppure avrebbe solo stimolato il suo appetito, peggiorando la situazione? Aveva continuato a ripetersi le stesse domande all'infinito, non doveva meravigliarsi se non riusciva a concentrarsi. D'altra parte, se gli avesse telefonato...

Non sopportava quell'indecisione!

Trasse un respiro profondo e aprì il cassetto per prendere la borsa. Non aveva scelta, *doveva* chiamarlo, era una questione di sopravvivenza.

«Porca...» Lasciato cadere il martello sul cavalletto, Tony scosse vigorosamente la mano, sperando inutilmente che il pollice appena colpito smettesse di pulsare dolorosamente.

Il giorno prima gli era scivolato un taglierino. Si era distratto due volte in due giorni e aveva finito col farsi male. Normalmente stava molto attento e gli capitava di rado di ferirsi. Aveva sempre avuto uno stato di servizio impeccabile, sia quando lavorava per la *Capshaw Constructions*, sia da quando si era messo in proprio. Fino a quella settimana.

Accidenti a Dakota! Perché non gli aveva telefonato? Sapeva che era presa dal lavoro, ma un colpo di telefono non l'avrebbe certo uccisa. Probabilmente aveva già perso il suo numero, o lo aveva buttato via.

Si avvicinò al frigorifero e prese del ghiaccio dal dispenser posto sullo sportello. Se non si fosse affrettato a raffreddare il pollice, il dito gli si sarebbe gonfiato e terminare il lavoro non sarebbe stato facile.

Avrebbe potuto chiamarla lui; Dakota non gli aveva lasciato il numero di casa, ma Tony conosceva il nome dello studio legale dove lavorava. Tuttavia non aveva intenzione di telefonarle. Toccava a lei fare la prima mossa. Non era stata lei a preoccuparsi di come sarebbero andate le cose quando fossero tornati in città? Un giorno per volta, le aveva detto Tony. E per quel giorno non l'avrebbe cercata, per quanto lo desiderasse.

Bene, aveva preso una decisione e non doveva più pensarci. Controllò l'ora, erano le cinque e un quarto. Non avrebbe combinato altro per quel pomeriggio, non con il pollice che gli doleva come se qualcuno gli avesse dato fuoco.

Sbadigliando, allungò la schiena indolenzita; stava lavorando troppo, Dakota doveva averlo contagiato. Di nuovo lei! In un modo o nell'altro, continuava ad affiorare nei suoi pensieri.

Il mal di schiena di Tony, però, non era colpa di Dakota, bensì delle troppe ore trascorse ristrutturando il bagno.

Dormire non era stato facile da quando era tornato, una settimana prima; a volte restava sveglio tutta la notte a pensare al sorriso di lei, al peso dei suoi seni sull'addome e sul petto, quando Dakota gli si appoggiava per baciarlo. Per stuzzicarlo. Per farlo impazzire. La rivedeva sulla sdraio l'ultima sera, avvolta dalla luce rosata del tramonto, gli occhi chiusi, le labbra appena increspate da un lieve sorriso, l'espressione completamente appagata.

Ecco qual era il problema di lavorare da solo ogni giorno: aveva troppo tempo per pensare. Quando lavorava per Capshaw, quanto meno, c'era qualche distrazione, una battuta di quando in quando con gli altri ragazzi e i pranzi con Dallas, finché la sorella di Dakota aveva cambiato lavoro, un anno prima. Tony si era licenziato poco dopo di lei, quando il suo hobby di acquistare e ristrutturare appartamenti era diventato non solo più divertente e impegnativo, ma sufficientemente redditizio da consentirgli di occuparsene a tempo pieno.

Lo strofinaccio che si era avvolto intorno al dito scivolò via. Tony controllò l'entità del danno e decise che un altro po' di ghiaccio gli avrebbe giovato. Tornò al frigorifero, ma prima di riempire la borsa del ghiaccio si cercò una birra. Niente. Cosa si aspettava? Non era ancora andato a fare la spesa da quando era tornato. Dakota aveva ragione, dov'era Otis quando si aveva bisogno di lui?

Imprecò sottovoce.

Si allontanò dal frigorifero come se l'avesse morso una tarantola. Dakota non aveva menzionato Otis solo una volta. Tony non ricordava esattamente come e perché, ma lei non si sarebbe dovuta ricordare del cameriere, né tanto meno del suo nome. Otis era stato nella loro suite una sola volta, quando Dakota era mezza addormentata e ubriaca.

E quindi?

Colpito dall'improvvisa rivelazione, si sedette su uno degli sgabelli arrivati il giorno precedente e appoggiò la mano ferita sul piano di granito marrone del mobile bar.

Dakota non era ubriaca la prima notte, sapeva benissimo cosa stava succedendo!

Era stato un idiota. Sconcertato, ripassò mentalmente gli e-
venti della sera delle nozze. Dakota aveva bevuto qualche bicchiere, Tony ne era certo, ma perché fingersi ubriaca?

Guardò fuori dalla finestra, dove il giardino era ancora coperto dalla brina della notte precedente. Non riusciva a capire.
Non sapeva se infuriarsi perché lei aveva finto per non assu-
mersi alcuna responsabilità, o sentirsi lusingato perché Dakota
era ricorsa a quello stratagemma per trascorrere il fine settimana
con lui.

Aveva creduto di averla capita, invece Dakota restava un
rompicapo. A ogni modo, non aveva importanza, dal momento
che non gli aveva telefonato e probabilmente non l'avrebbe mai
fatto. Decise che non l'avrebbe cercata... Se fosse riuscito a trattenersi.

Si alzò, intenzionato ad andare a prendere del succo di po-
modoro che gli sembrava di aver visto nel frigo, quando il suo
cellulare squillò. Normalmente lo portava alla cintura, ma lo
aveva posato da qualche parte. Si guardò in giro, cercando fre-
neticamente di individuare da dove provenisse il rumore; lo trovò al quarto squillo.

Appena aprì l'apparecchio, un attimo prima di rispondere,
vide che si trattava di un numero locale a lui sconosciuto e seppe che era Dakota.

«Tony?»

«Ciao.»

«Sei occupato?»

«Non per te.» Straordinario come l'irritazione provata fino a
pochi minuti prima si fosse dissolta al suono della sua voce.

Lei sospirò. «Sto guardando le nuvole nere fuori della finestra del mio ufficio. Sembra che voglia nevicare.»

«Ho sentito che dovrebbe piovere.»

«Non so cosa sarebbe peggio.»

Lui si massaggiò la nuca. «Perché stiamo parlando del tempo?»

Lei esitò. «Non so.»

Tony lo sapeva, perché anche lui si sentiva inspiegabilmente
impacciato. «Come va? Stai lavorando molto?»

«Mi si incrociano gli occhi e la pila dei documenti sulla mia scrivania arriva fino al soffitto, ma a parte questo va tutto bene.»

«Direi che avresti bisogno di un po' di riposo e relax.» Sapeva perfettamente come aiutarla.

«Sarò fortunata se riuscirò a prendermi un fine settimana tutto per me prima della prossima estate.»

«Spero tu stia esagerando, Dakota.»

«Non molto.»

«Che noia!»

Lei rise. «Già. Ma non è poi così male, se non altro è un lavoro interessante, sto collaborando con un collega a un caso di alto profilo.»

«Quanto alto?»

«Molto alto. Altissimo.»

«Riconoscerei il nome del tuo cliente, se me lo dicessi?»

«Mmh... probabilmente.»

«Con chi collabori?»

«Mio fratello. Perché?»

Nessuna sorpresa. «Curiosità.» Aveva terminato gli studi tre anni prima e suo fratello la stava già spingendo a occuparsi di un caso importante. Se non altro gli Shea si aiutavano a vicenda.

«Comunque non mi va di parlarne. Volevo solo sapere come stai.»

Tony scosse il capo, sembrava che la mossa successiva sarebbe toccata a lui. «Cosa fai domani sera? Ti piace la cucina italiana?»

«Devo lavorare, Tony.»

«Mia nonna mi ha insegnato a preparare delle lasagne niente male.»

«Wow! Un uomo che sa anche cucinare!»

«Frena l'entusiasmo. So cucinare solo cinque piatti e le lasagne sono quello che mi riesce meglio.»

«Qualunque cosa mi sembra meglio dei panini al burro di arachidi e marmellata di cui mi sto nutrendo ultimamente.»

«Allora va bene?»

«A che ora?»

«Decidi tu.»

«Le otto e mezza è troppo tardi?»

«L'importante è che l'orario vada bene a te. Le lasagne possono aspettare.»

«Aspetta, prendo una penna e mi segno il tuo indirizzo.»

Tony osservò la cucina e la sala, calcolando mentalmente il disordine che sarebbe dovuto sparire entro l'indomani.

«Okay, sono pronta.»

Lui le diede l'indirizzo e scoprirono di vivere a una decina di isolati di distanza. Si salutarono e riagganciarono; Dakota era ansiosa di rimettersi al lavoro, Tony di trovare la ricetta delle lasagne di sua nonna. Non aveva idea di dove fosse potuta finire, non aveva ancora finito di svuotare gli scatoloni. A ogni modo non aveva accumulato molte cose, dal momento che si trasferiva ogni anno.

Ancora prima di aver terminato la ristrutturazione di una casa, ne acquistava un'altra da ristrutturare. Trovava facilmente gli acquirenti e guadagnava sempre più di quanto avesse speso. Ai ricchi piacevano le comodità, volevano trasferirsi in una casa e trovare già tutto pronto.

Cominciò a raccogliere gli attrezzi da lavoro, allibito dalla quantità di polvere che si era depositata ovunque cambiando il parquet della sala da pranzo. Fortunatamente la cucina era già finita e la sala non gli avrebbe portato via troppo tempo. Avrebbe ripulito il bagno al pian terreno e il resto della casa sarebbe rimasto off limits.

Il pollice riprese a pulsare dolorosamente e Tony andò a prendere altro ghiaccio. Non riusciva ancora a credere che Dakota lo avesse chiamato e che sarebbe andata a trovarlo l'indomani. Perché quell'improvviso cambiamento? Sentiva la sua mancanza? Oppure incontrarlo in privato sarebbe equivalso a essere sull'isola e quindi non avrebbe avuto importanza?

Dakota rabbrividì. Come le era venuto in mente di chiamare Tony? Aveva troppo lavoro da sbrigare e probabilmente gli aveva dato l'impressione sbagliata e...

«Ti serve ancora qualcosa prima che vada?»

Al suono della voce di Sara, Dakota sobbalzò.

«Scusa, non volevo spaventarti» disse Sara, sulla porta.

«Non sapevo fossi ancora qui. Dovresti essere già andata a casa.»

«Non preoccuparti. Avevo un paio di cose da finire e non ho nessuna fretta.» La giovane si strinse nelle spalle. «Vivo qui solo da un mese e non ho ancora molti amici.»

«Manhattan è molto diversa dalla Georgia. Sei pentita di esserti trasferita?»

«No. Mi piace vivere qui. Ci sono così tante cose da vedere e da fare.»

Dakota sorrise. «È per questo che lavori fino a tardi?»

Sara rise, mettendo in evidenza le fossette nelle guance. «Appena comincerò ad avere qualche amico, uscirò più spesso.»

Dakota annuì, nascondendo la sua tristezza alla ragazza; non era facile incontrare brave persone a New York.

«Posso farti una domanda?»

«Certo.»

Sara le si avvicinò e abbassò la voce. «Cody... Voglio dire, il signor Shea, è sposato?»

«No.»

«Si vede con qualcuna?»

«Niente di serio, a quanto ne so.» Avrebbe dovuto mentire, dire a quella povera ragazza che Cody era fidanzato, ma Sara avrebbe scoperto comunque la verità.

«Bene.»

«Non è sposato per un'ottima ragione.» Con un cenno, indicò a Sara di avvicinarsi. Le si sarebbe spezzato il cuore se avesse perso la testa per Cody. A lui piacevano le donne sofisticate, con cognomi importanti. «È mio fratello e gli voglio bene, ma gli piace tenere un tenore di vita molto elevato e tende a essere un po' arrogante, come sicuramente avrai notato tu stessa.»

«Sì.» Sara sorrise, come se considerasse carino quel difetto, gli occhi azzurri accesi dall'entusiasmo della caccia. «Lo so.»

«Okay.» Dakota si sedette; dopotutto Sara era maggiorenne e vaccinata. «Mi sembrava giusto metterti in guardia.»

«Grazie.» Sara le sorrise e arretrò di un passo, sistemandosi i capelli dietro le orecchie. «Hai bisogno di qualcosa prima che vada?» le chiese di nuovo.

«No, grazie. Va' a casa e cerca di salvare quel che resta della serata.» Dakota la salutò, poi rimase a fissare la cornice della porta vuota. Sara sembrava una ragazza a posto, ma forse aveva un debole per gli uomini ricchi.

A ogni modo, quello era un problema di suo fratello.

L'indomani sera Dakota avrebbe rivisto Tony. Il pensiero la eccitava e la spaventava a morte allo stesso tempo. Il suo sguardo cadde sul laptop posato su un armadietto.

Dal suo ritorno non aveva ancora scritto alle ragazze della *Eve's Apple*.

Solitamente i membri del gruppo raccontavano l'esito dei loro appuntamenti; Dakota non avrebbe fornito troppi particolari, ma voleva informarle di essersi buttata.

Prese il laptop e lo posò sulla scrivania, sopra la pila di documenti che avrebbe dovuto studiare. Invece aprì il portatile, lo accese e controllò la posta. Niente che non potesse aspettare. Cliccò su *Nuovo messaggio* e cominciò a digitare.

Da: *LegallyNuts@EvesApple.com*
A: *tutta la gang della* Eve's Apple
Oggetto: *missione compiuta*

Ciao, ragazze!
Solo poche righe per dirvi che l'ho fatto. Ho trascorso un weekend incredibile, in un resort da sogno, con il più favoloso dei ragazzi! Quelle di voi che mi avevano suggerito di buttarmi avevano assolutamente ragione. Grazie, grazie, grazie! Era proprio quello che mi ci voleva. Mi dispiace solo che il weekend sia già finito, è passato troppo in fretta e la realtà non è altrettanto divertente.
Ma ora ho ripreso a lavorare e Dio sa se ho di che tenermi occupata. Non avrò tempo per sentire la mancanza di lui,

del sesso magnifico che abbiamo condiviso o di altro. Questa è la buona notizia. Quella cattiva è che... sì, lo ammetto, sento la sua mancanza!
Però sto bene. Davvero, non preoccupatevi. Spero che anche voi stiate tutte bene.
Un abbraccio a tutte. D.

12

Dakota pagò il tassista e scese dall'auto di fronte all'indirizzo che Tony le aveva dato. Il numero corrispondeva a un edificio di pietra di tre piani. Come da lei, probabilmente l'edificio era stato diviso in tre appartamenti, affittati separatamente. Cercò un citofono o un'insegna che indicasse quale appartamento fosse quello di Tony, ma vide solo il numero inciso su una placca di bronzo accanto alla magnifica porta a vetri di inizi Novecento.

Premette il campanello e Tony venne ad aprire; indossava un paio di jeans slavati e una maglietta a maniche lunghe blu, troppo larga per consentirle di ammirare il petto stupendo che le era mancato per tutta la settimana.

«Ciao! Sei in anticipo, bene.» Tony si fece da parte per lasciarla entrare.

«Avrei dovuto telefonare per avvertirti.»

«No, le lasagne sono pronte dalle sette e mezza. E io...» Le strizzò l'occhio. «Sono pronto da una settimana.»

Lei sorrise, sorpresa dal calore che la pervase al solo trovarsi nella stessa stanza con lui. Tony la precedette nell'ingresso, da dove si vedeva la sala: un bel fuoco scoppiettava nel camino in marmo.

«Dammi il cappotto.»

Dakota si sfilò il cappotto di cachemire; le dita di lui le sfiorarono il collo, facendole sfarfallare il cuore in modo assurdo. Lui appese l'indumento in un armadio. «Vuoi darmi anche la giacca?»

Lei esitò, poi si sfilò la giacca del completo, restando con la gonna grigia e la camicetta bianca.

Tony appese la giacca con il cappotto, poi si voltò verso di lei con uno dei suoi sorrisi sexy, che avrebbero indotto alla fuga una donna più lungimirante. Quando lo sguardo di lui si abbassò sui suoi seni, Dakota si accorse che, nonostante il reggiseno e la camicetta inamidata, i suoi capezzoli facevano capolino sotto il tessuto.

Lo sguardo di Tony tornò bruscamente verso l'alto. «Ho sia vino bianco sia rosso. Quale preferisci?»

«Bianco» mormorò lei. Il profumo squisito delle lasagne le solleticò il naso e il suo stomaco brontolò rumorosamente. Imbarazzata, si coprì l'addome con una mano.

Senza curarsi dei brontolii, Tony disse: «Spero che il sapore sia all'altezza del profumo».

Lei rise. «Mi sembri scettico. Mi sembrava di aver capito che le lasagne fossero la tua specialità.»

«Una volta.»

«Ah.» Dakota strinse le labbra. Tony sembrava così sincero... Indipendentemente dal gusto, sarebbero state comunque le migliori lasagne che lei avesse mai mangiato.

«Vieni.» Tony le fece strada e lei lo seguì, lo sguardo fisso sui suoi glutei.

Non lo aveva mai davvero visto in jeans. Tony li indossava la prima volta che si erano incontrati, ma era rimasto seduto, quindi non contava. Dakota si godette lo spettacolo. Lo aveva già visto nudo e aveva immaginato che in jeans sarebbe stato magnifico, ma... accidenti!

Lui si voltò e la guardò in modo strano; Dakota temette di aver inavvertitamente espresso i suoi pensieri ad alta voce. Diede un colpetto di tosse. «È bello qui.» La stanza aveva il soffitto alto, il caminetto era di marmo beige e ottone, i mobili di legno lucido e c'era un tappeto orientale di fronte al divano. «Molto.»

«Grazie.»

«È tuo o sei in affitto?» Che domanda stupida, un posto come quello doveva costare una fortuna.

«L'ho comprato un paio di mesi fa.»

«Sul serio?»

«Era un affare.» Sorrise. «Non lo definirei un caso disperato, ma per salire al piano superiore suggerisco un'antitetanica.»

Dakota rise. «In tal caso, meglio restare qui con le lasagne.»

«Pronta per mangiare? Devo solo condire l'insalata e mettere in forno la bruschetta.»

«Ti sei dato tanto da fare solo per noi due?»

«Non mi capita spesso di avere ospiti a cena, quindi, quando accade, mi piace farlo bene. Vieni in cucina, così parliamo.»

Lei lo seguì in cucina, sorpresa dalle dimensioni e dalla qualità dei ripiani di granito e dei pavimenti di parquet. Il lavello non era solo nuovo, ma in acciaio inossidabile, scintillante.

«Ma da chi hai comprato questa meraviglia?»

Tony sorrise, aprì il frigorifero e prese un'insalatiera colma di lattuga già tagliata. A parte una bottiglia di vino bianco, una bottiglia di ketchup e una confezione da sei di birra, il frigo sembrava vuoto.

«Quando sono entrato, i piani da lavoro di legno erano curvi, come il pavimento, e il lavello era color avocado, molto anni Sessanta.» Aprì un magnifico armadietto di legno e prese due bicchieri da vino. «Hai detto bianco, giusto?»

Lei annuì. «Sì, grazie. Hai cambiato tu anche gli armadietti?»

«Sì, quelli vecchi erano troppo rovinati» rispose Tony, accendendo uno dei due forni.

Il fornello a cinque fuochi era separato e al centro della stanza c'era una comoda isola per tagliare la carne. Dakota avrebbe potuto uccidere per una cucina come quella, se avesse cucinato, cosa che non faceva quasi mai.

Tony versò il vino; mentre le passava il calice le chiese: «Vuoi la bruschetta? Ho strofinato il pane con l'aglio».

«Non ci avevo pensato» mentì lei.

«Converrebbe mangiarlo entrambi, oppure nessuno dei due.»

Dakota cercò di non sorridere. «Perché?»

«In caso più tardi decidessimo di baciarci.»

«Sei proprio un piccolo diavolo.»

Lui spalancò gli occhi e si finse raccapricciato. «Hai parlato con mia madre?»

Lei rise. «No, l'ho capito da sola.» Si spostò lentamente oltre il tagliere; i suoi tacchi ticchettarono sul parquet, attirando l'attenzione di Tony sulle sue gambe. «Perché aspettare più tardi?»

Lo sguardo incandescente di lui si spostò sul suo viso. «In effetti non mi viene in mente una sola valida ragione.»

Dakota avanzò di un altro passo e Tony annullò la distanza che ancora li separava, attirandola a sé e trovando la sua bocca con un'urgenza che le diede le vertigini. Come se non potesse bastargli mai, le baciò con foga la bocca, il mento, il collo...

«E la cena?» sussurrò lei.

Tony le mordicchiò il lobo. «Mmh... Direi che è squisita.»

Lei rise. «Tony, mi sei mancato.»

«Non quanto tu sei mancata a me.» Le posò le mani sui glutei e la strinse a sé.

Dakota gli premette il viso sul collo, passandogli le palme delle mani sulla schiena.

Accarezzarlo attraverso la maglietta non era sufficiente, così insinuò le mani sotto il tessuto, fino a trovare la pelle nuda. Lo sentì inspirare bruscamente, poi Tony le sfilò la camicetta dalla gonna.

«Prima dovremmo mangiare» sussurrò lei.

«Davvero?»

«No.»

Lui rise piano e cominciò a sbottonarle lentamente la camicetta. Dakota gli allontanò la mano e lui si fermò, sorpreso, finché lei gli afferrò l'orlo della maglietta. Tony se la sfilò, poi riprese a occuparsi dei bottoni; lei si abbassò la lampo della gonna.

Dakota non si riconosceva in quella veste così smaniosa. Appena aveva visto Tony sulla porta, aveva capito di volerlo nudo, insieme a lei. Dentro di lei. Voleva assaporarlo, ogni centimetro di lui.

Tony le abbassò la gonna lungo le cosce fino ai polpacci, poi lei se la sfilò e si tolse le scarpe scalciando. Tony si slacciò la cintura.

«Bel reggiseno» commentò sarcastico, trattenendo un sorriso.

«Taci.» Quella mattina Dakota era stata tentata dall'idea di indossare un reggiseno di quelli acquistati per lei da Dallas, ma in ufficio portava sempre la camicia bianca e si trovava meglio con indumenti intimi più sobri.

«Molto pratico.»

«Smettila o non me lo tolgo.»

Lui si liberò della cintura e si sbottonò i jeans. «No, dico sul serio, è fantastico. Molto sexy. E non aggiungerò altro.»

«Buona idea.» Qualcosa attirò l'attenzione di Dakota sopra il lavello e lei rimase paralizzata. «Non hai messo le tende!»

«Non ancora. Non sono in cima alla mia lista delle priorità.»

Lei cercò la camicetta, la trovò sul piano di lavoro e infilò un braccio nella manica.

«Aspetta un momento. Nessuno può vederci.»

«Lo dici tu! Se io scorgo dei movimenti là fuori, significa che da fuori possono vederci.» Cosa le era preso? Era là per cenare, non per diventare la cena di Tony. Infilò il braccio nell'altra manica, ma il colletto era storto; si voltò per sistemarsi.

«Te lo giuro, non ci possono vedere.» Tony le toccò il braccio. «Ho provato a uscire io stesso per esserne sicuro.»

Lei infilò tre bottoni nelle asole, poi si accorse di aver cominciato con l'asola sbagliata. Imprecò in modo assai poco signorile.

«Dakota, guardami.»

Lei trasse un respiro tormentato e incontrò i suoi occhi, con riluttanza.

Lui le sorrise e la aiutò ad allacciarsi la camicetta. «Pensiamo alla cena, okay?»

Senza maglietta, i jeans sbottonati, era tanto appetitoso che Dakota si sarebbe voluta prendere a calci fino a Broadway per quel comportamento assurdo. Probabilmente Tony pensava che fosse pazza, ma continuare a vederlo in città la spaventava.

«Una reazione esagerata, lo so.» Credette di vedere qualcosa e il suo sguardo tornò di scatto alla finestra.

«Nemmeno a me piace l'idea di essere spiato» convenne Tony. «Non lasciamo che questo contrattempo ci rovini la serata.»

Per un momento Dakota era stata tentata di scusarsi e dirgli che doveva tornare a lavorare. Ma Tony non le avrebbe creduto e, inoltre, non sarebbe stato corretto, nei confronti di lui e nei suoi. Da quando era arrivata a casa sua aveva già sorriso e riso più di quanto avesse fatto per tutto il resto della settimana.

Si infilò la gonna, sostenendosi a una spalla di Tony per mantenere l'equilibrio. Quando spostò le mani dietro la schiena per chiudere la lampo, lui la precedette, aiutandola.

Tanto vicino da poterla baciare, Tony colse quell'opportunità. Dakota non si ritrasse, né si curò della finestra. Si limitò a godersi quel momento, a bearsi del calore delle labbra di lui sulle sue e della sicurezza che provava stretta tra le sue braccia.

Lui continuò a baciarla con dolcezza, anche quando Dakota tentò di portare quel bacio a un livello diverso. Poi le sfiorò la guancia gentilmente e la strinse per un lungo, tenerissimo momento.

Le lacrime le bruciavano le palpebre. Dakota non piangeva mai e non l'avrebbe certo fatto in quel momento, ma la pressione del lavoro e la stanchezza la stavano logorando. Aveva bisogno di essere abbracciata, senza sentirsi messa alla prova, né spronata a dare di più.

Trasse un respiro profondo per ricomporsi, poi ritrasse il capo e guardò Tony negli occhi. «Grazie.»

«Di niente.» Lui le sfiorò di nuovo le labbra con le sue. «Sei sempre la benvenuta, di qualunque cosa si tratti.»

Dakota sorrise. «Adesso vuoi darmi da mangiare o no?»

Lui la colpì giocosamente sul fondoschiena, poi la prese per le spalle e la voltò. «È colpa tua se mi sono distratto. Per punizione mi aiuterai con la cena. Prendi i piatti e condisci l'insalata.»

«D'accordo, penso di riuscirci.» Si avvicinò all'insalatiera e vide che Tony aveva già pensato a tutto: pomodori, olive e peperoncini rossi.

Alzò lo sguardo per domandargli dove fosse l'olio e, con rammarico, vide che Tony si stava rimettendo la maglietta. Avrebbe voluto chiedergli di restare a torso nudo, ma non sarebbe stato corretto. Inoltre preferiva non rischiare di cadere di nuovo in tentazione. Sospirando, si mise a cercare ciò che le serviva.

Decisero di rinunciare alla bruschetta e Tony servì le lasagne calde, mentre Dakota riempiva i piatti per l'insalata. Mangiava insalata così spesso in ufficio che gli chiese una seconda porzione di lasagne.

Anche lui ne prese due porzioni, dopodiché portarono i piatti in sala da pranzo. Dakota si accomodò al tavolo di quercia mentre lui tornava in cucina a prendere il vino. Il parquet era in ottime condizioni, probabilmente perché Tony lo aveva già sistemato, ma la tappezzeria dorata era terribilmente stinta e fuori moda.

«Bella la tappezzeria che hai scelto» commentò in tono ironico quando lui tornò.

«Pensavo di usare lo stesso modello in tutto il resto della casa» replicò lui con espressione talmente compunta che per un istante Dakota credette fosse serio. Poi Tony scosse il capo. «Avresti dovuto vedere le pareti del bagno. I proprietari precedenti avevano vissuto qui per sessant'anni. Quando sono morti, l'anno scorso, i figli hanno ipotecato l'immobile, non sono riusciti a mettersi d'accordo sulla vendita e alla fine sono stati dichiarati contumaci.»

«Triste. Nonostante le nostre differenze, non vedo come Dallas, Cody e io potremmo comportarci in questo modo.» Mise in bocca il primo boccone di lasagne. «Wow! Sono squisite! Le hai cucinate davvero tu?»

«Altroché» rispose lui, mostrandole la parte inferiore dell'avambraccio. «Ho ancora le scottature per provarlo.»

Dakota finse di restare sbigottita, i segni erano leggeri. «Povero piccolo, ti sei bruciato davvero.»

Lui annuì, cercando di accaparrarsi la sua compassione con un'espressione sconfortata.

«Sopravviverai, te l'assicuro. Comunque ne è valsa la pena, queste lasagne sono davvero eccezionali.» Si mise in bocca un altro boccone. Il complimento era sincero, Tony sapeva davvero cucinare.

Parlarono poco mentre si gustavano la cena e Dakota si accorse troppo tardi di aver esagerato. Una passeggiata fino a casa, invece di prendere un taxi, l'avrebbe aiutata a smaltire il problema, ma la sua mente diabolica le suggerì immediatamente un metodo assai più divertente per bruciare parte delle calorie. Di sicuro in camera da letto Tony aveva messo le tende.

«Okay» disse, alzandosi e raccogliendo i piatti. «Il minimo che possa fare adesso è lavare i piatti.»

Tony si alzò immediatamente e le tolse i piatti di mano. «Non essendo una casalinga modello, probabilmente non hai mai sentito parlare di una nuova invenzione, la lavapiatti.»

«Senti senti!» Dakota prese i bicchieri e lo seguì in cucina. «Ehi! Stasera hai bevuto vino» notò all'improvviso.

«Si abbina meglio alle lasagne. Anche se sarebbe dovuto essere rosso, stando a mia nonna.» Lui impilò i piatti nel lavandino e Dakota prese uno strofinaccio. «Un'altra cosa che devo spiegarti di questi nuovi congegni, è che bisogna sempre lasciare i piatti a bagno nel lavello prima di metterli nella lavapiatti.» Le tolse lo strofinaccio e lo gettò sul piano di lavoro, poi la prese per mano e la condusse in sala.

La fece accomodare sul divano di pelle e lei lo guardò cercare in un porta CD. Aveva ancora la maglietta fuori dai pantaloni e non si era rimesso la cintura. Dakota appoggiò la testa allo schienale, insonnolita dal troppo cibo, sapendo che sarebbe dovuta andare a casa, ma che non ci sarebbe riuscita.

«Ti piace Norah Jones?» le domandò lui; si voltò quando Dakota non rispose.

«Mi pare di averla già sentita nominare.»

«Ha una voce molto particolare» spiegò Tony, inserendo il CD nel lettore. «Se l'hai già sentita la riconoscerai immediatamente.»

Accese una lampada dal bagliore tenue e spense il resto delle luci, poi la raggiunse sul divano, e se la tirò contro il petto.

«Se ti addormenti, ti sveglierò tra un'ora» le sussurrò, posandole il mento sulla sommità del capo, mentre le sue braccia forti la circondavano, incrociandosi gentilmente sul petto di lei.

Dakota, tuttavia, non si sentì intrappolata, ma tranquilla e al sicuro. L'unica cosa che la spaventava era quanto fosse facile dimenticare le responsabilità e le pressioni del lavoro. Ma le riunioni e le scadenze dell'indomani non sarebbero scomparse ed era meglio essere preparati.

Si voltò, appoggiandogli la guancia contro il collo e piegò le braccia per chiudere le mani intorno ai suoi avambracci. Non si sarebbe addormentata, tuttavia era gradevole ascoltare la voce suadente di Norah Jones e sentire il battito del cuore di Tony. Fu l'ultimo pensiero che attraversò la sua mente.

Per la verità, Tony avrebbe avuto altri progetti per la serata, ma andava bene anche così. Gli piaceva stringerla e sapere che, per un poco, Dakota non stava pensando al lavoro. Lei poteva rilassarsi, sapendo di essere al sicuro, ed era esattamente dove Tony desiderava che fosse.

La presa sui suoi avambracci si affievolì e lui capì che si era assopita; probabilmente non avrebbe dormito a lungo, ma un pisolino l'avrebbe aiutata a ricaricare le pile. Inalò il profumo alla vaniglia del suo shampoo, appoggiò la testa allo schienale e chiuse gli occhi.

Sarebbe stato facile addormentarsi a sua volta; dopo aver lavorato dodici ore, e aver pasteggiato a lasagne e vino bianco, sarebbe stato comprensibile, ma non poteva mancare alla promessa che le aveva fatto di svegliarla.

Soffocò rapidamente uno sbadiglio e lei si mosse quando il suo petto si dilatò; Tony la strinse dolcemente e Dakota rimase immobile.

Sentiva il suo respiro leggero.

O forse era quello di lui.

La voce di Norah Jones lo cullava gradevolmente; Tony aprì e richiuse ripetutamente gli occhi, nel tentativo di opporsi al sonno, ma aveva le palpebre così pesanti...

Tony non aveva idea di cosa lo avesse svegliato. Aprì gli occhi e gli ci volle un attimo per capire di essere ancora sul divano. Dakota era con lui, gli stava abbassando la lampo dei jeans.

«Buongiorno» gli sussurrò lei.

«Che ore sono?»

«Le due e un quarto.»

«Mi dispiace.»

«No, non dispiacerti.» Gli sollevò la maglietta e trovò i capezzoli.

Tony sorrise. «Vieni qui.»

Dakota gli si strofinò addosso, causando una frizione insopportabile mentre si muoveva. «Sì?» sussurrò, le labbra contro la bocca di lui.

Mentre Tony la baciava, le estrasse la camicetta dalla gonna e le abbassò la lampo. Lei lo aiutò con i bottoni della camicetta e lui fece altrettanto con i suoi jeans. I collant rappresentavano la difficoltà maggiore e Tony temette di romperli e dovergliene regalare un paio nuovi, ma nonostante tutti gli ostacoli, in pochi secondi furono nudi. Grazie al cielo non aveva ancora eliminato le vecchie tende.

Dakota gli passò due dita sul membro. «Tony, hai dei...?»

Lui fu percorso da un brivido. «Certo, dammi un minuto.» Si alzò, aveva dei preservativi anche nella tasca dei jeans, ma non voleva che lei si facesse l'idea sbagliata.

Scomparve per alcuni secondi; quando tornò, trovò Dakota intenta a osservare la sua collezione di CD. Era perfetta. Nuda, nella luce tenue della lampada, sembrava la creazione di un artista. Dalla curva aggraziata del collo, a quella seducente della schiena, era l'incarnazione della perfezione. Perfino i capelli scarmigliati in modo sexy sembravano opera di un parrucchiere, ma Tony sapeva che quell'effetto era del tutto naturale. Dakota non sarebbe ricorsa ad alcun artificio.

Lei lo guardò e gli sorrise. Anche quello fu perfetto.

Tony seppe di non poter aspettare un minuto di più.

La prese per mano e la riportò sul divano, spronandola a infilargli il preservativo, poi la baciò intensamente e, tenendola per i fianchi, la guidò sopra di sé. Allungò le gambe mentre Dakota scendeva su di lui, abbassandosi finché Tony la penetrò, tanto scivolosa e umida che in tre spinte l'esplosione ebbe inizio.

13

In ufficio non c'era ancora nessuno; erano appena le sei e un quarto, presto perfino per Dakota, ma lei aveva assolutamente bisogno di iniziare a lavorare. Il giorno precedente, dopo essere uscita da casa di Tony alle quattro del mattino, aveva dormito due ore prima di andare allo studio. La giornata era stata un disastro, a partire dalla prima tazza di caffè che si era rovesciata addosso.

Aveva funzionato a velocità ridotta, riuscendo a lavorare solo per sei ore, nonostante le dodici trascorse allo studio. La sera prima era crollata addormentata presto, quando invece avrebbe dovuto preparare il discorso di apertura per un processo. Fortunatamente, aveva l'abitudine di prepararsi con largo anticipo, quindi non si poteva ancora definire in ritardo.

La macchina del caffè nella stanza accanto al suo ufficio emise il suo gorgoglio caratteristico per indicare che il caffè era pronto. Dakota andò a prendersene una tazza prima di svuotare la ventiquattrore.

Rientrando in ufficio, il laptop attirò la sua attenzione. In genere le ci voleva almeno mezza tazza di miscela colombiana forte per cominciare a girare a pieno ritmo, pertanto decise che non le avrebbe fatto alcun male controllare le e-mail delle ragazze della *Eve's Apple*.

Accese il computer e si rilassò sulla poltrona mentre le risposte apparivano sullo schermo. Non aveva mai visto tante e-mail, la maggior parte delle quali la definiva un'idiota, a giudicare dalla voce *oggetto*. Era certa di volerle leggere?

La curiosità ebbe la meglio e ne scelse alcune mentre sorseggiava il caffè.

Da: *Cindy@EvesApple.com*

A: *LegallyNuts@EvesApple.com*
Oggetto: *chi credi di prendere in giro?*

D., tu non stai bene. Rileggi la tua e-mail e sii onesta con te stessa. Vederla mi ha intristita molto. Intendi rivedere quel ragazzo, almeno? Cos'è successo?
Cindy, che è dalla tua parte ma non capisce.

Quel messaggio le diede da pensare; quante cose erano cambiate in un solo giorno! Sì, aveva rivisto Tony, ma a cosa le era servito?

Le piaceva ancora più di prima, ammesso che fosse possibile, ma ciò non risolveva un bel niente. Probabilmente sarebbe stato meglio per lei non cercarlo più.

Sapere che viveva tanto vicino era una vera tortura.

In dieci minuti di taxi sarebbe potuta essere da lui, baciarlo, essere stretta tra le sue braccia, sentire lo stress sciogliersi miracolosamente, semplicemente perché Tony le stava vicino.

Lesse il messaggio successivo, che aveva un oggetto apparentemente meno offensivo del precedente.

Da: *HornyInHenderson@EvesApple.com*
A: *LegallyNuts@EvesApple.com*
Oggetto: *ehi!*

D., sei pazza se pensi che non vogliamo sapere TUTTO del tuo weekend. Dettagli, prego!!!
Tra parentesi, da' retta a Cindy, ha ragione da vendere.
Baci. H.

Dakota scosse il capo, non aveva alcuna intenzione di fornire i dettagli del fine settimana trascorso con Tony. Stava per spegnere il computer, quando riconobbe l'indirizzo di una donna che le aveva risposto quando aveva cominciato a scrivere al gruppo della *Eve's Apple*. Non poté resistere alla curiosità di leggere cosa aveva da dirle BabyBlu, ma promise a se stessa che quello sarebbe stato l'ultimo messaggio prima di mettersi al lavoro.

D., mi fa piacere vedere che hai scritto ancora. Ti ho pensata molto ultimamente. Tutto, pur di non pensare a quanto sono infelice, eh? L'altro giorno ho visto Larry. Era con una donna che portava al dito un anello di fidanzamento. Un bel taglio, saranno stati forse tre quarti di carato. Niente a confronto del solitario da due carati che mi sono regalata due mesi, fa dopo aver concluso un affare importante. Fortuna che posso permettermelo, visto che non ho nessuno che mi regali un gioiello, ma lo cambierei volentieri con un anello di latta, se fosse Larry a regalarmelo. Dio, quanto mi manca! Allora, hai ceduto e hai rivisto il tuo uomo? Se non l'hai ancora fatto, muoviti! Non aspettare di vederlo andare in giro con un'altra.
Buona fortuna!
Con affetto, Carson

Dakota spense il computer, pervasa dalla medesima tristezza provata la prima volta che aveva letto un'e-mail di Carson. Ancor peggio, in quel caso si sentì prendere dal panico. Avrebbe sopportato di vedere Tony con un'altra donna? Sarebbe morta, benché non avesse alcun diritto di provare emozioni diverse dall'indifferenza. Quella consapevolezza non servì a sciogliere il nodo che le strinse lo stomaco.

L'ironia era che sarebbe potuto succedere, dopotutto vivevano a poca distanza.

D'altronde, non era certo che lui restasse nell'Upper West Side; la casa poteva essere stata un affare, ma, a parte la cucina, aveva ancora bisogno di parecchio lavoro, ci sarebbero potuti volere anni per ristrutturarla e lei aveva l'impressione che Tony fosse a corto di fondi.

Basta riflessioni, erano inutili e Dakota aveva troppo lavoro da svolgere. Se Cody le avesse chiesto per l'ennesima volta la bozza dell'arringa d'apertura si sarebbe messa a urlare.

Sentì il campanello dell'ascensore: la sua pace stava per

terminare. E non era nemmeno riuscita a cominciare a lavorare.

Tony aveva tenuto il cellulare a portata di mano per due giorni. Nessuna telefonata da parte di Dakota. Lei non lo aveva svegliato prima di andarsene quando era stata a casa sua, ma il peggio era che non aveva detto *se* e *quando* si sarebbero rivisti.

Tony sapeva che stava lavorando molto ed era sotto pressione; era disposto a vederla alle sue condizioni, finché il lavoro non le avesse concesso un momento di respiro. Ma Dakota avrebbe almeno potuto telefonargli. Tony era stufo di riporre i suoi attrezzi nel posto sbagliato, perennemente distratto dal pensiero di lei. Era la seconda volta in una giornata che non riusciva a trovare la livella. Dove diavolo l'aveva messa?

Non era sul mobile in bagno, dove però scovò il martello che non era riuscito a trovare un'ora prima. La cintura per gli attrezzi era appesa alla maniglia. Doveva riprendere il controllo, altrimenti gli ci sarebbero voluti come minimo cinque anni per sistemare quella casa.

Forse Dakota aspettava che fosse *lui* a telefonare; era stata lei a compiere la mossa precedente, ora era il turno di Tony. Lui aveva già inserito nel cellulare il numero del suo studio legale. Non essendo l'interno diretto, chiese alla receptionist di passargli Dakota. Non sarebbe rimasto sorpreso se avesse risposto una casella vocale, invece pochi secondi dopo Dakota prese la linea, dichiarando il suo nome con tono efficiente.

«Provamelo» le disse lui con voce profonda.

«Prego?»

«Provami che sei Dakota Shea.»

Lei esitò, poi si mise a ridere. «Vediamo... Conosco un certo Tony e potrei raccontare un paio di particolari scottanti su di lui, cose che solo io posso sapere.»

«Okay, okay, ti credo.»

«Stavo proprio pensando a te» disse lei, abbassando la voce. All'altro capo della linea, Tony sentì una porta che si chiudeva.

Sorridendo, si sedette sul divano e appoggiò i talloni sul tavolino, noncurante dei pantaloni impolverati. «A cosa stavi pensando?»

«A quanto mi hai fatto fare tardi l'altra notte e a quanto sia indietro col lavoro per colpa tua.»

«*Io* ti avrei fatto fare tardi?» Sbuffò. «Ricordo uno scenario un po' diverso. Se non sbaglio mi sono svegliato e ho trovato una sorpresa molto gradevole.»

Dakota rise. «Ssh!»

«Sono solo, nessuno può sentirmi, tesoro.»

«Okay, mi arrendo. *Mea culpa.*»

«Quando pensi di passare a farmi di nuovo una bella sorpresa?»

Dakota fece schioccare la lingua. «Sei incorreggibile.»

«Non è per questo che ti piaccio?»

«Probabilmente.» Sospirò. «Ascolta, ho...»

Si zittì nello stesso momento in cui Tony credette di sentir bussare alla sua porta. Una voce maschile mormorò qualcosa riguardo a una riunione, poi Dakota fu nuovamente in linea.

«Tony, devo andare.» Fruscio di fogli in sottofondo.

«Non c'è problema.»

«Grazie per la telefonata.»

Non gli piacque quel tono sbrigativo. «Che ne diresti di bere qualcosa dopo il lavoro?»

Lei sospirò. «Okay. Posso uscire per le sei, ma poi dovrò tornare in studio. Conosci il *Sargenti's*?»

«Sì.» Era un locale sofisticato vicino a Wall Street, Tony ci era stato un paio di volte, ma non lo avrebbe mai scelto come luogo d'incontro.

«Okay.»

«Ci vediamo là.»

Fu Dakota a riagganciare per prima, senza quasi lasciarlo finire di parlare; Tony non se la prese, sapeva che era molto occupata, proprio per quello aveva esitato prima di chiamarla al lavoro.

D'altronde Dakota non gli aveva ancora lasciato il suo numero di casa, che altro avrebbe potuto fare? Forse se ne sarebbe ricordata quella sera.

136

Ripensò al posto dove si sarebbero visti dopo il lavoro. *Sargenti's*?

Dakota voleva davvero incontrarlo là?

Interessante.

Dakota controllò l'ora e premette di nuovo il tasto dell'ascensore. Era già in ritardo di cinque minuti e il locale era a cinque minuti a piedi dallo studio legale. Era stata una follia proporre a Tony di incontrarsi là, in quello che era una sorta di ritrovo per tutti gli avvocati che lavoravano nella zona. Dakota usciva poco, ma quando le capitava di andare a bere qualcosa andava immancabilmente al *Sargenti's* e solo perché lo frequentavano tutti i suoi colleghi.

Incluso suo fratello. Ottima idea, davvero. *Complimenti, Dakota.*

Fortunatamente Cody era ancora in riunione, ma lei avrebbe potuto incontrare altri colleghi. Ci sarebbero state domande e sguardi incuriositi e Tony avrebbe finito col sentirsi a disagio.

Era colpa sua; era andata in palla quando Cody aveva fatto capolino nel suo ufficio per ricordarle la riunione. Dakota stava radunando i documenti necessari per quell'incontro, quando Tony le aveva telefonato. E... puff! Come per magia, ogni altra cosa era svanita dalla sua mente e, in un momento di debolezza, aveva suggerito quel locale.

Peccato non avere con sé il numero di cellulare di Tony, perché lo aveva lasciato sul comodino? Perché la sera precedente avrebbe voluto chiamarlo, anche se alla fine aveva deciso di non farlo.

A mezzo isolato da *Sargenti's*, si sciolse i capelli e li ravviò, inumidendosi le labbra. Le spiaceva non aver pensato a mettersi un po' di rossetto prima di uscire dall'ufficio.

L'uomo che la precedeva spalancò la porta d'ingresso e la tenne aperta per lei. Dakota lo ringraziò, mentre un soffio gradito d'aria tiepida le accarezzava il viso. In quel momento si rese conto di aver dimenticato il cappotto. Aveva camminato per tre isolati con indosso solo il tailleur, benché ormai facesse fresco.

Stava perdendo il controllo.

Il locale era affollato, tanti abiti costosi e chiacchiere a voce alta. Dakota riconobbe due giudici e svariati avvocati che lavoravano nel suo stesso edificio. In un tavolo d'angolo due suoi colleghi stavano chiacchierando.

Non vide Tony passando accanto ai tavolini intorno al bancone d'epoca. Tutte le nicchie disponibili erano occupate da più di una persona.

Finalmente lo scorse in fondo al bancone, circondato da tre uomini e una donna, uno dei quali era un suo conoscente. Una giacca di pelle nera pendeva dallo sgabello di Tony e lui indossava una maglietta bianca, jeans e scarponcini stringati da lavoro. I suoi abiti erano puliti, ma pareva del tutto fuori posto in quel mare di costosi abiti firmati. Palesemente la cosa non lo turbava, sembrava perfettamente a suo agio, preso a conversare vivacemente con gli altri quattro.

Se solo Dakota si fosse sentita altrettanto a suo agio, stando con lui in mezzo ai suoi colleghi! Si vergognò per un momento di quel pensiero, ma la verità era che la carriera era molto importante per lei e non si trattava solamente di essere un buon avvocato.

Si avvicinò lentamente, cercando di restare in disparte e capire quale fosse l'argomento della conversazione. Bruce, l'unico che conoscesse oltre a Tony, sembrava meno pedante del solito. Giovane, ambizioso, affermato e pieno di sé, era tuttavia tanto insicuro da sentire la necessità di parlare a chiunque dei propri successi.

«Quando pensi di fare il grande passo, Greta?» chiese Tony alla donna bionda sulla trentina.

«In primavera, credo. Tu che ne dici?»

Tony si strinse nelle spalle. «Qualunque momento va bene, se il prezzo è quello giusto.»

«Amen.» Bruce reclinò il capo all'indietro e finì il suo Martini, poi indicò al barman di preparargliene un altro.

«Sì, ma tu parli di un appartamento da ristrutturare. Non posso permettermi di pagare l'affitto e allo stesso tempo sostenere le spese di ristrutturazione e seguire i lavori» spiegò Greta.

«Potresti...» In quel momento Tony vide Dakota e un sorriso sexy distese le sue labbra sensuali, inducendo gli altri a voltarsi verso di lei. «Ciao, Dakota.»

Lei si sentì le guance in fiamme; fortunatamente il locale aveva le luci basse. «Ciao» ribatté, guardando il gruppo, poi salutò Bruce con un cenno.

Tony scese dallo sgabello. «Siediti, ti ho tenuto il posto.»

«Grazie.»

Lui rimase in piedi con gli altri uomini, mentre Dakota si accomodava accanto a Greta. La donna le porse la mano. «Loro sono Derrick e Sam. Lavoriamo per la *Simon and Lloyd*.»

«Io lavoro con Bruce per la *Webster and Sawyer*.» Dakota colse l'espressione divertita di Tony, ma era una questione di educazione spiegare a una persona appena conosciuta per chi lavorava.

«Posso rubartelo ancora per qualche minuto?» chiese Greta. Senza aspettare la sua risposta, tornò a guardare Tony. «Cosa dicevi riguardo alla ristrutturazione?»

«Questo è per te» disse Tony a Dakota, indicandole il calice di vino bianco posato sul bancone. Evidentemente aveva ordinato per lei.

Dakota avrebbe voluto bere una spremuta di arancia, dal momento che doveva tornare a lavorare, ma lo ringraziò con un sorriso e sorseggiò il vino bianco.

Lui le strizzò l'occhio e guardò Greta. «Potresti acquistare l'appartamento e scegliere una stanza che ti serve immediatamente. Potrebbe essere la camera da letto, o la cucina, a seconda di dove passi più tempo. La fai ristrutturare prima di trasferirti e poi entri in casa e sistemi il resto un pezzo alla volta, secondo la tua disponibilità economica.»

Il barman arrivò con il Martini di Bruce e posò una birra di fronte a Tony. Solo la bottiglia, niente bicchiere. «Questo giro te lo offre il signor Wilson» disse, indicando Bruce.

«Grazie» disse Tony, facendo un cenno del capo a Bruce. Poi spiegò a Greta: «Ti conviene trovare un appaltatore di cui sai di poterti fidare, così gran parte del lavoro verrà fatta mentre sei in ufficio».

«Ottima idea» riconobbe Greta. «Tu potresti essere interessato?»

«Nossignora» rispose Tony, ridendo mentre scuoteva il capo. «In questo momento ho già fin troppo lavoro.»

«Non hai finito di spiegarmi come sistemare il fondo della mia barca» intervenne Sam. Tony rivolse a Dakota uno sguardo di scusa, prima di lanciarsi in una spiegazione sulle qualità del *flatting* e sulla rimozione dei cirripedi.

Dakota non era infastidita, le piaceva ascoltare Tony; sembrava che lui sapesse una quantità di cose riguardo al fai da te. Perfino Bruce, che non si interessava mai a una conversazione, a meno che si trattasse di un suo caso, sembrava incantato.

«Mi piacerebbe costruire una casetta su un terreno che ho a Martha's Vineyard» disse Bruce. «Sai dirmi come potrei risparmiare qualche bigliettone senza diminuire la qualità del lavoro?»

«Sì, non lasciarti convincere a costruire una casa con le fondamenta, meglio lasciare un'intercapedine tra il fabbricato e il terreno. E smettila di bere Martini da diciassette dollari da *Sargenti's*.»

Tutti scoppiarono a ridere, perfino Bruce, che brindò a Tony con il suo costoso drink.

«Il collega che mi dà un passaggio se ne sta andando. Lo raggiungo.» Greta posò un paio di banconote da venti sul bancone accanto al suo calice di vino. «È stato un piacere parlare con te, Tony.» Scese dallo sgabello e sussurrò a Dakota: «È adorabile, dove l'hai trovato?».

Lei si limitò a sorriderle, poi guardò Greta raggiungere il tizio che la stava aspettando all'ingresso.

Gli uomini avevano cominciato a discutere di auto; Dakota bevve un altro sorso di vino, poi chiese al barman un bicchiere d'acqua. Quando si voltò, vide che Tony la stava guardando.

Lui le sorrise. «Tutto okay?»

«Perfetto.»

«Vuoi andare da un'altra parte?»

«No, qui va bene.» Più lo ascoltava, più le piaceva sentirlo parlare; il suo fascino, unito all'entusiasmo, rendeva interessante perfino l'argomento più tedioso. Anche Sam suggerì che Tony sarebbe stato perfetto per condurre una di quelle trasmissioni televisive sul fai da te, che ultimamente stavano diventando sempre più popolari.

Bruce cercò di offrire a Tony un'altra birra, ma lui declinò. «Ma c'è qualcosa che non sai?» chiese Bruce scuotendo il capo, divertito.

«Devo andare, è quasi ora di cena» disse Sam, indicando al barman di preparargli il conto. «Mia moglie è incinta e mi aspetta a casa in orario.»

«Ci sono passato anch'io» intervenne Derrick, ordinando un altro drink.

Tony si voltò leggermente, dando le spalle agli altri due. «Sei silenziosa.»

«Come se avessi avuto l'opportunità di parlarti.»

«Hai ragione, mi spiace.»

«Stavo scherzando!»

«Sai che preferirei parlare con te.» La guardò con tanta intensità che fu come se la stesse toccando. Invece non l'aveva nemmeno sfiorata, benché Dakota sapesse che avrebbe voluto farlo.

Apprezzò quel riguardo, Tony sapeva che per lei sarebbe stato imbarazzante. Guardandosi in giro, notò che erano arrivati altri suoi colleghi; Cody però non c'era, grazie al cielo. In genere lavorava fin quando era troppo tardi per passare al locale, ma non si poteva mai sapere.

A ogni modo, se anche fosse passato, quale sarebbe stato il problema?

Si guardò rapidamente in giro un'altra volta, desiderando di essere meno rigida.

Tony bevve un altro sorso di birra. «Penso che dovremmo andare da un'altra parte. Potremmo cenare insieme. Conosco un posticino dove...»

Dakota scosse il capo. «Devo tornare in ufficio.»

«*Stasera?*»

«Per questo ho proposto di vederci qui.»

«Stacanovista.»

«Ahimè.» Dakota vide Bruce avvicinarsi a una segretaria che lavorava al piano sotto il loro ufficio. «Come sei finito a chiacchierare con loro?»

«Questo bancone» spiegò Tony, battendo le nocche contro il legno lucido, «è stato costruito con assi che appartenevano a un antico vascello italiano. Stavo chiedendo al barman cosa sapesse a riguardo e loro mi hanno sentito.»

«Come sapevi del legno?»

«Non lo so. Stavo cercando di ricordarmelo io stesso.» Assunse un'espressione meditabonda, poi le si avvicinò. «Perché vi presentate dando il nome dello studio per cui lavorate? Per voi vige una gerarchia della quale noi comuni mortali non siamo a conoscenza?»

Dakota fece una smorfia. «Molto divertente.»

«Dico sul serio. È stato interessante ascoltare lo scambio di informazioni tra te e Greta. Cos'è, una specie di: *Il mio papà è più forte del tuo*?»

Dakota alzò gli occhi al cielo. «È difficile spiegarlo» dichiarò, controllando l'orologio, impaziente di cambiare argomento.

«Okay» concesse lui. «Hai notizie di Dallas?»

«No, penso che non la sentirò fino a dopodomani, quando dovrebbe rientrare.»

«Ah.» Tony bevve un altro sorso di birra.

Calò il silenzio e Dakota capì che lui stava aspettando che dicesse qualcosa. Sfortunatamente, la sua attenzione era stata attirata da un paio di colleghi che si erano seduti a un tavolo d'angolo. Li avrebbero sicuramente visti.

«A che ora pensi di finire questa sera?» Le si avvicinò quanto bastò per turbarla, senza che però nessun altro potesse notare alcunché.

«Non lo so. Tardi, molto tardi.»

«Ti ho detto che sono un animale notturno?» Di nuovo quell'irresistibile sorriso sensuale.

«Non posso, Tony. Domani mattina presto devo essere in riunione.»

«Capisco.» Abbassò la voce. «È difficile non poterti toccare.»

«Lo so.» Afferrò il calice e bevve un lungo sorso di vino.

Non poteva assolutamente fermarsi, l'indomani la aspettava per davvero una riunione. «Meglio che vada.»

«Di già?»

«Ehi, non sono stata io a ignorarti per i miei nuovi amici.»

«E non sono stato io ad arrivare in ritardo.»

«*Touchée*.» In realtà era stato meglio così, essere in gruppo dava meno nell'occhio. Sospirando, scese dallo sgabello. «Credimi, preferirei restare con te invece di dover lavorare come una schiava in ufficio. Ma non ho molta scelta.»

«A ogni modo, sono contento di averti vista.» Infilò la mano nella tasca dei jeans, la maglietta si tese sui suoi pettorali e Dakota deglutì. Nessun uomo in tutto il locale avrebbe potuto riempire una maglietta come faceva Tony. «Aspetta. Pago il conto e ti accompagno allo studio.»

«No. Resta qui» disse subito lei. Troppo rapidamente, a giudicare dallo sguardo scettico di lui. «Non hai finito la birra.»

Incontrarlo là dentro era una cosa, ma non poteva uscire con lui. Che impressione avrebbero dato?

«Non preoccuparti. Ti chiamo io» soggiunse, toccandogli la mano per un attimo. Dovette resistere all'impulso di controllare se qualcuno avesse colto quel gesto.

«Okay.» Lui le sorrise. «Ci sentiamo più tardi.»

Dio, quanto avrebbe voluto baciarlo!

Si voltò di scatto e si diresse alla porta, tenendo lo sguardo fisso di fronte a sé. Appena uscita si accorse di provare un vuoto inspiegabile in fondo allo stomaco e fu colta dalla tentazione improvvisa di chiamare un taxi, tornare a casa e rifugiarsi sotto le coperte.

Ironico. Aveva creduto che Tony sarebbe stato un problema, invece il problema era lei. In quel momento non si piaceva molto.

14

Tony si alzò e ammirò il pavimento nuovo che aveva appena finito di posare nel bagno degli ospiti. Aveva trovato in sconto delle piastrelle fuori produzione ed era riuscito a usare materiale di qualità migliore del previsto. Il suo fornitore stava cercando altri sanitari fuori produzione per il bagno principale. Un altro paio di colpi di fortuna del genere gli avrebbero consentito di aumentare il prezzo di vendita.

Sentì bussare alla porta e si sfilò i guanti da lavoro. Sua madre e sua sorella erano le uniche persone che fossero andate a trovarlo, oltre a Dakota. Benché fosse improbabile, sperò che fosse lei, ma Dakota non riusciva nemmeno a lasciare l'ufficio a un orario decente, figurarsi se l'avrebbe fatto a metà mattina.

Inoltre, l'aveva vista due giorni prima al *Sargenti's*, ma lei non lo aveva ancora chiamato. Era molto occupata, quello lo aveva capito anche lui. Ma così tanto da non riuscire nemmeno a fargli uno squillo di telefono?

Guardò attraverso lo spioncino e vide che era la sua agente immobiliare, avvolta nella pelliccia di visone che ostentava non appena la temperatura accennava a scendere. Aprì la porta, riluttante.

«Hai finito?» gli domandò la donna, oltrepassandolo e dirigendosi direttamente in cucina.

«Ciao, Sylvia. Anche per me è un piacere rivederti.» Scosse il capo e chiuse la porta. Quella donna a volte era troppo insistente per i suoi gusti, ma gli aveva consentito di guadagnare un bel po' di dollari.

«Oh, mio Dio, Tony! Questo granito è una meraviglia! Dove l'hai trovato? Non puoi averlo preso da quel pezzente sulla Quarta.» Agitò una mano, spazientita. «Non riconoscerebbe un pezzo di qualità nemmeno se lo colpisse in faccia.»

«Per la verità me l'ha venduto proprio Manny. A un buon prezzo, per di più.»

Lei socchiuse gli occhi, talmente truccati da farla sembrare dieci anni più vecchia. «Gli ho chiesto cortesemente di cercarmi qualcosa per un pavimento da posare in uno degli appartamenti che affitto, ma quel verme...» Raddrizzò le spalle e alzò il mento, sdegnosa. «Sono una signora e non intendo ripetere cosa mi ha detto.»

Tony sogghignò. «Cosa posso fare per te, Sylvia?»

«Puoi finire questa casa. Ho un acquirente.»

«*Cosa?*»

«Non preoccuparti, non ha fretta.»

Tony si guardò in giro. «Non ho ancora deciso se venderla.»

Le sopracciglia scure di lei si avvicinarono, sdegnosamente incredule. «Tony, non dire assurdità.»

«Essere proprietario di un immobile a Manhattan ti sembra un'assurdità?»

«Sai cosa intendo. Il mercato è alle stelle negli ultimi tempi. Hai guadagnato un mucchio di soldi e puoi guadagnarne molti di più.»

«Sylvia, il mercato è sempre alle stelle a Manhattan. E poi, non si tratta solo di soldi.»

Lei lo studiò, rabbuiata. «Certo che sì. Ricordi la prima volta che sei venuto da me per informarti sui prezzi degli immobili, dicendo...?»

«Okay, ma il mio unico scopo era lasciare l'impresa dove lavoravo e mantenermi in questo modo.» All'inferno, non doveva alcuna spiegazione a quella donna. Sylvia aveva una commissione sui suoi immobili, maledettamente vantaggiosa, per giunta.

Controllò l'orologio. «Dovrei rimettermi al lavoro.»

«Hai tempo per pranzare insieme? Offro io.»

«Ho già mangiato, ma grazie lo stesso.» Tony si diresse alla porta; Sylvia capì l'antifona e lo seguì. «Ascolta, non so ancora cosa fare, probabilmente venderò, ma in caso contrario troverò un'altra casa da ristrutturare.»

«D'accordo» sospirò Sylvia, poi la sua espressione si illuminò improvvisamente. «Mia nipote verrà a trovarmi questa settimana. È una ragazza molto carina e...»

Tony aprì la porta. «Arrivederci, Sylvia.»

Lei si strinse intorno al collo il bavero della pelliccia. «Chiamami.»

Tony chiuse la porta. Per la verità non aveva mangiato e approfittò di quella pausa per tornare in cucina e prepararsi un panino con burro di arachidi e marmellata. Il suo cellulare suonò due volte prima che avesse finito. Erano due ex colleghi, che gli proponevano di andarsi a bere una birra verso le quattro del pomeriggio. Tony disse che avrebbe cercato di esserci, ma di non mandare pattuglie a cercarlo in caso non si fosse presentato.

Doveva ancora togliere dal bagno principale la vecchia vasca da bagno e un cassettone. Più tardi un paio di ragazzi che aveva assunto come aiutanti sarebbero andati a dargli una mano; arrivavano sempre quando li chiamava, ma mai all'orario stabilito. Se non avesse avuto quell'impegno, Tony sarebbe stato ben contento di rivedere i suoi ex colleghi; era passato del tempo dal loro ultimo incontro.

Era successo prima del matrimonio di Dallas, prima che Dakota lo facesse impazzire. Scuotendo la testa, posò sul tavolo il panino e una bottiglia d'acqua. Lei lo aveva sorpreso, proponendogli di incontrarla al *Sargenti's*. Tony sapeva che era un locale popolare tra gli avvocati, gli era capitato di mangiare là un paio di volte con il suo legale.

Stupidamente, aveva sperato che quel gesto indicasse che il ghiaccio si era finalmente rotto, che Dakota era pronta ad ammettere che la loro relazione stava facendo dei passi avanti. Ma lei si era sentita a disagio incontrandolo là, era rimasta troppo tranquilla e le occhiate guardinghe che aveva continuato a lanciare intorno a sé erano state deludenti. Forse non aveva niente a che vedere con lui. O forse era stato il suo abbigliamento a metterla a disagio.

Tony aveva pensato di indossare un paio di pantaloni scuri e una giacca; dopotutto ne aveva una quantità, regali di Natale di sua madre. Ma aveva resistito alla tentazione, non sarebbe stato lui. Amava la comodità di jeans e magliette e non aveva intenzione di cambiare. Per nessuno. Lui era così, prendere o lasciare. A ogni modo, Dakota aveva guadagnato punti con quell'invito.

Metà del suo panino era scomparsa, ma Tony non ricordava di averne mangiato un solo boccone. Comunque fosse era stanco di burro d'arachidi e marmellata, avrebbe ordinato la cena al takeaway cinese, forse Dakota sarebbe passata per miracolo da lui.

Maledizione, non avrebbe dovuto confessarle che gli era sembrato strano sentire lei e Greta presentarsi, specificando per quali studi legali lavorassero. Eppure era così, come se le loro identità equivalessero alle loro professioni. Tony non capiva, ma non era affar suo e avrebbe dovuto tenere la bocca chiusa.

E se Dakota quella mattina avesse sentito parlare Sylvia? Le affermazioni della donna erano false, lui amava il suo lavoro, non si trattava unicamente di denaro. Ma Dakota avrebbe potuto porgli a sua volta una quantità di domande e fare qualche battuta di spirito. Era piacevole potersi permettere tutto ciò che voleva, ma il suo scopo non era mai stato quello. Tony desiderava solo essere il capo di se stesso e guadagnarsi da vivere nel modo che preferiva.

Guardò il magnifico parquet nuovo sotto ai suoi piedi e fu pervaso da un'ondata di soddisfazione per un lavoro ben fatto. Uno degli aspetti che preferiva della sua professione era la gratificazione immediata. Con le sue mani riusciva a creare dal nulla qualcosa di bellissimo; ecco cosa gli importava nella vita, la soddisfazione personale.

Il denaro era solo un'aggiunta. Trasse un respiro profondo, facile dirlo, quando il lavoro che gli piaceva rendeva così bene. Avrebbe continuato ad amarlo tanto, se non fosse stato redditizio?

«Mi servono entro le tre e mezza.» Dakota porse a Sara un raccoglitore colmo di documenti da copiare.

«Saranno pronti. Ho qualcosa da farti firmare» ribatté Sara con un sorriso che, poco dopo, si accentuò.

Lei si voltò e vide che Cody si stava dirigendo verso di loro.

Si affrettò a firmare la richiesta per un'altra assunzione a tempo determinato. «Grazie. Mi sono fatta mandare un panino. Questi dovrebbero bastare anche per la mancia» disse, posando del denaro sulla scrivania di Sara, sperando che Cody non si fermasse da lei. Ultimamente suo fratello le stava continuamente addosso, come se volesse tenerla d'occhio. Dakota lo trovava irritante.

Lui si fermò alle sue spalle. «Hai un minuto, Dakota?» chiese, lo sguardo fisso su Sara.

«Solo uno.»

Cody non parve notare il suo tono brusco. «Non sono riuscito a procurarmi i biglietti» disse.

Sara sospirò e scosse i riccioli scuri. «Non ha importanza. Magari andrà meglio la prossima volta.»

«Se sento qualcosa ti farò sapere.» Cody continuò a fissare l'assistente.

Benché il tono della sua voce potesse sembrare brusco, Dakota conosceva bene il fratello; lo guardò per un momento, allibita dal fatto che non sembrasse impaziente come sempre di mettersi al lavoro e si trattenesse accanto alla scrivania di Sara. Forse le sue visite incessanti non avevano a che fare con Dakota, forse Cody voleva solo vedere Sara.

Dakota rise silenziosamente di se stessa, doveva essere matta, se credeva davvero che Cody... Come no. Quando l'inferno si fosse congelato!

Entrò in ufficio, ma Cody la raggiunse solo un minuto dopo.

«Di che si trattava?»

Lui le si sedette di fronte. «Oh, niente. La tua assi...»

«Sara.»

«Sara, sì. Cercava dei biglietti per uno spettacolo che ha fatto il tutto esaurito. Credevo di conoscere delle persone che non volevano i loro.»

«Ah.» Interessante che suo fratello e Sara avessero parlato tanto a lungo da arrivare a quell'argomento.

Evidentemente la sua espressione tradì i pensieri divertiti di lei, perché Cody divenne all'improvviso terribilmente serio. «Dakota, sono sinceramente preoccupato per te» disse, abbassando la voce in modo irritante.

Lei si appoggiò allo schienale. «Perché?»

Le sopracciglia di lui si alzarono. «Sei distratta e rispetti a malapena le scadenze.»

«Proprio così, le rispetto.» Quella conversazione non sarebbe finita bene, Dakota era indispettita e sulla difensiva.

«Non è da te, in genere sei più concentrata.»

«Sono confusa.»

Cody sorrise. «Soltanto questo?»

«Risparmiami la storia del fratello maggiore che non se la beve. Riuscirai solo a farmi arrabbiare.»

«Sono anche il tuo superiore e ho bisogno di sapere se sarai in grado di impegnarti per il caso Draper.»

Dakota scosse la testa, incredula. «Non vorrai mettere in dubbio il mio impegno?»

«Questo caso non è importante unicamente per lo studio legale. È un passo fondamentale per la tua carriera.»

«So pensare da sola alla mia carriera, ti ringrazio.» Tacque, un po' per controllare la rabbia, un po' per la consapevolezza che Cody aveva ragione, almeno in parte. Non si stava concentrando quanto avrebbe dovuto.

Lui la lasciò meditare per un breve istante, poi sospirò. «So che hai visto Tony. Potrebbe essere lui la ragione della tua distrazione?»

«Chi te l'ha detto?»

«Qualcuno mi ha raccontato che ti sei vista con un uomo da *Sargenti's*. A giudicare dalla descrizione, ho pensato dovesse trattarsi di Tony. È l'unica persona del genere che conosciamo.»

Il sangue salì al viso di Dakota.

Quando credette di poter parlare senza staccargli la testa a morsi, disse: «Cosa intendi con *l'unica persona del genere che conosciamo*?».

Lui chiuse gli occhi, scuotendo il capo. «Sai bene cosa intendo.»

«Spero sinceramente che non sia quello che credo. Mi dispiacerebbe scoprire che sei davvero uno snob ignorante.»

«Stai esagerando.»

«Divertente, pensavo lo stesso di te.»

«Okay, è chiaro che oggi non andremo da nessuna parte.» Si alzò, sistemandosi la cravatta italiana, scandalosamente costosa. «Parleremo in un altro momento.»

«Non di questo argomento. Come superiore, la mia vita privata non ti riguarda. E come fratello, per quanto ti voglia bene, la mia vita privata continua a non riguardarti.» Tacque per trarre un respiro profondo e tormentato. «E non provare più a mettere in dubbio il mio impegno nei confronti di questo caso o dello studio legale.»

Lui si chiuse nel silenzio, limitandosi ad andare alla porta. Prima di uscire, si voltò e chiese: «Hai sentito Dallas?».

Colta alla sprovvista da quella domanda innocua, Dakota poté solo fissarlo allibita mentre raccoglieva i pensieri. «Questa mattina. Ieri notte sono arrivati tardi, così abbiamo parlato solo per un minuto.»

Lui annuì con espressione assente, poi scomparve dalla porta.

Probabilmente era andato a ingraziarsi Sara, l'ipocrita. Se non altro aveva una qualità che lo riscattava: voleva bene a Dallas a sufficienza da chiedere di lei.

Perché Dakota era arrabbiata o anche solo sorpresa? Non si era forse aspettata delle conseguenze dopo aver incontrato Tony da *Sargenti's*? Forse aveva il recondito, insano desiderio di essere smascherata ed era per quella ragione che aveva scelto proprio quel locale?

Smascherata? Quel pensiero inatteso la nauseò. Tony non era un segreto del quale vergognarsi, era suo amico. Stava diventando come Cody, forse si trattava di un gene difettoso della famiglia Shea.

Si massaggiò la tempia dolorante; l'orrenda verità era che suo fratello aveva ragione riguardo alla sua recente distrazione. Dakota aveva dedicato al lavoro tutta l'attenzione necessaria, ma ci era voluto il doppio del tempo che ci avrebbe messo normalmente. Cody aveva ragione anche riguardo al caso Draper; vincerlo avrebbe giovato alla sua carriera più di essere stata tra i primi cinque migliori laureati in legge del suo anno.

La dolorosa verità era che Dakota non aveva tempo per Tony in quel momento. Ancora più doloroso era non sapere se ne avrebbe avuto mai.

«Dallas?»

«Tony!»

«Ti disturbo?»

«No. Sono contenta che tu abbia chiamato.»

Lui non si era aspettato di trovarla a casa; posò i bastoncini sul piano di lavoro; avrebbe riscaldato le pietanze cinesi nel microonde in un altro momento. «Com'è andata la luna di miele?»

«Devi andarci anche tu una volta o l'altra. È stata un'esperienza straordinaria. Per due intere settimane non ho dovuto cucinare né fare il letto.»

Tony ridacchiò. «Non avete guardato molto il panorama, eh?»

«Un'altra cosa spettacolare. Abbiamo visitato città meravigliose e abbiamo scattato tonnellate di foto. Non vedo l'ora di mostrartele. Tu e Dakota dovete venire presto a bere qualcosa da noi.»

Quelle parole lo frenarono. Dallas aveva parlato con Dakota? «Certo, contaci.»

«E com'è andata la vostra vacanza?»

«Hai parlato con Dakota?»

«Questa mattina.»

«Lei come ti ha detto che è andata?»

Dallas rise. «Le ho parlato solo per pochi minuti. Ero sconvolta per il viaggio e lei era in ufficio. Mi è sembrata parecchio indaffarata.»

Tony si sentì meglio; Dakota era davvero occupatissima,

non stava cercando di evitarlo. O forse Dallas aveva mentito per non urtare la sua sensibilità.

«Quindi vi siete fermati là tutto il fine settimana?»

«Sì, ci siamo fermati.»

«Bene.» Palesemente Dallas avrebbe voluto porgli altre domande, il che lo indusse a ritenere che Dakota non le avesse detto niente. A ogni modo, lei si limitò a chiedere: «È successo qualcos'altro?».

Tony sorrise della sua astuzia. «Non mi viene in mente nulla. Volevo solo accertarmi che foste tornati e fosse andato tutto bene.»

«Sani, salvi e felici» disse Dallas con un sospiro soddisfatto. «Sono sposata, riesci a crederci?»

«Sì. Tu ed Eric siete un'ottima squadra.»

Lei tacque per un momento. «Tra te e Dakota va tutto bene?»

«È andato tutto bene.» Usò deliberatamente il passato e non aggiunse altro. Se voleva più informazioni, Dallas avrebbe dovuto ottenerle da sua sorella.

«Chiamala, Tony. Dammi retta, okay?»

Lui non voleva affrontare quell'argomento. «Ho ordinato del cibo cinese, si sta raffreddando.» Come il suo letto.

«D'accordo, codardo. Va' pure a mangiare.»

«Ci vediamo, Dallas.»

Lei sbuffò rumorosamente. «Ci vediamo.»

Tony riagganciò, mise il telefono da parte e fissò il suo pollo *kong pao*. Non sarebbe stato un male chiamarla; alla peggio, Dakota gli avrebbe detto di andarsene al diavolo.

Al quinto squillo Tony cominciò a sospettare che la receptionist fosse andata a casa. Era un peccato, perché Dakota non gli aveva ancora dato il suo numero diretto. Proprio quando Tony stava per riagganciare, lei rispose.

«Giochi a fare la receptionist?»

«Quella vera torna a casa alle sei.»

«Ragazza sveglia.»

«Peccato che chi resta a lavorare fino a tardi sia costretto anche a rispondere alle telefonate.»

«E, nella maggior parte dei casi, si tratta di te.»

«Siamo ancora in parecchi qui. Ci sono anche due dei soci.»

«Fulgidi esempi.»

Lei sospirò. «Mi hai chiamata per tormentarmi?»

«Piccola, non è quel che avevo in mente di farti.»

Lei rise. «Aspetta, fammi tornare nel mio ufficio.»

Tony sentì uno scatto, pochi secondi dopo Dakota riprese la linea.

«Stavo passando accanto alla scrivania della mia assistente quando il telefono è squillato, così ho risposto da là» spiegò. «Facciamo a turno a rispondere al telefono, ma in genere è molto tranquillo dopo le sei e mezza.»

«Avrei voluto chiamare la tua linea privata, ma non ho il numero.»

«Oh, accidenti! Siamo sulla linea principale. Aspetta ancora un attimo.» Un altro click.

Mentre aspettava, Tony si domandò se avesse sbagliato momento per telefonarle. Se non voleva parlare con lui, le sarebbe bastato dirglielo.

«Sei ancora lì?»

«Pendo dalle tue labbra.»

«Attento a non cadere.»

Lui sorrise. «Sei di buonumore.»

«Radioso.» Dakota si lasciò sfuggire uno sbadiglio, poi si scusò. «Perdonami.»

«Indossi ancora quell'orribile, informe reggiseno bianco?»

«Come?»

«Sì, quello che portavi l'altra sera. Mi manca, credo sia diventato il mio nuovo feticcio.»

«Sei matto da legare, lo sai?» Tony credette di sentirle soffocare un altro sbadiglio. «E, dimmi, hai altri feticci?»

«Passa da me stasera e te lo farò vedere.»

Il suo silenzio fu la risposta più eloquente a quella domanda.

«Ho parlato con Dallas oggi» disse Tony per alleggerire il disagio.

«Anch'io, ma solo per poco. Avevo una riunione. Mi sembra si sia innamorata delle crociere.»

153

«Direi di sì.»

Un altro sbadiglio.

«Sembri esausta. Non riesci a uscire un po' prima stasera? Ho ordinato del cibo cinese. Vieni qui a mangiare e a rilassarti un po'. Niente secondi fini, giuro.»

«Tony, non puoi continuare a tentarmi in questo modo.»

Lui esitò, non volendo interferire. Non era quella la sua intenzione. «Hai ragione. Di solito non mi piace nemmeno telefonare sul lavoro, ma è l'unico numero che ho. Mi spiace averti interrotta.»

«Non mi hai interrotta. Mi fa piacere che tu abbia telefonato.»

«Anche a me» confermò lui, anche se avrebbe voluto farle notare che, per una volta, avrebbe potuto chiamarlo lei. «Ci sentiamo un'altra volta.»

«Okay.»

Stava per riagganciare, quando sentì la sua voce. «Tony, aspetta.»

Lui si riportò il ricevitore all'orecchio. «Sono qui.»

«Hai ragione. Sono stanca e non riesco a combinare molto... Hai detto che hai ordinato cinese?»

Tony sorrise: la serata prometteva bene.

15

Era debole, disgustosamente, orribilmente debole. Sì, era stanca e andarsene dall'ufficio l'avrebbe resa più produttiva l'indomani, ma solo se fosse tornata a casa, a dormire, sola. Non se fosse corsa da Tony.

Dovevano parlare. Dakota doveva fargli capire che il tempo era il suo migliore alleato, ma allo stesso tempo il suo peggior nemico. Ne aveva così poco in quel periodo. Alla fine ne sarebbe valsa la pena, ma per il momento doveva stringere i denti.

Bussò due volte e, quando lui non andò ad aprirle, cominciò a domandarsi se Tony avesse capito male dove incontrarsi. Poi lui aprì la porta, con indosso i suoi jeans aderenti, i capelli umidi, il viso appena sbarbato. Sembrava pronto per le olimpiadi orizzontali, accidenti a lui!

Tony le sorrise e il calore di quel gesto gli illuminò gli occhi, rubandole un pezzetto di cuore. «Entra, fa freddo lì fuori.» Si fece da parte strofinandosi le mani, poi chiuse rapidamente la porta.

«Wow. Hai fatto progressi dall'altra volta» commentò Dakota, guardandosi intorno mentre lui le appendeva il cappotto. «Il pavimento della sala è nuovo e hai fatto qualcosa al caminetto.»

Lui annuì. «E il bagno degli ospiti al piano di sopra ha piastrelle e ripiani nuovi.»

«Dove hai trovato il tempo?»

«Una cosa alla volta.» La abbracciò da dietro e se la strinse al petto, poi le baciò la nuca e il collo, baci leggeri e lenti, che le fecero venire la pelle d'oca, finché la voltò piano in modo che le loro labbra si incontrassero.

Tra le sue braccia, il seno premuto contro il suo petto, la

tensione parve sciogliersi, scomparendo. Un'illusione pericolosa: niente era cambiato, Tony non avrebbe potuto mutare le cose.

Dakota interruppe il bacio e arretrò, riluttante. «Ti invidio molto per esserti appena fatto una doccia.»

«Se vuoi possiamo ovviare. Potrei perfino lavarti la schiena.»

Ridendo, lei arretrò. «Oh, no. Non pensarci nemmeno!»

«Okay, okay.» Lui alzò le mani in segno di resa. «In cucina allora.»

Lei lo seguì, lo sguardo sul suo bel fondoschiena, le pulsazioni sempre più veloci. Perché continuava a torturarsi in quel modo? Si costrinse a distogliere lo sguardo e notò le finestre. «Quando hai messo le tende?»

«Circa cinque minuti fa.» Lui sorrise e lei roteò gli occhi. Quella sera non sarebbe successo niente, se era ciò che Tony sperava. «Ho dovuto farle cucire su misura a causa delle dimensioni. Le hanno consegnate questa mattina e le ho appese mentre aspettavo che la malta in bagno si asciugasse.

«Con la cucina moderna quelle tende sono perfette» commentò Dakota, sorpresa dalla propria invidia. Le sarebbe piaciuto avere una casa sua da arredare, ma dubitava che sarebbe successo nel prossimo futuro; non aveva né il tempo né il denaro. Certo non con i prezzi degli immobili a Manhattan.

Tony estrasse dal frigorifero i cartoni di cibo cinese per riscaldarli. «Penso che metterò le stesse tende anche in sala.»

Cercando i piatti, Dakota aprì l'armadietto sbagliato; li trovò al secondo tentativo. «Non capisco dove trovi il tempo per fare tutto questo e continuare a lavorare.» Si voltò e vide che lui le stava guardando le gambe. *Uno pari*, pensò.

Tony le sorrise. «È questo il mio lavoro.»

«No, intendevo l'altro tuo lavoro.»

«È *questo*.»

Dakota non capiva. «Ma tu lavori per la *Capshaw Constructions*.»

«Non più.»

«Quando sei venuto via?»

«Subito dopo Dallas.»

«Non lo sapevo.»

Lui rise sommessamente. «Evidentemente no. Sai usare i bastoncini?»

Lei annuì, allibita. Ecco perché Tony non riusciva a capire i suoi ritmi massacranti di lavoro. «Credevo tu avessi un lavoro regolare.»

Tony mise i cartoni nel microonde e lo accese. «Credevo che voi avvocati non credeste mai a niente.»

Dakota gli sorrise, asciutta. «Sono curiosa, come riesci a mantenerti?»

«Appena finisco di ristrutturare, vendo.»

«Questa?» Sentì la delusione crescere dentro di sé. Che importanza aveva? Probabilmente sarebbe stato meglio se lui si fosse trasferito, se fosse tornato a Queens, o a Brooklyn. O dall'altra parte di Manhattan.

Tony la osservò attentamente, quando bastò per metterla a disagio; Dakota si voltò, cercando tovaglioli e posate.

«Sì, perché?»

Lei lo guardò e sorrise. «È molto bella. Hai fatto un ottimo lavoro. A me dispiacerebbe separarmi da una casa come questa.»

«Il lavoro è lavoro» ribatté lui, stringendosi nelle spalle. «Speravo fossi delusa perché non sarei più vissuto vicino a te.»

Il microonde segnalò che il cibo era alla temperatura desiderata, ma Tony rimase dov'era, studiando il viso di Dakota.

«Come se avessimo tanto tempo per vederci.» Lei indicò il microonde con un cenno del capo. «Credo sia pronto.»

Lui sbatté le palpebre e distolse lo sguardo, ma non prima che Dakota notasse la sua espressione delusa. «Sì.»

Lei trasse un respiro profondo, preparandosi per ciò che aveva da dire. «Per me la situazione non migliorerà. Quando Cody ha cercato di diventare socio, è praticamente vissuto in ufficio. Per nostro padre fu lo stesso. Ricordo che, quando ero bambina, c'erano delle settimane in cui lo vedevamo solo la domenica a pranzo»

«E adesso?» le domandò lui, il viso totalmente privo di espressione mentre portava i cartoni in sala da pranzo. «Cody ha una vita privata al di fuori dello studio legale? E tuo padre?»

Dakota esitò per un momento. «Be', certo. Ovvio che sia così» rispose alla fine, titubante.

Tony tacque, limitandosi a scostare le sedie.

«Partecipano a ogni sorta di eventi.» Si sedette e avvicinò la sedia al tavolo di quercia. «Mio padre è membro di numerosi comitati...»

«Non è necessario che cerchi di convincermi.» Si chinò e la baciò fuggevolmente prima di sedersi.

«Non stavo cercando di convincerti. È difficile spiegarlo, ma quando uno ama il proprio lavoro...»

«Ti garantisco che nessuno ama il proprio lavoro più di me, eppure io ho ugualmente una vita privata.»

Dakota sospirò, chiaramente quella conversazione non sarebbe andata da nessuna parte. «Passami il *chow mein*, per favore.»

«Cambiamo argomento. Che ne diresti di cenare insieme sabato sera? Non qui. Conosco un ristorante spettacolare a Soho...» Tony si appoggiò allo schienale, rabbuiandosi. «Che c'è?»

«Non posso.»

«Lavori anche il sabato sera?»

«Devo andare alla cena organizzata dall'ordine degli avvocati di cui sono membro. Si tiene una volta all'anno, la partecipazione non è obbligatoria, ma le assenze si notano.» Faticò un poco a prendere gli spaghetti con le bacchette, ma alla fine ci riuscì. «In genere è una serata terribilmente noiosa, soprattutto perché tutti portano il coniuge o il partner.»

Notata l'espressione speranzosa sul viso di Tony, rischiò di lasciar cadere il *chow mein*, bastoncini e tutto. Perché non teneva chiusa la bocca? Non poteva portare Tony, si sarebbe annoiato a morte; gli ospiti avrebbero parlato di lavoro per la maggior parte del tempo, non sarebbe stato come scambiare quattro chiacchiere con i ragazzi al *Sargenti's*. Ci sarebbero stati giudici importanti e si sarebbe parlato di argomenti legali roventi.

Da codarda qual era, si mise gli spaghetti in bocca per non dire altro, lo sguardo sepolto nel piatto nella speranza che Tony non avesse colto quei pensieri spiacevoli, l'idea che potesse trovarsi spaesato e non fosse a suo agio.

«Quindi anche la tua vita privata orbita intorno al lavoro?»

Lei continuò a masticare; non ci aveva mai riflettuto, ma era così. Quando andava a una festa, normalmente era organizzata da un collega, le sue due amiche del college avevano carriere impegnative e, quando decidevano di uscire a cena tutte e tre, finiva immancabilmente che una di loro desse buca all'ultimo momento.

«Ma è del tutto normale» dichiarò, dopo aver riflettuto. «Terminati gli studi, la maggior parte dei nostri contatti sociali deriva dal lavoro. Quando vai a berti una birra, scommetto che esci con i ragazzi con cui lavoravi.»

Lui annuì brevemente. «Un punto a tuo favore, ma quanto meno è una mia scelta e mi diverto a uscire con loro.»

Lei sospirò. «Vero.»

Tony rise sommessamente, poi tornò serio. «Non andare.»

«Scherzi? *Devo* andarci!»

«Perché? Hai detto tu stessa che sarà noiosa.»

«Ma ho detto anche che le assenze sono immancabilmente notate.»

«E con questo? Sei un ottimo avvocato; non può essere diversamente, se ti viene affidato un caso di alto profilo. Non sentirti costretta a partecipare, se non ne hai voglia.»

Sospirando, lei posò i bastoncini nel piatto. «Non è così semplice, Tony.»

Doveva dirglielo, era andata da lui per quella ragione. Avrebbe già dovuto farlo, prima che troppi altri argomenti si mettessero in mezzo, ma Dakota aveva tenuto la bocca chiusa per la medesima ragione per cui era nei guai. Tony la distraeva; con quel sorriso sexy, le spalle larghe e le braccia forti, Dakota era persa. Dimenticava di non avere il tempo per una relazione, dimenticava di avere una meta da raggiungere e dimenticava che Tony, in tutta onestà, non rientrava nel suo piano.

Non era stata lei a stabilire le regole, ma se voleva fare carriera avrebbe dovuto seguirle. Era stata consapevole degli svantaggi fin dall'inizio, era inutile lamentarsi a quel punto.

Nemmeno Tony era nelle condizioni di farlo, avevano condiviso unicamente dell'ottimo sesso, non si erano scambiati alcuna promessa. Un giorno per volta, lo aveva detto lui stesso.

«Ho dimenticato di prendere da bere» disse Tony, alzandosi. «Cosa vuoi? Acqua, spremuta d'arancia, vino o birra?»

«L'acqua va bene, grazie.» Lo guardò andare in cucina, le gambe lunghe, il passo sciolto e rilassato, e rifletté che lei ormai non camminava più lentamente. Era sempre di fretta, perfino quando andava a versarsi una tazza di caffè.

Correva sempre, a una riunione, a prendere un taxi, per salire in ascensore... Sarebbe stata una catastrofe aspettare cinque secondi per salire su un'altra cabina.

Solo quando stava con Tony riusciva a rallentare, ad assaporare ogni momento. Non pensava al lavoro, ed era proprio quello il problema.

«Tieni.» Lui posò una bottiglia d'acqua accanto alla sua mano destra, poi si chinò per un bacio. Le mise una mano sulla nuca e le massaggiò gentilmente il collo, mentre faceva meraviglie sulla sua bocca.

Il corpo traditore di Dakota reagì immediatamente, i capezzoli si indurirono e lo sfarfallio che le nacque nel petto scese fin nello stomaco, per fermarlesi infine tra le cosce.

«Hai assolutamente bisogno di rilassarti» mormorò Tony, continuando quel massaggio seducente. «E io ho proprio quel che ti serve.»

«Non posso bere, domani devo essere in ufficio presto.»

«Quel che ho in mente non lascerà postumi di sbornia, credimi.»

Ritrasse la mano dal collo di Dakota e tutto il corpo di lei protestò. Lei si guardò alle spalle per controllare cosa stesse facendo e Tony le prese la mano, la aiutò ad alzarsi e la condusse in sala. Dakota immaginò di sapere cosa intendesse fare, quel che non sapeva era se avrebbe avuto la forza per fermarlo.

Voleva fermarlo? Sarebbe stato così inopportuno trascorrere ancora qualche momento con lui? Dopotutto sarebbe passato molto tempo prima che Dakota avesse modo di rivederlo, e se tutto ciò che volevano l'uno dall'altro era il sesso...

Non riuscì a finire quella considerazione, la feriva pensare che il loro unico legame si basasse sull'attrazione fisica. Non era vero. Certo, all'inizio il sesso era stato tutto ciò che Dakota aveva voluto da Tony, ma la situazione era cambiata. Proprio per quella ragione era tutto più difficile.

Quel pensiero la scosse profondamente. Quando era successo? Quando aveva cominciato a tenere a lui? A desiderarlo? Ad avere bisogno di lui? Accidenti a lei. E accidenti a Tony.

Lui la fece sedere sul divano, poi le si mise di fronte e le sfilò una scarpa.

«Che stai facendo?»

Tony le sfilò la seconda scarpa; i suoi occhi color cioccolato scintillarono quando la guardò. «Riflessologia.»

«Certo.»

«Dubiti di me?»

«Con tutto il cuore.»

«Ragazza sveglia.»

Le guardò le ginocchia per un momento, apparentemente confuso, poi le sollevò la gonna di un paio di centimetri.

«Posso aiutarti?» domandò lei, cercando di fingersi indignata, mentre in realtà le veniva da ridere.

«No, penso di potermela cavare da solo.» Trovò le giarrettiere e cominciò a srotolarle le calze lungo le gambe.

«Ehi!» Dakota strinse le ginocchia. «Che stai facendo?»

«Fidati di me.»

Lei fece una smorfia; Tony non aveva cercato di spogliarla, come sarebbe stato più sensato. «È l'altro feticcio del quale mi parlavi?»

«No» rispose lui, meditabondo. «Anche se mi piace quasi altrettanto.»

«Che stai facendo? Dimmelo» insistette lei, seria.

«Questo.» Tony allungò una mano sotto la gonna, tra le gambe di Dakota, e trovò il suo bersaglio.

Lei boccheggiò, irrigidendosi mentre cercava di stringere le gambe. «Tony, non possiamo.»

«Rilassati, *noi* non faremo un bel niente.» Le alzò l'orlo della gonna più che poté, arrivando fino a metà coscia, poi le sorrise malizioso, mormorando: «Piano B».

«Tony...» Dakota cercò di fermarlo posandogli una mano sulla spalla.

«Per favore. Credi di poterti fidare di me?»

Lei si inumidì le labbra e annuì.

Lui la baciò mentre le passava le mani intorno alla vita e cercava la lampo della gonna; Dakota trattenne il respiro mentre Tony la apriva e gliela abbassava fin dove poteva. Poi lui le toccò il fianco e lei sollevò un poco il bacino quanto bastò affinché lui potesse sfilarle l'indumento, che piegò accuratamente e posò sul divano accanto a lei.

Dakota rimase sul divano con indosso perizoma, una calza, il reggicalze nero e la severa camicetta bianca. Era il perizoma che Dallas le aveva messo in valigia quel famoso fine settimana e Dakota lo aveva indossato solo perché non riusciva a fare il bucato da giorni.

Tony lo notò e sorrise, ma non disse nulla, si limitò a sfilarle l'altra calza, sempre con cura, e a posarla sulla gonna. La sua lentezza non la aiutava a rilassarsi; la tensione cresceva a ogni movimento, benché Dakota immaginasse come sarebbe finita.

L'impazienza la stava uccidendo, come sempre, insieme al fatto di non poter toccare Tony, toccarlo veramente, non limitarsi ad afferrargli le spalle o a passargli le dita tra i capelli quando le si avvicinava.

Lui le passò le palme delle mani lungo le cosce e Dakota rabbrividì nel tepore della sala, accanto al fuoco scoppiettante. «A proposito, dolcezza, so che non eri ubriaca.»

Gli occhi assonnati di lei si spalancarono all'improvviso. «Cosa vuoi dire?»

«La sera del matrimonio di Dallas, quando volammo alle Bermuda. Non eri ubriaca, soltanto un po' brilla.» Le baciò l'interno del ginocchio. «Fingevi.»

«E perché avrei dovuto farlo?»

«Perché non sapevi come chiedere ciò che desideravi, né tanto meno prendertelo.»

«Assurdo.» Cercò di unire le gambe, ma Tony la fermò con un bacio più in alto, sulla pelle sensibile dell'interno coscia. Dakota cominciò a sospettare di aver frainteso le sue intenzioni.

«E adesso?» Tony la guardò negli occhi, lo sguardo velato da un desiderio che lei conosceva bene. Non stava cercando di umiliarla, solo di provarle quanto aveva appena detto. «Devi solo chiedere.»

Dakota deglutì faticosamente, chiuse gli occhi per un momento, il corpo pervaso da un calore intenso che la faceva sentire viva fino alla punta dell'ultimo capello. «Tony» sussurrò con tono simile a una preghiera.

Non ci volle altro; lui le sfilò il perizoma, le dischiuse le cosce e la baciò in un punto che la fece sobbalzare. Poi le cinse i fianchi con le mani e tirò il bacino verso di sé, dopodiché la sua bocca fu su di lei e la lingua la assaporò profondamente.

Dakota cercò di divincolarsi, pur non volendo fermarlo; Tony usò le dita per facilitarsi l'accesso e trovò la clitoride con la lingua, strappandole un piccolo grido. Dakota si mise una mano sulla bocca e si morse il palmo mentre Tony la portava al limite, poi la lasciava tornare lentamente indietro.

Prima che lei potesse protestare, l'assalto riprese, senza sosta, finché Dakota fu colta da un orgasmo tanto intenso che tutto il suo corpo tremò. Le sue mani gli si chiusero sui capelli, mentre il suo grido riempiva la stanza.

Cercò di ritrarsi e Tony rallentò, alzando finalmente il capo per guardarla in viso, gli occhi velati, le labbra umide. Di lei.

«Ho fatto un gran rumore» disse Dakota, la voce tanto roca che stentò a riconoscerla.

Tony annuì, sorridendo.

«Spero che i tuoi vicini non chiamino la polizia.»

«Facciano pure.» Le baciò una coscia, poi l'altra. «C'è qui il mio avvocato.»

Dakota rise nervosamente, poi inspirò lentamente più volte, tentando di calmarsi e di sistemare la camicetta in modo da non sentirsi tanto esposta. «Già, sarebbe il massimo.»

Lui si alzò dalla posizione accucciata di fronte a lei e le si sedette accanto sul divano, circondandole le spalle con un braccio. La trasse a sé e le baciò la testa. «Non è stato difficile, visto? È bastato chiedere.»

Lei gli posò la mano in grembo, ma lui la fermò prima che potesse abbassargli la lampo. «Tony?»

Le strinse la mano. «Non stasera.»

Lei sbadigliò. «Credevo mi bastasse chiedere...»

Ridendo sommessamente, lui la cinse anche con l'altro braccio, stringendola al petto, al sicuro e al caldo. «Riposati» le sussurrò tra i capelli.

Dakota non poteva; non perché dovesse tornare a casa, ma perché non era riuscita a parlargli come avrebbe voluto andandolo a trovare. In quelle condizioni sarebbe stato terribilmente imbarazzante.

«Ti dispiace passarmi la gonna, per cortesia?» chiese, alzandosi mentre evitava lo sguardo di lui.

Inaspettatamente, il tono della sua voce risultò formale e cortese; Tony lo notò immediatamente, a giudicare dall'espressione guardinga dei suoi occhi. Le passò la gonna e le calze, poi rimase fermo mentre Dakota raccoglieva le sue mutandine e se le infilava.

Sempre seduta, lei si infilò anche la gonna fin dove poté, poi si alzò per terminare di rivestirsi. Dopo essersi richiusa la lampo, sistemata la camicetta e allacciate le calze, guardò Tony.

«Non ti fermi nemmeno per una sigaretta?» Nonostante il sorriso ironico e la battuta scherzosa, lesse negli occhi di lui una punta di preoccupazione.

Si schiarì la voce, poi si sedette sul divano, restando vicina al bordo. «Ciò che sto per dirti ti sembrerà un po' strano, adesso.»

Lui rimase seduto, impassibile, in attesa.

«Stasera non avrei voluto che andasse così.» Distolse un momento lo sguardo per mantenere il controllo. «Avrei voluto cenare con te e parlare.»

«Di cosa?»

«Di noi. Di quanto ci vediamo.» Dakota tacque, ma Tony

non reagì, continuò a guardarla. «Sono sotto pressione al lavoro, Tony, con l'ultimo caso che mi è stato affidato. E la situazione è resa ancor più difficile dal fatto che sono distratta.»

«Vuoi che non ci vediamo più» dedusse lui, il tono piatto.

«No, non è questo. È che *non posso* vederti. Non in questo momento.»

Lui annuì lentamente. «Capisco.»

«No, non capisci.» Dakota fece per prendergli la mano, ma si fermò. «Dovresti essere lusingato» disse con una risatina amara. «Vorrei stare con te, è per questo che sono distratta.»

«Non voglio essere lusingato» ribatté lui, guardandola negli occhi. «Voglio te.»

Lei si alzò all'improvviso. «Non posso permettermi una relazione in questo momento.»

«Con me.» L'espressione di Tony si indurì.

«Con nessuno.»

Dakota si allontanò dal divano e Tony andò a prenderle cappotto e giacca.

«Tony, per favore, cerca di capire.»

Lui le sistemò gentilmente il bavero. «Capisco.» Le sorrise. «Non lasciare che quei bastardi vincano ancora, Dakota.» La baciò sulla guancia, poi aprì la porta.

16

Bruce entrò nel suo ufficio, la giacca sulla spalla. «Stiamo andando da *Sargenti's*, se vuoi...»

Lei alzò il capo per un momento. «No, grazie.»

«Se cambi idea saremo...»

«Divertitevi.» Lo interruppe bruscamente, senza nemmeno sollevare lo sguardo dal documento che stava preparando.

Sargenti's le ricordava Tony; cercò di allontanare dalla mente l'immagine di lui. Erano passati due giorni dall'ultima volta che lo aveva visto, eppure Dakota sentiva ancora il sapore definitivo del suo ultimo bacio.

Non poteva pensarci.

«A domani» bofonchiò Bruce, irritato, prima di andarsene.

Lei controllò l'ora; erano le sei e tre quarti. Sarebbe stata fortunata se fosse riuscita a rincasare entro mezzanotte.

Sara bussò e subito dopo entrò nell'ufficio di Dakota senza attendere la risposta; normalmente Dakota non se ne sarebbe curata, ma quel giorno digrignò i denti.

«Ti ho preso un'insalata in quel...»

«Ti avevo detto di non portarmi il pranzo.» Dakota posò la penna sulla scrivania e si massaggiò le tempie. Il mal di testa iniziato alle sette del mattino non si arrendeva, nemmeno dopo tre aspirine.

«Lo so, ma c'è un nuovo takeaway italiano che ha aperto da poco e sono le due passate e...»

«Sara?»

«Sì?» La ragazza arretrò di un passo, gli occhi azzurri allarmati.

Takeaway italiano. Maledizione, perché tutto il mondo la stava torturando? Erano passati quattro giorni dall'ultima volta che aveva visto Tony; probabilmente lui stava cucinando lasagne per un'altra. L'idea le aprì un buco nello stomaco.

Sara annuì e uscì dal suo ufficio senza dire altro.

Dakota sospirò, irritata con se stessa. Sara era l'ultima persona con la quale sarebbe dovuta essere scortese, era un'ottima assistente e una persona premurosa.

Accidenti a Tony.

«Hai un minuto?»

Dakota alzò lo sguardo e vide suo fratello sulla porta dell'ufficio. «No» rispose, e tornò a rileggere la nuova mozione ricevuta un'ora prima. Era passata una settimana da quando aveva visto Tony. Un inferno.

«Dakota?»

«Ho da fare, Cody. Più tardi.»

Sara apparve sulla porta accanto a lui, l'espressione preoccupata. Probabilmente temeva che Dakota sarebbe stata licenziata per aver parlato a un suo superiore con quel tono. «Hai bisogno di qualcosa? Caffè? Pranzo?»

«In effetti qualcosa potrebbe servirmi.» Dakota sorrise dolcemente e guardò Cody. «La sua testa su un piatto d'argento se non se ne va di qui entro due secondi.» Tornò a scorrere la mozione. «Chiudete la porta quando uscite.»

Cody la ignorò, indicò a Sara di andarsene ed entrò nella tana del leone. «Che sta succedendo, Dakota?»

«Niente.» Dio, quanto avrebbe voluto che sparisse! Rischiava di dirgli qualcosa di cui si sarebbe pentita. Tipo: *Smettila di fare il vigliacco e di fingere di venire a parlare con me, quando invece vuoi vedere Sara.* Ma non era la persona più adatta per dare del vigliacco a qualcun altro.

«Non sembri più tu. È da una settimana che te la prendi con chiunque capiti sulla tua strada. La povera Sara ha addirittura paura di entrare nel tuo ufficio.»

La stava tentando pericolosamente...

«Forse la pressione di questo caso è eccessiva per te. Non avrei dovuto affidartelo.»

Lei alzò la testa di scatto. «Non provarci neanche!»

Lui la guardò, allarmato. «Non è mia intenzione togliertelo.» Ma lo aveva pensato, glielo leggeva in faccia. «Penso che forse avresti bisogno di più aiuto.»

«No!» Lei scosse il capo, sapeva come funzionavano le cose. Le avrebbero affiancato un altro avvocato e, dopo un paio di settimane, l'avrebbero tagliata fuori. Dakota aveva già sacrificato la sua storia con Tony per occuparsi di quel caso, non avrebbe permesso a Cody di toglierglielo. «Mi rendo conto che ultimamente sono stata nervosa e chiedo scusa. Ho avuto un problema personale, ma l'ho già risolto.»

Cody rimase immobile, studiandola in silenzio. Dakota avrebbe voluto che parlasse o se ne andasse, ma non era il momento di dare in escandescenze, così attese.

«Tony?» le chiese infine lui.

«Cosa ti induce a crederlo?»

«So che non l'hai più visto. Sei sempre la prima ad arrivare qui e l'ultima ad andarsene.»

«Non è da te interessarti della mia vita privata.»

Cody le sorrise. «Stai lavorando troppo e questo comincia a pesarti. Riposati un po', Dakota.»

Lei lo fissò, incredula; eppure sembrava proprio suo fratello. Doveva trattarsi di un'illusione.

Lui tornò alla porta e batté il palmo della mano sulla cornice. «Va' a trovarlo, per l'amor di Dio!» esclamò, poi se ne andò senza guardarsi indietro.

Dakota si abbandonò sulla poltrona. Che stava succedendo? Il mondo stava impazzendo? Fissò il telefono; in fondo non sarebbe morta se lo avesse chiamato. No?

Tony doveva andare al più presto a fare la spesa; un altro panino al burro di arachidi lo avrebbe ucciso. Anche il cibo cinese ormai lo annoiava.

Doveva trovare qualche nuovo takeaway, magari che effettuasse consegne a domicilio.

Non gli piaceva uscire, se poteva evitarlo. La settimana precedente non si era spinto più in là della macchina del caffè; forse il weekend successivo sarebbe passato a mangiare da sua madre. Lei cucinava sempre per un esercito, il che significava che lo avrebbe rimandato a casa con una quantità di avanzi che gli sarebbero bastati per altri tre giorni.

Gli aveva telefonato invitandolo già due volte e, in entrambi i casi, Tony aveva trovato una scusa. Poi aveva cominciato a chiamarlo sua sorella; era come se quelle due avessero un radar con cui percepire quando Tony era di pessimo umore e voleva essere lasciato in pace. E loro rispettavano quel desiderio? Naturalmente no! Dovevano tormentarlo. Tony amava la sua famiglia, ma...

Il suo cellulare suonò di nuovo e lui lo tolse dalla cintura, pronto a spegnerlo. Vide che era Dallas ed esitò. Non era certo di volerle parlare, l'argomento Dakota sarebbe immancabilmente saltato fuori.

L'apparecchio suonò l'ultima volta prima che partisse la segreteria vocale.

Lui si arrese. «Ciao.»

«Ciao, Tony. Sei occupato?»

«Ho appena finito un panino al burro di arachidi e marmellata. Cosa ti dice?»

«Che se continui a mangiare così finirai col pesare una tonnellata. Come procede la casa?»

«Più rapidamente del previsto. Sylvia ha già trovato un acquirente.»

«Oh.» Dallas sospirò, delusa. «Speravo l'avresti tenuta. È bello averti qui a Manhattan.»

Anche Tony lo aveva creduto, fino a poco tempo prima. «Sei tornata al lavoro?»

«Sì, infatti ho solo un attimo, ma volevo chiederti se tu e Dakota vorreste venire a cena da noi questo fine settimana, per guardare insieme le foto della luna di miele.»

Lui si sedette. «Le hai parlato?»

«Non la sento da una settimana. Ieri le ho lasciato un messaggio, ma non mi ha ancora risposto.»

«Sabato sera ha una cena con non so quale ordine degli avvocati.» Non volle aggiungere altro.

«Ah, già. L'avevo dimenticato. Andrai con lei?»

«No. Ascolta, devo salutarti, ho una telefonata di lavoro in arrivo.»

«Okay. Ci sentiamo.»

Tony richiuse il cellulare; si sentiva così infelice e confuso, che avrebbe potuto prendere a pugni un muro. Dakota gli mancava, ma non poteva accettare i suoi termini. Non sopportava di vederla esausta e di doversi accontentare delle briciole del suo tempo.

Per essere sincero, non avrebbe saputo dire cosa lui significasse per Dakota; non avevano la medesima educazione e lui non indossava completi formali per lavorare. Quello poteva essere un problema per lei? Temeva che Tony avrebbe potuto influire negativamente sulla sua carriera? Era per quella ragione che non lo aveva invitato alla cena forense? Non ne era certo, ma se così fosse stato, allora voleva dire che Dakota aveva ancora molto da capire.

Il cellulare suonò di nuovo; quando guardò il display, vide che era Dakota. Con un sorriso triste, spense l'apparecchio.

Dakota sorseggiava la prima tazza di caffè del mattino, chiedendosi se provare di nuovo a chiamare Tony. Non era da lui non rispondere. A meno che stesse cercando di evitarla. Quel pensiero la ferì, ma cosa si era aspettata? Era stata lei a dirgli di non avere tempo per una relazione. Forse era meglio che lui non rispondesse al telefono e non la cercasse. Cosa avrebbe potuto dirgli per cambiare le cose?

Come ogni mattina quella settimana era arrivata allo studio legale per prima, per recuperare parte del lavoro rimasto indiétro. Tony l'aveva distratta, ma non era l'unico elemento che avesse limitato la sua produttività. Dakota detestava il caso al quale stava lavorando, disprezzava il suo cliente e lo riteneva colpevole quanto il diavolo in persona.

Cody le aveva ricordato che non era ancora un giudice e ciò l'aveva indispettita. E pensare che aveva accettato di andare con lui alla cena dell'ordine degli avvocati!

Le si stringeva lo stomaco al solo pensare a sabato; la cena in sé non era un problema, ma le ricordava l'espressione di Tony quando gliene aveva parlato. Palesemente lui aveva sperato che Dakota lo invitasse, ma lei non lo aveva fatto e Tony aveva tratto le sue conclusioni.

Tuttavia aveva sbagliato una parte dell'equazione, lui non la metteva in imbarazzo.

All'inizio Dakota aveva temuto commenti e pettegolezzi, perché Tony era diverso dai suoi amici. *Quali amici?* Le sue due ex compagne di college erano prese quanto lei e non riuscivano mai a incontrarsi.

Dakota sarebbe dovuta essere in imbarazzo per se stessa, per il genere di persona che era diventata. In tutto e per tutto simile ai suoi colleghi, che in privato criticava.

Stava rischiando di perdere una delle occasioni migliori che le fossero mai capitate, eppure non sapeva come evitarlo; il suo carico di lavoro non sarebbe diminuito, non aveva tempo libero, come poteva chiedere a Tony di accontentarsi delle briciole? Ma come poteva tornare alla sua vita piatta?

Doveva parlare con qualcuno, o presto sarebbe impazzita.

Dallas.

Dakota avrebbe dovuto chiamarla comunque. Controllò l'ora, erano solo le sette e dieci; se le avesse telefonato così presto, sua sorella l'avrebbe uccisa.

C'erano sempre le ragazze della *Eve's Apple*. Qualcuno poteva averle inviato qualche pillola di saggezza che in quel momento le sarebbe potuta essere utile.

Come un drogato alla disperata ricerca di una dose, si affrettò ad accendere il laptop. Mentre digitava la password per accedere al sito, si rese conto di quanto quel gruppo fosse diventato importante per lei.

Optò per una semplice lettura, avrebbe risposto in un secondo tempo, per ragioni catartiche.

L'anonimato del gruppo le consentiva di parlare liberamente, opportunità che non aveva mai apprezzato tanto come in quel momento.

Dall'ultima volta che si era collegata aveva ricevuto svariate e-mail, alcune in tono leggero, altre più serie. Ne lesse una in cui una delle ragazze le raccontava di aver rivisto un ex fidanzato del liceo, dopo una separazione di otto anni. Poi trovò una risposta a uno dei suoi messaggi precedenti.

Da: *ColoradoJane@EvesApple.com*
A: *LegallyNuts@EvesApple.com*
Oggetto: *da' un'occhiata al suo portafogli*

D., ascolta il consiglio di una collega single, assicurati che il tipo abbia da parte un po' di denaro. Anche a me piacciono i ragazzi prestanti, che non hanno paura di sporcarsi le mani. Ma ho avuto due esperienze spiacevoli con uomini del genere. O pensano di aver vinto alla lotteria e di potersene stare a casa a bere birra, mentre tu lavori come una schiava allo studio legale. Oppure il dannato Neanderthal si mette in testa che tu sminuisca la sua virilità perché guadagni più di lui. In entrambi i casi, il risultato è disastroso. Il sesso non è più lo stesso e non c'è modo di tornare indietro. Quindi, ragazza mia, ti suggerisco di farti mostrare il portafogli. In bocca al lupo in questo pazzo mondo di single. Jane

Tony *non era* così, non sarebbe *mai* potuto essere meschino o sessista, era troppo a proprio agio nella sua pelle. Era una delle qualità che Dakota preferiva in lui. Jane aveva buone intenzioni, ma era fuori strada.

La sua irritazione la colpì, perché interpretava le parole di una sconosciuta come un affronto personale nei confronti di Tony?

Cercò di calmarsi, rammentando a se stessa che Jane e le altre ragazze del gruppo non la conoscevano bene, dal momento che era sempre rimasta sul vago. Riprese a leggere finché l'oggetto di uno dei messaggi non attirò la sua attenzione.

Da: *JustSara@EvesApple.com*
A: *tutta la gang della* Eve's Apple
Oggetto: *sola nella City*

Ciao a tutte.
È giovedì sera e, come sempre, non ho niente da fare. Sono so-

la nel mio appartamento, eccetto che per la gattina sperduta
che si è presentata alla mia porta. È troppo carina e mi piace la
sua compagnia. Forse domani sera mi avventurerò fuori nel
tentativo di incontrare gente nuova. Preferirei avventurarmi
fuori con voi-sapete-chi dello studio legale, ma sto comincian-
do a perdere le speranze. A volte sembra interessato, altre mi
tratta come se fossi l'ultima donna sulla terra.

Comunque mi rifiuto di struggermi: se non gli interesso abba-
stanza per volermi conoscere, peggio per lui.

Coraggioso, vero? E devo tutto a voi, ragazze! Uno di questi
giorni Mister Insigne Avvocato cadrà in ginocchio ai miei pie-
di. Aspettate e vedrete.

Ci sentiamo domani, buonanotte a tutte. Sara

Dakota fissò lo schermo, incredula. Non poteva essere la *sua*
Sara! Eppure *Mister Insigne Avvocato*... Cody? Sembrava proprio Sara, in tal caso avrebbe potuto leggere i messaggi di Dakota, e avrebbe potuto riconoscerla!

Dakota interruppe la connessione e spense immediatamente
il laptop, come se temesse che le ragazze del gruppo potessero
vederla. Non avrebbe più scritto, si sarebbe limitata a leggere la
posta, cercando di capire se JustSara fosse davvero la sua assistente.

Tamburellò le dita sulla scrivania, fissando l'orologio. Dallas
non era un tipo mattiniero, ma probabilmente Eric si era già alzato. Non riuscendo a resistere oltre, sollevò il ricevitore e premette il tasto corrispondente al numero della sorella, respirando
a fondo mentre il telefono squillava.

«È troppo presto?»

«Dakota?» Dallas aveva la voce assonnata. «Che c'è?»

«Se vuoi ti richiamo» disse, riluttante.

«No, ero già sveglia, ma non ho ancora bevuto il caffè. Stai
bene?»

«Sì, bene.» Dakota sospirò. «Relativamente.»

«Si tratta di lavoro o di Tony?»

Dakota esitò, voleva davvero coinvolgere sua sorella? Ma se
non con Dallas, con chi altro avrebbe potuto parlare? «Tony»

ammise. Quella parola pesò come un sasso sulla sua lingua. «Gli hai parlato?»

«Ieri. Gli ho chiesto se tu e lui volevate cenare da noi domani e lui mi ha ricordato che hai una cena di lavoro. Tutto qui. Quindi?»

«Quindi cosa?»

«Non mi hai telefonato alle sette del mattino solo per sapere se ho parlato con Tony.»

Dakota si schiarì la voce. «No... Per la verità non so con sicurezza perché ti ho telefonato.» Non mentiva, se Tony avesse detto qualcosa a Dallas, Dakota sarebbe potuta partire dalla sua affermazione. Ma lui non le aveva detto alcunché, forse perché non gli importava.

«Pensavo volessi chiedermi se invitarlo o meno alla cena.»

«No» rispose lei, troppo rapidamente. «Sarebbe terribilmente noioso per lui.»

Dallas rise. «Tony non si annoia mai. Al contrario, se la cena dovesse diventare troppo noiosa, lui saprebbe come vivacizzarla.»

Dakota tacque.

«Temi che possa metterti in imbarazzo?»

«Certo che no. Ma ci saranno Cody, papà e tutti gli altri.» Quelli che avrebbero potuto influenzare la sua carriera. «Oddio, Dallas! Ti prego, dimmi che non sto diventando come Cody!»

«Non lo sopporterei!» ribatté sua sorella, ridendo.

Il mondo di Cody orbitava intorno alla sua carriera, tutto ciò che possedeva e faceva migliorava la sua posizione nello studio legale e nell'ambiente forense. Diventare un giudice era tanto importante per Dakota da indurla a rinunciare al gusto di godersi il resto del viaggio?

Non lasciare che quei bastardi vincano ancora. Le tornarono in mente le parole di Tony.

Dakota sapeva bene a chi avesse alluso. Al college, al rettore.

Per tutta la vita Dakota aveva lasciato che fossero gli altri a decidere cosa era giusto per lei, sua madre, suo padre, Cody.

Ma Tony aveva ragione, era un ottimo avvocato e i suoi meriti da soli sarebbero dovuti bastare.

«Dakota, sei ancora lì?»

«Sì, scusa.» Guardò l'orologio, presto sarebbe stato difficile trovare un taxi. «Dallas, mi spiace, devo andare.»

Doveva parlare con Tony prima che fosse troppo tardi.

17

Tony si versò la quinta tazza di caffè, poi si ricordò di avere lasciato il cellulare in carica in sala dalla sera prima. Non aspettava telefonate, ma voleva controllare i messaggi, in caso la tappezzeria ordinata fosse arrivata in anticipo.

E... sì, voleva anche sapere se Dakota lo aveva cercato ancora. Ironicamente, lei gli aveva finalmente lasciato il numero diretto del suo ufficio, ma Tony non era pronto per telefonarle, era ancora arrabbiato e ferito per essere stato rifiutato. Ma dal momento che tutto ciò non aveva nulla a che vedere con la preziosa carriera di lei, perché darsi altra pena?

Un messaggio. Da sua madre, che voleva avere conferma per la cena. Niente da Dakota. La delusione rese il caffè ancora più amaro, così Tony posò la tazza sul tavolino e si sedette sul divano. Uno dei vantaggi della pelle era che si puliva facilmente dalla polvere della quale erano pieni i suoi vestiti. Si era alzato verso le cinque e si era messo subito al lavoro nella stanza degli ospiti.

Con tanto tempo a disposizione, nell'ultima settimana aveva fatto grandi progressi; Sylvia sarebbe stata contenta, i suoi vicini probabilmente un po' meno. Verosimilmente avrebbero dato una festa quando Tony se ne fosse andato, benché cercasse di limitare il rumore alle ore centrali della giornata.

Il pensiero di andarsene continuava a non piacergli, anche se non gli sarebbe dovuto importare molto, dal momento che non avrebbe più visto Dakota. Inoltre Sylvia gli aveva già trovato un'altra casa nell'East Side e due potenziali acquirenti.

Benedetta la gente ricca e pigra; la vita era stata straordinariamente generosa con lui negli ultimi tempi, solo Dakota avrebbe potuto renderla ancora migliore. Tony si alzò all'improvviso e afferrò la tazza. I pensieri striscianti come quello lo infastidivano; Dakota doveva risolvere questioni che non lo riguardavano.

Mentre tornava in cucina, sentì suonare alla porta. Controllò l'ora, chi diavolo poteva essere alle nove meno venti? Non aspettava consegne. Guardò attraverso lo spioncino. Per la...

Dakota era fuori dalla porta, le braccia intorno al busto, senza cappotto, infreddolita.

Lui trasse un respiro profondo e aprì la porta.

«Ciao.» Lei lo guardò da capo a piedi. «Sono contenta di non averti svegliato.»

«Vieni dentro.»

Lei gli sorrise titubante ed entrò.

«Dov'è il tuo cappotto?»

«L'ho dimenticato.» Si inumidì le labbra. «Avevo fretta» disse, battendo i denti.

«Ma ci sono dieci gradi!»

«Lo so, credimi» ribatté lei con una risata tremante, strofinandosi le mani lungo le braccia.

«Vieni qui.»

Non ebbe bisogno di aggiungere altro, Dakota andò tra le sue braccia e si lasciò riscaldare.

«Ti sembra il caso di andartene in giro vestita in questo modo con il freddo che fa?» sussurrò lui, beandosi del suo profumo e della sua vicinanza più di quanto avrebbe dovuto.

«Dovevo assolutamente venire qui.» Dopo quelle parole cariche di significato, lei arretrò il capo per guardarlo negli occhi. Aveva una macchia di polvere sul naso.

Tony guardò i suoi vestiti impolverati, poi l'abito beige di lei. Non voleva dare troppa importanza a quelle parole, perché illudersi ancora? «Guarda cos'ho combinato.»

Lei abbassò lo sguardo e gli sorrise. «Vuoi venire con me alla cena dell'ordine degli avvocati domani sera?»

Sorpreso, lui scostò la testa. «Domani?»

Lei annuì.

«Dovrò controllare la mia agenda.»

Dakota sbatté le palpebre. «Va bene.»

«Era una battuta.»

«Oh.»

Tony la fissò per un momento; avrebbe voluto stringerla a sé, ma sapeva che dovevano parlare. «Caffè?»

«Volentieri.» Strofinandosi le mani, Dakota lo seguì in cucina.

«Il tuo cavaliere per la cena di domani ti ha dato buca all'ultimo momento?»

Lei gli scoccò un'occhiataccia. «Ci sarei andata da sola. A parte mio fratello e nostro padre.»

«Ci saranno anche loro?»

Lei annuì e bevve un sorso di caffè bollente.

«Non sarà un problema che ci sia anch'io?»

«Perché dovrebbe?» Dakota distolse lo sguardo per prendere uno sgabello.

Tony sorrise e si versò dell'altro caffè. «Perché?»

«Perché *cosa*?»

«Perché hai cambiato idea?»

Lei si strinse nelle spalle. «Io non...» Abbassò le spalle. «Sono stanca di dimenticarmi il cappotto.»

Tony rise. «Cosa?»

«Sono stanca di non ridere, di non avere qualcosa di bello a cui guardare alla fine della giornata. E non voglio lasciare che quei bastardi vincano di nuovo.»

Tony era raggiante. Sembrava avesse appena vinto alla lotteria.

«Ma, soprattutto, mi manchi.» Le sue labbra tremarono. «Con te la mia vita è a colori, senza di te in bianco e nero.» Scosse il capo. «Non ne posso più di bianco e nero.»

Lui posò la tazza sul tavolo. «Anche tu mi sei mancata.»

Dakota cercò di fingersi offesa, ma un sorriso le curvò le labbra verso l'alto. «Allora perché non hai risposto alle mie telefonate?»

«Perché volevo che capissi cosa desideravi. Se avessi deciso che sarei stato d'intralcio per la tua carriera, mi sarei fatto da parte.»

Lei aprì la bocca per protestare, poi la richiuse e si guardò le mani, imbarazzata. «Hai ragione. Per quanto detesti ammetter-

178

lo, il pensiero che non fossi adatto alla mia vita mi ha sfiorata.» Rise, sincera. «Poi mi sono resa conto di non avere una vita. Sono stata un'idiota.»

«Ascolta» le disse lui, prendendola tra le braccia, «non so dove ci porterà tutto questo, ma sono con te.»

«Anch'io.» Dakota gli cinse la vita con le braccia e sospirò. «Hai idea di quanto mi sia sembrata lunga l'ultima settimana?»

Tony le appoggiò il mento sulla sommità del capo. «Altroché!» Sorrise, inalando il profumo fresco del suo shampoo. «Cosa intendevi, dicendo di essere stanca di dimenticare il cappotto?»

Dakota lo guardò. «Per tutta la settimana sono stata talmente nervosa che ho continuato a dimenticare il cappotto, la borsa, le chiavi di casa... Non sono nemmeno riuscita a concentrarmi sul lavoro. In pratica, un vero disastro.»

«Quindi ti stai servendo di me.»

Sorridendo, lei gli passò le dita sulla lampo dei jeans. «Spudoratamente.»

«Meglio non cominciare qualcosa che non sei in grado di finire» la ammonì Tony, sentendo che i pantaloni cominciavano già a stringersi.

«Dovremmo andarcene via per un altro fine settimana. Magari nel Vermont, per seppellirci sotto la neve. Ma questa volta pago io» soggiunse lei.

«Sono un ragazzo all'antica, ciò ferirebbe il mio amor proprio.» Si chinò per darle un bacio, ma Dakota resistette.

Lo guardò, seria. «Ti creerebbe problemi stare con una donna che guadagna più di te?»

«No, credo che potrei abituarmici.»

Dakota non capì se stesse scherzando o dicesse sul serio, ed era un peccato perché quell'argomento le stava a cuore.

Tony la baciò fuggevolmente, poi disse: «Dal momento che sei qui, posso chiederti un favore?».

Lei parve stupita, ma annuì. «Certo.»

«Ho bisogno di un parere legale» spiegò Tony, avvicinandosi all'armadietto dove teneva i vari documenti. Prese il contratto che Sylvia gli aveva appena lasciato e lo porse a Dakota.

«Se potessi dare un'occhiata a questo contratto prima che lo firmi...»

«Di che si tratta?»

«Compravendita immobiliare.»

«Vuoi vendere questa splendida casa?»

«No, intendo acquistarne un'altra.»

Dakota corrugò la fronte. «Vediamo.»

Tony le porse il documento e studiò il suo viso mentre lo leggeva. Normalmente non avrebbe rivelato a nessuno informazioni tanto riservate, solo il suo avvocato e il commercialista erano al corrente dello stato delle sue finanze. Ma, dal momento che Dakota sembrava preoccuparsi per il denaro, volle assicurarle di potersi permettere una vacanza.

Lei si rabbuiò quando arrivò alla parte riguardante i termini della vendita. «Lo hai già letto?» gli chiese.

«Sì. Prezzo interessante, vero?»

«Qui dice che pagherai in contanti.»

«Lo so. Il mio commercialista dice che dovrei chiedere un prestito, ma io preferisco pagare in contanti e chiedere un finanziamento per la ristrutturazione. Finora ho sempre lavorato così e ha funzionato bene.»

Lei lo guardò, confusa. «Come hai pagato questa casa?»

«In contanti!»

Le labbra di Dakota si dischiusero per la sorpresa; Tony avrebbe tanto voluto baciarla, ma preferì aspettare. «Quante case possiedi?» gli chiese.

«Solo questa, al momento. Non mi piace gestirne più di due per volta, dovrei assumere qualcuno, invece preferisco lavorare per conto mio.»

«Wow!»

«Allora ti sembra che il contratto vada bene?»

«Oh, sì, certo.»

Le tolse i documenti e li mise da parte; poi le prese le mani e se le portò al collo. «Ancora una domanda» riprese, posandole i palmi sui fianchi. «Ti creerebbe problemi uscire con un uomo che guadagna più di te?»

Lei fece una smorfia. «Questa me la sono meritata!»

180

«Ti darò qualcos'altro che meriti.» Chinò il capo e Dakota gli andò incontro.

Le loro labbra si erano appena toccate, ma il corpo di Tony era già in fiamme; la strinse a sé, affinché Dakota potesse sentire il suo desiderio. Lei gli si aggrappò alle spalle e si mosse contro di lui, risvegliando tutti i suoi istinti primordiali.

«Ho l'impressione che arriverai tardi al lavoro» le sussurrò Tony sulle labbra.

«Quale lavoro?»

Le sfilò la giacca, mentre Dakota gli slacciava la cintura, i capezzoli premuti contro la camicetta bianca. Tony ne toccò uno con l'indice e Dakota sospirò.

«Vuoi provare un'altra stanza?» le propose. «Ci sono tende dappertutto.»

«Mmh... Che ne diresti della camera da letto, tanto per cambiare?»

Tony sorrise. «Che idea innovativa!»

Epilogo

Un anno dopo

Tony sentiva la famiglia Santangelo ridere dall'altra parte dell'enorme sala da pranzo. C'erano cugini che non vedeva da anni, perfino la prozia Francesca era arrivata da Roma per assistere alle sue nozze. Era felice di rivederla.

Guardò Dakota, seduta accanto a lui, straordinariamente bella con l'abito di seta color crema. «Gruppo eterogeneo, vero?»

«Te ne sei accorto anche tu?»

Scoppiarono a ridere. Alla loro destra si trovavano i Santangelo, che ridevano, parlavano animatamente, ballavano e gustavano la cena con entusiasmo. A sinistra c'erano gli amici e i colleghi degli Shea, che assistevano allibiti. Probabilmente erano ancora scioccati per la quantità di riso lanciata fuori della piccola chiesa di Manhattan, dove un'ora prima Tony aveva giurato di amare e rispettare Dakota per tutta la vita.

Tony guardò sua moglie, il cuore colmo di emozione. Come amava quella donna! Intelligente, bella, gentile, la migliore amica che avesse mai avuto.

Per mutuo desiderio la cerimonia era stata semplice e breve, niente smoking né abiti sfarzosi. Per il ricevimento, invece, si erano lanciati.

Invece di una cena formale, avevano fatto preparare dei tavoli agli angoli della sala, dove era servito *finger food* etnico. Due banconi affollati servivano alcolici di ogni sorta. La sorella di Tony e Dallas si erano occupate delle decorazioni floreali, che erano riuscite tanto bene da ottenere perfino l'approvazione della nuova suocera dello sposo.

«Non sembra vero» mormorò Dakota, appoggiandogli la testa sulla spalla.

«Stanca?»

«Esausta.»

«Proprio quel che avremmo voluto evitare con una cerimonia modesta.»

Lei alzò il capo e gli sorrise. «Peccato che poi abbiamo invitato al ricevimento mezza New York.»

«Sì, ma dal momento che ci si sposa una sola volta nella vita...»

«Sarà meglio per te!» Dakota lo baciò, poi sorrise. «Se fai il bravo, questa notte potresti essere fortunato.»

«Io sono sempre bravo, puoi chiederlo a una qualunque delle invitate.»

«Ma perché ti sopporto?» chiese scherzosamente lei.

«Mi viene in mente un'ottima ragione...»

Dakota alzò gli occhi al cielo.

«Guarda chi c'è» le disse Tony, indicando con il mento la porta dalla quale era appena entrato Cody.

Dakota allungò il collo per seguire i movimenti del fratello. Aveva lasciato i capelli sciolti e aveva fatto qualcosa per renderli leggermente mossi e straordinariamente lucidi. Era bellissima, ma lo era sempre, soprattutto quando si svegliava al mattino.

«Okay, tienilo d'occhio. Sono sicura di non sbagliarmi.»

Tony sospirò. «Tu e Dallas dovreste lavorare insieme. Combinereste dei gran matrimoni.»

Lei gli scoccò un'occhiata sdegnata. «Ti lamenti?»

«Nossignora!»

«A ogni modo, non sto cercando di combinare nessun matrimonio. Sara non è adatta a lui e ieri mi ha detto che intende tornare ad Atlanta. Sto solo osservando. E sono pronta a scommettere che andrà a parlarle entro...» Controllò l'orologio. «Cinque minuti. Ci stai?»

«Cosa scommettiamo?»

«Non ti fidi di me?»

«Perché dovrei? Sei un avvocato!»

«Ben detto.» Dakota rise, poi tornò a guardare Cody. «A-ha!»

Incuriosito, Tony guardò Cody che parlava con Sara. «Chi

l'avrebbe mai detto, è capace di sorridere anche lui. C'è una prima volta per tutti, vero?»

«Ehi, stai parlando di mio fratello!» Dakota sorrise. «Ma credo che tu abbia ragione.»

Tony dimenticò il cognato e tornò ad ammirare sua moglie. Aveva un sorriso stupendo, occhi sognanti, capelli di seta... ma soprattutto un cuore grande così. Dakota era tutto ciò che un uomo avrebbe mai potuto desiderare.

Ed era tutta sua.

Per sempre.

Esotica avventura

1

Due anni prima

Carrie non aveva mai creduto nell'amore a prima vista. Il sesso era un altro discorso. Al momento, l'oggetto del suo desiderio era un uomo di circa un metro e novanta, capelli biondi, spalle ampie, completo blu scuro e un sorriso ammaliatore.

E le stava andando incontro. Si avvicinò al tavolo del piccolo bistrot *Da Amelia*. Era uno dei suoi ristoranti preferiti, il posto perfetto per un'intervista.

«Carrie Stanfield?» domandò l'uomo, e il suo sorriso le fece tremare le ginocchia. Per fortuna era seduta. «Mi dispiace averla fatta aspettare. Sono Patrick McKay.»

La sua parlata aveva un tono profondo e suadente. Le era piaciuta quella voce le due volte che avevano parlato al telefono per organizzare l'incontro. Non immaginava che il resto di lui potesse esserne all'altezza. Anzi, si aspettava un uomo anziano, basso, con il riporto e gli occhiali spessi.

Si ricompose in fretta e allungò la mano. «È un piacere conoscerti di persona, Patrick.»

«Anche per me.» Avvertì il calore della sua pelle quando le loro dita entrarono in contatto. Aveva gli occhi verde smeraldo. Un colore che le ricordava l'oceano: limpido, rigenerante, infinito.

Di solito non si lasciava distrarre da un bell'uomo, soprattutto se doveva intervistarlo. Era lì per scrivere un articolo per il *Medaglione mistico*, la rivista che sperava potesse diventare un trampolino di lancio per il *New Yorker*.

Patrick dirigeva, a Mystic Ridge, la filiale di New York di un'agenzia che si occupava di indagare su fenomeni soprannaturali. Si diceva che ogni agente che vi lavorava avesse dei poteri.

Carrie non credeva nei sensitivi o nel paranormale, ma credeva in una buona storia quando ne sentiva una.

«Non credi nei sensitivi» sentenziò Patrick continuando a tenerle la mano.

Lei alzò di scatto gli occhi verso il suo bellissimo viso. «Come dici?»

«Pensi che il tuo scetticismo aggiungerà un po' di colore alla tua storia su di me?»

Si sentiva con le spalle al muro, ma lui continuava a guardarla con amichevole curiosità. Non le aveva ancora lasciato la mano, e l'ultima cosa che lei desiderava era interrompere quel contatto.

«Io... come fai a saperlo?»

Lui posò l'altra mano sulla sua. Il calore del suo tocco le percorse il braccio. «Sono empatico.»

Lei annuì. «È un tipo di sensitivo che sa leggere le emozioni degli altri.»

«Hai fatto i compiti.» Alla fine la lasciò, e lei dovette ammettere che le dispiacque. «Prendi molto sul serio il tuo lavoro.»

Carrie rise nervosa. «Ci provo. Allora, cos'altro percepisci di me? Perché è di questo che si tratta, non è vero? Stai cercando di farmi una lettura psichica per rompere il ghiaccio.»

Lui sorrise. «Ma non mi hai chiamato per questo tipo di consulenza, considerando che non ho il numero della tua carta di credito in archivio.»

Non poté fare a meno di sogghignare. «Divertente.»

«Grazie.»

Il cameriere li raggiunse al tavolo, ma Patrick chiese ancora qualche minuto. Non c'erano altri clienti. Era pieno pomeriggio, a metà tra la folla del pranzo e della cena, e il bistrot sembrava una sala privata solo per loro due, un luogo molto più intimo di quanto lei non si aspettasse.

Patrick la stava studiando. Il suo sguardo si spostava dal viso al collo e lungo il colletto della camicetta bianca sbottonata in cima. Evitò educatamente di proseguire e tornò a concentrarsi sul viso. «Ho visto che sei un tipo curioso, pratico e che ama avere sempre tutto sotto controllo. Sei scettica, non credi che la nostra sia un'attività seria e stai preparando questo articolo nella speranza di ottenere un lavoro migliore altrove. Preferibilmente lontano da questa monotona cittadina.»

Lei sbiancò. Forse stava davvero per fare uno scoop, dopotutto. «Mi sembra piuttosto specifico per essere una lettura psichica. Non dovresti percepire solo le emozioni?»

«Sono molto bravo in quello che faccio. E il contatto mi rende le cose più chiare» spiegò, abbassando lo sguardo sulla mano di lei: le unghie erano corte ma ben curate, grazie alla recente manicure dell'estetista.

Lui era abbronzato, e lei dedusse che doveva trascorrere molto tempo all'aperto, o forse era stato da poco in vacanza. I suoi denti sembravano ancora più bianchi mentre sorrideva della sua espressione sbalordita.

«Allora... hai visto qualcos'altro?» gli chiese un attimo dopo.

Il suo sorriso svanì e la sua espressione si fece tesa come se si stesse concentrando. «Hai una relazione, ma senti che non è l'uomo giusto per te. Molto tempo fa un altro uomo ti ha ferita e ora esiti ad aprire il tuo cuore. Ma sai che c'è qualcuno migliore lì fuori. Qualcuno che sembrerà quello giusto dal primo momento in cui lo vedrai.»

Lei si spostò. Era intimo, *troppo* intimo. Stare seduti lì e sentirgli dire quelle cose su di lei, cose che già sapeva, compreso di quell'uomo che l'aveva resa diffidente verso gli altri... era inquietante e al contempo eccitante. Era come se Patrick la conoscesse nel profondo, nonostante si trovassero insieme solo da pochi minuti. Si sentiva scombussolata. Una delle cose che le aveva detto era assolutamente vera: voleva avere sempre la situazione sotto controllo. E, al momento, non l'aveva.

«Dovremmo ordinare qualcosa» disse Carrie allungandosi per prendere il menu nello stesso momento in cui lo fece lui. Le loro dita si sfiorarono e il suo cuore iniziò a battere più velocemente.

«Carrie... scusami» disse a voce bassa. «Non volevo spaventarti. Volevo solo dimostrarti che i sensitivi esistono.»

«Non mi hai spaventata» rispose quasi senza fiato.

Lui sembrava perplesso. «Ne sei sicura?»

«Sì. Cioè, non hai detto nulla che già non sapessi.»

«Ho visto dell'altro, ma non era del tutto chiaro...» Abbassò lo sguardo sulla sua mano. «Ti dispiace?»

Lei si inumidì le labbra, guardando il bicchiere di vino vuoto e desiderandone un altro. Quell'intervista non stava andando come previsto. Aveva pensato di andare lì, parlare con Patrick della sua agenzia per un'ora o giù di lì, tornare alla scrivania e scrivere un qualche migliaio di parole per attirare gli appassionati di misticismo.

Invece, l'uomo più sexy che avesse mai incontrato le stava facendo una lettura psichica. Una lettura che richiedeva il contatto fisico.

A ben pensarci, non c'era davvero niente di sconveniente in tutto ciò. Allungò la mano e alzò lo sguardo. «Okay. Vai avanti.»

Patrick fece scivolare le dita sulla sua pelle finché i loro palmi non si toccarono. Carrie sentì il desiderio crescere dentro di lei, e si rese conto che avrebbe voluto toccare quel corpo statuario invece che le sue mani.

«Sei una sensitiva anche tu» le disse.

Lei sbatté le palpebre. «Come dici?»

Lui la guardò negli occhi corrugando la fronte. «Me ne ero accorto prima, ma volevo esserne sicuro.» Sollevò lo sguardo verso la luce sopra di loro che lampeggiava già da un paio di minuti, come se la lampadina dovesse essere cambiata. «Lo stai facendo tu, lo sai?»

Carrie alzò gli occhi. «Sto facendo fulminare la lampadina?»

Patrick annuì. «Sei telecinetica. Diversamente da altri sensitivi, molti telecinetici non sviluppano a pieno le proprie abilità fino ai venti o trent'anni.»

Lei sgranò gli occhi. *Telecinetica.* Dalle ricerche che aveva fatto sapeva che il termine si riferiva a coloro che possono muovere gli oggetti con la mente. Erano soggetti estremamente rari. «Che cosa?»

«Le tue capacità non sono ancora emerse, ma esistono. Non ci vorrà molto prima che si manifestino.»

Era la cosa più ridicola che avesse mai sentito. «Ti sbagli.»

Le sorrise affabile. «No, ma non c'è motivo di avere paura.»

«Non ho paura.»

«Posso aiutarti.»

«Bene. Se decidessi di aver bisogno di aiuto con la mia telecinesi fulmina-lampadine sarai la prima persona che chiamerò.» Lasciò uscire un respiro incerto. Le sue emozioni, di solito estremamente sotto controllo, erano scombussolate dall'incontro con Patrick. Si sentiva agitata e confusa a causa di quell'incontrollabile attrazione per lui. «Forse dovremmo concentrarci sull'intervista.»

«Certo.»

Carrie si morse il labbro inferiore. «Mi stai ancora tenendo la mano.»

«Lo so» replicò abbassando lo sguardo. «E tu non la stai togliendo.»

Non era certa se avesse qualcosa a che fare con l'attività di Patrick, ma un fremito le percorse le dita e le attraversò il corpo per tutto il tempo che rimasero in contatto. Era una sensazione bellissima. Si sbagliava su di lei, sulla telecinesi insomma, ma Carrie era così attratta da lui da pensare di poter lasciar correre quel ridicolo argomento.

Il problema era che lei frequentava qualcuno. Joe era un bravo ragazzo che aveva incontrato alla rivista un mese prima. Era addetto alla grafica. Uscivano da un paio di settimane, ma non c'era motivo di rompere con lui solo a causa di quella strana tensione sessuale che avvertiva nei confronti di Patrick McKay.

Lui passò l'indice lungo le linee del suo palmo. Poteva essere la linea della vita, forse quella dell'amore. Non lo sapeva.

Lei trattenne il fiato. «Ti avvicini in questo modo a tutte le donne quando predici il futuro?»

«Di solito non predico il futuro.»

«Quindi io sono speciale?»

Patrick incontrò lo sguardo di lei e lo sostenne, gli occhi illuminati da una luce ardente. Le strinse di più la mano. «Carrie, tu sei...»

Sentendo vibrare, Patrick si irrigidì prima di togliere la mano e prendere il cellulare nella tasca interna della giacca.

«Sì» rispose. «No, non ci vorrà molto. Ci sentiamo tra poco.» E agganciò.

«Lasciami indovinare» disse lei passando le dita intorno al bordo del bicchiere di vino. «È l'agenzia. Vogliono che tu prenda un aereo per volare dall'altra parte del paese a cercare da qualche parte un nanetto da giardino maledetto.»

«Non sarebbe così impensabile nel mio lavoro, a dire il vero» commentò riponendo in tasca il telefono. «Ma no. Era... la mia fidanzata.»

«Oh.» Quella notizia fu una doccia fredda. Non portava la fede, quindi aveva pensato...

Cosa aveva pensato? Che tra loro stesse nascendo qualcosa? Stupida! Quella era solo un'intervista e un'esaltata lettura della mano. Niente di più.

Lei scosse la testa e sorrise della propria ingenuità. «Allora, parliamo dell'agenzia.»

Patrick si appoggiò allo schienàle. «Saresti utile lì, sai?»

«Davvero? Hai letto anche questo?»

Lui teneva le mani appoggiate ai lati della tovaglietta, dalla sua parte del tavolo. Era più facile concentrarsi quando non era mano nella mano con Patrick McKay. E – maledizione! – si sentiva contrariata per questo. Non poteva farne a meno. Molte delle cose che voleva nella vita erano fuori dalla sua portata. Patrick ne era l'esempio più recente.

«Sì. Hai la stoffa dell'investigatrice, si tratti di giornalismo o di altro. Sei analitica, curiosa di natura, sai mantenere il sangue freddo... be', la maggior parte delle volte.» Sorrise.

Carrie sentì di nuovo il calore inondarle le guance. «Parli come se mi conoscessi.»

«È così.»

Era già da un po' che avrebbe dovuto riprendere il controllo della conversazione. «Lascia che ti dica una cosa, Patrick. Sono una brava investigatrice, ma non lavorerò mai per voi. Sono una scrittrice, non una sensitiva. E per quanto mi riguarda il discorso è chiuso.»

Sopra di loro la luce continuava a lampeggiare sempre più velocemente, finché non si fulminò.

Lei alzò lo sguardo. «E quello non l'ho fatto io.»

«Dovresti fare attenzione alle forti emozioni, in futuro. Possono scatenare la telecinesi, se non sai controllarla.» Mise una mano in tasca e tirò fuori un biglietto da visita. «Qui c'è il numero del mio ufficio. In qualunque momento dovessi avere bisogno di me, chiamami. Sarò felice di aiutarti.»

Carrie lo prese e lo puntò verso di lui. «Non ne avrò bisogno. Ora torniamo alle domande, tra poco devo andarmene.»

«Non è vero.»

Lei sospirò. «È davvero fastidioso.»

Lui sogghignò. «Scusa. Va bene, passiamo alle domande, Carrie. Sono tutto tuo.»

No, non lo era. Ma andava bene così. A lei interessava solo l'ora successiva. Dopotutto, probabilmente non avrebbe mai più rivisto il bellissimo, e fidanzato, Patrick McKay.

Doveva ammettere che quel pensiero la infastidiva.

2

In due anni molte cose cambiano: personalmente e professio-
nalmente.

Carrie si strinse nella giacca ignorando l'aria gelida e la neve che scendeva intorno a lei. Alzò lo sguardo e fissò le alte
porte in vetro dell'agenzia prima di entrare nell'atrio dell'edificio.

Bene, eccomi qua.

Per tutto il tempo aveva conservato il biglietto da visita di
Patrick McKay nel portafoglio e di tanto in tanto lo aveva tirato fuori per guardarne nome, titolo, numero di telefono e indirizzo e-mail. In qualche modo lui era riuscito a infilarsi nei
suoi sogni erotici trascorrendo solo un'ora in sua compagnia.
Ma i sogni non sono realtà e lei ne era più che consapevole.

La sua era una vita normale, solo questo, *normale*. Scriveva
ancora articoli per il *Medaglione mistico*. L'intervista fatta a
Patrick aveva raccolto le critiche entusiaste di lettori che a-
vrebbero voluto saperne di più sul soprannaturale.

Un anno prima, aveva affittato un appartamento a New
York per mettersi alla prova: vivere in una grande città e ottenere ingaggi più importanti. Era andato tutto bene fin quando
non era successo quel disastro. La lettura di Patrick si era rivelata fin troppo vera.

Sei mesi prima, il giorno del suo ventinovesimo compleanno, la telecinesi si era palesata in tutta forza. *Bam*. O meglio,
splat. La torta che il suo ex fidanzato aveva comprato per lei
era volata attraverso la stanza dritta in faccia a lui quando Carrie aveva saputo di essere stata tradita. Da allora, il controllo
che aveva sempre avuto sulla sua vita da quando, diciottenne,
se ne era andata di casa e si era pagata gli studi da sola facendo
due lavori, era svanito.

Era davvero telecinetica. A parte le lampadine fulminate nel ristorante, era proprio un pericolo pubblico. Una iettatrice. Una calamità naturale in carne e ossa. Quella sarebbe dovuta essere la sua firma: Carrie Stanfield Calamità Naturale.

Ora credeva nei sensitivi, senza alcun dubbio. In effetti, ripercorrendo la sua vita a ritroso c'erano stati segni di telecinesi già nella sua infanzia. Piccole cose. Porte che sbattevano quando non c'era un filo d'aria. Un bambino, che alle elementari se l'era presa con lei, aveva perso l'equilibrio ed era caduto in piscina. Il parabrezza dell'auto di suo padre si era infranto quando lui si era allontanato dalla loro casa, lasciando sua madre per un'altra donna.

Adesso era diverso. Era peggio. Le sue emozioni giocavano un ruolo enorme in quegli strani eventi. Sapeva di aver bisogno di aiuto per gestire le sue nuove e indesiderate abilità.

E poi c'era quel bigliettino, custodito nel portafoglio, di qualcuno che aveva promesso di aiutarla. Qualcuno che credeva potesse diventare una grande agente del paranormale grazie al suo background giornalistico e alla sua curiosità innata.

Due settimane prima aveva chiamato a raccolta tutto il suo coraggio per telefonare a Patrick e spiegargli la situazione. Tenendo fede alla parola data, lui le aveva detto di tornare subito a Mystic Ridge e iniziare a lavorare per la sua agenzia, dove lui l'avrebbe aiutata personalmente a gestire la telecinesi.

Gli era così grata che quasi era scoppiata a piangere. Poteva indagare sui fenomeni paranormali. Certo che poteva. E in cambio avrebbe ripreso il controllo della sua vita. Sembrava troppo bello. Un'opportunità troppo bella per essere vera.

In più, avrebbe rivisto Patrick. L'idea la eccitava più di quanto non volesse ammettere, anche se sapeva che la sua fidanzata di allora era probabilmente diventata sua moglie.

L'ho desiderato a distanza di sicurezza, pensò.

Eppure, nonostante sapesse benissimo che lui non era sul mercato, sentì il cuore battere forte mentre lo aspettava nell'atrio, puntuale all'una di lunedì pomeriggio. La sua nuova vita stava per cominciare.

E poi lo vide uscire dall'ascensore con una mora. Camminavano verso di lei. Era proprio come lo ricordava: alto e magro, con i capelli dorati e gli occhi smeraldo come l'oceano. Indossava una camicia bianca inamidata che si adattava quasi perfettamente al suo busto, mentre le sue gambe erano fasciate da pantaloni ardesia.

Negli ultimi due anni aveva sperato che quell'attrazione elettrica per lui fosse solo frutto della sua immaginazione. Non era così. Quello che provava era intenso proprio come la prima volta che lo aveva visto.

Due anni, troppi sogni erotici per poterli contare... voleva fare sesso sfrenato con Patrick McKay.

La luce sulla sua testa questa volta non lampeggiò. Andò in frantumi, facendo piovere pezzi di vetro sul pavimento proprio davanti ai suoi piedi.

Carrie ammiccò. Uno sguardo a Patrick era bastato a smuovere le sue emozioni e lasciare che la telecinesi facesse un disastro. Ottima seconda impressione.

Lui si fermò, spostò lo sguardo verso la lampadina rotta e poi ai suoi piedi, inarcando un sopracciglio. «Questa volta sei stata decisamente tu, non è vero?»

Lei fece una smorfia. «Colpita e affondata.»

«Benvenuta nella nostra agenzia, Carrie» disse lui.

«Grazie. Io... non sai quanto sono felice che tu abbia accettato di darmi questa opportunità.»

«Gestire la telecinesi è una sfida, ma se ti impegni puoi farcela.»

Carrie abbassò gli occhi sulla mano sinistra di Patrick e fu sorpresa di non vedere la fede. Il suo sguardo guizzò subito verso il suo. «Lo farò.»

«Ho chiesto che per il momento tu sia assegnata a me, così posso lavorare personalmente con te.»

Non poté trattenersi dal sorridere. «Ottimo.»

Patrick guardò la donna accanto a lui. Era bellissima, con i capelli scuri, una tonalità più chiari di quelli di Carrie, e gli occhi azzurri. «Lei è Amanda LaGrange. Ti aiuterà a sistemarti e ti farà dare un'occhiata in giro. Se hai domande, Amanda è la persona giusta a cui chiedere. Io sarò fuori per il resto della giornata, ci sentiamo domani. Il nostro primo incarico per la prossima settimana è un accertamento fuori sede. Spero che il tuo passaporto sia valido.»

Un accertamento fuori sede... sembrava interessante. «Lo è.»

«Piacere di conoscerti, Carrie» disse Amanda.

Lei sorrise e le strinse la mano. «Piacere mio. E grazie ancora, Patrick. Sembrerò una ragazzina alle prime armi, ma il fatto che ti sia ricordato di me dopo tutto questo tempo mi confonde, davvero. Lo apprezzo molto più di quanto pensi.»

Allungò la mano verso di lui.

Aspettò.

E poi aspettò ancora un po'.

Lui irrigidì le spalle e abbassò lo sguardo sulla sua mano. «Carrie, io...»

Amanda lo guardò per un istante. «Mi dispiace, Carrie. Patrick non...» Sembrava stesse cercando le parole. «Patrick preferisce non avere contatti fisici con nessuno. Non prenderla sul personale.»

Non vuole contatti fisici? Carrie era confusa e imbarazzata mentre rimetteva la mano nella tasca del cappotto. Esattamente l'opposto della prima volta che lo aveva incontrato. Forse era diventato germofobico negli ultimi due anni.

«Okay. Capisco.» Non era così, ma non voleva farlo sentire a disagio.

Patrick si schiarì la voce con un leggero colpo di tosse. «Posso fare un'eccezione per la mia nuova partner, ovviamente. Riproviamo, che ne dici?»

Le porse la mano, la sua espressione era tesa.

Carrie guardò Amanda osservarli con aria preoccupata prima di toccare la mano di Patrick. Lui la strinse, ma non la scosse. La sua pelle era ruvida e calda come la ricordava, e le trasmise un brivido di consapevolezza che le fece mancare il fiato. Non era cambiato niente. Provava ancora quello strano impulso sensuale verso di lui, troppo forte per essere ignorato. Si domandò se lui non provasse lo stesso.

L'attenzione di Carrie si spostò sul suo splendido viso e trasalì nel vedere che l'espressione già tesa era ora sofferente.

Cercò di sorridere. «Spero che tu non stia leggendo qualcosa di orribile su di me stavolta.»

«No... niente di simile.» La voce era provata, le lasciò la mano e, vacillando, indietreggiò. «Basta così» disse sottovoce, più a se stesso che a lei, poi si toccò lentamente le tempie come se avesse mal di testa.

Lei lo guardò con circospezione. «Qualcosa non va?»

«No... non è niente. Mi dispiace Carrie, ci aggiorniamo più tardi. Devo andare.» Si voltò e si affrettò a uscire dall'edificio senza aggiungere una parola.

Carrie lo osservò andar via, assalita da una profonda incertezza. Guardò Amanda, imbarazzata. «Allora faccio quest'effetto agli uomini: scappano via da me più veloci che possono.»

Amanda rise. «Mi riesce difficile crederlo.»

«L'ho spaventato? Sembra un po'... strano.»

Amanda rimase un momento in silenzio. «Vieni. Prima di mostrarti il resto dell'ufficio e presentarti a tutti, c'è qualcosa di cui dobbiamo parlare.»

Carrie la seguì verso un divano in pelle nera di fronte alla reception. «Sembra una minaccia.»

«Non ti preoccupare, non ha niente a che fare con te. Riguarda solo Patrick. E dal momento che lavorerai fianco a fianco con lui, hai il diritto di sapere.»

«Sapere cosa?»

Amanda si sedette e accavallò le gambe, guardando verso le porte di vetro nella direzione presa da Patrick. «È cambiato. Non è mai stato così.»

«Così come?»

Si morse le labbra. «Prima era divertente e piacevole. Sapeva ascoltare, dava consigli fantastici ed era corretto con tutti gli impiegati. Se dovessi pensare al capo perfetto, quello era Patrick McKay.»

«Troppo bello per essere vero» disse Carrie.

Amanda sorrise. «Non era proprio perfetto, ma quasi.» La sua espressione compiaciuta svanì, sostituita dalla preoccupazione. «Ma poi è cambiato. Qualche tempo fa ha sostituito un agente in un caso ed è stato spinto giù da una rampa di scale da un poltergeist.»

Carrie restò senza fiato. Si era documentata sul paranormale per prepararsi al lavoro e sapeva che un poltergeist era una forza soprannaturale pericolosa che amava fare rumore e lanciare mobili. «E lui... sta bene? Sembra che stia bene, ma...»

«No, non sta bene. L'incidente lo ha costretto sulla sedia a rotelle. Avrebbe dovuto fare fisioterapia tre volte a settimana per tornare a camminare, ma non aveva molta pazienza e iniziò a cedere, chiedendosi perché non vedesse risultati concreti. Quando un giorno, circa quattro mesi fa, ha ricominciato a camminare.»

«Come se niente fosse?»

Amanda annuì. «È stato un miracolo. Ma la guarigione si è portata via la sua grande personalità. Si è persino dimesso dal suo ruolo di manager. È tornato a essere un agente sul campo, ed è per questo che può essere tuo partner. Mentre cercano qualcuno che lo sostituisca lui svolge un po' entrambi i lavori, sebbene con poca convinzione. Ma ora è diffidente, fin troppo riservato e non ama avere gente intorno. E non tocca mai nessuno. La stretta di mano con te era il primo contatto fisico dopo lungo tempo.»

Carrie rifletté. Non aveva molto senso. Ma forse Patrick aveva avuto problemi ad accettare la sedia a rotelle e ciò aveva reso la sua intimità difficile da gestire. O forse era solo stress dovuto al trauma. «E sua moglie?»

«Sua moglie?»

«L'ultima volta che l'ho visto era fidanzato.»

Amanda estrasse il cellulare dalla tasca della giacca quando lo sentì vibrare, poi lo rimise via. «Lo era, ma si sono lasciati poco dopo l'incidente. Non ha frequentato più nessuna da allora. Pensavo che non volesse perché stava cercando di rimettersi, ma adesso che è guarito proprio non capisco che cosa gli stia succedendo.»

Patrick sembrava esattamente la stessa persona che aveva incontrato Carrie, ma qualcosa era cambiato. Era *guardingo*, ecco il termine adatto per descriverlo.

«Perché mi stai raccontando tutto questo?» chiese dopo un momento.

Amanda esitò. «Perché Patrick ha deciso di aiutarti. Ciò significa che avrai la possibilità di passare molto tempo con lui quando, normalmente, se ne sarebbe rimasto per conto suo. È un'opportunità che non voglio lasciarmi sfuggire.»

«Un'opportunità per fare cosa?»

«Ho saputo che tu sei una giornalista investigativa e molto in gamba, da quanto ne so. Una che va sempre fino in fondo.»

«È vero» concordò con un pizzico di orgoglio. I premi che aveva vinto, ancora imballati per il trasloco, lo testimoniavano.

«Devi scoprire che cosa è successo a Patrick e perché è cambiato.»

Carrie studiò l'espressione seria di Amanda. «Ci tieni davvero a lui, vero?»

«È un caro amico mio e di mio marito, o almeno lo era. Ha un problema e non vuole confidarsi con nessuno. A volte bisogna intervenire» spiegò sospirando. «Allora, posso contare su di te?»

Due anni prima Carrie aveva provato una forte attrazione fisica per Patrick tanto da non riuscire a dimenticarlo. Ora aveva la possibilità di conoscerlo meglio, mentre lui le insegnava a controllare la telecinesi. Non sapeva molto di lui, salvo quello che Amanda le aveva appena raccontato.

Ma Patrick le aveva offerto il suo aiuto senza esitazione la prima volta che si erano incontrati. Se poteva aiutarlo a sua volta, lo avrebbe fatto.

«Okay» rispose con un sorriso. «Ti terrò al corrente. Promesso.»

Se c'era una cosa che Carrie amava, era il mistero.

3

Carrie Stanfield era proprio sexy come la ricordava. Aveva i capelli un po' più lunghi ora, ma a parte ciò era esattamente come la prima volta che l'aveva vista. E toccarla, sentire il calore della sua pelle liscia dopo aver fantasticato su di lei per tutto quel tempo...

Ne era valsa la pena.

Patrick non riusciva a credere di stare ancora tremando, e quella sensazione aveva davvero poco a che fare con la temperatura gelida di fine gennaio. In piedi nel parcheggio accanto all'auto, dopo aver spazzolato via la neve dal parabrezza, fissò le sue mani ancora in preda al tremito.

«Oh, dai» si lamentò. «Controllati!»

Stava bene. Veramente. *Sto bene.*

C'era stato un tempo in cui riusciva a fare la lettura psichica di qualcuno solo stando nella stessa stanza. Uno strumento molto comodo e potente che aveva dato per scontato. All'epoca, il contatto fisico lo aiutava ad affinare certe sensazioni. Concentrandosi poteva dire se qualcuno mentiva. E, a volte, poteva persino dedurne i pensieri specifici.

Una grande abilità psichica che in pochissimo tempo lo aveva reso il capo dell'agenzia. Un dono sul quale aveva il pieno controllo. Poteva spegnerlo se non voleva essere bombardato dai dettagli della vita di un'altra persona, o accenderlo se ne aveva la necessità.

Ma c'era stato l'incidente. Fortunatamente non gli aveva causato una paralisi permanente, ma le lesioni alla spina dorsale erano un bel casino da curare.

La sua fidanzata, Julia, non gli era rimasta accanto quando, finito sulla sedia a rotelle, aveva iniziato le dolorose sedute di fisioterapia. Patrick non era sicuro che se ne fosse andata per il suo misero atteggiamento di fronte a una sfida fisica, oppure perché semplicemente non volesse più stare con lui. In ogni caso, lo aveva lasciato, gli aveva restituito l'anello di fidanzamento e se ne era andata. Aveva sentito dire che si era sposata con un amministratore delegato a Los Angeles e la notizia non l'aveva ferito quanto avrebbe dovuto. Forse si erano già allontanati prima dell'incidente e non se ne erano resi conto, ma le ferite che aveva riportato erano state per Julia un alibi perfetto per rifarsi una vita altrove. Con qualcun altro.

Lui preferiva stare solo. Era più facile.

Essere costretto su una sedia a rotelle era stata una tortura. Era abituato a essere indipendente e in perfetta forma fisica. Lavorare in un'agenzia che aveva quotidianamente a che fare con oggetti incantati non poteva che indurre in tentazione. E lui era stato tentato da un amuleto guaritore riportato dall'Egitto da una coppia di suoi sottoposti. Così aveva iniziato a portare al collo quel disco d'argento legato a un laccetto di pelle.

E funzionava a meraviglia. In un solo giorno, il dolore era sparito e poteva camminare di nuovo come se l'incidente non fosse mai accaduto.

Però, c'era stato un prezzo da pagare. Non poteva più analizzare psichicamente qualcuno solo stando nella stessa stanza. Doveva toccarlo. E se si fosse trattato solo di questo, sarebbe stato fortunato. Avrebbe rinunciato volentieri a una parte dei suoi poteri per recuperare la salute.

Ma ora, quando toccava qualcuno, provava le sue emozioni e veniva travolto dai suoi pensieri come se questi fossero un'ondata potente e insopportabile, che gli provocava spesso mal di testa e un'emorragia nasale. Il dolore era troppo forte, nonostante la sua alta soglia di sopportazione.

Certo, poteva camminare, partecipare alle maratone come faceva prima, o correre all'alba. Ma se sfiorava qualcuno il dolore lo metteva in ginocchio. Di conseguenza, aveva iniziato a evitare ogni tipo di contatto. Preferiva che la sua testa non esplodesse. Aveva bisogno che restasse esattamente dov'era.

Il suo BlackBerry, un tempo strumento utile, era diventato la sua ancora di salvezza. Lo portava sempre con sé. Qualunque informazione che prima avrebbe ricavato toccando gli altri, ora la cercava via cellulare. Era collegato al database dell'agenzia, un vero patrimonio di informazioni. Non era la stessa cosa, ovviamente, ma cercava di adattarsi. Non aveva altra scelta.

A causa delle sue ridotte capacità non poteva più essere il capo, ma l'agenzia era tutta la sua vita. Non intendeva andarsene e ricominciare altrove. Gli avevano chiesto di riconsiderare la sua decisione, di non dimettersi, ma non era pronto per questo. Non ora. Forse mai più.

Evitare il contatto era ormai un'abitudine, ma sapeva che ciò lo rendeva un emarginato. Amici e colleghi erano confusi dal suo comportamento, ma non poteva raccontare loro la verità. Nessuno conosceva il suo segreto. Se si fosse saputo che non poteva più sfruttare le sue abilità avrebbe perso credibilità e lavoro.

Poi, all'improvviso, era arrivata Carrie Stanfield. L'aveva chiamato di punto in bianco, un paio di settimane prima, preoccupata per la sua telecinesi completamente fuori controllo. I telecinetici erano rari e preziosi: lui lo sapeva, erano anni che lavorava con i sensitivi. Già due anni prima, quando si era accorto dei suoi poteri, l'avrebbe voluta nel suo staff. Non aveva cambiato idea. L'aveva assunta quando aveva ancora l'autorità per farlo.

Ma lei portava guai.

Quella donna era già un problema, con quei capelli lunghi, corvini e sexy, gli occhi color cannella e la bocca rosa. Una bocca un po' troppo larga per il suo viso, una caratteristica che la distingueva dalla solita bellezza anonima.

Era successo qualcosa di strano con lei quel giorno al ristorante. Non era una situazione insolita, visto che era già stato intervistato altre volte, ma la reazione che aveva avuto nei suoi confronti era stata a dir poco fuori dall'ordinario.

Un'attrazione istantanea. Non aveva mai provato niente di simile. Le uniche cose che lo avevano trattenuto dal fare l'amore con lei seduta stante erano il fatto che si trovassero in un luogo pubblico e che lui fosse fidanzato.

Nessuna donna, nemmeno la sua ex fidanzata, aveva mai

avuto un effetto così forte su di lui. Il suo pene divenne duro anche ora, al ricordo della sua pelle e del desiderio che le aveva letto negli occhi. Era un'attrazione reciproca, lo aveva percepito solo guardandola.

Nessuno sapeva che nel primo cassetto della scrivania aveva conservato l'articolo scritto da lei, così da poter guardare la sua foto di tanto in tanto. Era convinto che non l'avrebbe più rivista.

E ora era lì. Quella breve stretta di mano qualche minuto prima gli aveva confermato che niente era cambiato. Lei era ancora attratta da lui.

Ma non poteva succedere niente tra loro. Quei pochi secondi di intenso piacere a contatto con la sua pelle calda erano stati una vera tentazione per uno che era rimasto single per più tempo di quanto non volesse ammettere. Ma poi i suoi poteri erano entrati in azione e la sua testa era stata sul punto di esplodere. Non riusciva a immaginare cosa gli avrebbe provocato una più intima esplorazione del suo bellissimo corpo. Solo il pensiero della pelle nuda di lei contro la sua era stato sufficiente per provocargli un'inopportuna erezione.

Però oggi aveva percepito qualcos'altro oltre all'attrazione. Lei era spaventata. Nervosa. Insicura.

Lo nascondeva molto bene.

Voleva aiutarla. *Poteva* aiutarla. Aveva lavorato con decine di telecinetici nel corso degli anni. Carrie sarebbe stata solo una sfida più ardua. Avrebbe dovuto tenere le mani a posto, nel vero senso della parola, e adottare un comportamento *esclusivamente* professionale. Se qualcuno avesse scoperto il suo segreto, avrebbe rischiato di perdere tutto.

Poteva fare entrambe le cose. Aiutare Carrie a gestire le sue capacità, così da renderla una grande risorsa per la squadra, e controllare i propri istinti sessuali.

Quando si sentì meglio, salì in macchina e sistemò lo specchietto per potersi guardare negli occhi.

Puoi farcela, si incoraggiò, ma quelle parole non furono di grande aiuto.

Bisognava darle tempo. Carrie avrebbe imparato a tenere le distanze da lui proprio come facevano tutti gli altri impiegati. Il loro primo incarico li avrebbe portati alle Bahamas per un paio di giorni. Si trattava della solita routine: valutazione e ritrovamento di un presunto oggetto magico.

Solo affari.

Era così che doveva essere. Non c'era altra scelta.

Aveva toccato Carrie Stanfield per l'ultima volta.

4

Un paesaggio gelido e temperature sotto zero la sera prima; palme e cielo terso il mattino dopo.

Carrie non immaginava che il suo primo incarico sarebbe stato un viaggio alle Bahamas, ma non si sarebbe certo lamentata! Sperava, però, che nulla andasse storto. Sembrava che Patrick avesse molta fiducia di lei e nella sua capacità di controllare la telecinesi.

Era in ansia per il volo, non voleva rompere accidentalmente un finestrino a trentamila piedi di altitudine, come aveva fatto con il parabrezza di suo padre. Così si era fatta prescrivere un tranquillante che l'avrebbe messa fuori gioco per tutto il viaggio.

«Sei pronta?»

A quelle parole sussultò e riaprì gli occhi. Patrick era in piedi davanti a lei, e aveva appena pagato il tassista.

Con lo sguardo Carrie percorse il suo corpo, i jeans scuri e la camicia nera sbottonata che aderiva alle braccia e al petto. Il suo apprezzamento era celato dagli occhiali da sole. «Certo.»

Breve e concisa, era così che andava la conversazione da quando erano atterrati all'aeroporto internazionale di Nassau un'ora prima. Ci si era quasi abituata. Proprio come le aveva detto Amanda, Patrick non era lo stesso uomo che aveva conosciuto. Era più serio e se ne stava sempre per conto suo, tranne quando il contatto con gli impiegati era inevitabile.

Aveva trascorso poco tempo con lei in ufficio la settimana prima. Le aveva descritto le sue mansioni e mostrato le pratiche di alcune missioni precedenti. Carrie le aveva studiate, divertita dalla paradossalità dell'intera situazione. Lei,

che fino a poco tempo prima non credeva affatto nel soprannaturale, ora faceva parte di un'agenzia che fondava
l'intero fatturato sull'esistenza di fantasmi e pomodori vo-
lanti.

Patrick le aveva anche dato una pila di carte da leggere
sulla telecinesi. Lei aveva parlato anche con un agente tele-
cinetico che lavorava in una filiale in Texas. Una chiacchierata di mezz'ora che le aveva fatto sperare per il meglio.

Ma era realista, e non voleva illudersi.

Stando vicino a Patrick era difficile concentrarsi. Non
aveva avuto ancora abbastanza tempo per scoprire cosa na-
scondesse. Raramente restavano soli, e ogni volta che capitava di solito lui trovava una scusa per andarsene poco dopo.

Patrick McKay era un vero mistero da risolvere. E ciò lo
rendeva ancora più intrigante.

Di tanto in tanto, alzando gli occhi, lo aveva colto a fissarla e, quando i loro sguardi si incrociavano, avvertiva una
forte corrente di passione tra loro, ma i momenti come quello non duravano a lungo. Patrick si voltava, lasciandola eccitata, infastidita e determinata ad andare fino in fondo
all'enigma che lui rappresentava.

In ogni caso, Carrie aveva una sconveniente cotta per il
suo bellissimo collega e aveva passato troppo tempo a fantasticare su di lui, immaginando di strappargli i vestiti e approfittare spudoratamente del suo corpo.

Ma per farlo lui avrebbe dovuto toccarla. E per qualche
motivo sembrava avesse ancora problemi in tal senso. A
parte quella strana stretta di mano il primo giorno, non avevano avuto altri contatti fisici. Né lo aveva visto toccare
qualcun altro. Lo aveva osservato.

Indubbiamente nascondeva un segreto. Ma cosa?

«Questo posto è magnifico» disse lei, cogliendo dei fiori
di ibisco colorati. Palme reali costeggiavano il vialetto che
conduceva all'entrata principale del *Violet Shores Resort*.

Patrick controllò il BlackBerry. Sembrava che lo avesse
sempre in mano, come se fosse chirurgicamente attaccato.

«Il proprietario gestiva questo posto con la moglie, ma lei è morta un anno fa e lui ha continuato da solo. È un albergo per coppie, la maggior parte degli ospiti sono in luna di miele. È più piccolo di altri resort della zona, ma si affaccia sulla spiaggia e ha anche una piccola isola privata.»

Dall'altro lato della strada c'era il *Loa Loa*, un hotel a cinque stelle del quale Carrie aveva letto una recensione su una rivista prima di addormentarsi, durante il volo. Non erano neanche lontanamente paragonabili, ma la vista sull'oceano del *Violet* era impareggiabile.

«Benvenuti.» Carrie si voltò e vide un uomo avvicinarsi. Aveva circa trent'anni ed era molto attraente. I capelli corti e castani, con riflessi dorati naturali, brillavano al sole. «Grazie per essere venuti. Patrick McKay, giusto?»

«Giusto. William Crane?» Patrick lanciò un'occhiata alla mano tesa dell'uomo, ma non la strinse.

Lui sorrise. «Colpito e affondato!»

«Piacere di conoscerti.» Patrick annuì verso Carrie. «Lei è Carrie Stanfield, la mia collega.»

«Chiamatemi Will» disse allungando la mano verso Carrie e lei non esitò a stringerla con decisione.

Non le era sfuggito che Patrick si era palesemente rifiutato di farlo. Ma del resto, non si aspettava il contrario. Patrick la guardò e i loro sguardi si allacciarono. Lei abbassò gli occhi sulle sue mani, che lui rinfilò in fretta nelle tasche dei jeans.

«Qualcosa non va?» domandò Patrick.

«No» rispose Carrie. «È un albergo magnifico, Will.»

«Grazie.»

«Perché lo hai chiamato *Violet*?»

«Era il nome di mia moglie. Ho cambiato ufficialmente il nome sei mesi fa perché quando sono qui... lei è ancora con me.» Il sorriso di Will svanì. «Da quando se ne è andata la situazione è diventata critica e le prenotazioni sono calate. Sono disperato, devo trovare una soluzione o perderò questo posto.»

Carrie percepiva il suo dolore e condivideva la sofferenza di quell'uomo che aveva appena incontrato. Guardandosi intorno si rese conto che in effetti il complesso era estremamente silenzioso. A parte il loro taxi, non si era fermata nessun'auto da quando erano arrivati. Considerato che l'hotel era situato in una famosa zona di Nassau, doveva esserci più movimento.

«Dove sono tutti?» domandò lei.

«Ho pochi ospiti al momento, ma... be', entriamo e vi racconterò tutto.»

Will fece strada nella hall. Il pavimento di lucide mattonelle color indaco era sormontato da un lucernario che lasciava intravedere una porzione di cielo. Sulla sinistra, due ampie porte conducevano alla piscina e alla spiaggia, e una giovane coppia le stava attraversando per entrare nella hall.

«Ti odio!» ringhiò lei. «Vorrei non averti sposato.»

«Il sentimento è reciproco» scattò lui. «Hai una vaga idea di quanto sia costato il matrimonio?»

«Certo che ce l'ho, visto che l'hanno pagato *i miei* genitori. I tuoi erano troppo tirchi per contribuire a qualcosa di più dei fiori.»

Lui la guardò in cagnesco. «Avrei dovuto provarci con la tua coinquilina e non con te.»

«Lo sapevo che eri attratto da lei, sei un bastardo!» Lei scoppiò in lacrime e corse verso gli ascensori mentre lui, voltandosi bruscamente, ritornò verso la piscina.

Carrie sentì un brivido correrle lungo le braccia.

Poco dopo, entrarono nell'ufficio di Will. «Quello che avete appena visto è uno dei problemi principali del *Violet Shores* al momento.»

«Una coppia che discute della sua relazione?» Patrick incrociò le braccia. «Tutt'altro che insolito.»

«Ma si sono sposati soltanto *ieri*. Qui, sulla spiaggia, al tramonto. Sono fuggiti insieme e mi hanno chiesto di fare da testimone. Erano follemente innamorati, non c'è dubbio, tanto che invidiavo la loro felicità... e ora?» Will sospirò. «E non sono i primi. Quasi ogni coppia che ho ospitato, evidentemente innamorata, riparte infelice e sul piede di guerra. E le continue discussioni fanno scappare gli altri ospiti, che alla fine vanno al *Loa Loa* sperando di trovare una camera libera.»

«Pensi che si tratti di una maledizione?» domandò Carrie.

«Cos'altro potrebbe essere?»

«Avevi parlato di un amuleto maledetto. Dicevi...» Patrick studiò lo schermo del BlackBerry «... che ci avresti dato altri dettagli una volta arrivati.»

«Sì.» Will abbassò la voce, era quasi un sussurro, e si guardò intorno nervoso. «È Erzulie...»

«La dea caraibica dell'amore e del sesso» finì Patrick.

Will annuì. «È tutta colpa sua.»

Di nuovo Patrick buttò un occhio allo schermo. «Pensi che una dea abbia maledetto il tuo albergo?»

Will serrò i denti. «Sì. E mi sorprende sentire che sei così scettico.»

«Non ho detto che non ti credo, ma è davvero insolito. Da quando faccio questo lavoro, non mi è mai capitato niente di simile. Di solito ho a che fare con maledizioni e incantesimi gettati da persone che usano la magia, non da... divinità.»

Will guardò Carrie speranzoso. Lei scrollò le spalle. «È Patrick l'esperto qui. Io sono nuova del mestiere.»

Lui abbassò le spalle. «Be', grandioso.»

«Ma perché una dea dell'amore e... ehm» iniziò lei.

«Del sesso» continuò Patrick.

Al suono di *quella* parola, uscita dalle attraenti labbra di Patrick, lei sentì un piacevole e inaspettato brivido correrle lungo la schiena, simile a quello che provava ogni volta che lui pronunciava il suo nome. La reazione sensuale era istantanea.

Carrie si schiarì la gola, a un tratto si sentiva più calda. Le sarebbe servito un tuffo in piscina per raffreddarsi. «Perché una dea dell'amore e del sesso avrebbe dovuto maledire la tua proprietà?»

«Perché l'ho fatta arrabbiare.»

«Hai fatto arrabbiare una dea?»

Lui annuì, serio. «Quando Violet è morta, ho perso la testa. Non riuscivo ad accettare che se ne fosse andata. Ho comprato l'amuleto all'asta in un museo, ipotecando l'albergo. Mi hanno detto di stringerlo tra le mani e pensare intensamente a quello che volevo ottenere per invocare la dea. E così ho fatto. Volevo vedere se poteva...»

«Se poteva che cosa?» lo incalzò Carrie un attimo dopo, disturbata dall'espressione ormai tesa di Will.

«Riportare Violet in vita.» Aveva gli occhi lucidi e si passò il dorso della mano sulla fronte. «Comunque, non immaginavo che detestasse essere invocata dagli umani per i loro banali, piccoli problemi e si è rifiutata di aiutarmi. Da quel momento è andato tutto a scatafascio. Non solo mi sono indebitato per comprare l'amuleto, ora la proprietà era maledetta. Non posso pagare le bollette e perderò tutto. Il *Loa Loa* mi ha già fatto un'offerta. Vogliono espandersi. Ma io... io non posso mollare così facilmente. Così ho chiamato la vostra agenzia sperando in un vostro aiuto.»

«Certo che ti aiuteremo» lo rassicurò Patrick un attimo dopo.

Will annuì. «Se c'è una sola persona al mondo che può andare fino in fondo a questa storia sei tu, Patrick. La tua reputazione ti precede. È per questo che ho chiesto specificamente di te.»

Lui sorrise. Le sue labbra erano una grossa distrazione per Carrie, soprattutto dopo aver pronunciato la parola *sesso*. «Faremo del nostro meglio per scoprire qual è la causa dei tuoi problemi, che sia davvero una maledizione o qualcos'altro.»

«Bene. Grazie.»

«Dov'è l'amuleto?» domandò Patrick.

«È sull'isola occidentale, a pochi chilometri da qui. È una meta per turisti, accessibile solo con barche private. L'ho seppellito lì sperando di sbarazzarmene una volta per tutte, ma non è cambiato niente: il danno era già fatto. Le mie barche sono entrambe in riparazione, ma per domani saranno disponibili.»

«Bene.»

Will lanciò un'occhiata a Carrie e sorrise. «Fino ad allora, che ne dite di divertirvi un po'? Vi darò una suite con una vasca idromassaggio a forma di cuore. È più lussuosa di quanto non sembri. Ve lo garantisco.»

Carrie sentì una goccia di sudore segnarle una riga lungo la schiena. Grandioso! Adesso aveva in testa una vivida immagine di Patrick nudo e bagnato che usciva da una vasca fumante, l'acqua bollente che gli scivola lungo il petto, lo stomaco piatto e giù fino al suo...

Improvvisamente, la tazza sulla scrivania di Will cadde a terra e finì in mille pezzi. Carrie era pietrificata. *Ops!*

Will si accigliò guardando i vetri rotti. «Che strano. Eppure non c'è vento...»

Lei si schiarì la voce e distolse lo sguardo.

«Carrie è soltanto una collega» chiarì Patrick, ignorando volutamente l'incidente. «Ci servono due stanze. Su due piani separati, se possibile.»

«Se insisti. Questo posto ha ben quattro piani con cui sbizzarrirsi» sospirò. «Il *Loa Loa* ne ha venticinque.»

Carrie guardò Patrick stupita. *Piani separati?* Sapeva che non voleva toccare nessuno, ma questo era un po' eccessivo.

Forse aveva paura di essere colpito da un oggetto volante non identificato se le stava troppo vicino. Non poteva dire di biasimarlo.

Maledette tazze!

Will uscì per far portare in camera le loro borse. Patrick aveva ancora le braccia conserte e Carrie studiò il suo linguaggio del corpo. Il suo sguardo si fermò sui suoi occhi verdi.

«Che c'è?» chiese lui scrutandola con attenzione.

«Sto solo cercando di scoprirti, tutto qui.»

Rimase un attimo in silenzio. «Non c'è niente da scoprire. Quello che vedi è esattamente quello che è.»

«Sicuramente.»

Il suo volto senza emozioni non le forniva alcun indizio.

«Sistemati e datti una rinfrescata. Ci vediamo in piscina tra un'ora. Potremmo sfruttare questo tempo libero per fare qualche esercizio di telecinesi.» Patrick inarcò un sopracciglio e per un istante lei intravide l'allegria che un tempo illuminava i suoi occhi. Lui le si avvicinò, tanto che per mezzo secondo lei pensò che l'avrebbe sfiorata. «Così non ci saranno altri incidenti con la cristalleria.»

Il suo viso avvampò e decise di non commentare. Invece, la sua attenzione si spostò dal viso al collo di Patrick. Aveva slacciato i primi due bottoni della camicia nera, lasciando in mostra un provocante scorcio del suo petto tonico. «Che cos'è quello?»

«Cosa?»

«*Quello*» disse indicando il disco d'argento con una grezza incisione legato a un fine laccetto di pelle nera. «Non mi sembra adatto a te.»

«È per questo che lo porto sotto la camicia.»

«Che cos'è?»

«Una cosa che ho trovato.»

«Sembra egizio. Quelli sono geroglifici?» Di fronte alle sue sopracciglia inarcate aggiunse: «Ho studiato egittologia come materia a scelta all'università».

Lui coprì il ciondolo con la mano, poi allacciò un bottone per nasconderlo. «Ci vediamo in piscina tra un'ora se vuoi fare pratica. Altrimenti ti raggiungo più tardi.»

Doveva aver toccato un tasto delicato. Interessante. «No, ci sarò. Fare pratica sarebbe perfetto.»

«Domani andremo a recuperare l'amuleto. Se è pericoloso, lo distruggeremo. Altrimenti, lo porteremo in agenzia per esaminarlo. Potremmo essere di ritorno a Mystic Ridge in quarantotto ore, se non prima.»

«Un tempo sufficiente per prendere una bella abbronzatura prima di tornare ad arrancare nella neve.»

«Cerca di tenere a mente che questo è un viaggio di lavoro, non di piacere.» Ammiccò. «Perché sorridi?»

«Parli come se fossi il capo.»

«Non lo sono.»

«Eri abituato a esserlo.»

Lui sospirò. «Ero abituato a molte cose.»

«Ho notato che non hai stretto la mano a Will.»

Lui rimase un momento in silenzio. «E quindi?»

«Niente, è solo strano» rispose lei stringendo i pugni lungo i fianchi. «Perché non tocchi più nessuno?»

«Perché ho deciso così.»

Era tanto vicino che sentiva il calore del suo corpo. Se avesse voluto toccarlo non avrebbe dovuto fare altro che passargli le mani sul petto. Ma non lo fece.

«Mai più?» domandò lei.

«Raramente.»

«Mi hai toccata quando ho iniziato, la scorsa settimana. Sono speciale?»

Lui sembrava divertito da quella raffica di domande. «Era solo una semplice stretta di mano, non eccitarti troppo.»

Di nuovo le sue guance si infiammarono. Patrick McKay era il primo uomo in grado di farla arrossire. «Ma non hai stretto la mano di Will e lui è un cliente. Avresti potuto fare un'eccezione anche per lui.» Sollevò la testa studiando la sua espressione tesa.

«Ma davvero?» domandò lui con diffidenza.

«Cosa faresti se ti toccassi adesso? Proprio ora?»

Lui sostenne il suo sguardo per un lungo istante. «Nulla. Probabilmente, considererei il suo un comportamento davvero poco professionale, signorina Stanfield.»

Avrebbe considerato il suo rifiuto una ramanzina, se non fosse stato per quella luce ardente nei suoi occhi. «Sì, capo.»

Lui serrò i denti. «In piscina. Tra un'ora.»

«Okay.» Quando si voltò per andarsene si rese conto che stava sorridendo. Dopotutto, amava i misteri.

E Patrick McKay era un bellissimo ed eccitante mistero che era determinata a risolvere.

Che a lui piacesse o no.

5

La prima volta che aveva incontrato Carrie, aveva percepito che era una persona curiosa, che amava scoprire la verità. Questo gli aveva suggerito che sarebbe stata una valida collaboratrice per la sua agenzia.

Patrick non immaginava che sarebbe stato *lui* uno dei misteri che intendeva risolvere. Il pensiero lo disturbava e al contempo lo affascinava, ma preferiva che lei dirigesse il suo interesse altrove. Voleva tenere per sé i suoi segreti. Sebbene l'idea di avvicinare quella bellissima donna non gli dispiacesse, sapeva che non poteva permetterselo. Toccarla era una tentazione, ma sarebbe stata una tortura.

Parli del diavolo... Affondò le dita nei braccioli della sedia quando Carrie comparve in piscina. Aveva sciolto i capelli, che le scendevano lunghi e lisci sulle spalle come una cascata nera e lucente. Indossava una gonna a portafoglio dai colori vivaci che cadeva morbida sui fianchi asciutti. Sopra portava solo un bikini nero che, visto quanto poco le copriva i seni, era decisamente inappropriato per un viaggio di lavoro.

Non che si stesse lamentando! La visione era davvero notevole ma, dopo due anni senza sesso, pensava di aver imparato a controllarsi. Aveva avuto a che fare con molte donne che ci avevano provato, sia in ufficio che fuori, ma avevano capito subito l'antifona e lui non aveva sofferto.

Be', non troppo, comunque.

Ma intravedere di sfuggita i seni di Carrie era bastato per renderlo immediatamente duro come una roccia. A disagio, si spostò sulla sedia.

Adesso stava soffrendo.

Carrie era troppo per lui, e l'attrazione che provava nei suoi confronti era rischiosa. Le aveva fatto una lettura empatica molto profonda la prima volta che si erano incontrati, ed era come se la conoscesse da anni. In più, era terribilmente bella e lui si era dovuto impegnare parecchio per controllare il desiderio che provava per lei, desiderio che era diventato ogni giorno più forte.

Carrie era un vero pericolo, non c'erano dubbi.

Sarebbe un errore. Era impossibile per lui avvicinarsi a chiunque. Sarebbe stato meglio per lei lavorare con qualcun altro. Ed era meglio dirglielo subito, piuttosto che farle trovare la sorpresa al rientro, soprattutto dopo averle promesso di aiutarla. Glielo doveva.

«Siediti, per favore» le disse. «Ti devo parlare.»

Lei inarcò le sopracciglia e si accomodò di fronte a lui. «Come sei serio.»

«Non ti preoccupare, non è niente di grave.»

«Di che si tratta?»

«Al rientro ti farò assegnare un altro partner.»

Lei indossava gli occhiali da sole e lui non poté vedere la sua reazione. «Non vuoi lavorare con me?»

«Tra di noi non potrà mai funzionare.»

«Ma è solo una settimana. Non abbiamo neanche lavorato molto. Come fai a dire che non funzioneremmo?»

«Lo so e basta.»

«Ma... pensavo che mi avresti insegnato a controllare le mie abilità. Me lo avevi promesso.»

Cercò di non sentirsi in colpa. «Ti prego, non prenderla sul personale. La mia decisione non ha niente a che vedere con te.»

Le sue labbra carnose si assottigliarono appena. «No, hai ragione. Ha a che fare con te, non è vero?»

«Faccio questo lavoro da tempo, non mi servono mesi per capire se una coppia è bene assortita o no.»

«Bene.»

«Mi assicurerò che ti affianchino qualcuno che possa aiutarti come avrei fatto io.»

«Perfetto.»

Patrick sapeva che quando una donna appariva assolutamente calma ma iniziava a dare risposte di una sola parola, in realtà era su tutte le furie.

«Che ne dici dell'amuleto di Erzulie?» gli chiese.

Bene. Un cambio di argomento era proprio gradito. Voleva rilassarsi, incrociare le gambe e soprattutto ignorare la sua erezione. Carrie era un'adorabile visione, ma avrebbe voluto che avesse scelto una *mise* più appropriata. Così era quasi impossibile concentrarsi.

«Lo valuteremo come Will ci ha chiesto di fare, ma onestamente penso si sbagli. Possono esserci tanti altri motivi che hanno reso l'albergo impopolare, e gli sposi novelli sono propensi a discutere.»

«Se lo dici tu...»

«Domani mattina prenderemo la barca e recupereremo l'amuleto. Se intanto vuoi fare altro, non c'è problema.»

Lei sbatté le palpebre, sorpresa. «Significa che non mi aiuti a fare pratica?»

Avrebbe voluto farle capire la situazione. Ma avrebbe dovuto dirle tutto, e non ne aveva la minima intenzione. Non gli restò che far buon viso a cattivo gioco. «Certo, possiamo fare pratica. Abbiamo tempo.»

«Allora facciamola.»

L'atmosfera bollente era scesa di un paio di gradi. Lei non era felice. E non poteva biasimarla. Se non fosse stato convinto di aver preso la decisione giusta, i sensi di colpa lo avrebbero perseguitato per sempre.

Non la stava abbandonando, era la cosa migliore da fare. Per entrambi.

Si rese conto di essere stato stupido a pensare che tra loro potesse funzionare. Tutti sapevano che preferiva stare da solo. E ora, all'improvviso, si faceva affiancare da una nuova collega che aveva bisogno di una formazione *tête-à-tête*? Una novizia in grado di eccitarlo con un solo sguardo? Una donna con la quale voleva fare l'amore da due anni? Che stupido!

«Hai letto i libri che ti ho dato?» chiese poco dopo.

«Tutte le tremila pagine.»

«Esagerata.» Appoggiò sul tavolo un bicchiere d'acqua

fredda. «La cosa più importante da ricordare è di non aver paura dei tuoi poteri.»

«Non ho paura.»

Stava mentendo. Non era necessario essere empatico per accorgersene. «Buono a sapersi. Perché non ti concentri sul bicchiere e cerchi di spostarlo verso la mia mano? Se ripeti questo esercizio ogni giorno diventerai sempre più abile, e presto sarà un'abitudine.»

«Sarebbe grandioso, ma non lo so fare.»

«Non ci stai nemmeno provando.»

«*Ci sto provando*.»

«Allora non sei abbastanza concentrata. Con il tempo, la pratica e la pazienza potrai infilare un ago con il pensiero. Adesso concentrati e spostalo.»

Lei aggrottò la fronte. «Ci sto provando.»

«Insisti.»

Un attimo dopo, il bicchiere andò in frantumi e l'acqua gelida gli bagnò l'addome. Lui arretrò con un balzo e la guardò seccato. «Così è un po' troppo.»

«Non volevo, sul serio» disse coprendosi la bocca.

L'acqua era gelata. Almeno aveva aiutato a spegnere la sua eccitazione. Si accorse che Carrie stava ridendo, ecco perché aveva la mano davanti alla bocca.

Patrick si sforzò di non sorridere. «*Volevi* rompere il bicchiere. In questo modo, mi hai solo dimostrato che controlli la telecinesi più di quanto pensi.»

«Lo so che credi che fare esercizio renda perfetti, ma io no. È qualcosa che ha una propria coscienza e fa ciò che vuole.»

«Quindi è stata la telecinesi a svuotarmi un bicchiere d'acqua addosso per farmi sentire a disagio. Non tu.»

Lei alzò il mento. «Esatto.»

«Se pensi che sia un'entità separata non riuscirai mai a controllarla.» Afferrò un tovagliolo e si asciugò. «Possiedi già la capacità di controllarla, lo so. Solo che non ci credi.»

«Posso fare molte cose, ma non questo.»

«Allora hai perso ancora prima di cominciare.»

«Ecco perché non vuoi lavorare con me.» Il labbro

inferiore le tremò e lui quasi si sciolse. Non voleva turbarla più di quanto non avesse già fatto.

Patrick sospirò. «Carrie, come ti ho già detto non è colpa tua, dipende da me.»

«Dove l'ho già sentita questa?» ribatté secca. «Oh, aspetta. Forse a scuola, da qualcuno che non sapeva inventare una scusa migliore.»

Sembrava non avesse problemi a parlare chiaro.

«Ti troverai bene, te lo prometto» la blandì lui.

Ma Carrie non intendeva arrendersi. «Hai mai lavorato in coppia con qualcuno a parte me? O sei l'unico agente che lavora da solo?»

Ancora domande. «Ho lavorato in coppia, ma sono stato agente sul campo solo per qualche mese.»

«Allora è questo che dicevi ai tuoi partner? Non siete voi, sono io? Qualcuno è mai durato più di una settimana?» Il tono acido tradiva i suoi sentimenti feriti.

Era come un tiro alla fune. Lei cercava di ottenere informazioni e lui era restio a fornirgliene. «Con uno ho lavorato addirittura due settimane.»

«Ti sei costruito attorno un muro invalicabile, questo l'ho capito. Dato che non sono empatica, non posso leggere dentro di te come tu fai con gli altri, ma ci vedo bene. Sono un'attenta osservatrice.»

Lui si poggiò allo schienale. «Non c'è bisogno di parlarne, Carrie.»

«Patrick Liam McKay, trentasei anni. Assunto tredici anni fa da un'agenzia che si occupava di paranormale alla Yale University. Agente sul campo per quattro anni, poi capo della sezione di Mystic Ridge per circa nove anni.»

Lui la fissò sorpreso. «Cos'è? La mia biografia?»

«Ho fatto questa ricerca per l'articolo del *Medaglione*, ma ti sorprenderebbe quante informazioni sono disponibili con una semplice ricerca su Google.»

«Questo non è un articolo. E tu non sei più una giornalista.»

«No, adesso sono una detective. Ma sei stato tu a dire che la mia naturale curiosità sarebbe stata un asso nella manica in questo lavoro.»

Voleva continuare a tenere alta la guardia, ma le sue guance rosse la rendevano solo più bella. Era stupito di quanto la desiderasse persino ora. E lui era quello che parlava di comportamento professionale. «Sono certo che lo sarà.»

«Sei così con tutti?»

«Così come?»

«Diplomatico. Così, chi non ti conosce pensa che tu sia gentile, non è vero? Ma forse non lo sei affatto.»

Nonostante la sua attrazione per Carrie, si sentiva sempre più a disagio e non era soltanto perché aveva i genitali bagnati. «Non ho mai detto di essere gentile.»

«Sto iniziando a scoprirti.»

«Dici?» Passò un dito sul BlackBerry quando iniziò a vibrare sul tavolo. Diede un'occhiata allo schermo e vide una e-mail inviata dall'ufficio: il file che aveva richiesto sulla dea Erzulie era arrivato, ma lo avrebbe letto più tardi.

«Non ti piace che le persone ti si avvicinino» commentò Carrie. «Non solo fisicamente. Ti piace tenere tutti a distanza da quando hai avuto quell'incidente. O meglio, da quando ti sei ripreso dall'incidente.»

Lui irrigidì le spalle. «Le persone cambiano.»

Lei scosse la testa. «Qualcosa ti ha cambiato. Tu sei empatico ma non tocchi nessuno, il che mi fa pensare che abbia a che fare con le tue abilità di sensitivo.»

«Puoi pensare quello che vuoi, è un paese libero.» Avrebbe proprio voluto un paio di occhiali da sole per nascondersi dal suo attento esame. Abbassò di nuovo lo sguardo sul BlackBerry.

«Hai smesso di toccare gli altri quando hai ricominciato a camminare, e forse non riesci più a usare le tue abilità empatiche.»

Era troppo perspicace. Doveva interromperla prima che fosse troppo tardi. Si sforzò di mantenere un volto privo di espressione. «Non ho smesso di toccare gli altri. Ti toccherò subito per dimostrartelo.»

Senza esitare lei allungò la mano. Una sfida. «Okay. Toccami. Dimmi cosa provo.»

Patrick la osservò con attenzione. «Qualcuno ti ha istigata a farlo? È stata Amanda?»

Certo che è stata Amanda, pensò. *Chi altri?*

«Si preoccupa per te. Sei come un fratello maggiore per lei, un fratello con tanti segreti» confermò lei.

«Amanda dovrebbe pensare ai fatti suoi.»

«Non mi hai ancora toccata» disse inarcando un sopracciglio. «Qualcosa ti blocca?»

Lui si allungò in avanti e intrecciò le dita alle sue. Proprio come la prima volta al ristorante, fu pervaso dall'intenso piacere del contatto con la sua pelle. «Visto? Nessun problema.»

Carrie lo studiava. «Che cosa provo?»

«Sei arrabbiata con me. E confusa» rispose lui, resistendo alla prima ondata di dolore.

«Fin qui tutto bene.»

«Provi anche qualcos'altro. Qualcosa che non puoi controllare quando sei così vicina a me.»

«Che cos'è?»

Patrick le fece un gran sorriso nonostante gli pulsassero le tempie. «Lussuria.»

Carrie rimase a bocca aperta.

Lui si stava sforzando parecchio per continuare a sorridere. «Un altro valido motivo per cui non dovremmo lavorare insieme. Come puoi concentrarti sul lavoro se sei impegnata a immaginarmi nel tuo letto?»

Lei ritirò la mano. Un piccolo successo, pagato però con una morsa al cervello. Si passò una mano sotto al naso per assicurarsi che non stesse sanguinando.

«Sei uno sfacciato figlio di puttana!»

«Non è sfacciataggine se è la verità.» Non poteva che essere divertito dal suo sguardo oltraggiato.

Lei arrossì. «Non mi piaci affatto.»

Patrick percepiva il suo sguardo di fuoco dietro gli occhiali da sole. «Ricordati che sei stata tu a chiedermi di toccarti. Non puoi incolparmi di nulla.»

Carrie continuava a guardarlo in cagnesco. Doveva ammetterlo, stava giocando con lei. Era ancora più bella quando era arrabbiata. Erano anni che non si divertiva così. «Va bene se mi desideri, Carrie. Non è un problema per me.»

Un attimo dopo, la sua sedia volò indietro rovesciandolo in piscina. Tornando in superficie sputacchiò mentre rideva, nonostante il dolore che gli attanagliava la testa. La telecinesi si innescava quando Carrie perdeva il controllo delle sue emozioni e quindi con le sue parole doveva aver fatto centro.

Lei era in piedi a bordo piscina, le mani sui fianchi. «Puoi provare a nascondere i tuoi problemi, ma esistono e ti stanno rendendo un infelice. E sai che c'è?»

«Per favore dimmelo. Sono tutto orecchi» cominciò uscendo dall'acqua.

«Anche se non mi vuoi come partner, per ora lo sono. Amanda mi ha chiesto di scoprire il motivo del tuo cambiamento perché è preoccupata per te. E nonostante il buon senso mi stia dicendo di stare alla larga da te, anch'io sono preoccupata e voglio aiutarti, che ti piaccia o meno.» Sorrise del suo sguardo sorpreso. «Scoprirò cosa nascondi, Patrick. E non puoi fermarmi!»

«Peccato che io non stia nascondendo nulla» replicò, ignorando la sensazione di vuoto alla bocca dello stomaco.

«Questo lo vedremo.»

«Hai già abbastanza problemi per conto tuo senza dover aggiungere anche i miei alla lista.»

«Stai ammettendo di avere un problema?»

«Sì, così pare. È alta circa un metro e settanta, capelli neri, occhi marroni ed è completamente asciutta mentre io sono bagnato fradicio.» Si alzò e le si avvicinò. Carrie lo guardò preoccupata, ma senza indietreggiare. Pochi centimetri separavano i loro visi. Patrick sentiva il suo profumo, un aroma floreale leggero che riaccese la fiamma del desiderio.

Lei inspirò a fatica. «Stai cercando di intimorirmi?»

«Sta funzionando?»

«No.»

«Devi impegnarti di più per gestire la telecinesi. Sai cosa

succede ai telecinetici che non sanno controllare perfettamente le proprie abilità?»

Carrie aggrottò la fronte. «Cosa gli succede?»

«Gli somministrano dei farmaci che attenuano i loro poteri così da renderli innocui per gli altri. Sono più forti di quello che hai preso per il volo, che va bene per qualche ora, ma non è un granché per il resto della vita. E una piccola percentuale di loro passa il tempo in istituti di igiene mentale, spontaneamente o meno.»

«Oh.» Le sue guance erano diventate pallide.

Patrick sentì una fitta di rimorso. Le aveva detto la verità, ma non avrebbe dovuto farlo così bruscamente.

«Carrie...» iniziò, «lo so che tu non credi in te stessa, ma so che puoi farlo. Ho conosciuto persone che non sapevano controllarla, ma tu non sei una di loro. Posso vedere le cose che nascondi persino a te stessa».

Lei sospirò. «Sì, be', allora siamo in due.»

«Tu non sei empatica.»

«Avrai anche abilità psichiche, ma io ho il mio istinto femminile e finora non mi ha mai ingannata.»

«E cosa ti avrebbe detto su di me?»

«Che stai scappando dai tuoi problemi, che ogni giorno diventano sempre più grandi. O li risolvi o ti distruggeranno.»

«Dovresti scrivere l'oroscopo per guadagnarti da vivere. O i biscotti della fortuna.»

«Invece lavoro per la tua agenzia. E voglio tenermi questo lavoro, anche se in coppia con qualcun altro.»

Patrick annuì. «Allora dimostralo.»

«Intendo farlo.»

Le era così vicino che se si fosse chinato le avrebbe sfiorato le labbra con le sue. I capezzoli eretti premevano contro la stoffa leggera del bikini e lui avvertì l'impulso di toglierle il costume, liberare i suoi seni alla luce del sole e disegnare con la lingua dei cerchi intorno alle punte turgide e sensibili, mentre lei ansimava il suo nome. A quei pensieri, il suo membro si inturgidì e iniziò a spingere contro la stoffa dei pantaloni.

Era consapevole di quanto lo avesse eccitato? Carrie non

era l'unica con una scomoda voglia, in quel momentaneo rapporto di lavoro. Aveva visto qualcosa in lei quando si erano conosciuti, qualcosa che l'aveva resa un chiodo fisso. A parte gli sguardi e il bikini, gli piaceva il suo modo di fare. Non aveva paura di ammettere che gli importava di lui tanto da volerlo aiutare, anche se non le aveva dato un solo dannato motivo per farlo.

Scappi dai tuoi problemi. Divertente, davvero. Prima dell'incidente era in forma come non mai e si stava allenando per poter gareggiare al triathlon delle Hawaii. Poi si era ritrovato su una sedia a rotelle, a fare i conti con dolorose sedute di fisioterapia. I medici gli avevano detto che, anche se fosse tornato a camminare, non avrebbe più potuto partecipare a nessuna gara.

Ora correva tutte le mattine, e apprezzava ancor più di prima la sensazione del terreno sotto le scarpe e del vento sul viso. Non l'avrebbe mai più dato per scontato.

Cavolo, forse stava scappando dai suoi problemi, ma almeno poteva correre!

«Devo togliermi questi vestiti bagnati» disse Patrick, prima di voltarsi e andarsene.

«Patrick...» iniziò lei, ma lui non seppe mai cosa volesse dirgli.

Non stava correndo via da lei. Camminava.

Velocemente.

6

Non sarebbe mai finita in un istituto di igiene mentale. Almeno di questo ne era certa.

Patrick non voleva lavorare con lei, quindi doveva essere vicina alla verità. Era tanto incoraggiante quanto frustrante.

Salvo quella sgradevole parte della conversazione, c'era stato un attimo in cui aveva avvertito qualcosa. Una nota di infuocato interesse, in contrasto con il suo più riservato atteggiamento da *voglio una stanza su un altro piano*. Il modo in cui l'aveva guardata, quel bisogno che gli aveva scorto negli occhi mentre passava in rassegna il suo corpo l'aveva eccitata. Tutto ciò che voleva fare era...

«Fuori dalla mia proprietà!»

Carrie si voltò e vide Will parlare con un uomo che, dall'altro lato della piscina, scattava foto del tramonto. Raggiunse Will, che sembrava angosciato. «Tutto okay?»

«Sì.» Will aggrottò la fronte. «Voglio che quel ragazzo se ne vada.»

«Se ne sta andando» disse una bellissima donna dai capelli rossi avvicinandosi lentamente.

Will, vedendola, sgranò gli occhi. «Ruby. Sono sorpreso di vederti.»

Lei gli sorrise. «Te l'avevo detto che sarei tornata.»

«Sì, ma pensavo ti avessero trasferita ad Acapulco.»

«Solo per un po'. Ti annoti i miei spostamenti?»

«No, io...» Will scosse la testa. «Scusate la maleducazione. Ruby Smythe, lei è Carrie Stanfield.»

Carrie le strinse la mano. «Piacere.»

«Ruby lavora per il *Loa Loa*» spiegò Will. «Così come il suo amico fotografo.»

L'uomo incrociò le braccia muscolose. «Faccio solo quello che mi viene chiesto.»

«E se ti dicessi di mettere la tua macchina fotografica in un posto dove non batte il sole?»

«Faccio solo quello che *Ruby* mi dice di fare.»

Ruby guardò Carrie con apprezzamento. «Stai con Will?»

«*Con* Will? Oh no, sono qui solo per...»

«È in luna di miele.» Will le lanciò una rapida, nervosa occhiata. «E si trova benissimo, non è vero?»

Lei colse il messaggio. «Sì, è bellissimo qui. Guardate che tramonto.»

«Be', congratulazioni, Carrie» commentò Ruby.

«Grazie.»

«Gestisci ancora tutto da solo, Will?» chiese la donna.

«Sì.»

«Devi sentirti solo.»

Lui irrigidì le spalle e si passò una mano tra i capelli. «Non proprio. Ci sono un sacco di ospiti a tenermi compagnia. Oltre al mio staff, ovviamente.»

«Ovviamente.» Ruby si inumidì le labbra con la punta della lingua mentre scorreva con gli occhi il suo corpo snello. «Comunque, ci rivedremo presto.»

«Non firmerò quei documenti.»

«Li hai letti?»

«Sì, e non li firmerò.»

«È un'offerta molto generosa, molto più alta del reale valore del posto.»

«I soldi non mi interessano» replicò lui con fermezza.

«Lo so che è dura per te chiudere con il passato.»

Will scosse la testa. «Non c'entra niente.»

«A volte è importante cogliere nuove opportunità. Guardare al futuro può portare felicità e stabilità, mentre crogiolarsi nel passato è perfettamente inutile. Voglio solo ciò che è meglio per te, e temo che tu stia prendendo delle decisioni per i motivi sbagliati.»

La bocca di Will si torse in un sorriso, ma si vedeva che era teso e forzato. «Grazie per essere passata, Ruby.»

«Okay. Sei un testardo, ma non intendo rinunciare.» Sostenne il suo sguardo per un lungo istante prima di annuire. «Diego, andiamo.»

Il fotografo la seguì fuori dalla terrazza e Carrie li osservò sparire. «Mi dispiace» disse Will.

«C'è un po' di tensione tra voi due.»

«Non voglio vendere. Lo farei se non avessi altra scelta, ma per ora non intendo lasciare questo posto.»

«Ti ricorda tua moglie, vero?»

Lui la guardò con attenzione. «Sei empatica come il tuo collega?»

«No, ma non sono cieca. Tu e tua moglie gestivate insieme questo posto e ora che lei... non c'è più, il *Violet Shores* te la fa sentire vicina.»

Il dolore incupì per un attimo la sua espressione. «Già, in sintesi è così.»

«Allora, sei interessato a Ruby?»

«Che cosa intendi per interessato?»

«Ho avuto l'impressione che ti avesse puntato con il suo radar romantico.»

Lui rise, imbarazzato. «Non è nemmeno un'amica.»

«Penso che vorrebbe essere più di questo.»

«Lavora alla concorrenza. Cerca di convincermi a firmare quelle carte, ma è l'ultima cosa che voglio.»

Carrie provò un immediato moto di affetto per il suo primo cliente. «So che non sono affari miei, ma a volte restando ancorati al passato non si riescono a vedere le magnifiche opportunità che ci porta il futuro.»

Lui incrociò le braccia. «Hai proprio ragione.»

«Davvero?»

«Sì, non sono affari tuoi» commentò, ma le restituì il sorriso. «Dov'è il tuo collega?»

Lei rabbrividì pensando a Patrick e al suo brusco allontanamento. Non riusciva a capirlo. Anche se, doveva ammetterlo, aveva solo cominciato a provarci.

«Non è qui, non so altro. Ho l'impressione che non lo rivedrò prima di domani mattina.» Lei si girò verso il tramonto. «Ascolta, come si chiama la dea?»

Lui esitò. «Erzulie.»

Carrie sospirò, pensando a quanto fosse strana tutta quella storia. «L'hai vista? Hai parlato con lei? È per questo che pensi abbia maledetto questo posto?»

«No, non l'ho vista, ma ho percepito la sua presenza. Le ho chiesto di aiutarmi, le ho raccontato di Violet. Lei mi ha detto di andarmene. Io continuavo a parlare e ho sentito la sua rabbia. Mi ha ripetuto di andarmene e di non disturbare più il suo riposo. È conosciuta qui, e tutti coloro ai quali l'ho chiesto mi hanno detto che se è arrabbiata non esita a maledirti.»

«Ma è la dea dell'amore e del sesso. Non sembra molto amichevole, considerato chi è.»

Will sorrise. «Chi ha detto che c'è qualcosa di amichevole nell'amore e nel sesso? Entrambi hanno scatenato delle guerre.»

Ottima osservazione.

«Non preoccuparti. Ritroveremo l'amuleto. Se è pericoloso Patrick lo distruggerà infrangendo la maledizione e tutto andrà per il meglio.» Ormai iniziava a crederci anche lei.

«Grazie.» Alla fine Will si rilassò. «Ma chissà, magari questo posto è solo naturalmente condannato a fallire. Forse dovrei firmare e cedere la proprietà a Ruby, così il *Loa Loa* avrebbe la sua vista sull'oceano.»

«Forse dovresti.»

Lo sguardo di Will si caricò di nuova determinazione. «Mai!»

Lei annuì. «Sta a te decidere.»

Will puntò lo sguardo verso l'orizzonte. «Vi vedo insieme, sai. Tu e Patrick.»

Lei alzò un sopracciglio. «Anche tu sei sensitivo?»

«A volte penso di esserlo.» Si poggiò al muretto che separava la piscina dalla spiaggia. «Ho delle percezioni.

Avverto la chimica che c'è tra le persone. Dovevi conoscere mia moglie, ci azzeccava sempre.»

«Io e Patrick siamo solo colleghi» replicò decisa.

«Be', se le cose dovessero cambiare ricordati che ho una villa da luna di miele sull'isola orientale. Letto matrimoniale, vasca a idromassaggio e nessuna distrazione. È vuota da oltre un mese.»

Questo non l'aiutava minimamente a togliersi Patrick dalla mente. «Indagheremo sulla dea dell'amore ma non perlustreremo alcuna villa da sposini.»

Il ghigno svanì e l'espressione di Will si incupì. «Fate attenzione domani. Erzulie... è una piantagrane.»

Carrie inarcò un sopracciglio. «Che coincidenza. Come me.»

Patrick avrebbe voluto cercare Carrie, ma alla fine non lo fece. Lei aveva il suo numero e se ci fossero stati problemi lo avrebbe chiamato.

Non sono crudele, pensò. La stava evitando per non turbarla, così non avrebbe ricominciato a rompere oggetti.

Lesse il file su Erzulie e poi un giallo che aveva comprato. Quando fu stanco, spense la luce e si distese sul letto matrimoniale. Domani avrebbero trovato l'amuleto, lo avrebbero distrutto e sarebbero tornati alla base. Un lavoretto semplice, di quelli che aveva sempre apprezzato.

E da quando?

Da ora.

Si chiedeva chi sarebbe stato il nuovo partner di Carrie. Sarebbe stato paziente? L'avrebbe aiutata a fare pratica con la telecinesi? Decise di occuparsi personalmente della sostituzione, per assicurarsi di lasciarla in buone mani. Era il minimo che potesse fare.

Chiuse gli occhi e un attimo prima di addormentarsi un'immagine di lei gli attraversò la mente. Era una ficcanaso fastidiosa, insistente, sexy e affascinante e desiderò di poterla toccare per più di qualche secondo rubato. Non aveva mentito quando le aveva detto di aver sentito la sua lussuria. E anche lui la desiderava, con la medesima intensità. Fece scorrere la mano sullo stomaco e poi più giù, fino a raggiungere la prova inconfutabile del suo desiderio per lei.

Sentì il cigolio della porta della camera da letto e si sedette sul letto, in attesa.

Carrie sbirciò da dietro la porta. «Era aperto» disse.

Stava sognando. Doveva essere un sogno. In fondo, l'aveva sognata tantissime volte da quando l'aveva conosciuta. Eppure era davvero realistico. Giusto per stare tranquillo, sgualcì le lenzuola cosicché lei non potesse vedere che era indaffarato con la sua violenta erezione. Per fortuna, la stanza era buia.

«Che c'è?» chiese lui. «È tutto a posto?»

Lei sorrise maliziosa e lui si sforzò di mantenere un'espressione neutra.

«Ti preoccupi per me?» gli domandò. «Pensavo fossi pronto a scaricarmi come collega.»

«Ciò non significa che non mi importi.»

«Posso entrare?»

Lui esitò. «Possiamo parlare domani mattina? È tardi.»

«Tardi? Cosa sei, un contadino? È solo mezzanotte!» Entrò senza aspettare l'autorizzazione e chiuse la porta. Eppure era sicuro di aver dato un giro di chiave.

Indossava ancora la gonna e il bikini di prima. Il suo sguardo scorreva lento su di lei. «Cos'è quello?»

Carrie abbassò lo sguardo sul foulard blu che aveva in mano. «Una cosa che ho comprato in un negozietto lungo la strada. Carino, vero?»

«Sì. Sto sognando?»

«Non lo so. Mi sogni spesso?»

Lui preferì non rispondere.

Carrie avanzò e si sedette sul bordo del letto. Lui si scostò per non sentire il calore del corpo di lei che gli faceva desiderare di prenderla tra le braccia e cadere con lei nell'oblio dei sensi.

«Mi svelerai il tuo segreto, Patrick?» domandò lei.

Lui sostenne il suo sguardo. «Non ho segreti.»

«Perché non tocchi nessuno? C'entra qualcosa con le tue abilità?»

Patrick la fissò per un lungo momento in silenzio. «Ti ho toccata molte volte. Al ristorante...»

«Quello non conta, è successo molto tempo fa.»

«Nell'atrio in agenzia. A bordo piscina.»

«Sì, ma solo per qualche istante.»

Lui deglutì a fatica. «Carrie, posso avere dei problemi, ma sto cercando di risolverli nel solo modo che conosco. Il tuo ficcanasare non fa altro che complicare le cose.»

«Quindi vediamo, ti rifiuti di avvicinarti alle persone, di toccarle, perché se lo facessi loro potrebbero scoprire il tuo piccolo segreto. Ho indovinato?»

Fece un'altra lunga pausa prima di rispondere. «Più o meno.»

«Ho una domanda.»

«Quale?»

«Tu *vuoi* toccarmi?»

Era stata talmente esplicita da coglierlo di sorpresa. «Mentirei se ti dicessi di no.»

«Ma non puoi.»

Non voleva dire altro che potesse incriminarlo.

Lo sguardo di Carrie percorse il suo petto. «Quindi sei restio a toccarmi anche se vorresti. Interessante, ma...»

«Cosa?»

«Io posso toccarti?»

Lui si irrigidì sentendo la sua mano sfiorargli la gamba. «Cosa stai facendo?»

«Un esperimento.» Le sue dita percorsero il ginocchio e salirono sulla coscia. Li separava solo il leggero cotone delle lenzuola, e poteva avvertire distintamente il calore della sua pelle.

Cosa diavolo stava facendo? Inspirò a fatica quando lei non si fermò e, sfacciatamente, strusciò la mano contro la sua erezione.

Lei sorrise. «Lieta di sapere che non sono l'unica ad avere certe voglie.» Con mano leggera tracciò dei cerchi sulle lenzuola, eccitandolo ancora di più.

«Mi vuoi torturare?» domandò lui in tono aspro. «Sei venuta qui per questo?»

«*Tortura* non è proprio la parola che avrei usato.»

Nessuna lo toccava così da... be', da tantissimo tempo. Era come paralizzato. Vulnerabile. Se non era un sogno, perché si stava comportando in quel modo? Non era da lei. Non dopo quella discussione. «Perché fai così?»

«Non ti piace?» Continuò a stuzzicarlo attraverso le lenzuola, e gli servì tutta la sua concentrazione per non perdere il controllo.

«Carrie...»

«Io voglio toccarti. Non penso ad altro. E quando voglio qualcosa faccio di tutto per ottenerla.» La sua mano tornò sulla coscia, e quella lenta carezza lo stava facendo impazzire. «Perciò, ecco il mio esperimento.»

«Che esperimento?»

«Dal momento che sei restio a toccarmi, se non per pochi attimi, ho comprato questo così non dovrai farlo.» Così dicendo, passò il foulard sul suo petto nudo.

Lui la guardava con diffidenza. «Non è proprio il mio colore.»

Lei arricciò le labbra. «Non devi indossarlo tu.»

«Carrie...»

«Metti le mani dietro la testa e afferra la spalliera del letto.»

Patrick la fissava, sconvolto e divertito. «Non è per questo che siamo venuti alle Bahamas.»

«Puoi dirmi di tornarmene in camera mia.» Lei tirò indietro la testa tenendo la sciarpa sul grembo, in paziente attesa della risposta. «Dipende solo da te.»

Lui aprì la bocca per dire qualcosa e protestare, accennando al fatto che avevano preso due camere separate per un ottimo motivo. Come se non fosse già sufficientemente eccitato, guardandola negli occhi fu colpito da una nuova scarica di desiderio, leggendo la promessa che gli suggerivano. Inoltre, non poteva negare di essere curioso. Lei poteva toccarlo se lui non poteva? Non aveva mai testato quella teoria. Nessuno si era spinto fino a quel punto.

Carrie sì. E... gli piaceva.

Avrebbe dovuto dirle di andarsene, ma invece di parlare, alzò lentamente le braccia. Contrariamente a ogni logica, aveva un bisogno urgente di sentire la sua pelle addosso, a qualunque costo.

Un attimo dopo, era aggrappato alle stecche di ottone della spalliera. Una smorfia sexy attraversò il viso di lei mentre gli legava il foulard ai polsi. Non molto stretto, quanto bastava per tenergli ferme le mani.

«Ora dimmi se vuoi che mi fermi» disse, poi lasciò scorrere le mani dalle spalle lungo il suo petto.

Lui era pronto per l'assalto di informazioni empatiche, ma non arrivò.

«Devo fermarmi?» sussurrò lei. Le sue mani calde sulla pelle erano una sensazione incredibile.

«No.»

Lei si chinò e strofinò le labbra con dolcezza contro le sue. «E ora?»

Lui scosse la testa. «Non ti fermare.»

Il bacio si fece più intenso, lui gemette, ma decisamente non per il dolore. Voleva assaporarla dalla prima volta che l'aveva vista. Aveva proprio l'ottimo sapore che immaginava: bollente, dolce, appassionante.

Carrie passò dal collo al petto, tracciando un'umida scia di baci. Gli addominali di lui si contrassero quando la lingua scese lungo l'ombelico, la mano di lei si mosse lungo il bordo delle lenzuola e poi, in un attimo, scomparve sotto la coltre sottile.

Patrick ansimò quando lei avvolse le dita intorno al

pene e lo accarezzò. Imprecò e fece forza contro il tessuto che gli legava le mani. Non importava cosa gli avesse detto. Quella era una tortura, una deliziosa tortura.

Un attimo dopo, lei tolse il lenzuolo per vederlo nudo ed eccitato. Si sentiva esposto e insicuro, ma quando percepì il suo respiro bollente e l'umida carezza della sua lingua perse ogni facoltà di raziocinio.

«Mi vuoi?» Alzò lo sguardo su di lui. Senza aspettare una risposta, abbassò la testa e lo prese in bocca. Lui gridò e si inarcò sul materasso. Non era venuto immediatamente solo per pura volontà.

«Cavolo Carrie... è un sogno, deve esserlo» riusciva appena a parlare. «Slegami! Ora... subito. Per favore.»

Di nuovo, lei sorrise. «Mi vuoi toccare?»

«Sì.» Corrugò la fronte. «Ma... ma io...»

«Ma non puoi?» Inarcò un sopracciglio incuriosita, continuando a stimolarlo e a cercare risposte, anche ora che lui era in una situazione di netto svantaggio.

Per un attimo aveva dimenticato il suo piccolo problema. Non poteva toccarla. Neanche se voleva... e lo voleva. Più di ogni altra cosa.

Lei passò le dita sull'amuleto egizio sul petto di lui, l'unica cosa che indossava visto che dormiva nudo. Voleva raccontarle tutto, ma qualcosa continuava a trattenerlo e non era solo il foulard. Ignorando i suoi gemiti di protesta, lei continuò ad accarezzarlo, portandolo sempre più vicino al limite. Pensava di poter vivere senza sesso, ma una sola carezza di Carrie Stanfield era bastata a riaccendere il suo istinto sopito.

Improvvisamente, lei scavalcò il suo corpo e lui si dimenò contro il foulard che lo teneva fermo.

«Che cosa vuoi?» gli chiese. «Dimmi la verità.»

«Se mentissi te ne accorgeresti?»

«Sì.» Sorrise. «Allora, Patrick, che cosa vuoi?»

«Voglio... essere dentro di te.»

«Vuoi me. Ecco perché hai tenuto la mia foto.»

Lui si accigliò. «Come fai a saperlo?»

«Tu hai bisogno di me, non è vero? Ammettilo.»

«Sì... ho bisogno di te. Carrie, ti prego...»

«Sai di cos'altro hai bisogno?»

«Di cosa?»

Lui chiuse gli occhi mentre lei si chinava a bisbigliargli qualcosa nell'orecchio. «Di rispondere al cellulare.»

E poi, di colpo, Carrie scomparve nel nulla.

«Cosa diavolo...» Patrick si morse le labbra, scosse la testa e aprì gli occhi, ritrovandosi nel letto, solo con la sua erezione e un BlackBerry che vibrava.

7

Proprio come aveva immaginato, era solo un sogno.

Non poté che sentirsi contrariato mentre portava il telefono all'orecchio. «Che c'è?» scattò.

«Dormito male?» chiese Carrie.

Lui abbassò lo sguardo sul suo pene. Una doccia fredda non sarebbe bastata, sfortunatamente. Lo afferrò e pensò a Carrie, nuda, che scendeva su di lui facendosi penetrare centimetro dopo centimetro.

«Non immagini nemmeno quanto» rispose.

«Dal momento che mi stai evitando...»

«Non ti sto evitando.»

«Certo. Ti ho chiamato per sapere dove vuoi che ci vediamo domani, e a che ora.»

«Nella hall per le nove? Prendiamo la barca, recuperiamo l'amuleto e torniamo per mezzogiorno.»

«Okay. A domani.»

«Carrie...»

«Sì?»

«Dov'eri un paio di minuti fa?»

«Un paio di minuti fa? Stavo facendo una doccia. Sono uscita dal bagno un attimo prima di chiamarti.»

«Oh.» Per un attimo aveva sperato che si trattasse di un sogno condiviso, un fenomeno che capitava spesso tra sensitivi.

Ma non era così. Ed era alquanto improbabile che si fosse furtivamente infilata nella sua stanza, l'avesse legato al letto per fare di lui quello che voleva e poi fosse svanita nel nulla. Ma per un attimo, be'... aveva pensato che fosse stata davvero lì.

«Buonanotte, Patrick» disse lei.

«Buonanotte.»

Riagganciò. Mentre faceva un sogno erotico su Carrie, lei si stava facendo la doccia. Nuda. Poteva immaginarla mentre l'acqua picchiettava il suo corpo e si passava il sapone sull'addome, le gambe, il seno...

Basta! Comportati in modo professionale, non pensare alla tua collega nuda, bagnata e insaponata!

Abbassò di nuovo lo sguardo sulla sua erezione.

Be', continuare a pensarci per qualche minuto non avrebbe fatto male a nessuno, no?

Sembrava che Patrick non avesse dormito bene. Quando entrò nella hall il mattino dopo, aveva due cerchi neri intorno agli occhi e l'aria distratta.

«Andiamo.» Fu il suo tutt'altro che allegro saluto a Carrie, che lo aspettava già da dieci minuti.

«Buongiorno anche a te.»

«Buongiorno. Ora andiamo.»

Oh, oh, qualcuno era scontroso.

«Ho la cartina» disse lui. «Will me l'ha portata in camera insieme alle indicazioni, quindi è tutto pronto per il recupero e la valutazione. Mi sono informato su Erzulie ieri sera. Se c'è davvero lei dietro tutto ciò, ho un paio di incantesimi per tenerla a bada.»

«Sembra perfetto.» Non si sentiva affatto a suo agio in quella situazione, ma era Patrick l'esperto. Lei era lì solo per fare pratica.

Era ancora turbata per la discussione del giorno prima, ma Patrick era stato fin troppo sincero per accusarlo di averla voluta deliberatamente ferire. Le aveva detto la verità, né più, né meno. Stava cercando di metterla in guardia su cosa sarebbe successo se non si fosse esercitata a dovere.

La sera prima, lei lo aveva sognato di nuovo, nudo in una vasca a idromassaggio, e si era svegliata morendo dalla voglia di andare in camera sua. Ovviamente non lo aveva fatto. Lui l'avrebbe considerato un comportamento estremamente non professionale. C'era una parte di lei a cui non importava, ma un'altra parte la trattenne nel suo letto al secondo piano.

Come aveva promesso Will, un piccolo motoscafo li stava aspettando al molo.

«Non c'è nessuno al timone?» chiese Carrie.

«Will ha mandato via gran parte del personale sperando di poterlo riassumere quando gli affari miglioreranno.»

«Quindi è un no?»

«È un no, ma non è la prima volta che guido un motoscafo. Quando ero più giovane, durante l'estate andavo a pesca con mio padre quasi tutti i weekend.»

«Allora sei un esperto.»

«Non direi, ma me la cavo.»

Non aveva motivo per non credergli, quindi con cautela salì a bordo e si sedette. Si guardò intorno e, non appena vide i giubbotti di salvataggio, ne prese uno e lo indossò in tutta fretta.

Patrick inarcò un sopracciglio. «Sai nuotare, vero?»

Lei fece una smorfia. «Di solito resto dove tocco.»

Con calma ne indossò uno anche lui. «Quindi non sai nuotare.»

«Be' non proprio. A parte un imbarazzante e chiassoso stile a cagnolino.»

«Se hai paura di cadere in acqua...»

«No, va tutto bene.» Rise, cercando di mascherare il nervosismo. «Cerca solo di non fare affondare la barca, anche se sono sicura che andrà tutto a meraviglia. Sarai un maestro nella respirazione bocca a bocca, no?»

Le sue guance avvamparono di colpo. Non voleva veramente farlo sembrare un invito. O forse sì?

«Ho un attestato in rianimazione cardiocircolatoria» confermò lui, con un sorrisetto appena accennato.

«Allora è tutto a posto. Non preoccuparti.» Carrie decise di cambiare argomento. «Hai dormito bene?»

«Come un sasso.»

«Veramente?»

«Come un sasso con l'insonnia.»

«Qualcosa ti preoccupa?»

«Più di qualcosa» rispose. «E tu?»

«Ho dormito bene.»

«Lieto di saperlo.» Il suo tono di voce voleva essere rassicurante ma, in realtà, sembrava preoccupato. Almeno la telecinesi non aveva ancora fatto danni quella mattina. Carric stava cercando di mantenere l'autocontrollo sulle proprie emozioni. Aveva persino fatto yoga sulla spiaggia all'alba, una pratica che le calmava i nervi e la aiutava a concentrarsi sulla missione.

Patrick allontanò la barca dalla banchina e accese i motori. L'isola dove erano diretti non era molto lontana e formava un triangolo con l'albergo e l'isoletta da luna di miele. La giornata era bellissima e calda.

Lei voleva restare calma, ma stare fuori con Patrick su una barchetta così piccola era decisamente una distrazione troppo forte. Guardava i muscoli delle sue braccia flettersi mentre dirigeva la barca con gesti esperti sull'acqua cristallina. Dopo essersi goduta la visione chiuse gli occhi per assaporare quella brezza fresca sul viso.

Sperava che avrebbero concluso l'incarico senza ulteriori intoppi e senza danneggiare altri oggetti. Inoltre, doveva ancora scoprire cosa nascondeva Patrick. Non era giusto che lui sapesse tutto dei suoi segreti e lei niente di quelli di lui.

Patrick osservava la sua bellissima collega prendere il sole con gli occhi chiusi, il viso rivolto al cielo. Colse l'occasione per lasciar scorrere senza fretta lo sguardo sul suo corpo, incapace di attenuare l'eccitazione che gli suscitava. Il sogno della notte prima gli impediva di concentrarsi esclusivamente sul lavoro, e adesso moriva dalla voglia di toccarla. Peccato che non fosse una possibilità contemplata.

Indossava una camicetta a maniche corte sotto il giubbino. Casual, ma più professionale del bikini del giorno prima.

Quando la sua lenta osservazione raggiunse il viso, si accorse che lei aveva riaperto gli occhi e lo stava guardando.

«Sì?» domandò Carrie con tono innocente.

Lui si schiarì la voce, sperando di mascherare il fatto che stava mangiando con gli occhi ogni singolo centimetro del suo corpo. «Allora, hai finito di indagare su di me?»

«L'indagine è appena cominciata mister McKay.»

Patrick irrigidì le spalle. «In bocca al lupo.»

«In realtà, ho già una mia teoria.»

Lui inarcò le sopracciglia. «Una teoria?»

«Già.»

«Quale?»

«Il tuo problema potrebbe avere a che fare con la tua ex.»

«La mia ex?»

«La donna con la quale eri fidanzato quando ci siamo conosciuti. Non la vedi più. Nessuna fede nuziale. Nessuna fidanzata...»

«Stai facendo domande in giro sulla mia vita privata?» domandò sorridendo.

«Non montarti la testa. Comunque, ho capito che hai qualche grosso problema intimo.»

Problema intimo. Gli tornò in mente Julia, la sua bellissima ex fidanzata che era diventata sempre più distante dal giorno successivo all'incidente. All'inizio aveva avuto bisogno di assistenza continua, persino per lavarsi, cosa che lo aveva reso molto impacciato nell'intimità. Era possibile che fosse per questo che aveva allontanato Julia. Ne era quasi certo.

«Allora è così?» continuò Carrie. «Ti ha spezzato il cuore e non ti lasci più avvicinare da nessuno?»

Cercò di non sorridere per la pessima teoria che, pe-

240

rò, era molto più rassicurante della verità. Sospirò e cercò di sembrare pensieroso. «Mi hai scoperto. La mia anima è rimasta ferita da una brutta rottura.»

Lei lo studiò. «No, non è vero. Era solo una possibilità, ma ti prego... non me la bevo. Non avresti permesso a nessuna donna di raggiungere la tua anima.»

«Penso che dipenda dalla donna.» La guardò con circospezione. L'aveva toccata solo un paio di volte e lei lo aveva già colpito nel profondo.

La barca sfiorò il molo, dove c'erano altre imbarcazioni di varie dimensioni. Patrick legò la barca e salì lungo una scaletta di legno costruita su un lato. Il suo primo impulso fu di offrire la mano a Carrie per aiutarla, ma non poteva. In ogni caso, sembrava che a lei non importasse. In pochi istanti risalì i gradini umidi e si portò accanto a lui.

«Allora, dove andiamo?» domandò lei.

Lui abbassò lo sguardo sulla cartina disegnata su un foglio con tratti incerti. Di certo Will non poteva rivendicare un talento artistico, ma era sufficiente. «Al cimitero degli animali.»

«Avvisa Stephen King» commentò lei allegra.

Mentre camminavano lungo lo stretto sentiero che portava verso l'entroterra, Carrie lanciò un'occhiata alle casette colorate che sorgevano poco distanti dalla spiaggia. Alcune persone sedute davanti all'uscio li salutarono. «Allora c'è qualcuno che vive qui.»

«Qualche decina di persone secondo Will, e qualcuno che condivide la multiproprietà.»

Camminarono per meno di un chilometro e in pochi minuti raggiunsero il piccolo cimitero, indicato da una rozza iscrizione su un basso cancello.

«Dovrebbe essere qui» disse Patrick indicando una zolla di terra che sembrava smossa di recente.

Lei fece una smorfia. «Pensi che abbiamo davvero a che fare con una dea incavolata?»

Sembrava insicura e lui avrebbe voluto tranquillizzarla e far sparire quell'aria preoccupata dai suoi magnifici occhi marroni. «Onestamente? No. Il mio istinto mi dice che c'è qualcos'altro. Sono sicuro che se Erzulie esistesse davvero, avrebbe di meglio da fare che maledire l'albergo di Will. Ma l'amuleto potrebbe essere maledetto ed è quello che dobbiamo valutare oggi.»

Lei si mise le mani sui fianchi. «Allora dovresti iniziare a scavare.»

Patrick fece una smorfia. «Sissignora.»

C'era una piccola pala poggiata a un recinto verde alla sua sinistra. La afferrò e iniziò a scavare.

Carrie doveva ammettere che era una bellissima visione. I bicipiti di Patrick si contraevano mentre scavava. Le piaceva la linea della schiena e il modo in cui i pantaloni neri aderivano al sedere mentre il tessuto della maglietta si tendeva sul petto e sulle spalle ampie. Sembrava un atleta, forte e sexy, e le faceva venire i brividi nonostante il caldo. Era incantata da ogni suo movimento.

«Trovato!» esclamò lui un attimo dopo.

Contrariata, si accorse che lo spettacolo era già finito. Sarebbe rimasta a guardarlo per tutto il giorno.

«Okay» disse lei trattenendo il fiato, non sapendo cosa aspettarsi. «Fammelo vedere.»

«Eccolo.» Prese l'oggetto da terra e si alzò.

«È questo?» chiese Carrie. Era molto piccolo. A un esame più attento vide che era una pietra rossa con un intaglio sorprendentemente dettagliato di una donna.

Lui annuì. «Will ha detto di averlo seppellito qui.»

«Percepisci qualche ehm... potere?» Immaginava che un amuleto magico dovesse emanare una sorta di aura. Lei non sentiva nulla, a parte una concitazione interiore causata dal trovarsi solo a un braccio di distanza dall'intoccabile Patrick.

«Le mie abilità psichiche non funzionano con gli oggetti.»

«Ma puoi dire se è vero o no?»

Lui scosse la testa. «Non a colpo d'occhio. Devo riportarlo in albergo ed esaminarlo più attentamente.»

Un attimo dopo, una coppia di uomini entrò nel cimitero.

«Cos'hai in mano?» chiese uno dei due. Aveva i capelli biondicci e le guance scottate dal sole.

Patrick strinse l'amuleto in un pugno. «Una cosa che ho trovato.»

«State scavando in cerca di tesori?»

Patrick e Carrie si scambiarono un'occhiata e lei vide un'ombra di preoccupazione incupire i suoi lineamenti. Quei due non dovevano essere lì per caso e non sembravano isolani. Non c'era bisogno di essere empatici per percepire il pericolo. L'atmosfera era tesa.

«Non dire assurdità» replicò Patrick. «Questo è un cimitero di animali, profanare le tombe è un'attività piuttosto sgradevole.»

L'altro uomo, moro, fece un cenno con il capo indicando la mano di Patrick. «Se non è niente, daccelo!»

«Come?» disse Patrick.

«E già che ci siete, dateci anche i portafogli. E tutto ciò che avete di valore.» Fece una smorfia. «Grazie mille della vostra gentile collaborazione.»

Se prima Carrie pensava di essere paranoica, quelle parole le confermarono che erano in guai grossi. Patrick serrò anche l'altro pugno. «Andatevene senza fare storie e vi assicuro che non avrete problemi.»

«La tua idea non ci piace. Preferiamo la nostra.»

Carrie rimase senza fiato quando il compagno tirò fuori un coltello dalla fodera sulla cintura. Patrick fece per spostarsi davanti a lei ma il criminale la afferrò per un braccio e la tirò velocemente a sé. Lei rimase a bocca aperta, stupita. Si dimenò, ma la presa dell'uomo era dolorosamente forte.

«Daccelo! Non vuoi che succeda qualcosa alla tua graziosa ragazza, non è vero?»

Lei sentì la punta affilata del coltello sotto la gola.

«Lasciala andare. *Subito!*» scattò lui. «Tu *non vuoi* farle del male.»

«Ti sbagli. Lo voglio. E voglio i vostri soldi. Forza, i turisti come voi hanno sempre un sacco di contanti. Dammeli e nessuno si farà male.»

Quando Patrick aveva ordinato loro di lasciarla andare, lei aveva pensato che li avrebbe massacrati di botte salvandola come un cavaliere dall'armatura scintillante. A giudicare dal suo sguardo non era da escludere, ma non era ciò che lui aveva in mente. Patrick aveva una certa idea di cosa sarebbe successo se avessero sconvolto le sue emozioni. E lei era decisamente agitata.

«Lasciami subito oppure...» lo avvertì Carrie avvertendo energia e panico crescere dentro di lei.

«Oppure cosa?» domandò l'uomo in tono beffardo.

Una delle lapidi si dissotterrò e volò verso Carrie, colpendo il rapinatore sulla spalla tanto forte che si sentì un *crack*, forse il rumore di ossa rotte. Lui ululò dal dolore e la lasciò andare. Un'altra lapide inseguì il complice che, gridando, cercò di deviare il colpo. «Sei una strega!» esclamò terrorizzato.

Lei li fissò. «Sì, sono una strega. E vi trasformerò in rospi se non ci lasciate subito soli!»

E tanto bastò per farli scappare.

Lei tirò un sospiro di sollievo. Desiderava riuscire a controllare la telecinesi, ma era felice che avesse funzionato alla perfezione questa volta.

«Quei bastardi vanno di isola in isola in cerca di vittime.» Patrick le toccò un braccio. «Stai bene?»

Lei si voltò e sgranò gli occhi. «Attento!»

Un'altra lapide veniva verso di loro. Patrick spinse via Carrie ma rimase colpito alla testa e piombò a terra. L'amuleto cadde sul terriccio accanto a lui.

«Patrick!» A causa del colpo aveva perso conoscenza. Non le dispiaceva aver colpito i malviventi, ma l'ultima cosa che voleva era ferire qualcun altro, meno che mai Patrick. «Mi dispiace così tanto!»

«Non può sentirti al momento» disse una voce.

Carrie alzò gli occhi, scioccata nel vedere una donna nel cimitero. «È ferito» commentò in tono teso. «Serve aiuto.»

«Non preoccuparti, bambina. Starà bene.»

La donna era straordinariamente bella. Indossava un abito blu e crema che esaltava la sua impeccabile pelle scura. I capelli neri erano raccolti in centinaia di treccine. Ai piedi portava delle scarpe rosse legate fino alle ginocchia e le dita erano piene di anelli colorati che rilucevano al sole. Parlava con un leggero accento caraibico.

«Chi sei?» domandò Carrie con cautela.

«Sono Erzulie, ovviamente.» Diede un colpetto all'amuleto con la punta della scarpa. «Mi hai invocata. Spero che tu abbia un valido motivo.»

8

Carrie guardava Erzulie con gli occhi sgranati. «Io... non ti ho invocata.»

«Come ti chiami, bambina?» le chiese la dea.

«Carrie. Carrie Stanfield. E mi dispiace. Davvero, non intendevamo disturbarti.»

Un'altra interruzione senza motivo. C'era un solo umano a cui interessasse il suo riposo? Erzulie si concentrò sulla donna. «Il tuo potere è grande, vero?»

Carrie sembrava confusa. «Oh, intendi la telecinesi? Sì, è potente, ma...» Preoccupata, abbassò lo sguardo sull'uomo privo di sensi ai suoi piedi. «Non so controllarla. Ho ferito Patrick. È tutta colpa mia».

A parte la paura e il senso di colpa, Erzulie percepiva il desiderio appena trattenuto di Carrie per l'uomo svenuto. «Lo so. Il tuo potere è una tempesta che infuria in te. È molto simile alla tua passione per lui.»

L'attenzione di Carrie scattò verso la donna. «Come?»

«Il tuo desiderio di toccarlo ti travolge e infuria in te. In entrambi. Lo sento.»

Lei inarcò le sopracciglia e arrossì. «Io... ehm...»

«Perché non avete ancora fatto l'amore, quando è ovvio che lo vuoi da moltissimo tempo? Perché ti neghi il piacere quando è l'unica cosa che conta? È una tempesta alla quale abbandonarsi, non qualcosa da controllare.»

Lei sorrise mentre Carrie la guardava a bocca aperta. Molte persone erano spiazzate dalla sua franchezza. Alcuni rifiutavano i più primitivi istinti, ma il sesso e l'amore sono le cose più importanti nella vita. Creano la vita. *Sono* la vita. Negarli è un rischio.

«Sembri insicura, bambina.» Erzulie le toccò il mento. «Ma

246

solo chi ha davvero bisogno di me può svegliarmi. Alcuni u-
mani posso aiutarli, altri no.»

«Veramente non intendevamo invocarti.»

«Credilo se devi.» La dea si accovacciò accanto all'uomo e
prese il suo viso tra le mani. Lui aprì gli occhi e lei gli parlò.
«Sono Erzulie e oggi mi sento generosa. Usa bene il mio dono e
non darlo per scontato. Considerati colpito dalla mia divina ge-
nerosità.»

L'uomo aggrottò la fronte e ripiombò nel sonno, ma la dea
aveva avuto il tempo sufficiente per cercare nella sua mente le
informazioni che le servivano.

Non intendevano svegliarla? Era difficile crederlo. L'ultimo
uomo che l'aveva invocata lo aveva fatto intenzionalmente e
spudoratamente, ma non aveva potuto aiutarlo. Solo il tempo e
la pazienza avrebbero alleviato il suo dolore, ma loro due erano
vivissimi. E stavano sprecando tempo prezioso con cose futili
che li trattenevano dall'essere l'uno tra le braccia dell'altra.

Patrick e Carrie si desideravano. Non era solo lussuria. Un
giorno o l'altro la loro passione sarebbe divenuta incontenibile e
si sarebbero aperti i cieli del desiderio.

Un giorno o l'altro, ma Erzulie non era nota per la pazienza.

«Vi aiuterò» disse la dea con dolcezza.

«Come?» domandò Carrie in tono preoccupato.

«Lo sai perché lui è restio a toccarti, bambina?»

La donna sgranò di nuovo gli occhi. «Ha qualcosa a che fare
con le sue abilità psichiche?»

Lei sorrise. «Sì.»

«Lo sapevo.»

Sarebbe stato fin troppo facile se le avesse svelato tutta la verità. L'uomo aveva mantenuto il segreto per un motivo, e non
spettava a Erzulie rivelarlo.

«Quando le usa soffre» aggiunse Carrie, accigliandosi. «Così cerca di non utilizzarle affatto.»

«Proprio così.»

Gli umani devono fare i conti con le conseguenze delle proprie scelte. Quello stupido aveva scelto di rimediare a un grosso
problema con una soluzione troppo facile. Uomini come lui e-

247

rano belli, ma di mente incredibilmente ristretta. Caso tutt'altro che insolito.

Carrie s'incupì. «Le sue abilità devono essere cambiate quando si è rimesso dall'incidente.»

Erzulie lanciò un'occhiata all'amuleto. «Esatto.»

«C'è qualcosa che posso fare per aiutarlo?»

«Vuoi veramente aiutarlo, bambina?»

«Certo che lo voglio.»

«Perché?»

«Perché io... perché io non voglio che soffra.»

«Ti preoccupi per lui?»

«Sì.» La donna non aveva esitato a dare una risposta onesta. Erzulie non chiedeva di meglio.

La dea la guardò un momento, poi prese dalla scollatura del suo abito un anello d'oro. «Metti questo.»

Carrie lo prese. «Che cos'è?»

«Lo aiuterà.»

Lei esitò prima di metterlo al dito.

«È un dono per lui. Non per te, bambina...» Erzulie alzò la testa e la studiò per qualche istante. «Dammi la mano.»

Carrie allungò un braccio. Erzulie le prese il palmo tremante e lo strinse nella sua salda presa, e avvertì una forte corrente di energia. «Proprio come pensavo, c'è una tempesta dentro di te.»

«Ma non so gestirla.» Carrie alzò lo sguardo in un misto di trepidazione e speranza. «Puoi darmi il controllo?»

«A volte il controllo si ottiene lasciandosi andare.»

«Non so se mi è piaciuto quello che ho sentito.»

«Se consideri il tuo potere un nemico, allora sarà tuo nemico. Se lo consideri un amico, sarà tuo amico. Se lo combatti, ti combatterà a sua volta con maggiore forza.» Erzulie le mise una mano sul petto.

«Mi stai dando il controllo?» sussurrò Carrie.

La dea rise, sinceramente divertita. «Non hai ascoltato una parola di quello che ho detto, vero? Sto facendo ciò di cui hai bisogno.»

«Ma...» Carrie sussultò quando Erzulie premette con più forza sul suo torace.

La stanchezza pervase Erzulie, sentiva gli occhi pesanti. «È tempo per me di tornare a riposare.»

«E Patrick?»

La dea abbassò lo sguardo sull'uomo e sorrise. «Puoi svegliarlo con un bacio.»

Carrie la guardò scettica. «Un bacio?»

«Un bacio desiderato o non funzionerà. Bacialo con tanta passione da scatenare la tua tempesta interiore.»

«Veramente io non...»

Erzulie chiuse gli occhi e iniziò a svanire.

«Aspetta... per favore!» La voce di Carrie era carica di tensione. «Per favore non te ne andare. Devi rompere la maledizione inflitta a William Crane. Non merita di perdere tutto quello che ha perché ti ha disturbata.»

Erzulie scosse la testa. «Ero arrabbiata per essere stata svegliata, ma non potevo aiutarlo. Se c'è una maledizione, non sono stata io.»

Il viso di Carrie si incupì. «Ma che cosa...»

Erzulie sparì, aveva detto tutto ciò che c'era da sapere. Se qualcuno considerava i suoi preziosi doni alla stregua delle maledizioni, allora non c'era altro che potesse fare.

Carrie osservò meravigliata Erzulie svanire nell'aria. Se fino a quel momento aveva avuto ancora dei dubbi sul paranormale, ora erano del tutto spariti.

Rimase immobile, troppo stupita per muoversi. Poi toccò l'anello. Non aveva avuto tempo per pensare a cosa servisse. Ci avrebbe pensato dopo. Cadde in ginocchio accanto a Patrick e gli sfiorò la fronte.

«Erzulie ha detto che non è nulla di grave. Spero davvero che abbia ragione.»

Bacialo con tanta passione da scatenare la tua tempesta interiore. Si chinò in avanti e gli sfiorò le labbra con le sue. «Dai, Patrick, svegliati.»

Lui non si mosse.

«Non vuoi essere toccato quando sei conscio. Probabilmente non lo apprezzerai, vero?»

Non voleva ferirlo. Erzulie aveva confermato che la decisione di non toccare nessuno era legata al dolore.

«Mi dispiace se questo ti farà male» sussurrò lei.

Lo baciò di nuovo, più intensamente e profondamente questa volta, mettendoci tutta la passione che provava e sentì dentro di sé una forza simile a un uragano che minacciava di scatenarsi. Aveva fantasticato di baciare Patrick per due anni e ora... era un po' diverso da quello che aveva in mente.

D'improvviso, si rese conto che lui stava rispondendo al suo bacio, aveva la bocca aperta e avvertiva la calda carezza della sua lingua. Sentì il suo desiderio agitarsi nel ventre, e quel bisogno le inturgidì i capezzoli. Gli poggiò una mano sul petto e percepì il battito forte del suo cuore. Un attimo dopo, si sforzò di spingersi via per vedere se si stesse svegliando.

Lui riaprì gli occhi, sorpreso di vederla tanto vicina.

La deliziosa bocca di Carrie era a un centimetro dalla sua e, se non sbagliava, sentiva il suo sapore di fragola sulla lingua.

«Carrie...» iniziò.

«Aveva ragione» disse lei senza fiato con un'espressione sollevata.

«A proposito di che?»

Carrie sembrava divertita. «Lei ha detto che se ti avessi baciato ti saresti svegliato.»

Lui sgranò gli occhi. «Mi hai baciato?»

«Ehm.» Lei si schiarì la voce e si rialzò velocemente. Premendosi l'indice sulle labbra, lo guardò con circospezione. «Be', stavo solo eseguendo gli ordini.»

L'aveva baciato. Doveva essere stato un contatto breve dato che non aveva sofferto, sentiva solo l'agitazione della sua erezione al pensiero di quella bocca sexy sulla sua.

Patrick fece una smorfia e, alzandosi, si toccò la testa. «Mi hai colpito con una lapide volante.»

«Sono mortificata.»

«Ahi!» Guardò la sua espressione piena di senso di colpa un po' divertito. «Starò bene.»

Carrie sembrava sconvolta. «Meglio che essere fatti a fette da quei delinquenti.»

Lui fu colto da una profonda inquietudine al ricordo. «Tu stai bene?»

«Sto bene. Non sono tornati. Erano troppo spaventati dalla strega, come te del resto.»

Lui sogghignò, ma solo per un istante. Quei bastardi avevano cercato di aggredirli, minacciando di ferire Carrie e lui non era stato capace di muovere un dito per fermarli. Era così sollevato che fosse andato tutto bene che riusciva appena a parlare.

Patrick lentamente si rimise in piedi, irrigidendosi quando si rese conto che lei lo stava aiutando. Si ritrasse di colpo quando toccò la sua pelle nuda.

Lei tirò vìa la mano come se si fosse bruciata. «Scusa, io... so che ti fa male.»

Lui aggrottò la fronte. «Come dici?»

«Quando ti tocco. Quando qualcuno ti tocca. Tu provi dolore, giusto?»

Sconvolto, si irrigidì. «Chi te lo ha detto?»

«L'ho capito da sola, ma Erzulie mi ha dato un aiutino.»

Lui la guardò incredulo, provando un bisogno travolgente di allungarsi ad accarezzarle il viso e spostarle i capelli dalla fronte. Poi si ricordò che, quando per un attimo aveva ripreso conoscenza, aveva visto una donna che si era presentata come la dea. «Erzulie è stata davvero qui, vero?»

Lei annuì. «L'abbiamo invocata quando ti è caduto l'amuleto, ma ora se n'è andata.»

Patrick si guardò intorno a disagio. «Cosa ha detto esattamente?»

Carrie si schiarì la voce. «Ha detto che lei non c'entra con quello che sta succedendo a Will.»

«E allora chi è il responsabile?»

«Sei tu l'esperto.» Sorrise incerta. «E poi, secondo il tuo intuito, non era lei la causa.»

«Prima di avere la prova della sua esistenza.» Patrick si grattò la testa con cautela. «Devo fare altre ricerche e studiare meglio l'amuleto. Ti ha detto qualcos'altro?»

«Mi ha detto di mettere questo.» Carrie alzò la mano per

mostrargli l'anello. «Ha detto che ti avrebbe aiutato. Non ho la benché minima idea di cosa intendesse.»

Lui si accigliò. «È un dono molto raro.»

«Non cercherò di venderlo su eBay.»

«Non sarebbe una buona idea. Quindi ha detto che è per me. Un anello che porti *tu*. Non capisco.»

Lei scrollò le spalle. «Siamo in due.»

«Ti fa sentire strana?»

«No, sembra un normalissimo anello. Ha detto di aver fatto un regalo anche a me, qualcosa che ha a che fare con le mie capacità.» Carrie aggrottò la fronte e si passò una mano tra i capelli. «Mi ha toccata e per un attimo ho avvertito un brivido di freddo. Ha detto che una tempesta infuria dentro di me. Non so cosa significhi.»

Patrick alzò lo sguardo e si accorse che il cielo si era annuvolato. «Forse aveva sentito le previsioni del tempo. Sembra che stia per piovere.»

Carrie guardò i nuvoloni neri. «Un paio di minuti fa il cielo era limpido.»

Lui si accorse che le stava fissando la bocca e gli tornò in mente il ricordo sfocato delle sue calde labbra mentre riprendeva conoscenza. Sarebbe stato bello ricordarlo nitidamente. Moriva dalla voglia di toccarla, di baciarla ancora e vedere se era piacevole anche solo la metà di quel che ricordava. Invece raccolse l'amuleto e lo mise in tasca. «Dovremmo andare.»

S'incamminarono lungo la strada sterrata che conduceva al molo. Patrick le stava il più vicino possibile senza toccarla. Dopo l'incidente con i rapinatori, voleva assicurarsi che fosse al sicuro.

Lei era silenziosa e ciò lo turbava. Raramente sembrava perdere le parole. Raggiunsero la barca in silenzio e salirono a bordo, indossando entrambi il giubbino di salvataggio. Il mare era mosso. Le previsioni non avevano parlato di tempeste, ma si era alzato il vento e il cielo si era ulteriormente oscurato da quando avevano lasciato il cimitero.

Patrick spinse la barca lontana dal molo e accese i motori. Quando tornò a guardarla, rimase sorpreso dall'intensità della sua espressione. Fu pervaso dal desiderio e il ricordo del suo sapore sulle labbra non era di aiuto. «Cosa c'è?»

«Niente.» Carrie inspirò a fondo e si sforzò di distogliere lo sguardo. Da quando lo aveva baciato sentiva la pelle formicolare, il suo corpo fremeva e il suo bisogno di averlo dentro di sé sembrava crescere ogni momento di più. Era un istinto, una pulsione che stava cercando di trattenere con tutte le sue forze. Doveva concentrarsi su qualcos'altro. «Perché stai male quando tocchi qualcuno?» domandò schietta.

Patrick s'irrigidì. «Non voglio parlarne.»

«Perché no?»

«Perché non sono affari tuoi.» Lui rabbrividì e si toccò la testa. La lapide non aveva provocato escoriazioni, ma aveva lasciato un segno rosso.

«Vuoi andare in ospedale?» chiese lei preoccupata.

«No, odio gli ospedali. Mi ricordano...»

«L'incidente.»

«Lascia stare.» Serrò i denti. Si stava muovendo su un terreno insidioso. Con una mano sul timone, prese il BlackBerry dalla tasca. «La telecinesi ci ha aiutati oggi, ma devi fare pratica. Hai visto con i tuoi occhi quanto può essere pericolosa se incontrollata.»

Incontrollata, buona definizione. Era così che si sentiva, ma aveva poco a che fare con la sua abilità psichica e molto di più con la sua attrazione per lui. Strinse gli occhi, ma fu il suo viso quello che vide.

«Sei una bellissima donna.»

Di scatto lei riaprì gli occhi. Patrick sembrava sorpreso dalle sue stesse parole. «Io... non so perché l'ho detto. Scusa.» Aggrottò la fronte ma il suo sguardo continuò a scorrere lento lungo il corpo di lei.

«Non devi scusarti.» La tempesta interiore si faceva più violenta e avvertì un senso di vuoto alla bocca dello stomaco quando si rese conto che anche la tempesta sopra le loro teste stava peggiorando.

Patrick scrutò il suo volto. «Cos'è questo?»

Lei deglutì a fatica. «Che cosa intendi?»

«Cosa ti ha detto Erzulie di preciso?»

Lei si morse il labbro. Non voleva confessargli che Erzulie aveva percepito i suoi sentimenti per lui, che quella passione era come una tempesta.

«Carrie?» la incalzò lui. «A cosa stai pensando?»

«Ha detto che sentiva la tempesta dentro di me e che baciandoti l'avrei scatenata.»

«Dobbiamo rientrare. Ho un brutto presentimento.»

«Non è colpa mia.»

La preoccupazione increspò i suoi lineamenti. «Non possiamo resistere in mezzo a un maremoto. Questa barca non è abbastanza robusta.»

Il cielo continuava a oscurarsi. Il mare era sempre più mosso, il vento aumentava e la barca beccheggiava violentemente avanti e indietro. Un'onda la travolse e bagnò i pantaloni di Patrick fino al ginocchio.

Poi lei capì. «È colpa mia, vero?»

«Dimmelo tu.»

«Lei ha detto che la mia... la mia passione era una tempesta dentro di me. Pensavo fosse una metafora. Ora penso che intendesse letteralmente.»

Patrick imprecò. «Allora devi controllarla *subito*.»

«Ci sto provando. Non ci riesco.»

Quando lo aveva baciato, il desiderio aveva iniziato a manifestarsi concretamente. Stando ai documenti che Patrick le aveva dato da leggere, erano pochi i telecinetici in grado di controllare fenomeni atmosferici. In pochi secondi, la temperatura era calata di almeno dieci gradi ed era diventato buio, come fosse calata la notte. Il luminoso sole caraibico era coperto da una spessa coltre di nuvole nere. Il molo era già sparito dall'orizzonte.

«Devi mandarla via, Carrie.» La voce di Patrick era tesa. «Prima che sia troppo tardi.»

Lei scosse la testa, preoccupata. Quel bacio aveva svegliato la sua tempesta emotiva scatenandone, però, una vera. «È già troppo tardi.»

Un attimo dopo la furia degli elementi si scagliò su di loro con tutta la sua forza distruttiva.

9

L'acqua scendeva a secchiate, e in pochi secondi Carrie e Patrick furono zuppi. La barca beccheggiava e lei lanciò un urlo.

«Dannazione!» ringhiò lui senza fiato. Affrontare i rapinatori, a confronto, era stato una passeggiata. Lui sapeva destreggiarsi in mare, ma non tanto da gestire una tempesta, che fosse naturale o creata dalla psiche.

Era devastato dalla paura quando un'onda si schiantò su un lato e Carrie perse l'equilibrio. Senza pensare si allungò e l'afferrò per un braccio evitandole di cadere in mare. Cercò di prepararsi al dolore che gli avrebbe provocato il contatto, ma lei si ritrasse prima che potesse sentire altro a parte la sua pelle bagnata.

«Che cosa facciamo?» gridò lei.

Se fosse stato credente, avrebbe suggerito di pregare, ma dato che non lo era...

«Reggiti a qualcosa!» rispose urlando.

«A cosa?»

«Qualunque cosa!»

Sembrava veramente sconvolta.

«Mi dispiace, davvero!» cercò di dire.

«Ti dispiace? Per cosa?»

«È tutta colpa mia!»

Se non avesse temuto che fossero sul punto di morire, probabilmente si sarebbe fatto una grassa risata.

«Non è colpa tua, ma di Erzulie. Qualunque cosa ti abbia fatto...» Il vento gli tolse il respiro. «Pensi di poterla fermare?»

Lei guardò il cielo, coprendosi il viso con la mano. «No. Non so nemmeno come l'ho scatenata!»

«Non credo proprio. Ascolta, dobbiamo tenerci forte e aspettare che passi. Se solo potessimo raggiungere la riva...»

«Dov'è la riva?»

Lui scrutò nell'oscurità, ma non riusciva a vedere niente che potesse essere di aiuto. «Vorrei saperlo.»

«Che cosa c'è laggiù?»

Patrick guardò dove stava indicando e intravide il contorno sfocato di qualcosa. Poteva essere un molo. La riva. Un drago sputa fuoco che li aspettava per divorarli.

Stava per risponderle quando un'onda si abbatté sulla barca sbattendoli dall'altro lato e facendo cadere il BlackBerry.

Un'altra onda gli fece quasi perdere l'equilibrio, cercò di trascinarsi avanti per afferrare il cellulare, ma sentì un urlo e si voltò. Intravide Carrie precipitare nell'oceano, e sentì lo stomaco contorcersi.

«Carrie!» Sapeva che non era in grado di nuotare. Rinunciando a ogni tentativo di recuperare il BlackBerry, la sua preziosa fonte di informazioni, l'unica cosa che non lo aveva mai abbandonato, si tuffò nelle acque tumultuose.

«Carrie! Dove diavolo sei?» gridò, inghiottendo acqua salata nello sforzo. Era in preda al panico mentre la cercava affannosamente.

Lei pensava fosse colpa sua? Si sbagliava. Se solo lui fosse stato più paziente. Se non fosse stato così dannatamente egoista. Se le avesse dedicato del tempo per fare pratica con la telecinesi, invece di cercare di allontanarla, forse sarebbe stata in grado di controllarla.

Invece no. Le aveva detto che le avrebbe assegnato un altro agente perché lui non era in grado di gestire la sua vicinanza, e solo perché era terrorizzato dall'eventualità che lei potesse scoprire i suoi oscuri segreti.

Era stato così stupido. E ora non gli importava un bel niente dei suoi segreti. Voleva solo ritrovarla. Non poteva perderla. Non così. Non se lo sarebbe mai perdonato.

Un muro d'acqua lo travolse e, tornando in superficie, boccheggiò. Alla fine trovò il braccio di Carrie e lo afferrò, per poi circondarle la vita con le braccia.

«Patrick...» disse lei sputando. «Stai bene?»

Era preoccupata che *lui* stesse bene? «Non pensare a me. Rimani aggrappata.»

«La barca...»

«È andata.» Uno sguardo nella pioggia torrenziale mostrò che la barchetta stava affondando.

Lui si era mentalmente preparato al dolore, ma sorprendentemente non sentì nulla. Era un miracolo sul quale non intendeva indagare al momento.

«Vedo qualcosa... terra.» Sputò un'altra boccata d'acqua disgustosa. «Reggiti forte!»

«Avrei dovuto imparare a nuotare.»

«Prenderai lezioni quando torneremo. Promettilo.»

Lei annuì. «Giuro.»

Lui lottava contro l'acqua e ogni volta che un'onda si scagliava su di loro temeva che il flutto li avrebbe tirati giù e che non sarebbero più risaliti. Era la peggior tempesta mai vista. La vita di Carrie era nelle sue mani, e quindi aveva qualcosa in più per cui lottare.

Non sapeva perché in quella situazione poteva toccarla senza essere sopraffatto dal dolore, ma ne era grato. Non riusciva nemmeno a percepire empaticamente le emozioni di Carrie in quel mentre, anche se poteva immaginare cosa le stesse passando per la testa. Era spaventata.

Quando alla fine sentì il terreno sotto i piedi, era esausto. Le sue gambe, benché allenate dalla corsa e dall'esercizio fisico, erano come di gomma. Pensava di non poter più muovere un passo.

Carrie si lanciò in aiuto di Patrick che barcollava sulla sabbia bagnata, anche se *bagnata* era un termine a dir poco riduttivo, date le circostanze.

«Siamo tornati all'albergo?» domandò lui, stanco.

«Non penso» rispose lei scrutando il panorama. Con quella pioggia battente non si vedeva nulla. Carrie aveva cercato di scacciare l'ansia per aver provocato *lei* tutto ciò, ma sembrava impossibile. Come poteva la sua passione aver scatenato una tempesta? Non aveva alcun senso. Quel pensiero la faceva impazzire.

Ma l'aveva causata lei. Lo sapeva. Lo *sentiva*.

Patrick non stava bene. Era ferito alla testa tanto per cominciare e ora doveva essere sfinito dalla lotta con l'acqua. Forse aveva una commozione cerebrale.

Lo aiutò a stare in piedi, tirandolo per un braccio per farlo muovere più in fretta. Un attimo dopo, un grosso ramo precipitò accanto a loro facendoli quasi cadere. Il vento e la pioggia picchiavano, ed era quasi impossibile camminare. Un fulmine si schiantò su una palma a pochi metri da loro, spaccandola a metà.

Qualcuno gridò. Doveva essere stata lei.

«Patrick, dai!» Lo afferrò per mano e lo tirò via dalla spiaggia, arrancando lungo un vialetto di ciottoli fiancheggiato da piante tropicali. Dovettero fare un bello sforzo per combattere il vento, ma non avevano scelta. Dovevano trovare un riparo. Se fossero rimasti ancora all'aperto qualcosa avrebbe finito per colpirli.

Carrie non aveva visto alcun segno di attività umane, nemmeno uno. Era come se lei e Patrick fossero le uniche persone sulla terra. Sentì un altro fulmine cadere alle loro spalle e la presa di Patrick si fece più stretta. Non aveva avuto il tempo di pensare al fatto che lui la stava toccando. Stava soffrendo?

Lei quasi si storse una caviglia girando l'angolo, ma alla fine del vialetto intravide una casetta. Carrie corse, ancora mano nella mano con Patrick, bussò alla porta più forte che poteva, ma nessuno rispose.

I due si scambiarono un'occhiata, poi si guardarono intorno. La tempesta imperversava così forte che lei pensava non l'avrebbe sentito se le avesse parlato. Lui non ci provò nemmeno. Respirare era difficoltoso, cadeva troppa acqua e il vento ruggiva. Dovevano entrare.

Patrick provò ad aprire la porta ma era chiusa a chiave. Fece spostare Carrie e prese a spallate la dura superficie, ma senza risultato. Il suo viso si adombrò per il dolore quando riprovò. Stava per tentare una terza volta ma lei gli prese il braccio. Lui la guardò sorpreso.

«Fammi provare!» gridò.

La porta era di legno massello. Patrick si sarebbe solo fatto male se avesse continuato.

Lui la studiò per un momento finché non capì cosa voleva fare. «Concentrati!»

Lei annuì, ma era insicura. Se non poteva controllare la telecinesi seduta in cortile a bordo piscina in una magnifica giornata di sole, era alquanto improbabile che ci sarebbe riuscita ora. Ma non aveva scelta.

Il cielo lampeggiava e lei si irrigidì, poi si tolse i capelli fradici dal viso e dagli occhi.

«Puoi farcela!» la incalzò Patrick.

Carrie sentiva che lui credeva in lei, e i loro sguardi si incrociarono per un istante. Da quando aveva scoperto la sua abilità aveva cercato di prendere misure rigorose. Essere telecinetici era imbarazzante, scomodo e le aveva incasinato la vita.

Ma ora era diverso. La tempesta era la prova inconfutabile che non si poteva tornare indietro. Per la prima volta da quando aveva capito di essere telecinetica rilasò la parte di sé che fino ad allora aveva cercato di respingere il suo potere. Senza cercare di forzare le cose si concentrò sulla porta chiusa.

Non accadde nulla.

Sospirò frustrata, quasi pronta a rinunciare e cercare riparo altrove. Era stata un'idea stupida. Ma Patrick le prese la mano e la strinse. Lei sapeva che farlo gli provocava dolore. Dannazione, era sempre stata sicura di sé in passato. Non era solo una telecinetica. Non era il personaggio di un film dell'orrore. Lei era Carrie Stanfield, un tempo giornalista e ora detective.

Poteva farcela.

Questa volta, traendo energia dal calore proveniente dalla stretta di Patrick, ricordando a se stessa che non era sola, stimolò il potere invece di restare in attesa che funzionasse da solo.

Dai, telecinesi! Siamo amici.

Sentì un *click*, poi, senza distrarsi, spinse un po' con il pensiero. La porta si spalancò. Lei sussultò e guardò Patrick sorpresa. Lui stava sogghignando.

«Ce l'hai fatta!» esclamò prima di spingerla oltre la soglia senza tante cerimonie. Una volta dentro, la fece spostare e lottò contro la resistenza del vento per chiudere il battente.

Entrambi ansanti e zuppi si fissarono.

«Mi hai aiutato» disse lei.

«No, non l'ho fatto.»

Invece sì. Più di quanto potesse immaginare.

«Potevamo morire» iniziò lei, ancora impaurita e sconvolta.

«Già.»

«Ma siamo ancora vivi.»

«Quando ti ho vista cadere in acqua, pensavo di averti persa per sempre.»

Il sollievo sul suo volto fu sostituito da qualcosa di ben più ardente. La sua pelle fredda e bagnata si scaldò quando il suo sguardo smeraldo le percorse il corpo. Non aveva bisogno di abbassare gli occhi per sapere che la sua camicia bianca bagnata era ormai completamente trasparente, e i capezzoli turgidi sporgevano attraverso il reggiseno.

Improvvisamente imbarazzata, si coprì con le braccia. «Sto bene. Stiamo bene entrambi.»

«Carrie non...» Le tolse le mani dal seno. «Voglio guardarti.»

Sentiva le guance bollire. «Perché?»

«Perché io... non stavo mentendo quando ho detto che sei bellissima.»

Stava per replicare anche se non sapeva come quando si accorse che le mani di lui le cingevano i polsi. «Mi stai toccando.»

«Hai ragione.»

«Non è un problema per te?»

Lui corrugò la fronte. «Dovrebbe esserlo.»

«Ma non lo è?»

«Io... non lo so.»

«Be', o stai soffrendo o no.»

I loro sguardi si incontrarono. «No.»

Questo la sorprese. «Perché?»

«Non lo so.» Un attimo dopo la liberò e lei di colpo tornò a sentire freddo.

Carrie si morse il labbro inferiore e fissò il parquet. «Be', forse è meglio se non...»

Patrick l'afferrò e poggiò la bocca sulla sua lasciandola senza fiato. Lei stava per fermarlo, voleva farlo ragionare. In fondo, non voleva che lui soffrisse. Non aveva un problema con l'intimità? Amanda le aveva lasciato intendere che si era comportato da eremita negli ultimi due anni.

Ma questo... non era un eremita.

La sua lingua si fuse con quella di lui, rispondendo a quel bacio con lo stesso disperato impeto. Non era ciò che si aspettava da quell'uomo intoccabile. Le sue mani la stavano accarezzando, scendendo per afferrarle il sedere. Lui la spinse a sé con decisione per farle sentire la sua dura erezione.

«Volevo toccarti così da tanto tempo» gli sussurrò contro le labbra.

«Allora fallo.»

Sentì l'eccitazione aumentare. Non avrebbe permesso che qualcosa rovinasse quel momento. Le sue mani si spostarono sul petto di lui, poi sulle spalle, tracciando il contorno della mascella dalla barba ispida, fino a insinuargli le dita tra i capelli bagnati mentre le loro lingue si fondevano. Il rumore della tempesta che infuriava, il caldo, sexy odore di Patrick e il sapore della sua bocca le colmarono i sensi scacciando ogni altro pensiero.

Non aveva mai desiderato nessuno così tanto in vita sua. Un'improvvisa lussuria la travolse mentre un altro lampo illuminava il cielo facendo crescere l'urgenza di fare l'amore con lui. Ma un attimo dopo lui interruppe il bacio e sciolse l'abbraccio.

«Scusa» disse.

Carrie era senza fiato. «Non è esattamente il genere di cose per le quali ci si scusa.»

«Questo è... non so cosa stia succedendo. Dovremmo parlarne.»

Lei inarcò un sopracciglio. *Parlare* non era ciò che voleva fare al momento. Cercò di ricomporsi, ma era difficile. Non voleva parlare. Voleva Patrick nudo sul letto. Ora. Sapeva che doveva calmarsi ma, invece di attenuarsi, il desiderio aumentò, facendole accapponare la pelle. Era come una scossa elettrica, ma non dolorosa, e bellissima.

Lui sgranò gli occhi. «Posso sentire il tuo potere.»

Lei aggrottò la fronte. «Penso che stia per scatenarsi di nuovo.»

«Basta tempeste. Per favore, Carrie. Quella lì fuori ci ha intrappolati qui.»

Ma non dipendeva dal suo potere, questa volta.

Il letto dall'altro lato della stanza scivolò direttamente verso Patrick facendogli piegare le gambe e cadere sul materasso. Si poggiò sui gomiti e la guardò, sconvolto.

Desiderava Patrick da così tanto tempo. Lo voleva disperatamente nel letto. E ora era lì.

Il suo sogno più grande era diventato realtà.

Carrie sussultò quando se ne rese conto. «Sono stata maledetta da una dea dell'amore.»

10

«Maledetta...» ripeté lui.

Carrie aggrottò la fronte e annuì. Vederlo sul letto, mentre la guardava, accresceva la sua voglia inconsulta di vederlo nudo.

Un attimo dopo, i bottoni della camicia saltarono e Patrick si ritrovò a petto nudo. Abbassò gli occhi su di sé e poi la guardò inarcando le sopracciglia. Lei si coprì la bocca con la mano. Ogni pensiero erotico su di lui sembrava concretizzarsi da solo.

Si ricordò quello che le aveva detto Erzulie.

Perché non avete ancora fatto l'amore quando è ovvio che lo vuoi da moltissimo tempo? Perché ti neghi il piacere quando è l'unica cosa che conta? È una tempesta alla quale abbandonarsi, non qualcosa da controllare.

La dea sapeva che lei lo desiderava. Nonostante le loro differenze e difficoltà, Carrie bramava per lui dal primo momento che lo aveva incontrato. E ora lui la stava fissando, a petto nudo su un letto matrimoniale.

«Strano!» esclamò. «Non sono telepatico, ma è come se in qualche modo sapessi cosa ti passa per la mente. Mi domando come mai...»

«Prenderti gioco di me non è d'aiuto.»

Un accenno di sorriso gli solcò le labbra. «Mi vuoi nudo, nel letto. Non necessariamente in quest'ordine. Non posso che prenderlo come un complimento.»

«Per favore, smettila.»

«Io non sto facendo nulla. *Io*...»

Lei abbassò gli occhi sull'anello che le aveva dato Erzulie. «È colpa di questa stupida cosa.» Se lo tolse e lo gettò. L'anello tintinnò sul parquet e rotolò sotto al letto. Lei sospirò sollevata. «Forse così andrà meglio.»

«La camicia ormai è rovinata, l'acqua aveva già dato il suo contributo ma ora è proprio irrecuperabile.»

Lei lo fulminò, poi si guardò intorno. Osservò la stanza come fosse la prima volta che la vedeva. «È l'isola da luna di miele di Will, vero?»

Patrick si poggiò sui gomiti. «L'ho capito non appena si è aperta la porta.»

Era arredata con gusto. Si concentrò su questo mentre cercava di calmarsi. Le ricordava la sua camera in albergo, una versione più lussuosa. Pavimenti in legno, un enorme letto a baldacchino drappeggiato con tessuti pregiati. Passando sotto un arco si accedeva a un'ampia sala da bagno con una vasca in marmo, grande abbastanza per otto persone. Su un tavolino c'era un cestino pieno di... si sforzò di vedere cosa c'era dentro. Erano...

... *preservativi.*

Lei guardò torva Patrick e la sua espressione divertita. «Non è divertente!»

«Non sono d'accordo.»

«Come puoi essere così tranquillo? Abbiamo rischiato di morire.»

«Ma siamo vivi. E ora abbiamo un riparo più che adeguato per aspettare che la tempesta passi.» Sospirò. «Comunque, ho perso il BlackBerry. Sono in lutto.»

«Speriamo che sia l'unica vittima di oggi.» Lanciò un'occhiata fuori dalla finestra. La pioggia non accennava a diminuire, e all'esterno non si vedeva che una macchia indistinta di forme e colori scuri. «Erzulie è cattiva.»

«No, non lo è.»

«Come?»

«È la dea dell'amore e del sesso. Perché dovrebbe essere cattiva?»

«Non ne ho idea.» Si morse il labbro inferiore. «Mi dispiace per la tua camicia.»

«La prossima volta che vuoi che mi spogli, basta chiederlo.» Si passò distrattamente le punte delle dita sugli addominali. Carrie dovette sforzarsi di distogliere lo sguardo per soffocare il desiderio che sentiva esplodere in lei, ma non bastò.

«Non succederà più. Non rimetterò l'anello.»

«Non penso che c'entri l'anello» commentò lui. «Il potere che ti ha dato deve aver alterato la telecinesi, anche se è possibile che si tratti solo di un cambiamento temporaneo.»

«Come fai a esserne così sicuro?»

«Per esperienza.»

«Ma io mi sento meglio. Come se avessi recuperato il controllo.»

«È solo una percezione, Carrie. Tu pensi di non saperla controllare e per questo non ci riesci. Erzulie lo sapeva. E ne ha approfittato per fare quel che voleva.»

«Cioè?»

«Be', è la dea dell'amore.» Il suo sguardo si fece più intenso alzandosi dal letto e camminando verso di lei.

«Cosa stai facendo?» chiese Carrie senza fiato.

«Sto testando una teoria.» Le fece scivolare la mano intorno alla vita insinuandola sotto la camicia bagnata in modo da toccarle la pelle e la trasse a sé. Lei gli passò le mani sul petto muscoloso tra la peluria dorata. Voleva disperatamente che lui la baciasse ancora, ma quando alzò gli occhi si accorse della sua espressione di dolore. Lui la lasciò un attimo dopo.

«Proprio come pensavo» sentenziò.

«Che vuoi dire?»

«Adesso non posso toccarti.»

«Perché no?»

«È l'anello. Lei ti ha detto che era per me, no?»

Carrie annuì. Erzulie le aveva detto di indossarlo per aiutare Patrick. Aiutarlo a toccarla.

Lei si inumidì le labbra con la punta della lingua. «Vuoi che lo rimetta?»

«Sì.»

Lei fremeva dal desiderio. «Ma, la telecinesi...»

«Penso che non c'entri niente con l'anello.»

«Come lo sai?» Quel bisogno si fece più forte quando lui si liberò della camicia zuppa, lasciandola cadere sul pavimento. Era in piedi davanti a lei, nudo dalla vita in su. Lei voleva Patrick McKay. Non aveva mai voluto qualcosa o qualcuno così tanto in vita sua.

«Lo so...» Fece una smorfia vedendo un preservativo volare dal cestino e colpirlo in fronte, «... e basta.»

Forse aveva ragione. Il preservativo volante lo aveva in qualche modo dimostrato. Carrie non poteva nascondere il desiderio che provava per quell'uomo sexy di fronte a lei. Perché ne era infastidita?

«Dobbiamo andarcene» disse lei. «Possiamo chiamare Will? Può mandare un'altra barca a prenderci?»

«Con questo tempo?» esclamò Patrick, facendo un cenno verso la finestra. «Non penso proprio.»

«Per quanto tempo resteremo bloccati qui?»

«Non ne ho idea.» Ammiccò. «Stai gocciolando.»

Lei abbassò lo sguardo e vide la pozza d'acqua che si era formata ai suoi piedi.

Patrick sospirò, si alzò e raggiunse il telefono appoggiato a un basso comodino contro il muro. Prese il ricevitore e lo accostò all'orecchio. «Non c'è linea.» Premette l'interruttore della luce. «Siamo anche senza corrente.»

«Accidenti!»

Lui la scrutò da capo a piedi. «Sei preoccupata al pensiero di dover passare del tempo da sola con me?»

Carrie incontrò il suo sguardo. «No, pensavo che questo valesse per te. Sei tu che hai cercato di evitarmi affinché non scoprissi i tuoi segreti. E sei sempre tu che vuoi assegnarmi un altro partner.»

La sua espressione non era più così divertita. «Non voglio che tu la prenda sul personale.»

«Chi ha detto che lo sto facendo? È solo una constatazione. È quello che faccio. Esporre i fatti e chiarire la faccenda.»

Patrick la fissò per un lungo istante prima di sentirsi a disagio.

«Che c'è?» lo incalzò lei. «Hai qualcosa da dire?»

«Sì.»

«Cosa? Che dovrei essere più professionale? Che dovrei pensare ai fatti miei e non impicciarmi dei tuoi? Che dovrei essere grata alla tua agenzia per avermi offerto un lavoro, considerata la mia inesperienza con le mie abilità e tutti i guai che ci ha portato?»

«No.»

«Allora cosa?»

«Mi stavo chiedendo quando ti saresti rimessa l'anello» rispose, e il suo sguardo, che si era spostato sul punto in cui Carrie aveva gettato il gioiello, tornò su di lei.

«Perché vuoi che lo rimetta?»

«Perché non posso toccarti se non lo fai.»

Lei rimase senza fiato.

«Se non metti l'anello» continuò lui, «non posso fare l'amore con te.»

Carrie rimase a bocca aperta. «Vuoi fare l'amore con me?»

«Tanto che faccio fatica a controllarmi.»

Lei arrossì. «Patrick...»

«Quando pensavo di averti persa in acqua... non sai cosa mi è passato per la testa. Sapevo che non potevo perderti, non dopo averti appena trovata.»

I pensieri le affollavano la mente, ma era senza parole. Sentiva quella passione tra loro, ma non si aspettava una resa da parte sua.

«Ti voglio, Carrie.» Quelle parole biascicate le colarono sulla pelle come burro caldo, incendiando la sua smania. «Ti ho desiderata dal primo momento che ti ho vista. Quando mi hai chiamato dopo tutto quel tempo... non hai idea di cosa ho provato al pensiero di rivederti. Nessuna mi ha mai fatto questo effetto.» Si strofinò la fronte, accigliandosi. «Ho cercato di ignorare i miei sentimenti perché sapevo di non poterti toccare, ma ora...»

«Ora cosa?»

«Ora posso farlo.» I suoi occhi erano smeraldo liquido. Poteva leggervi il suo bisogno. Le stava dicendo la verità e lei riusciva appena a credere alle sue orecchie. Patrick la voleva quanto lei voleva lui.

Un altro preservativo partì a razzo verso di loro e colpì Patrick sulla spalla. Lei fece una smorfia. Lui abbassò lo sguardo prima di voltarsi verso di lei. «Era un sì?»

Rimettere l'anello sarebbe equivalso a confessargli che voleva le sue mani addosso, la sua bocca, la sua lingua... Avrebbe messo a nudo le sue emozioni rischiando di essere ferita.

Quello che fosse successo in una villa per viaggi di nozze nelle Bahamas nel mezzo di una violenta tempesta tropicale sarebbe rimasto alle Bahamas. Forse, una volta finita la tempesta e tornati all'hotel, sarebbe riuscita a cancellare Patrick dai suoi pensieri.

Poteva tornare in agenzia e collaborare con un nuovo collega e tutto sarebbe andato a posto. Stare con lui era un ponte tra due vite: il suo passato controllato e il suo incontrollabile futuro.

Senza aggiungere una parola, si protese in avanti, prese l'anello da sotto al letto e lo mise al dito.

«Ti voglio, Patrick.»

Se non fosse già stato eccitato e duro come una roccia, lo sarebbe divenuto in quel momento.

Aveva sempre preso decisioni con facilità, certo di fare la cosa giusta, ma non quando era con Carrie. Lei aveva il potere di scombussolarlo con un solo sguardo dei suoi sexy occhi color cannella. La desiderava come nessun'altra donna, ma c'era stata una barriera tra loro.

La dea dell'amore e del sesso voleva che stessero insieme. Aveva preso provvedimenti affinché ciò accadesse e ora erano lì. Bloccati. Insieme.

Erzulie lo aveva fatto di proposito, che si trattasse di un gioco o di appagare il loro reciproco desiderio. Aveva percepito la loro attrazione e li aveva messi in condizione di poterla soddisfare. Aveva distorto la telecinesi di Carrie per farle provocare la tempesta che li aveva intrappolati lì, permettendo loro di esplorare quello che provavano l'uno per l'altra.

Qualunque cosa fosse – passione, desiderio, bisogno – tutto ciò che Patrick sapeva era che impazziva dalla voglia di lei.

Si avvicinò lento a Carrie, con circospezione, come se si aspettasse che si tirasse indietro. Doveva vedere quel bisogno nei suoi occhi, quella stessa urgenza che lo sopraffaceva facendogli desiderare disperatamente di toccarla. Era passato così tanto tempo...

Ma non c'era paura nei suoi occhi, né incertezza. Non più. Lui era in piedi vicino a lei, tanto da sentire il calore del suo corpo. Le accarezzò la guancia e fece scendere le dita lungo il collo. Lei inspirò a fatica e rimase quasi senza fiato quando la mano di lui scese sul seno avvolgendolo attraverso la stoffa bagnata della camicia.

«Ieri sera ti ho sognata» disse lui.

«Me?»

«Sì. Ho sognato che venivi nella mia stanza in albergo. Che mi legavi i polsi al letto e...»

«E... e poi?»

Non poté trattenersi dal sorridere di fronte al suo interesse. «E approfittavi di me.»

«Approfittavo di te» ripeté lei.

«Sì. La tua bocca era bollente mentre scendevi su di me. Mi facevi impazzire. Per un attimo ho creduto fosse vero.»

«Hai pensato che ti desiderassi tanto da venire in camera tua nel cuore della notte, legarti e fare di te quel che volevo?»

«Considerala una fantasia. Ma poi sei sparita. È stato davvero deludente.» Iniziò a sbottonarle lentamente la camicia dalla vita in su per poi toglierla dalle spalle.

«Sembra un bel sogno.»

«Lo è stato. Per un attimo.» Serrò i denti.

«Sedotto e abbandonato, non posso biasimarti.»

Lui rise. «Quello era un sogno, ma questa è realtà.»

Lei emise un breve gemito mentre le mani di lui si insinuavano sotto il reggiseno di raso sfiorandole i capezzoli turgidi. «Patrick...»

«Ti voglio nuda.» Il respiro di lui era più affannato ora. La sensazione della sua pelle liscia andava ben oltre la sua immaginazione. Non voleva smettere di toccarla nemmeno per un istante.

Le slacciò il reggiseno, che cadde a terra. Era una visione magnifica, e senza aspettare un attimo di più si chinò a leccarle i capezzoli. Proprio come aveva fantasticato in piscina il giorno prima, le strinse i seni tra le mani per poterli leccare insieme in una sola volta, compiaciuto dai fremiti di eccitazione che le provocava e che alimentavano il suo desiderio.

Era affamato, come se Carrie fosse stata un banchetto e lui non mangiasse da anni. Ed era così. Il suo corpo aveva un bisogno estremo di lei. Carrie, la donna che lo aveva ossessionato sin dalla prima volta che l'aveva incontrata. Il suo bellissimo viso aveva incendiato i suoi sogni.

Ed era lì, con lui. Il suo sguardo gli suggeriva che anche lei lo voleva. Non era solo attrazione fisica. Lui lo sapeva. Non era solo una scopata che metteva fine a un lungo periodo di castità. Era molto di più.

In quel momento niente contava più di sentire lei. Il suo odore. Il suo sapore. Aveva capito subito che Carrie era speciale. Lei si preoccupava per lui, anche se non le aveva dato alcun motivo per farlo. Era curiosa, determinata a scoprire la verità su di lui, quando altri che lo conoscevano da più tempo avevano rinunciato. Era stupefacente e le era grato per aver considerato la possibilità di stare con lui.

Il suo sogno la notte prima era erotico e sexy, ma incompiuto. Sperava di non svegliarsi da solo nel letto questa volta. Ma quello non era un sogno. Lei era lì con lui e non aveva mai desiderato nessun'altra donna come lei in tutta la sua vita.

Patrick inspirò a fatica quando sentì le mani di lei appoggiarsi sul davanti dei pantaloni. Carrie gli slacciò la cinta e il bottone, abbassando in fretta la zip. E quando la sua mano avvolse il pene, lui si rese conto che i sogni non erano neanche lontanamente paragonabili alla realtà.

270

11

«Carrie... per favore.» La presa sulle spalle di lei si fece più salda quando sentì un brivido di piacere.

Le sue labbra si incurvarono. «Come sei educato.»

«Non voglio che finisca troppo presto.»

«Perché?» domandò con un misto di ingenuità e malizia. «È passato molto tempo dall'ultima volta?»

«Conosci la risposta» disse senza fiato. Sentire le mani di lei sulla pelle era quasi troppo da sopportare. «Carrie... se mi tocchi... così... raggiungo il traguardo in tempo record.»

«*Così?*» Lei lo accarezzò e lui gemette.

«Sì... esattamente così.»

Il respiro di lei si fece affannoso. «Potevi eccitarti così dopo l'incidente?»

Lui la guardò un po' divertito. «Che cos'è questa? Una visita medica?»

«Rispondi alla domanda o mi fermo immediatamente.» Lei lo accarezzò ancora e lui quasi raggiunse l'orgasmo come un adolescente ansioso.

«Non mi pare che l'ultima intervista con te fosse così... *stimolante.*»

«Questa volta l'ho resa più piccante. Ti piace?»

«Sì. Sei un'intervistatrice eccezionale.» Cercò invano di sorridere. «Dopo l'incidente potevo avere erezioni. Sono rimasto paralizzato solo per un paio di settimane. Pian piano ho ripreso a sentire qualcosa, dolori lancinanti alle gambe tanto per cominciare, mentre la spina dorsale cominciava a guarire. Non era piacevole, ma era sempre meglio che non sentire nulla. Non potevo camminare, ma non ero impotente.»

«Mi dispiace.» I suoi dolci occhi marroni lo osservavano mentre ascoltava, la sua espressione mostrava chiaramente che condivideva il suo dolore. «Ma allora perché non sei stato con nessuna se potevi... *farlo*?»

Lui scossa la testa. Non avrebbe risposto a quelle domande a nessun altro, ma Carrie... in qualche modo si sentiva tranquillo ad aprirsi con lei. «Non mi piaceva la mia debolezza. Non volevo che nessun altro dovesse farci i conti, almeno fin quando non fossi tornato alla normalità.»

«È stato stupido» mormorò, continuando a tenerlo in mano.

Patrick inarcò un sopracciglio. «Grazie, agente Stanfield.»

Si ricordò della pietà e di quell'accenno di disprezzo che aveva letto negli occhi della sua ex fidanzata quando si era tirato indietro da qualsiasi approccio romantico, un volta dimesso dall'ospedale. Sembrava passato moltissimo tempo.

Le labbra di Carrie gli sfiorarono il collo. «Anche allora provavi dolore empatico? È per questo che non vuoi che nessuno ti tocchi così?»

«No. Quel tipo di dolore è venuto dopo.» Alla fine le prese il polso e la tirò via da lui. «Basta domande.»

Improvvisamente sembrò incerta, ora che non aveva più tutto sotto controllo. Stava per coprirsi il seno nudo, ma lui scosse la testa.

«Per favore, Carrie. No. Non sai quanto sei incredibilmente bella?»

Lei sembrava imbarazzata. «Non direi.»

«È per questo che l'ho detto. Sei bellissima e sexy, e voglio adorare ogni centimetro di te. La stessa tempesta che infuria in te si scatena in me. Penso che tu lo sappia ora.»

Lei sostenne il suo sguardo. «Alcune tempeste sono più pericolose di altre.»

«Vero.» Le prese il viso tra le mani. «Per favore finisci di spogliarti per me, Carrie.»

Pensava che avrebbe replicato, che avrebbe opposto resistenza, ma non lo fece. Passandosi la lingua sulle labbra, con i capelli scuri bagnati che le coprivano il viso, si sfilò le scarpe. Slacciò i jeans e lentamente li fece scivolare lungo i fianchi. Poi li tolse del tutto e rimase solo con gli slip.

Patrick la guardava con avidità mentre si liberava a sua volta di pantaloni e scarpe. Si sedette sul bordo del letto. «Vieni qui.»

Lei si avvicinò timidamente mentre lui la divorava con gli occhi. Non aveva mentito. Lei era perfetta. Bellissima. Era proprio come l'aveva sempre immaginata o sognata. Lei lo sfidava, lo frustrava, e rendeva il suo pene così duro da essere quasi doloroso.

Carrie gli mise una mano su ogni coscia, allargandole in modo da poter essere più vicina. Poi si chinò e lo baciò, dolcemente. Lui gemette. Poterla toccare, baciare e provare solo piacere era il regalo più bello che potesse ricevere.

Lui passò la mano dietro i suoi glutei e la spinse in avanti, costringendola a premersi contro di lui, e stese entrambi sul materasso.

«Sai di buono» sussurrò lui contro le sue labbra.

«Anche tu.»

«L'acqua salata ha un sapore migliore su di te che nell'oceano.»

Lei sorrise. «È altamente iodata, non va bene per la dieta. Farò un'eccezione per questa volta.»

«Grazie.»

Lui insinuò le dita sotto il tessuto leggero che copriva il suo sesso. Quando sentì la prova del suo desiderio, l'orgoglio maschile gli esplose nelle vene.

«Sei bagnata» disse lui.

Lei gemette affondando le dita nelle sue spalle. «Non è tutta colpa della tempesta.»

Mentre lui accarezzava il suo sesso, il respiro di lei si fece irregolare.

«Mmh, Patrick... per favore...» Lei si contorse e ansimò quando lui fece scorrere il dito medio nel centro bollente della sua femminilità.

Lui non poté trattenere un sorriso di fronte alla sua incoraggiante reazione. «Sì, Carrie? Hai altre domande? Vuoi ancora indagare sui miei cosiddetti segreti?»

«Non fare il saputello. Smettila di prendermi in giro.» La presa di lei sulle spalle si fece più forte come se dovesse aggrapparsi a qualcosa.

Carrie iniziò a muovere i fianchi, guidando il suo dito dentro e fuori le sue tenere carni. Era bagnata e pronta per lui, e ogni pensiero di prendersi gioco di lei svanì. Aveva aspettato così tanto per toccarla, e ora sentiva un disperato bisogno di penetrarla. Non pensava di potersi controllare ancora a lungo.

«Mi vuoi, Carrie?»

«Sì» rispose lei senza esitazione.

«Mi vuoi dentro di te?»

«Patrick... sì...» Sembrava quasi una supplica.

Lui la ruotò con delicatezza sulla schiena, e si posizionò sopra di lei. Gli slip erano spostati da un lato e, quando lei aprì le gambe, lui scorse uno stuzzicante assaggio del suo sesso umido.

Non pensava di potersi eccitare oltre. Si sbagliava.

«Dimmi cosa vuoi» le mormorò con voce roca.

Afferrò l'elastico delle sue mutandine e lentamente le fece scorrere lungo le gambe. Con le labbra sfiorò l'interno coscia, mentre lei sussurrava il suo nome.

«Patrick... ti voglio dentro.» Carrie gli prese il volto tra le mani e lui si perse in quello sguardo affannato. «Ora. Ti desidero da così tanto tempo. Ho bisogno di te.»

La sensazione del suo corpo nudo contro il suo era a metà tra la tortura e la beatitudine. Non voleva che finisse troppo presto, ma sapeva che non sarebbe durato quanto avrebbe voluto. Sentiva di essere già al limite.

«Sei così calda» le bisbigliò. «Mi fai impazzire.»

«Non farmi aspettare. Ti prego...»

Lei gemette quando lui strofinò la punta del suo pene gonfio contro la sua umidità, avanti e indietro finché il suo unico pensiero fu quello di essere dentro di lei.

Si sporse dal letto per afferrare uno dei preservativi che lei gli aveva lanciato addosso con il pensiero, aprì la bustina con i denti e lo infilò con le mani tremanti.

«Carrie...» mormorò spostandole i capelli dal viso.

Lei alzò lo sguardo su di lui, le labbra gonfie e socchiuse, il respiro affannato. Il suo controllo già instabile fu spazzato via dall'oscuro desiderio che gli lesse negli occhi. Più lentamente possibile, si spinse dentro di lei in tutta la sua lunghezza, centimetro dopo centimetro.

Carrie lanciò in un grido, e la sua lingua bollente e umida tracciò la curva del suo orecchio. «Patrick... non ti fermare...»

Il suo corpo cominciò a muoversi da solo e a spingere contro i suoi fianchi, ogni affondo più concitato e insistente quando perse il controllo. Era troppo. I suoi seni si appiattirono contro il suo petto e premette la bocca sulla sua, assaporando il sale che la pioggia non aveva lavato via.

Non aveva mai provato un piacere simile. Forse perché non faceva sesso da moltissimo tempo? O forse perché lo stava facendo con Carrie?

Entrambe le cose.

Sostenendosi sugli avambracci abbassò lo sguardo per vedere il punto di fusione dei loro corpi, dove il suo membro turgido scivolava dentro e fuori dalla sua morbida carne umida. Carrie aveva le mani sul suo sedere e le sue unghie affondarono quasi fino a far male.

«Mi piaci da morire» cercò di dire.

Lei inspirò a fatica, poi gli portò le mani sulle spalle e sul petto. Lo studiò attentamente e un sorriso sexy le inarcò le labbra mentre lui si muoveva dentro di lei. «Allora, ne valeva la pena?»

«Cosa?»

«Non capisco cosa stessi aspettando.»

Lui cercò di sorridere. Stava aspettando che lei ritornasse nella sua vita, solo che non lo sapeva. «Forse aspettavo un giorno di pioggia.»

Carrie iniziò a ridere, ma il suono della risata lasciò il posto a un gemito di piacere. «Mi piace, ma...»

Patrick si fermò. «Ma cosa?»

Lei gli passò le dita tra i capelli. «Voglio stare sopra.»

Lui le restituì il sorriso. «Davvero?»

«Tu... non sei il mio capo, ricordi?»

«Al momento no.» Lui si chinò e con un movimento circolare le passò la lingua sul capezzolo destro, soddisfatto nel vedere che quel semplice gesto bastasse per farla sussultare e inarcare la schiena.

«Tornerai a fare il capo in agenzia?»

Sempre quelle domande. Anche quando c'era di meglio su cui concentrarsi. «Forse. Non lo so.»

Quello che sarebbe successo in futuro non gli interessava. E nemmeno quello che era successo in passato. L'unica cosa che contava era ciò che stava succedendo ora.

Ma era certamente disposto a soddisfare la sua richiesta. Cambiò posizione, sdraiandosi di schiena: gli ricordava molto il suo sogno. Quasi si aspettava che lei tirasse fuori dal nulla un foulard e lo legasse.

Il suo sorriso vacillò quando lei si mise a cavalcioni e afferrò il suo pene. Ne stuzzicò la punta prima di scendere lentamente su di lui, penetrandosi con una sola morbida spinta.

E lui che aveva pensato che la telecinesi fosse l'aspetto più pericoloso di lei. Non aveva idea del potere che aveva su di lui.

Lei si chinò e con le labbra sfiorò il suo orecchio. «Ti piace così?»

«Sì.»

«Non avevo capito che questo avrebbe fatto parte della mia formazione.»

Lui si allungò per afferrarle i seni e stringerli, sfregando i pollici sui suoi capezzoli turgidi.

«Non hai letto il contratto?» scherzò lui, anche se non era facile concentrarsi.

«Non le postille scritte in piccolo.»

Patrick si sedette, senza farla staccare da lui e le coprì la bocca con la sua, baciandola intensamente. Insinuò una mano tra i capelli neri, mentre con l'altra le sorresse la schiena, aiutandola ad aumentare il contatto dei loro corpi madidi di sudore, pioggia e piacere.

«Non ti fermare» ansimò lei.

Avrebbe voluto davvero soddisfare la sua richiesta, ma era ormai vicino al traguardo. Le spinte diventarono più veloci e profonde, lei gridò il suo nome e, cingendo il suo corpo con le gambe, esplose nell'orgasmo.

«Carrie...» disse con voce roca. Voleva che durasse, voleva sentirla fremere ancora di piacere, ma era troppo tardi. Maledì l'orgasmo che lo stava ormai investendo e venne dentro di lei, tenendola stretta a sé.

Per almeno un minuto non riuscì a parlare, nemmeno a pensare. Carrie non si staccò da lui, e continuò a tenergli le braccia intorno.

«Che assurdità» esclamò lei vicino al suo viso.

«Cosa?»

«Quando siamo insieme, così, mi sento come se avessi tutto sotto controllo. Stare con te è come cavalcare la tempesta. Forse era questo che intendeva.»

Lui si spostò per poterla guardare negli occhi. Le passò le dita sulle guance rosse. «Chi? Erzulie?»

«Proprio lei.»

Patrick non riusciva ancora a credere di poterla toccare. Con le dita tracciò il profilo del suo viso e delle sue bellissime labbra. «La mia abilità empatica è completamente fuori uso al momento, probabilmente per via dell'anello che porti. Il che mi sta bene. Ma non ho idea di come ti senti tu.»

«Mi sento...» Lei gli sfiorò la bocca con la sua. «Sono felice che ci sia un intero cesto pieno di preservativi.»

Un sorriso gli inarcò le labbra. «Questo sì che è un

pensiero casto! Ricordati che ho trentasei anni, non sedici. Un vecchio ha bisogno di riposo, sai.»

«Davvero non riesco a credere che sia rimasto fuori gioco per due anni. Che spreco!»

«Carrie Stanfield!» esclamò in tono scioccato e divertito. «Che lingua che hai!»

«La migliore per baciarti.» E lo fece.

«Ho mentito» aggiunse, ruotandola e spingendola di nuovo contro il materasso.

Carrie si accigliò. «Su cosa?»

«Non ho bisogno di riposare come credevo.»

Lei abbassò lo sguardo sul suo pene di nuovo turgido e pronto, sorridendo soddisfatta.

Il suo sorriso svanì non appena lui tornò a penetrarla. Questa volta sarebbe riuscito ad andare più lentamente e a guardarla in viso mentre veniva per lui.

Sapeva che non era solo sesso. Era molto di più. Era il nome di Carrie quello che avrebbe gridato raggiungendo l'orgasmo. La baciava come se non esistesse nessun altro al mondo a parte loro due.

Un attimo dopo suonò il telefono. Entrambi si voltarono a guardarlo.

«Ignoralo» disse Patrick. «Non dovrebbe esserci nessuno qui. Chi potrebbe chiamare?»

Sfortunatamente era difficile ignorare un telefono che continua a suonare.

Carrie gli passò una mano sulla schiena. «Ha smesso di piovere.»

«Ah sì?»

Lei annuì. «Sembra che la tempesta sia passata.»

Ci vollero altri quattro squilli prima che lui, restio, si liberasse da quel corpo seducente e caldo e buttasse le gambe giù dal letto per afferrare in fretta il ricevitore.

«Pronto?»

«Patrick? Siete lì!»

Era Will. Patrick aggrottò la fronte confuso. «Come facevi a saperlo?»

«È passata una donna un minuto fa e mi ha detto che eravate lì. È stata la peggior tempesta mai vista. Non so da dove diavolo sia arrivata. State bene?»

«Noi sì, ma la barca è affondata.»

«Che importa della barca, basta che nessuno si sia fatto male. Cosa diavolo ci facevate in mezzo all'oceano durante quella strana tempesta? Grazie a Dio avete raggiunto l'isola e trovato riparo.»

Patrick lanciò un'occhiata a Carrie, distesa sul suo lato del letto, che ascoltava attentamente le sue parole. «Chi era la donna che ti ha detto dove eravamo?»

«Non ne ho idea. Era bellissima. Una persona del posto, credo, ma non ho saputo distinguere l'accento.»

La presa di Patrick sul telefono si fece più salda. Sembrava che Erzulie non avesse sempre bisogno dell'amuleto per essere invocata.

«Vengo a prendervi io» aggiunse Will. «Sarò lì in un'ora. Va bene?»

Sembrava si stesse scusando, come se fosse responsabile della tempesta che li aveva messi in pericolo prima di farli finire a letto.

«Un'ora va bene. Grazie.»

Will agganciò e Patrick posò il ricevitore. «Hai capito?»

Carrie annuì. «Sarà qui tra un'ora.»

«Esatto.»

«Un'ora prima di tornare alla realtà. Un'ora solo per noi due.»

Un brivido lo attraversò al tono sexy della sua voce. «Un'intera ora.»

«Meglio non perdere tempo» disse lei. «Vieni qui e facciamo l'amore di nuovo.»

Lui non protestò.

12

Carrie portava ancora l'anello mentre rientravano a bordo del motoscafo. Era l'una e mezza di pomeriggio. Erano successe talmente tante cose nelle ultime ore... Aveva il corpo indolenzito, ma il sesso con Patrick era proprio come lo aveva immaginato. Sentiva ancora le sue mani su di sé, anche se era seduto a cinque metri di distanza.

Quell'uomo aveva il potere di farle venire i brividi. Lo aveva voluto così disperatamente... ma ancora non ne era sazia.

Le ci vollero tutte le sue forze per non strisciare da lui e implorarlo di fare ancora l'amore con lei. Una parte di lei ancora agognava le sue carezze e, nel profondo, sapeva che non era solo un bisogno fisico.

«Allora, avete l'amuleto? Era dove vi avevo detto?» chiese Will.

Patrick passò la mano sulla tasca. «È qui.»

«Adesso che pensate di fare?»

«Lo distruggerò.»

Carrie guardò Patrick. «Credi che sia stata Erzulie a maledire l'albergo, nonostante abbia negato?»

Lui annuì. «Sì. Abbiamo già visto quanto è potente. Siamo stati fortunati a incontrarla in una giornata buona.» Le guance di lei arrossirono e non solo per il sole che filtrava dalla coltre di nuvole che andava dissipandosi. «Distruggendo l'amuleto che Will ha utilizzato per evocarla la prima volta, probabilmente sparirà ogni maledizione scatenata contro la sua proprietà e qualunque altra cosa abbia fatto.»

Carrie aveva capito cosa intendeva. Distruggere l'amuleto significava annullare anche quello che Erzulie aveva fatto a lei. Forse era una manipolazione momentanea della telecinesi, ma preferiva non correre il rischio.

Will studiò Patrick per un istante, poi annuì. «Per favore, distruggilo il più presto possibile.»

«Mi sorprende che tu non l'abbia riconosciuta» commentò Patrick.

«Chi?»

«Erzulie. È stata lei a dirti che eravamo bloccati sull'isola. Nessun altro poteva saperlo.»

Will lo fissò con aria assente per un istante. «Stai scherzando?»

«Temo di no.»

«Io non l'ho vista quando l'ho invocata. Ho solo sentito la sua voce.» Sbatté le palpebre. «Ora che me lo dici, in effetti sembrava... be', cavolo! È proprio una volpe!»

Patrick scese dalla barca e diede la mano a Carrie.

«Grazie.» Lei sentì un fremito quando si toccarono. Will era rimasto indietro, per assicurare la barca al molo.

Carrie alzò lo sguardo verso il cielo. Ogni traccia della tempesta era svanita con la stessa rapidità con la quale era comparsa. Le nuvole, diradandosi, rivelavano lentamente il luminoso cielo blu dei Caraibi.

Era incredibile ma sembrava che non ci fossero stati danni agli alberi o alla spiaggia. Will aveva detto che c'erano state piogge forti in passato, ma mai niente di simile a quello che avevano visto lei e Patrick.

Una tempesta localizzata. Proprio sopra Carrie e Patrick. Ed era svanita nel momento in cui avevano consumato la loro passione l'uno per l'altra.

«Quindi distruggerai l'amuleto» esordì lei. «E una volta sistemate le cose prenderemo il primo volo per Mystic Ridge.»

Lui le posò una mano alla base della colonna vertebrale e si voltò a fissarla.

«Possiamo partire domani» propose Patrick guardando Will appena fuori portata d'orecchio.

«Ma hai recuperato l'amuleto. Stai andando a distruggerlo. Perché aspettare?»

Lui le fissò le labbra per un momento. «Penso che

dovremmo restare un po' prima di rientrare, ma dipende da come risponderai alla mia domanda.»

«Che domanda?»

«Vuoi cenare con me stasera?»

«Cenare?»

«Sì. Sai, quel pasto che viene dopo il pranzo.»

«So cos'è una cena.» Non poté trattenersi dal sorridere. «Sei sicuro di voler trascorrere del tempo con una sensitiva scatena-tempeste?»

«Sembra affascinante. E non te lo avrei chiesto se non ne fossi stato sicuro. Quindi è un sì?»

Lei lo guardò. Sembrava sincero. Non era il Patrick misterioso, l'uomo che la faceva impazzire con il suo comportamento controllato. No, era il Patrick sexy e delizioso, l'uomo che le faceva venire voglia di dimenticare tutto e tutti e salpare per un'isola deserta per stare insieme per sempre.

Non pensare queste cose, si rimproverò con fermezza. Non voleva restare delusa. Si era trattato solo di un'avventura, un'incredibile, meravigliosa avventura. Una volta tornati a Mystic Ridge le sarebbe stato assegnato un nuovo partner e tutto sarebbe cambiato.

La sua vita sentimentale le aveva dato solo angosce in passato e non voleva più fidarsi di nessuno ormai. Il suo ex fidanzato, sette anni prima, l'ultimo di cui poteva sinceramente dire di essersi innamorata, aveva amato l'alcol più di lei.

Ma Patrick era diverso.

Stare con Patrick, be'... sembrava magico. E lei voleva credere nella magia.

«È un sì» rispose alla fine, e vide il sollievo negli occhi di lui.

«Bene, diciamo alle sette?»

«Perfetto.» Lei si voltò, ma lui non le lasciò la mano. Carrie lo guardò, in attesa.

«Non riesco a smettere di toccarti» si giustificò prima di liberarla dalla sua stretta, ma senza troppa voglia.

«Non mi sto lamentando. Hai un sacco di tempo per recuperare.»

«Lo farò.»

Forse avrebbe potuto baciarlo per salutarlo, ma voleva farsi desiderare.

Carrie chiamò Amanda dalla camera d'albergo.

«Hai scoperto cosa nasconde Patrick?» le chiese Amanda.

«Sì» Carrie arrotolò il cavo telefonico intorno all'indice.

«E?»

Carrie esitò. «Non voglio metterlo nei guai.»

«Non te lo chiedo a nome dell'agenzia, ma come sua amica. Non importa di cosa si tratta, puoi fidarti di me, manterrò il segreto. Sono solo preoccupata per lui, tutto qui.»

Carrie credeva nella buona fede di Amanda. «Non può più utilizzare la sua abilità empatica. Se solo sfiora qualcuno, sta malissimo, come se fosse bombardato da un sovraccarico di informazioni. I dettagli ancora non mi sono molto chiari, ma è questo il motivo per cui non tocca nessuno.»

«Davvero?» Amanda sembrava confusa. «Patrick ha quelle abilità da anni. Non ha senso.»

«Non so cos'altro dirti, ma è così.»

«Questo spiega perché non voglia più toccare la gente. Patrick era molto orgoglioso delle sue abilità. Gli sono state di aiuto in moltissimi casi e con decine di agenti. Era uno dei migliori e ora non può più usarle. Un vero peccato.»

«Questo è certo.»

«E hai scoperto come ha fatto a tornare a camminare così facilmente?»

«Non aveva fatto fisioterapia?»

«Sì, quando andava agli appuntamenti» spiegò Amanda. «Non ha visto risultati immediati e ha smesso di andarci regolarmente. Forse andava un paio di volte al mese. Mi ricordo il giorno in cui ha scoperto di non poter più partecipare alle maratone, era distrutto.»

«Come hai detto?»

«Lui è un corridore. Quindici anni fa è quasi arrivato alle Olimpiadi.»

Carrie sentiva di essere vicina alla soluzione del mistero. «E il medico gli ha detto che non poteva più correre?»

283

«Sì. La fisioterapia avrebbe dovuto rafforzare i suoi muscoli e farlo alzare dalla sedia a rotelle, ma probabilmente avrebbe dovuto camminare con un bastone per il resto della vita. La prese male, molto male. E poi, un paio di settimane dopo, è tornato a camminare come se non gli fosse mai accaduto niente.»

«Hai idea di cosa sia successo?»

«Se non un miracolo? No.» Fece una pausa. «Be', a parte indossare un amuleto guaritore, ovviamente.»

«Un amuleto guaritore?»

«Esistono, ma la maggior parte risultano maledetti o stregati. Ma Patrick non avrebbe mai scelto la strada più semplice. Non avrebbe scherzato con il fuoco. Ogni magia ha il suo prezzo da pagare.»

Il cavo telefonico era ormai così stretto intorno al dito che quasi le bloccò la circolazione. «Scusami Amanda, ma adesso devo proprio andare. Ci sentiamo più tardi, okay?»

Chiusa la chiamata si sedette su una sedia con lo sguardo perso sull'oceano fuori dalla finestra, mentre cercava di mettere insieme i pezzi.

Un amuleto guaritore.

Ma Patrick non avrebbe scelto la strada più semplice, le aveva detto Amanda. I medici gli avevano detto che avrebbe camminato con un bastone per il resto della sua vita. Eppure non solo camminava, ma correva come se niente fosse. Ora però le sue capacità empatiche, quelle che aiutavano le persone e risolvevano i casi, erano completamente scombinate.

Ogni magia ha il suo prezzo da pagare.

Carrie sgranò gli occhi. Il ciondolo che Patrick portava al collo... era un amuleto guaritore.

Che vigliacco traditore!

Patrick distrusse il piccolo amuleto rosso nella sua camera d'albergo. Prima lo schiacciò con una pietra trovata sulla spiaggia, poi diede fuoco ai resti con un accendino su un posacenere. Non proprio rispettoso, ma abbastanza efficace.

«Addio, Erzulie, non è stato divertente.» L'amuleto scomparve con una fiammata blu.

«Oh, andiamo, bambino» disse una voce femminile e inaspettata, che lo fece sobbalzare. «La manciata di preservativi che hai in tasca mi fanno credere che *un po'* ti sei divertito.»

Lui si voltò e vide la dea seduta sul bordo del letto, un sorriso malizioso sul bel viso, le lunghe gambe accavallate, una gonna a portafoglio aperta a mostrare i polpacci snelli e scuri.

Era la stessa donna che ricordava. Una dea, la prima che incontrava nella sua carriera. E lui stava distruggendo il suo amuleto proprio davanti a lei. Era in guai seri.

«Vuoi punirmi?» le chiese senza mezzi termini.

«Non sembri spaventato come dovresti.»

«Io non ho paura di te. Dovrei?»

Lei continuò a sorridere, si alzò e andò alla finestra, tenendosi alla larga da lui. «Assolutamente, ma non mi dispiace per l'amuleto. Mi ha causato più problemi che piaceri nel corso dei secoli da quando è stato inciso. Ce ne sono altri che vorrei fossero distrutti.»

«Contatta l'agenzia e cercheremo di aiutarti. A pagamento.»

Erzulie inarcò un sopracciglio. «Lei conosce il tuo segreto.»

Patrick la guardò con diffidenza. «Chi? Carrie? Lo so. Glielo hai detto tu.»

«Non le ho detto niente. Aveva già un'idea, ma era solo la punta dell'iceberg.»

«Dovresti pensare ai fatti tuoi.»

«Hai catturato il mio interesse, ed è per questo che vi ho fatto un paio di regali.»

«Non mi servono i tuoi regali, Erzulie» disse Patrick. «O i tuoi consigli su Carrie.»

«No, tu non hai bisogno dell'aiuto di nessuno, vero? Ti piace fare tutto da solo, ma... com'è quel detto? Nessun uomo è un'isola.»

Lui socchiuse gli occhi. «Tu hai maledetto Carrie.»

«Non ho fatto niente del genere. Le ho fatto un dono. Quando il suo desiderio per te è insoddisfatto o represso ci saranno conseguenze. Pensi di poter eliminare ciò che ho creato distruggendo l'amuleto? Sciocco.» Sorrise perfida. «Soddisfa la tua amante e non ci saranno più burrasche in futuro.»

A quelle parole Patrick sentì una morsa allo stomaco. «Annulla subito il tuo cosiddetto dono!»

«Svanirà con il tempo, ma non posso annullarlo. E anche se potessi non lo farei.»

Lei lo trovava divertente, ma lui no. «È questo che hai fatto a William Crane? Uno dei tuoi dubbi regali?»

«Stai saltando alle conclusioni solo sulla base di intuizioni.» Le sue parole erano taglienti, ma continuava a sorridere. «E pensare che un tempo eri un uomo potente e rispettato. Come sei caduto in basso. La tua anima era migliore quando stavi sulla sedia a rotelle.»

Un lampo di rabbia si accese in lui. «Non sai niente di me. E hai maledetto l'albergo di Will. Voglio che tu te ne vada una volta per tutte.»

«Di' quello che vuoi» replicò la dea agitando la mano, indignata. «Ma c'è qualcos'altro in azione qui. Una forza della natura più vicina di quanto credi.»

«Cos'è?»

Lei rise. «Come puoi capire qualcosa di tanto semplice se non sai nemmeno risolvere i tuoi problemi?»

«Non ho alcun problema. Non più.»

Lei continuava a sorridere. «La tua nuova amante vuole sapere dove vi dovete incontrare. Si sta anche chiedendo cosa indossare per cena. Immagino che sceglierà il vestito blu che ha comprato oggi pomeriggio in un negozio del posto perché pensava potesse piacerti.»

Un attimo dopo squillò il telefono. Lui lo fissò, poi si voltò per lanciare uno sguardo rabbioso alla dea.

Era sparita.

13

Una calda brezza sfiorò il volto di Carrie mentre si sedeva di fronte a Patrick.

Ammirando la magnifica vista sull'oceano dalla terrazza del ristorante, era difficile credere che poche ore prima ci fosse stata una burrasca.

«Tutto bene?» chiese Patrick a fine pasto.

«Sì.»

«Ho visto Erzulie. Mi ha fatto visita mentre stavo distruggendo il suo amuleto.»

«Perché non me lo hai detto prima?»

«Volevo godermi la cena con piacevoli conversazioni prima di tornare a parlare di lavoro.»

«Che cosa è successo?»

«Niente di particolare. Si è presa un po' gioco di me. Mi ha detto che non è lei la responsabile della maledizione.»

«È la stessa cosa che ha detto a me. Non le credi?»

«Non lo so.» Serrò i denti.

Cosa stava succedendo? Se lo chiedeva da ore, da quando la dea si era professata innocente. Se non era stata lei, allora chi? E come facevano a scoprirlo prima di ripartire?

Carrie giocava con il bordo del bicchiere. «A parte Erzulie, ho incontrato solo un'altra persona con un valido motivo per farlo: Ruby.»

«Chi è Ruby?»

«È una donna che lavora per il *Loa Loa*, il resort che hanno costruito dietro quello di Will» spiegò, indicando un'imponente costruzione che dominava tutto il circondario, con le facciate in vetro e metallo progettate per sembrare una cascata. E in effetti, al centro dell'edificio, era stata realizzata una cascata vera e propria che alimentava un'enorme piscina. Era considerato il gioiellino delle Bahamas, a dispetto del suo prezzo a cinque stelle.

«Vuole che Will le venda l'albergo?» chiese lui.

«Esatto. Ero un po' confusa, perché quando l'ho incontrata avrei giurato che emanasse scintille. Come se fosse attratta da Will.»

«E ora?»

«Non ne sono più tanto sicura.» Alzò il bicchiere di pinot grigio e ne bevve un sorso. «Con tutto quello che ho visto in queste ultime ore, ho capito che la magia opera in modi strani. Per quanto ne so, le vibrazioni che mi sembrava emanasse potrebbero essere un qualche incantesimo per convincerlo a firmare.»

«Ma lui non vuole perdere l'albergo.»

«Lo perderà se ci sbagliamo su Erzulie, e in quel caso distruggere l'amuleto sarà stato del tutto inutile. Se gli affari di Will non si riprendono non gli ci vorrà certo un mago della finanza per capire che dovrà vendere.»

«Penso sia legato alla proprietà per via di sua moglie.»

«Non c'è dubbio.» Carrie sentiva una stretta al cuore a pensarci. Aveva percepito il suo dolore per Violet.

«L'amore fa fare cose strane. Ti fa agire come un pazzo.» Patrick si allungò e fece scivolare la mano sulla sua, e lei sentì la pelle formicolare. Il suo tocco gli piaceva sempre di più. «Will era follemente innamorato di sua moglie. Il *Violet Shores* lo aiuta a mantenerne vivo il ricordo.»

«Ma lei se n'è andata e non tornerà più. È triste, ma bisogna andare avanti» commentò Carrie.

«A volte è difficile lasciar andare quello che ti dà conforto quando stai soffrendo.»

Lei annuì e intrecciò le dita alle sue. «Qualcosa come il tuo amuleto guaritore?»

La sua mano si immobilizzò. «Come hai detto?»

«Penso che tu sappia bene di cosa sto parlando.»

«Non credo proprio.»

Non era sicura di volerne parlare a tavola, ma era successo.

«L'oggetto che hai al collo» insistette. «Non è adatto a te, ma ora so cos'è e perché lo indossi.»

288

Lui serrò i denti. «Hai parlato di nuovo con Amanda?»

«Lei non ha idea di cosa ti stia succedendo. Mi ha parlato di amuleti guaritori, ma ha aggiunto che sei troppo intelligente per utilizzarli. Sembra che non ti conosca bene come crede.»

«E invece tu sì.» Con un gesto irritato si liberò dalla stretta della sua mano.

Carrie non aveva intenzione di fare marcia indietro. «Sì, Patrick. Meglio di quanto pensi. Amanda mi ha anche detto che eri un corridore, e che sei quasi arrivato alle Olimpiadi a un certo punto.»

«Mi sono slogato una caviglia poco prima delle eliminatorie, e non ho potuto partecipare.»

«Quello è il passato e questo è il presente. Forse è stata quella delusione a farti scegliere la soluzione più semplice per un grosso problema.»

Un lampo gli attraversò gli occhi, ma stavolta non era desiderio. «È questo che pensi che sia? Una soluzione facile?»

Lei lo guardò, socchiudendo gli occhi. «Non ho idea di cosa sia in realtà.»

«E io che pensavo mi avessi capito.» Tirò fuori il portafoglio e sbatté un paio di banconote sul tavolo. «Non voglio parlarne.» Si alzò e si diresse verso la balaustra della terrazza, poi si voltò e la guardò da sopra la spalla. «Non vieni?»

Era sorpresa che non se ne fosse andato da solo, infuriato. Combattendo la frustrazione, spinse indietro la sedia e si alzò per seguirlo sulla spiaggia.

«Togliti le scarpe» suggerì lui, «sarà più facile camminare.»

Lei lo guardò scettica. «Sicuro di non voler correre?»

«Non per il momento.»

Il sole aveva cominciato a sparire all'orizzonte. Lei avrebbe voluto immortalare quel momento, l'oceano e la sensazione di quella brezza calda sulla pelle. Si tolse i sandali, come le aveva consigliato lui, e sentì la sabbia soffice e calda sotto i piedi.

«Una bellissima visione» disse lui in tono dolce.

«Sì» replicò voltandosi.

«Non parlavo del panorama.» Il suo sguardo focoso percorse il corpo di lei fino a raggiungerne gli occhi.

Carrie sentì crescere dentro il desiderio per lui, ma non voleva farsi distrarre. «Dobbiamo parlare del tuo problema, Patrick.»

«Perché?»

«Perché mi preoccupo per te.»

«Non farlo, Carrie. Non vale il tuo tempo o i tuoi sforzi.»

Lei lo fissò. «Dai, smettila con questa patetica autocommiserazione.»

Lui alzò un sopracciglio. «Patetica autocommiserazione? È questo che pensi?»

«Decisamente.»

«Apprezzo il tuo parere.»

«No, non è vero. Il solo parere che apprezzi in proposito è il tuo. Anche se devo ammettere che non hai cercato di negare che hai usato un amuleto guaritore.»

«Immaginavo che non sarebbe servito a un bel niente. Quando ti metti in testa una cosa sei come un mastino affamato davanti a un pezzo di carne.»

«Sembra sexy.»

Questo gli strappò un accenno di sorriso. «Non lo avrei mai pensato prima, ma sì. Più o meno.»

«Dimmi perché lo stai facendo, Patrick.»

«Perché sto usando un amuleto guaritore?»

«Sì.»

Lui si irrigidì. «Perché senza non potrei camminare.»

«Ma non è vero. Potresti camminare se alzassi il tuo culo pigro e facessi regolarmente fisioterapia.»

Patrick serrò i denti. «Amanda dovrebbe tenere per sé il suo parere.»

«Vuole ciò che è meglio per te. E anche io.»

«Senza l'amuleto ci sarebbe voluta un'eternità per ristabilirmi, e sarei riuscito a camminare solo con un bastone. Ora invece posso addirittura correre. Non mi sono mai sentito meglio in tutta la mia vita.»

«E non puoi toccare nessuno o la tua testa esploderà.»

«Non letteralmente.» Rimase un attimo in silenzio. «E poi non è del tutto vero, non più. Posso toccare te.»

Lei ricordò di quanto fosse bello sentire le sue mani sulla pelle, il suo corpo contro il suo. «Sì, puoi.»

«Visto?» Si avvicinò e le prese il viso. «Nessuna esplosione in vista.»

Lei respirò a fatica. «Patrick...»

«Se tu non indossassi l'anello, non potrei fare questo.» Si protese in avanti e le sfiorò le labbra con le sue.

Di che cosa stavano parlando? Non se lo ricordava più... bastava un suo solo tocco e il mondo intero cessava di esistere e di essere importante.

«Mi vuoi?» sussurrò lui.

Carrie trattenne il respiro. «Lo sai.»

Lui cercò il suo volto. «Non ne sono sicuro finché non me lo dici. Non posso leggerti nel pensiero.»

«Ti voglio.»

«Erzulie mi ha detto cosa ti ha fatto. Riguarda i tuoi sentimenti per me. Se non soddisfiamo la passione tra noi, ci saranno altre tempeste.»

«Ha davvero detto questo?»

Lui sorrise. «Sto parafrasando, ma il significato è lo stesso.»

Lei si accigliò, innervosita che fosse riuscito a distrarla così facilmente. «Non sono neanche minimamente vicina ad archiviare il discorso amuleto.»

«Vieni qui.» La tirò verso una formazione rocciosa naturale, corrosa dalla marea nel corso dei secoli. Si sentivano le voci delle persone nel ristorante e la musica che suonava, ma avevano una certa privacy.

«Patrick» iniziò lei, «dovremmo tornare in albergo.»

«Non ancora. Ho troppa fame.»

«Ma abbiamo appena mangiato.»

Lui sorrise e le si avvicinò premendola contro la roccia. «Sarei sfacciato se ti dicessi che voglio ancora il dessert?»

«Molto sfacciato.»

«Come non detto...»

Un altro bacio pose fine alle proteste. Poteva concentrarsi solo sul suo sapore...

«Mi piace il tuo vestito.» Mise le mani sull'orlo del leggero abito blu e lentamente le fece scorrere lungo le cosce, fino a raggiungere i suoi slip.

«Mi fa piacere.»

Lei rimase senza fiato quando sentì le dita di lui sfiorarle il clitoride attraverso il tessuto. Un attimo dopo prese il sottile elastico tra due dita e tirò verso il basso, esponendo il suo sesso tumido alla brezza calda della sera. Il suo respiro si fece affannoso, ma non lo fermò. Quando gli slip raggiunsero le caviglie li spinse via con un calcio.

«Alza la gonna» disse lui mettendosi in ginocchio davanti a lei. «Voglio vederti.»

Era così eccitata che non riusciva a pensare. Sentiva solo la calda presa delle sue mani sull'interno coscia. Fece come le aveva chiesto, si alzò la gonna e rimase nuda davanti a lui. Improvvisamente si rese conto del rischio che stavano correndo. Chiunque poteva vederla.

«Patrick, io...»

Stava per suggerirgli di andare in un posto più riservato, ma trattenne un grido quando sentì la carezza bollente e umida della sua lingua su di lei. Lui le aprì le gambe per poterla assaporare più a fondo.

«Ti piace?» le chiese seduto sui talloni e alzando lo sguardo bramoso. Il sole era ormai quasi scomparso all'orizzonte, immergendoli nell'ombra.

«Oh, sì.»

Quella risposta dolcemente sibilata gli bastò per continuare. Lei biascicò ripetutamente il suo nome e si allungò per afferrargli la testa. I suoi capelli erano soffici sotto le sue mani. Patrick continuò a leccarla lentamente, finché lei non pensò di esplodere. Cercò di soffocare un grido con il dorso della mano mentre lui la portava all'apice del piacere.

Lui affondò le dita nelle sue cosce rialzandosi e, senza fermarsi, schiacciò la bocca sulla sua. Sentire il proprio sapore sulle labbra di lui le fece perdere completamente la ragione.

«Patrick...» ansimò lei.

«Girati. Ho bisogno di essere dentro di te.»

«Ma Patrick...»

292

«Per favore, Carrie.» I suoi occhi tradivano una vera brama mentre continuava a baciarla voracemente.

«Ho come l'impressione che tu stia cercando di distrarmi dal tuo amuleto.»

«Girati e sorreggiti al muro.»

Era come se avesse una qualche sorta di oscuro potere su di lei: Carrie esaudì la sua richiesta senza aggiungere una parola.

Un attimo dopo, sentì il lieve stridore della lampo. Si voltò a guardarlo da sopra la spalla mentre apriva la bustina del preservativo e sorrise. Aveva fatto scorta prima di lasciare la villa. Aveva previsto che sarebbero stati insieme ancora, e anche lei lo desiderava.

Poco dopo, sentì la pressione della sua erezione.

Patrick si protese in avanti e le sussurrò all'orecchio: «Mi vuoi, Carrie?».

«Sì.»

Quell'invito era tutto ciò di cui aveva bisogno. Lei cercò di aggrapparsi alla roccia mentre lui la colmava con una sola, profonda spinta. Con la mano destra iniziò a stimolarle il clitoride mentre entrava e usciva da lei.

«Sei bellissima, Carrie. Mi fai impazzire.»

Lei non riusciva a parlare. Non era mai stata posseduta così prima. Era licenzioso, osceno... incredibile.

Se non avesse indossato l'anello della dea, lui non avrebbe potuto nemmeno toccarla, figurarsi condividere quel piacere immenso.

Non ci volle molto per raggiungere l'estasi e quando il secondo orgasmo la travolse con la forza di un uragano gridò il suo nome.

Lui le strinse i seni attraverso il tessuto leggero del vestito.

«Carrie...» Pronunciò il suo nome con voce roca, mentre lei lo sentiva fremere a sua volta. Il suo membro divenne ancora più duro e lei si voltò per guardarlo e baciarlo, godendosi ogni istante del suo piacere.

«Grazie» sussurrò lui.

Lo guardò languida. «Sono sempre disponibile per te.»

Vide qualcosa illuminargli gli occhi e non era solo gratitudine. Era qualcosa di più primitivo.

«Mi fai perdere il controllo» le disse in un sussurro gutturale, denso di promesse e lussuria.

«Per me è lo stesso.» Lei si girò e lo avvolse in uno stretto abbraccio e lui abbassò le labbra sulle sue. Baciare Patrick era nella top ten delle cose preferite da fare. Al primo posto, in realtà.

Gli prese il pene e lo strinse delicatamente, un'altra delle cose che amava fare, e lo accarezzò, sentendo che era già pronto per un nuovo amplesso.

Lui gemette la sua approvazione, passandole le labbra sul collo. «Sei insaziabile.»

Lei sorrise maliziosa. «Neanche immagini quanto.»

«C'è una vasca a idromassaggio in camera mia, quella che Will si è assicurato di nominare al nostro arrivo.»

«Credevo avessi chiesto camere separate. Su piani separati.»

«Stavo cercando di essere professionale.»

«Stavi cercando di evitarmi.»

«E ora ti voglio assolutamente nuda nella mia vasca, con le gambe avvolte intorno a me.»

«Sempre più interessante.» Con le dita gli tracciò una scia sul collo, fermandosi sull'amuleto argentato.

Lui seguì il suo sguardo. «Non stiamo parlando di questo.»

Carrie si sentiva a disagio per il fatto che lui stesse usando un amuleto per risolvere i suoi problemi. Non le sembrava giusto, per niente.

«Ti prego, parlane con me» gli disse in tono dolce.

«Non posso.» Distolse lo sguardo.

«Usare *questo* non risolve il problema. *Questo* è il problema.»

«È quello che pensi tu.»

«Se cercassi di vedere la cosa da un altro punto di vista...»

«In realtà, il solo punto di vista che conta, in questo caso, è il mio, visto e considerato che sarei io l'unico che dovrebbe affrontarne le conseguenze se non lo utilizzassi.» Il suo tono era sempre più freddo e arrabbiato.

«Ma Patrick, stai negando l'evidenza!»

Lui si incupì. «No. Sei tu quella che nega l'evidenza se pensi che rinuncerò mai all'amuleto.»

Non era nemmeno disposto a valutare le alternative. E ora, grazie all'anello, poteva toccarla, fare l'amore con lei... era come avere la botte piena e la moglie ubriaca. Quel pensiero la ferì.

Si sistemò il vestito e si staccò da lui. «L'idromassaggio può aspettare.»

«Carrie...» Come la tempesta, anche la sua rabbia sparì con la stessa rapidità con la quale era comparsa.

Lei si passò la mano tra i capelli. Aveva un nodo in gola, ma non voleva piangere. Erano passati sette anni da quando aveva pianto per un uomo che amava. «Domani torniamo a casa. Quello che è successo tra noi... non importa. È stata solo un'avventura. Per me va bene così. Puoi tornare nella tua terra del diniego e non preoccuparti, non mi avrai come partner a incasinare le cose.»

Patrick serrò i denti. «Ora sei irrazionale.»

«Sono stanca. È stata una lunga giornata. Grazie per... per la cena. Verrò a cercarti domani mattina.»

Carrie si voltò e attraversò la spiaggia, dirigendosi verso l'albergo. Per un attimo desiderò che Patrick le corresse dietro e la fermasse, ma non si sorprese nel vedere che non lo fece.

14

Patrick era alla finestra, nella sua stanza. Se allungava il collo poteva intravedere il costone di roccia dove aveva fatto l'amore con Carrie. Aveva ancora addosso la sensazione di lei. Sentiva ancora il suo sapore, il suo profumo.

Era un'ossessione.

Fissò il telefono. Non era abituato a usare il fisso. Appena tornato a Mystic Ridge avrebbe ricomprato un BlackBerry ma fino ad allora non poteva fare altrimenti.

Avrebbe dovuto chiamare Carrie, parlare con lei, scusarsi.

Ma scusarsi per cosa?

In fin dei conti, nonostante tutti i guai che gli aveva procurato, Patrick era più felice di quanto non fosse da lungo tempo. Solo pensare a lei lo faceva stare bene. Anche ricordare quanto fosse arrabbiata con lui in quel momento lo faceva sorridere. Giocavano a chi era più testardo.

Il suo sorriso svanì quando ricordò la loro discussione. Toccò l'amuleto, passando l'indice sulla superficie scalfita.

Lei non capiva perché ne avesse bisogno. Lei non c'era quando era finito sulla sedia a rotelle, costretto a fare dolorose sedute di fisioterapia. Si chiese se Carrie lo avrebbe aiutato a superare quei momenti o se, come la sua ex fidanzata, avrebbe colto l'occasione per andarsene senza voltarsi indietro.

Non aveva molta importanza. L'amuleto aveva funzionato anche se c'erano state delle conseguenze. E ora, grazie alla strana ma utile intromissione di Erzulie, poteva fare l'amore con Carrie.

Per fortuna, era *lei* l'unica con cui volesse farlo. Per quanto lo riguardava, era la sua situazione ideale.

Le avrebbe lasciato la notte per raffreddare i bollori. Domani avrebbe riscaldato di nuovo le cose.

«Stai cercando Patrick?»

Carrie si voltò e vide Will avvicinarsi a lei sulla terrazza il mattino dopo. «Lo hai visto?»

«Stava facendo jogging sulla spiaggia poco fa. Partite oggi?»

«Sì.»

«A che ora avete il volo?»

«Alle quattro. Da quando abbiamo distrutto l'amuleto hai notato qualche cambiamento?»

Lui si guardò intorno. «Temo di no. Non c'è stata una sola prenotazione. E siamo prossimi a San Valentino, il che non è un buon segno.»

Lei sentì un tuffo al cuore. «Mi dispiace tanto.»

«Ero convinto che fosse colpa di Erzulie, ma a quanto pare mi sbagliavo. Forse questo posto è semplicemente impopolare ed è solo una coincidenza che le coppie scoprano di odiarsi quando arrivano qui. È possibile. Posso accettarlo.»

«Sì?»

Lui annuì. «Non ho altra scelta, non credi? Se Violet fosse qui, sai cosa mi direbbe di fare?»

«Cosa?»

«Mi direbbe di smetterla di essere uno stupido testardo e firmare quelle carte, prendere i soldi offerti dal *Loa Loa* e rifarmi una vita altrove.»

«Ma non lo farai, vero?»

Invece di rispondere con un secco rifiuto, rimase pensieroso. «Non lo so più.»

«Sembra che tua moglie fosse una gran donna.»

«Ero un uomo fortunato. È stato vero amore dal primo momento che l'ho vista.» Sorrise malinconico. «Speravo che saremmo stati insieme per sempre. Strano come il *per sempre* non duri così a lungo come si pensa.»

Il suo dolore era palpabile e le strinse il cuore. «Mi dispiace veramente.»

«E non importa cosa dice Patrick e le sue stanze separate...» continuò, fissandola negli occhi, «... c'è qualcosa tra voi. Non sono cieco. Sei innamorata di lui?»

Lei respirò a fatica di fronte a quella domanda diretta.

«Non ti sembra di essere un po' invadente?»

«Scusa, mi piace vivere indirettamente le storie degli altri. Riconosco l'amore a un miglio di distanza e non solo perché gestisco un hotel per lune di miele.»

«Non è così per me e Patrick.» Sperò di essere risultata convincente, ma dentro di sé provava il contrario.

«E com'è, allora?»

Will era indiscreto ma affascinante. Una combinazione fatale. «Quando siamo insieme mi entra nell'anima come nessuno prima.»

«Sembra promettente.»

«Mi fa sentire come se fossi l'unica al mondo quando... be', non importa.»

«Tralasciamo i dettagli piccanti per ora.»

Lei sorrise. «Mi piace molto.»

«Ti *piace* e basta?»

Lei incrociò le braccia e scrutò i dintorni. Dove diavolo si era cacciato Patrick? Doveva aver finito da un pezzo di fare jogging. «Ammettere qualcosa di più sarebbe estremamente dannoso per la mia autostima.»

«L'amore non si può negare, né reprimere. Si prova e basta. E solo quando lo perdi...» deglutì e fece una pausa prima di continuare, «capisci davvero quanto contasse, ma non lo avrai più indietro.»

Carrie era sopraffatta dalle emozioni. Le parole di Will erano crude, sembrava avesse perso sua moglie da pochi giorni e non da un anno. Sentì una lacrima solcarle la guancia. La toccò e si fissò le dita, sorpresa visto che non piangeva mai.

Avrebbe voluto dire a Will che perdere qualcuno di speciale ti spezza il cuore, ma la vita deve andare avanti. Che avrebbe incontrato un'altra donna che lo avrebbe reso di nuovo felice. Sentiva l'aura di solitudine che emanava e raggelò nonostante il caldo del mattino.

«Ho bisogno di riflettere» disse Will, «sul futuro del *Violet Shores*. Forse sto prendendo la decisione sbagliata nell'intestardirmi a tenerlo aperto.»

«Forse» concordò lei con riluttanza.

«E forse tu sbagli a non ammettere i tuoi sentimenti per Patrick.»

Carrie lo guardò per un lungo istante. «Forse.»

Lui sorrise. «Vedi? Lo sapevo. È come se avessi un certo sesto senso quando si tratta d'amore.»

Lei cercò di non ridere. «Non darti tante arie!»

«Non lo faccio. Sta arrivando. Ricordati cosa vi ho detto a proposito dell'idromassaggio.»

«La mia vasca non funziona, l'ho provata ieri sera.»

«Oh» si accigliò. «La faccio sistemare.» Passò accanto a Patrick che si stava avvicinando. «Funziona la tua vasca?»

Patrick lo guardò. «No, credo sia rotta.»

«Questo posto cade a pezzi e non posso più dare la colpa alla maledizione.» Will lanciò un'occhiata a Carrie da sopra la spalla. «Ci sentiamo più tardi, prima che partiate.»

«Va bene.» Lo sguardo di lei si spostò su Patrick. «Giorno.»

«Buongiorno.»

«Fatti i bagagli?»

«Sì. Tu?»

«Li faccio sempre all'ultimo momento. Mi piace un po' di eccitazione nella vita.»

«Ascolta, ieri sera...»

Lei alzò una mano. «Conversazioni che iniziano così non prendono mai una bella piega. Non pensiamoci più.»

Lui inarcò un sopracciglio. «Davvero?»

«Davvero. Non voglio litigare con te.»

«Incredibile!»

«Altre visite impreviste di Erzulie?»

«Penso che se ne sia andata.»

Qualcosa oltre il muretto sulla spiaggia catturò l'attenzione di Carrie. Il fotografo che era stato lì il giorno prima stava scavando nella sabbia con il piede. Poi si chinò e raccolse qualcosa che brillava.

«Chi è?» domandò Patrick seguendo il suo sguardo.

«Si chiama Diego. Era qui l'altro giorno con Ruby, la donna del *Loa Loa*. Will voleva che se ne andasse... sembrava davvero insistente nel fare fotografie.»

«Che cosa sta facendo?»

«Non ne ho idea.»

«Pensi ancora che il *Loa Loa* abbia qualcosa a che fare con la maledizione del *Violet Shores*?»

Lei lo guardò.

«Seppellire qualcosa nella sua proprietà sarebbe un buon modo per maledirla, no?»

«Dipende da cosa. Se si tratta di un amuleto come quello di Erzulie, seppellirlo è il modo migliore per neutralizzarne gli effetti.»

«E che mi dici di altri oggetti magici?»

«Qualcosa che tenga lontano potenziali clienti?»

Carrie annuì. «Per esempio.»

«Quelli funzionano meglio se fissi in un posto. Anche sotto uno strato di sabbia.»

Lei lo scrutò con attenzione mentre Diego teneva il cellulare all'orecchio.

Carrie e Patrick si scambiarono un'occhiata. Quando Diego si voltò verso di loro, si nascosero dietro al muretto.

«Sembra che sia stato mandato a recuperare qualcosa di importante» sussurrò Carrie.

«Non lo so. Forse non è niente.»

«Senti, lo so che abbiamo già fatto il nostro lavoro. Will pensava dipendesse dall'amuleto di Erzulie. L'abbiamo recuperato e distrutto come richiesto. Abbiamo portato a termine la missione, ma non è cambiato niente. Rischia ancora di perdere la proprietà. Se abbiamo un indizio che può risolvere il caso allora dovremmo seguirlo.»

Si aspettava che lui protestasse dicendo di attenersi alle regole, come avrebbe fatto qualunque capo. Dopo tutto, era abituato a fare il capo e come tale avrebbe voluto che i suoi agenti seguissero il protocollo.

«Abbiamo il volo alle quattro» disse Patrick.

«Abbiamo sei ore piene.»

«Dobbiamo essere in aeroporto per le tre.»

«Cinque ore.»

«Taxi.»

«Bene. Quattro ore. Mi sembra più che sufficiente.»

«Lavori in fretta.»

«Ci provo.» Lanciò un'occhiata a Diego, che si era spostato lungo il sentiero che conduceva al *Loa Loa*. «Vieni. Seguiamolo.»

«Fammi strada.»

15

Rimasero a distanza in modo che Diego non si accorgesse di essere seguito. Come immaginavano, stava andando al *Loa Loa*.

«Allora, cosa consigli di fare?» le chiese Patrick.

«Che vuoi dire?»

«Se questa è la risposta che stiamo cercando, se hanno architettato una qualche sorta di incantesimo per convincere Will a vendere, allora cosa facciamo?»

«Mi stai mettendo alla prova proprio adesso? Fa parte del mio addestramento?»

«Forse, voglio vedere cosa ti suggerisce l'istinto.»

Lei si spremette le meningi. «È illegale?»

«No. La magia non è riconosciuta come un crimine. La polizia non ci crede.»

«Perché no?»

Lui scosse la testa. «È difficile dimostrarla.»

«Ma è per questo che c'è l'agenzia.»

«Sì, certo, ma la maggior parte dei nostri fondi arriva da donazioni private. La maggior parte della gente pensa che siamo impostori.»

«Anch'io lo pensavo.» Sorrise. «Era uno dei motivi per i quali avevo voluto scrivere quel pezzo su di te, ai tempi. Ero veramente – qual è la definizione migliore? – *scettica* quando ti ho incontrato e mi hai detto che sei un sensitivo.»

«Ma io te l'ho dimostrato.»

«Sì.» Sorrise al ricordo di loro due che si tenevano le mani nel bistrot. «Mi piacciono le cose che hanno un senso. E quando penso che non ce l'abbiano, preferisco non averci nulla a che fare.»

«E ora?»

«Ora non c'è più granché di sensato.» Rise piano. «Tu, per esempio.»

«In che senso?»

«In tutti i sensi.»

Il suo volto era ermetico. «Non voglio discutere ancora dell'amuleto.»

«Non ci ho rinunciato.»

Lui sospirò. «Ognuno ha la sua croce, Carrie.»

«Parlamene. Anch'io ho a che fare con una maledizione, no?»

«Non la definirei così.»

«E come allora?»

Un accenno di sorriso si affacciò sulle sue labbra. «Una situazione interessante.»

«Il fatto che se mi eccito gli oggetti prendono il volo? Che ieri ho creato dal nulla una tempesta che ci ha quasi ucciso?» Non era più divertita. «Ogni volta che mi emoziono posso provocare dei veri disastri.»

«Erzulie ha detto che è una situazione temporanea. Svanirà con il tempo. E non accade solo quando sei emozionata, è più specifico di così.»

«Quando sono emozionata... *con te*.» Lei lo guardò. Aveva intuito quel piccolo dettaglio. Non aveva bisogno che la dea glielo confermasse.

Patrick si strinse nelle spalle ma non incrociò il suo sguardo. «Quindi, se vuoi evitare questa piccola estensione delle tue abilità, è molto facile. Stai lontana da me finché non passa.»

«E se non volessi?»

Lui alzò un sopracciglio. «Come?»

«Se non volessi stare lontana da te finché non passa? Se non volessi *affatto* stare lontana da te?»

Patrick sostenne il suo sguardo per un lungo istante. «Dai, non perdiamo di vista il nostro uomo.»

Diego sparì dietro l'angolo. Carrie e Patrick lo pedinarono da lontano mentre entrava nel *Loa Loa*.

Le bastò un'occhiata per capire perché gli affari andavano

meglio che a Will. Il resort era incredibilmente bello. Il *Violet Shores* decisamente non reggeva il confronto.

La catena aveva sedi in tutto il mondo, e anche nei momenti di crisi gli affari andavano a gonfie vele. L'unica cosa che gli mancava era il panorama del *Violet Shores*.

Carrie non sapeva se quella motivazione era sufficiente per desiderare di maledire la proprietà per allontanare i potenziali clienti e far litigare gli ospiti come cani e gatti. Sembrava improbabile, ma la gente era disposta a fare di peggio per molto meno. Lo aveva visto spesso lavorando come giornalista. Omicidi, sequestri di persona, estorsioni, tutti commessi da gente disperata alla ricerca di una fetta di torta più grande.

Si voltò verso Patrick. «Andiamo a mettere le mani su quello che ha scavato» gli bisbigliò. «Se è pericoloso lo distruggi così non farà altri danni.»

«Ben detto.»

«Muoviamoci.» Lo prese per mano. Era passato troppo tempo da quando aveva sentito il calore della sua pelle, e come in un flash le tornò alla mente quello che era successo tra loro la sera prima sulla spiaggia. Si sentiva completamente fuori controllo e non c'entrava niente la telecinesi. Quando Patrick aveva fatto l'amore con lei le sue abilità mentali erano l'ultimo dei suoi pensieri.

Camminarono superando decine di turisti, alcuni alla reception con le valigie in mano, altri sdraiati sui morbidi divani della lussuosa hall dai pavimenti in marmo.

L'albergo era anche un centro congressi e disponeva di una serie di sale riunioni. Diego entrò in una di quelle. Stava giocherellando con delle chiavi per aprire una porta dall'altra parte della stanza e poi vi entrò. Patrick arrivò rapidamente alla porta per evitare che si chiudesse, e Carrie lo seguì. Sembrava un ufficio, c'era una scrivania da un lato e un armadio per il guardaroba. E un'altra porta chiusa sulla parete opposta.

Carrie sentì il battente chiudersi alle loro spalle.

«È chiusa a chiave» disse Patrick provando la maniglia. Provò con la porta usata da Diego. «Anche questa.»

Lei fece una smorfia. «Quindi siamo bloccati qui.»

«Potresti usare la telecinesi per aprirla.»

«Potrei.» Guardò nervosa la prima porta.

«Lo hai già fatto sull'isola.»

«Ma non avevo scelta.»

«Devi essere in una situazione di vita o di morte per governare il tuo potere?»

«Bella domanda.» Lanciò un'occhiata alla porta. Poteva farcela?

«Sta arrivando qualcuno.» La presa di Patrick sulla sua mano si fece più salda. «Proveremo tra poco.»

Tirandola a sé si chiusero nell'armadio. L'anta era a persiana e riuscivano a guardare fuori, anche se a fatica. Videro che stavano entrando tre persone. La prima era Ruby, che indossava un abito nero aderente ed eleganti scarpe con il tacco a spillo. I capelli rossi, raccolti in una treccia, le lasciavano il viso scoperto. Le sue guance erano arrossate e sembrava sconvolta. Dietro di lei c'era un uomo più grande, che Carrie non aveva mai visto, e infine Diego.

Carrie scambiò uno sguardo con Patrick e non poté nascondere la sua euforia. Quasi superava la paura che li scoprissero.

«Sto facendo del mio meglio» si scusò Ruby.

«Stai facendo del tuo meglio per evitare questa conversazione, ecco cosa stai facendo» replicò l'uomo.

Lei lo fissava. «Lasciami fare il mio lavoro.»

«È quello che ho fatto finora. Sono tre mesi che aspetto di vederne il risultato.»

«William Crane non vuole vendere.»

L'uomo sospirò e si passò una mano tra i capelli sale e pepe prima di prendere posto dietro l'ampia scrivania. Con lo sguardo perlustrò la stanza fermandosi un momento sul guardaroba. Carrie d'istinto si premette vicino a Patrick, cercando di occupare meno spazio possibile. Non c'erano cappotti dietro cui nascondersi.

La piccola cabina era praticamente vuota, a parte qualche scatola impilata sul fondo.

«Sai cosa voglio, non è vero Ruby?»

Lei lo guardò. «Certo che lo so.»

«Questo resort è il risultato del lavoro di una vita. La catena *Loa Loa* è il mio fiore all'occhiello.»

«Lo so.»

«Dimmi perché, se sono così ricco, non posso comprare un patetico albergo a due stelle?»

«William Crane non vuole vendere.»

«Non ho conosciuto nessuno in tutta la mia carriera... *nessuno*... che non abbia un prezzo.»

«L'ultima offerta era molto generosa. Forse lui è l'eccezione alla regola.»

«Hai provato a sedurlo?»

Lei s'irrigidì. «Se io fossi un uomo non mi chiederesti di sedurre qualcuno per convincerlo a firmare.»

«No?» L'uomo distolse lo sguardo. «Diego, tu che ne pensi? Sei il suo braccio destro, no? Cosa sta facendo mentre io sono in Europa ad ammazzarmi di lavoro?»

«Ruby è bravissima nel suo lavoro, Geoffrey» rispose Diego senza esitare. «E mi creda, ha ancora diversi assi nella manica per negoziare.»

Sì, pensò Carrie. *Come quello che ha lui in tasca.*

«Davvero?»

«Entrerà in possesso del *Violet Shores* entro la fine della settimana, se non prima.»

«Ne sembri convinto.»

«Lo sono.»

Geoffrey sorrise. «Entro questo venerdì fammi avere quei documenti, Ruby. Se il tuo assistente pensa che tu sia in grado di gestire la cosa, allora ti concedo il beneficio del dubbio.»

«Grazie.» Sembrava sollevata.

«Però, se entro quella data il *Violet* non sarà mio, prega che William Crane stia assumendo del personale, perché ti sostituirò con qualcuno infinitamente più qualificato di te.» Si alzò in piedi. «Abbiamo finito qui. Se avete bisogno di me, sapete dove trovarmi.»

Senza aggiungere altro, Geoffrey uscì dalla stanza. Carrie l'aveva riconosciuto: era un imprenditore immobiliare miliardario, noto per i suoi metodi privi di scrupoli e moralità.

«Mi sembra un motivo più che sufficiente per maledire l'albergo, non credi?» commentò Patrick chinandosi per sussurrarle quelle parole nell'orecchio. Le sue labbra la sfiorarono e lei sentì un brivido percorrerle la schiena. Lui aveva un odore proprio buono. *Troppo* buono. Di colpo il desiderio avvampò.

Non voleva eccitarsi proprio ora. Non lì. Non voleva creare altri problemi. Così, invece di pensare al corpo di lui che, forte e caldo, premeva contro il suo cercò di concentrarsi su quello che aveva appena sentito.

Ruby rischiava di essere licenziata se non avesse convinto Will a firmare. Se avesse maledetto la proprietà, Will non avrebbe avuto altra scelta. Non era necessario essere un genio per capirlo.

Ruby imprecò a gran voce e lanciò la cartellina che aveva in mano. I documenti si sparsero a terra. «È finita.»

Diego le si avvicinò. «Non dire così.»

«Sapevo di non essere all'altezza per questo lavoro. Questa ne è la semplice dimostrazione.»

«Tuo padre è un verme!»

Carrie alzò un sopracciglio. Geoffrey era il padre di Ruby?

«Non può licenziarti!»

«Certo che può. Se non riesco a concludere una cosa così semplice, mi sembra ovvio che non sarei in grado di gestire gli affari quando lui tirerà le cuoia.»

«Voleva che seducessi Will?» chiese Diego. «Perché non lo sapevo?»

«Perché non te l'ho detto.»

«Giusto. L'assistente è sempre l'ultimo a sapere le cose. Hai una cotta per Will? Hai passato un sacco di tempo a chiacchierare con lui negli ultimi tempi.»

«Be', è sicuramente un piacere per gli occhi.»

Lui rimase in silenzio. «Capisco.»

Ruby incurvò le labbra. «Non mi interessa sedurlo. E non solo perché mi sentirei una prostituta.»

Diego era imbronciato.

«Vieni qui. Subito.»

Con un po' di esitazione, lui eliminò la distanza tra loro.

307

Ruby lo afferrò per il bavero della camicia e lo tirò a sé. «Lo sai che c'è un solo uomo che voglio nel mio letto.»

«E chi è?»

«Non fare il modesto.»

Si baciarono. Appassionatamente.

Carrie era un po' sorpresa. Avrebbe giurato di aver percepito della chimica tra Ruby e Will. Evidentemente si sbagliava.

«Ruby...» disse Diego un attimo dopo. «Ti voglio.»

«Sono qui. Fai l'amore con me.»

Carrie lanciò uno sguardo a Patrick e condivisero un momento di silenziosa complicità. Erano intrappolati in un guardaroba e due persone erano sul punto di fare sesso a pochi metri da loro. Le mani di Ruby erano già sulla cerniera di Diego. Lo spogliò e si chinò sulla scrivania con le gambe aperte. Lui la penetrò con una spinta decisa, facendola gemere.

Facevano sesso. Proprio lì, davanti a loro.

Invece di sentirsi a disagio o imbarazzata, Carrie fu travolta dalla lussuria. «Patrick... penso che potremmo essere in guai seri» bisbigliò lei.

«Non scherzare.»

Lui la spinse contro la parete della cabina. Il suo respiro era diventato affannato. L'inconfondibile pressione della sua erezione la fece bagnare.

Lo voleva, disperatamente.

Un attimo dopo, la lampada dell'ufficio esplose, lanciando vetri ovunque.

16

Ruby e Diego alzarono gli occhi.

«Cosa diavolo è stato?» ringhiò lui.

«Ignoralo. Non ti fermare.»

«La telecinesi...» sussurrò Patrick in tono dolce.

Carrie era terrorizzata all'idea di provocare qualcos'altro che avrebbe rischiato di farli scoprire, ma lui abbassò la bocca sulla sua e la baciò. Sussultò sorpresa, ma non le servirono spiegazioni. La palpabile passione tra Ruby e Diego era bastata a riaccendere la sua attrazione per lui. E la lampadina rotta ne era il primo allarmante segnale.

E c'era solo un modo per impedirle di rompere altre lampadine. O scatenare tempeste tropicali.

Era spaventoso quanto lo desiderasse, persino in un contesto tutt'altro che ideale come quello. E a giudicare da quel bacio passionale, anche per lui era lo stesso. La sua lingua non faceva che alimentare la sua bramosia. Lei aveva perso il controllo la notte prima sulla spiaggia, aveva lasciato che lui facesse di lei quello che voleva. Non le dispiaceva sentirsi così con Patrick, ma aveva altro in mente in quel momento.

Gli tracciò una scia di baci lungo il collo, il petto e l'addome, slacciò in fretta la cintura mentre lentamente si abbassava. Lui, intuendo le sue intenzioni, le afferrò la mano per fermarla. Lei si svincolò e avvolse la mano intorno al suo pene duro, accarezzandolo piano prima di prenderlo in bocca.

Le aveva detto di aver sognato quella magnifica possessione. Il minimo che potesse fare era trasformare il sogno in realtà.

«Carrie...» mugolò piano, per non attirare l'attenzione dei due nella stanza. Ma anche loro erano impegnati.

Con la lingua percorse la sua erezione per arrivare alla punta. Le mani di Patrick le affondarono nei capelli, accompagnandola nei movimenti. Quando lei capì che lui stava per venire, si alzò e lui premette la bocca sulla sua. Le sollevò la gonna scoprendo le cosce e strofinò il dito contro il tessuto leggero e umido dei suoi slip.

«Toglile. Subito.»

Lei sorrise cogliendo l'urgenza nella sua voce e abbassò il perizoma di pizzo nero. La mano di lui si mosse di nuovo tra le sue cosce, scorrendo dentro e fuori dal suo sesso fino a farle perdere la testa.

Senza staccarle gli occhi di dosso tirò fuori dalla tasca un preservativo, lo strappò e se lo infilò. Premendole la schiena contro la superficie dura alle sue spalle, le alzò la gamba sinistra e la portò dietro alla sua anca. Lei abbassò lo sguardo.

«No» disse lui. «Guardami. Guarda solo me.»

Lei lo fece e gemette nel sentirlo scorrere dentro. Iniziò a muoversi, dentro e fuori, mentre lei gli teneva le mani sulle spalle. Con una mano le afferrò le natiche mentre con l'altra le teneva la gamba sollevata.

Carrie sentiva il respiro bollente di Patrick su di sé, la sua espressione era tesa e carica di un oscuro e urgente bisogno.

«È bellissimo» sussurrò lui.

Cercò di trattenersi dal gridare il suo nome quando fu travolta da ondate di piacere. Non fu semplice, ma ci riuscì, affondando le unghie nelle sue spalle. Con un'ultima potente spinta, lui raggiunse l'apice. Lei lo strinse a sé e Patrick le avvolse le braccia intorno alla vita, mentre lentamente riprendevano fiato.

In quel momento, Carrie capì cosa provava per lui. Will aveva ragione su tutto. Strinse Patrick a sé, e gli sussurrò all'orecchio quelle parole da troppo tempo celate: «Ti amo».

Lui si scostò per guardarla negli occhi. «Mi ami?»

Le sue guance divennero immediatamente scarlatte quando si rese conto di aver detto a voce alta quello che stava pensando. «Io... non avrei dovuto dirlo.»

«È quello che provi davvero?» domandò piano.

Carrie deglutì a fatica, desiderando di poter aggiungere qualcosa, quando lui si chinò per darle un intenso e caldo bacio.

«Ti amo anch'io» bisbigliò. «Penso di amarti dal primo momento che ti ho vista.»

Lei sorrise. «Be', questo complica tutto, vero?»

«Sicuramente.» Lui sorrise e la trasse a sé, poi sbirciò tra le fessure dell'anta e vide che Ruby e Diego si stavano rivestendo. «Lo spettacolo è finito.»

Confessare a Patrick i suoi sentimenti la fece sentire vulnerabile.

Sarebbe stato terribile se l'avesse ignorata. Invece la ricambiava. *Lo amo*, pensò. Ormai era inutile negarlo, soprattutto a se stessa.

Lui aveva ancora la mano sulla sua schiena, appena sotto il bordo della camicia. Le piaceva quel contatto.

«Ti amo» disse Diego a Ruby come ispirato dalla confessione sommessa di Carrie.

«Non lo stai dicendo solo perché sono schifosamente ricca, verò?» chiese Ruby.

Lui fece un passo indietro, la sua espressione si incupì. «Non lo pensi davvero.»

«Non so cosa pensare.»

«Io non sonò tuo padre. Non voglio ferirti.»

Lei rimase un attimo in silenzio. «Lo hai trovato?»

Lui annuì. «Ho dovuto scavare un po', ma alla fine l'ho trovato.»

Carrie affondò le dita nel braccio di Patrick. Ruby era sul punto di ammettere cosa aveva fatto a Will.

«Non saremmo dovuti essere lì, tanto per cominciare» disse Diego.

«Forse no.»

«Non capisco perché tuo padre non possa essere felice senza mettere le mani su quella proprietà.»

«È un perfezionista. Il fatto che il *Loa Loa* sia il miglior hotel della zona non gli basta. Vuole la perfezione. Senza la vista sull'oceano, non è perfetto.»

«Non vuole neanche espandersi, la raderà al suolo.»

«Lo so, ma non è certo una gran perdita. Il *Violet Shores* è solo una piccola e insignificante proprietà.»

«Significa molto per il proprietario» replicò Diego.

«Il proprietario è bloccato nel passato» disse Ruby ma sembrava turbata. «Gli stiamo facendo un favore.»

Carrie si avvicinò all'anta per vedere cosa Diego avesse tirato fuori dalla tasca.

Era una catenina d'oro con un ciondolo tempestato di diamanti.

Ruby sembrò sollevata. «Pensavo di averla persa.»

«Ben ci sta per aver fatto sesso sulla spiaggia di Will.»

«Che maleducato!»

«Per aver cercato di indurlo a vendere e poi aver sedotto il tuo umile assistente nella sua proprietà?»

Lei lo guardò con una luce ironica negli occhi. «Preferisco che tu alluda a te stesso come al mio schiavo sessuale, non come al mio umile assistente personale.»

Diego esplose in una risata divertita. «Sissignora! Forse dovrei chiederle un aumento di stipendio, che ne dice?»

«Le ho dato un aumento un paio di minuti fa.»

«*Touché.*»

Ruby sorrise, poi tornò seria. «Sai quanto vale questo regalino di compleanno di mio padre?»

«Almeno un paio di centinaia di dollari.»

«Sì, certo. Divertente. Geoffrey Smythe spende solo qualche centinaio di dollari per sua figlia. Sicuro.»

«Girati.»

Lei si voltò, alzò i capelli mentre lui le allacciava la catenina. «Forse avremmo dovuto lasciare che Will la trovasse. Avrebbe potuto venderla e saldare i debiti.»

«Non ti avrebbe aiutato a risolvere le cose.»

«No.» Sospirò. «Peccato. È un bel ragazzo, anche se è troppo ossessionato dalla perdita della moglie.»

«E saresti corsa a sedurlo se avessi potuto?»

«Mi lasceresti se lo facessi?» Lo tirò a sé.

«Cercherò di domare la mia gelosia.» Gli occhi e il tono della voce di Diego avevano perso ogni nota di divertimento. Era evidente quanto ci tenesse a lei.

«Impegnati di più.»

«Dai... tra cinque minuti hai un appuntamento telefonico con il direttore della sede hawaiana.»

Si baciarono di nuovo prima di uscire dall'ufficio.

Carrie si voltò tra le braccia di Patrick e alzò lo sguardo. «Cosa diavolo era?»

«La sua catenina.»

«Che fine ha fatto l'oggetto magico che sta rendendo il *Violet Shores* così impopolare?»

«Non credo sia quello.»

Lei sospirò. «Cosa sta succedendo allora?»

«Non lo so. Vorrei saperlo.»

«Quindi non è stata Erzulie, e neppure Ruby.»

Lui corrugò la fronte. «Sembra che questa storia finirà nell'archivio dei casi irrisolti. Capita a volte. Non vuol dire che mi piaccia, ma succede.»

«Non capisco.» Le faceva male la testa. «Forse, come ha detto Will, l'albergo non è popolare e basta.»

«Le vasche a idromassaggio non funzionano.»

«Ma questo non porta i novelli sposi a strapparsi i capelli e a chiedere il divorzio il giorno dopo essersi scambiati i voti.»

«Potrebbe trattarsi di casi isolati di ripensamento e nient'altro» commentò, scansandole i capelli dalla fronte. Lei si rese conto di non essersi ancora spostata da lui. Le piaceva stargli vicino. «Purtroppo, pare che William Crane non avrà la risposta che cerca.»

«Mi sento orribile.»

«Davvero?» esclamò scorrendo le mani lungo la sua schiena fino alla vita. «A me sembri bellissima.»

Lei gli sorrise. «Dobbiamo andare.»

«Mi piace qui.»

«Non protestare. Quanto agli armadi, questo sarà sempre il mio preferito.»

Patrick la baciò, lentamente e intensamente, prima di uscire dal guardaroba. Provò ad aprire la porta da dove erano usciti Diego e Ruby. Era chiusa dall'esterno, proprio come l'altra.

«Abbiamo ancora un problema» disse. «Per quanto non mi dispiaccia affatto essere rinchiuso in una stanza con te, dovremmo trovare un modo per uscire.»

«E cosa suggerisci?»

«Usiamo la telecinesi per aprire la porta.»

Carrie sembrava scettica. «Non so.»

«Puoi farlo.»

«Ti ringrazio per il tuo incoraggiamento, ma non ne sono tanto sicura.»

Sembrava divertito. «Sai qual è la differenza tra me e te, Carrie?»

Lei si mise una mano sul fianco. «Illuminami.»

«Tu sei ancora convinta di non essere in grado di controllare la telecinesi.»

«E tu sei convinto del contrario?»

«Sì.»

«Tu sei pazzo.»

«Forse.» Sorrise, sembrava molto più felice e tollerante del Patrick con il quale era arrivata e, nonostante i danni che aveva causato con i suoi poteri, lui era attratto da lei.

Anzi no. Lui *l'amava*. Ancora non riusciva a crederci. Sembrava un sogno dal quale aveva paura di svegliarsi da un momento all'altro.

«Quindi tu hai fiducia in me» commentò lei.

«La più completa. Apri quella porta, puoi farlo.»

«E se non ci riesco?»

«Probabilmente perderemo il volo e quando Ruby tornerà qui chiamerà la sicurezza.»

Lei si ritrasse. Sebbene lo avesse detto facendo dell'umorismo, era esattamente quello che sarebbe successo se fossero stati ancora lì al rientro di Ruby.

«Va bene.» Respirò a fondo. «Lo posso fare.»

«Certo che puoi. Concentrati su ciò che vuoi e fallo accadere.»

«Detto così sembra semplice.»

«Non è semplice, ma neanche impossibile.»

Lui le poggiò una mano sulla schiena e ciò le diede un po' di coraggio. Questa volta non c'era nessuna tempesta tropicale. Non era una situazione di vita o di morte. Era soltanto qualcosa che doveva essere fatto. Chiuse gli occhi e concentrò tutta la sua attenzione sulla porta. Invece di frenare il suo potere, si aprì a esso senza paura.

Posso farlo, si disse. *Patrick crede in me. Anch'io dovrei credere in me stessa.*

Un tempo aveva fiducia in se stessa. Ora non più. Era una novellina in quel campo. Era incredibile come, a ventinove anni, si ritrovasse a dover ricominciare dal principio.

E per la prima volta dopo anni era di nuovo innamorata. Invece di esserne spaventata, si sentiva piena di speranze.

Allontanò i pensieri su Patrick per un momento e pensò alla serratura. Ad aprirla. A tirarli fuori di lì e tornare in albergo dove avrebbero potuto fare l'amore di nuovo prima di imbarcarsi sull'aereo.

A volte il controllo si ottiene lasciandosi andare.

Consigli di una dea. Eppure, togliere ogni freno alle proprie emozioni, così come aveva fatto con Patrick, poteva essere la soluzione che cercava.

Sentì un *click* e, aprendo gli occhi, vide che la porta si era aperta leggermente. Ci era riuscita, aveva controllato il suo potere e in quel momento capì che la telecinesi era qualcosa che faceva parte di lei. E se era una parte di lei, allora non doveva cercare di sfuggirle. Doveva accoglierla, come un'amica. All'improvviso, tutto aveva senso.

Patrick si mise davanti a lei, il volto ricolmo di soddisfazione e orgoglio.

«Visto?» esclamò fiero. «Sapevo che potevi farlo!»

«Avevi ragione e penso che potrei rifarlo.»

«Farai pratica al rientro?»

«Sì, promesso. Mi sento come se avessi di nuovo dieci anni e stessi prendendo lezioni di pianoforte. Suonerò un concerto prima che tu te ne accorga.»

«Bene.» La baciò in fretta. «Ora andiamocene.»

«La miglior idea dell'ultimo quarto d'ora.»

La prese per mano e uscirono ripassando per la hall dell'hotel. Le dispiaceva che non fossero riusciti a capire cosa non andasse al *Violet Shores*, ma non poteva fare a meno di sentirsi stupidamente felice.

Poi, con la coda dell'occhio, scorse un movimento fugace e variopinto. Che si trattasse di Erzulie? Si voltò a guardare ma non c'era nessuno. Comunque, fu percorsa da un brivido di terrore.

Forse era solo la sua immaginazione.

17

Tornando al *Violet Shores*, Patrick aspettava il momento in cui Carrie sarebbe sparita e lui si sarebbe reso conto che era tutto un sogno.

Ma non si svegliò. Sembrava troppo bello per essere vero, eppure lo era. Poteva toccare Carrie, fare l'amore con lei, e i suoi sentimenti erano ricambiati.

Era incredibilmente fortunato, e lo sapeva.

Tuttavia, non poteva non sentire che qualcosa non andava. Che tutto ciò che aveva in quel momento non era altro che sabbia, pronta a scivolargli tra le dita quanto più forte avesse cercato di tenerla stretta. In fondo, non era stato molto ottimista ultimamente. Forse era arrivato il momento di cambiare atteggiamento una volta per tutte.

«Peccato» disse lui.

«Per cosa?»

Lui le strinse la mano. «La pista su Ruby si è rivelata un buco nell'acqua. Avrei dovuto saperlo.»

Lei lo guardò. «Perché avresti dovuto sapere una cosa del genere?»

«L'empatia. Quando ero al pieno delle forze avrei potuto dire a distanza se erano tipi sospetti.»

«In che senso *a distanza*?»

«Non avevo bisogno di toccare le persone per avere un'idea di ciò che sentivano. Concentrandomi, quando li abbiamo incontrati per la prima volta, avrei potuto dire se erano coinvolti nella maledizione.»

«E ora non puoi farlo. Per via dell'amuleto.»

«Proprio così. Ha cambiato molto le mie capacità.»

«E ti pare una cosa accettabile?»

Lui sospirò. «Non ho molta scelta, non credi? E poi, la conseguenza peggiore è quella di non poter toccare nessuno. E ora...» Portò la mano di lei alle labbra e la baciò. «Adesso non è più un problema».

«Ti basta poter toccare me? E nessun altro?»

«Sì, mi va più che bene, davvero.»

Lei non disse una parola. Era pensierosa. E quanto meno turbata, a meno che non ci fosse qualcos'altro di meno evidente che Patrick potesse carpire dalla sua espressione e che neppure lei riusciva a cogliere.

«Patrick...» iniziò lei.

Aveva intravisto Will. Il loro cliente sbatté le palpebre quando vide quanto erano vicini l'uno all'altra. Patrick non poteva che esserne divertito. Diamine, proprio l'altro giorno l'aveva praticamente pregato di dar loro due camere su due diversi piani, e ora era palese che non erano solo colleghi di lavoro.

«Will» disse Patrick. «Dobbiamo parlarti.»

Will fece un cenno, aveva un'espressione indecifrabile. «Okay.»

«Stavamo seguendo una pista. Pensavamo che ci avrebbe svelato la verità. Purtroppo non è stato così.»

Will si accigliò. «Pensavate fosse Ruby, vero?»

«Come fai a saperlo?» chiese Carrie, sorpresa.

«Anch'io avevo pensato che potesse esserci lei dietro tutto questo, ma non è così.»

«No.»

«Sono felice per voi due» commentò Will.

Carrie e Patrick si scambiarono un'occhiata.

«Cosa intendi?» domandò Carrie.

«Non avete trovato una soluzione al mio problema, ma vi siete trovati. Te l'ho detto, quest'albergo fa magie. O almeno le faceva.» Sorrise nostalgico. «È così triste pensare che un tempo questo posto era pieno d'amore. Dovreste andarvene il più presto possibile prima che quello che provate l'uno per l'altra si inacidisca.»

«Ne dubito» replicò Patrick con decisione.

«Andiamo a fare i bagagli e tra un'oretta partiamo» aggiunse Carrie.

«Grazie. A tutti e due. Avete tentato e non chiedevo altro.» Spostò lo sguardo sulla linea dell'orizzonte. «Sarà più semplice prendere una decisione ora.»

«Una decisione?»

Will tirò fuori dalla tasca il cellulare, compose un numero e portò il telefono all'orecchio. Un attimo dopo disse: «Ruby? Sono William Crane. Ho deciso, hai ragione. Vieni subito e firmerò le carte. Avrei dovuto farlo prima».

Agganciò e serrò i denti.

Patrick sentì un'ondata di tristezza. Aveva perso. Aveva deluso Will. Per molto tempo era stato il capo, ma come agente sul campo non era migliore di una nuova recluta.

Rimasero qualche minuto a parlare con Will, che sembrava completamente in pace con se stesso per la decisione presa. Poi Carrie prese Patrick in disparte, in modo che Will non potesse sentirli. «Cosa c'è che non va?»

«Non ho fatto il mio lavoro.»

«Hai fatto del tuo meglio.»

«Non è vero, hanno vinto i cattivi.»

«Questo non è un film western. E Ruby non è un cattivo, è solo una donna d'affari.»

«Mi sembra sbagliato.»

«Anche a me.»

«Stiamo parlando ancora del caso?»

«No.» La sua espressione si irrigidì.

«Allora cosa?»

«L'amuleto guaritore.»

Lui sbuffò. «Te l'ho detto, Carrie. Non voglio parlarne.»

«Hai confessato, mentre tornavamo, che se fossi stato al pieno delle forze, empaticamente parlando, avresti potuto dire se Ruby era colpevole o no.»

«È possibile.» Scosse la testa. «Non lo sapremo mai con certezza.»

«Stai sacrificando così tanto per tenerti quell'affare al collo.»

Per un momento la rabbia superò il senso di colpa. «Se non avessi questo intorno al collo non potrei camminare.»

«Sono tutte scempiaggini!» esclamò, raggiungendo a grandi passi un divano consunto accanto alla tromba delle scale. «Tu avevi smesso di fare fisioterapia. Se avessi continuato saresti tornato a camminare. Saresti guarito, solo che per i tuoi standard ci voleva troppo tempo.»

«Perché ne stiamo parlando?»

«Perché è importante, e ignorare l'argomento non farà sparire il problema.»

«Forse sarei tornato a camminare. Ma con un bastone, e solo se fossi stato maledettamente fortunato!»

«Hai scelto la strada più facile e non riesci nemmeno ad ammettere a te stesso che è stato un errore.»

Lui strinse gli occhi. «Perché stai facendo così? Non voglio litigare con te.»

«Non sto litigando. Sto constatando i fatti.»

«Come nel tuo precedente lavoro. Tu constati i fatti, ti confezioni la tua bella storiella e sei pronta per passare a quella successiva. È così facile per te!»

«Non prendertela con me!»

«Non me la sto prendendo con nessuno. Insomma, io sto usando l'amuleto perché così posso camminare e correre esattamente come facevo prima. Vuoi incolparmi per questo?»

Non capiva perché lei non potesse accettarlo. Aveva detto di amarlo. Aveva mentito? Perché si rifiutava di vedere la cosa dal suo punto di vista?

«Tu vivi nel mondo dei sogni, Patrick» disse torcendosi le mani. «Non sei più lo stesso. È questo il motivo per cui Amanda voleva che scoprissi di più su questa situazione. E non le ho raccontato tutta la verità, le ho detto solo che le tue abilità sono cambiate. Non penso che vorrebbe sapere che qualcuno che rispetta profondamente abbia ceduto alla tentazione di usare un amuleto che ha distorto la sua personalità, rendendolo una persona arida e odiata da tutti.»

Lui trasalì. Quelle parole lo avevano ferito. «E io che pensavo di piacerti.»

La sua espressione si addolcì. Un po'. «Lo sai che è più di questo.»

«Non mi sembra.»

«Allora non mi stai ascoltando.» Sospirò frustrata. «Perché fai così? Non intendi cambiare idea?»

«No, se quello che mi stai chiedendo di fare è di sbarazzarmi dell'amuleto.»

Qualcosa velò i suoi occhi scuri. Sembrava dolore. «Conoscevo una persona una volta... gli ho chiesto di rinunciare a qualcosa dalla quale era dipendente. Una cosa che gli stava distruggendo la vita, allontanandolo da tutti quelli che lo amavano. E alla fine ha preferito l'alcol a me.»

«Io non sono un alcolizzato» sibilò a denti stretti.

«Forse no, ma in fin dei conti, lui non voleva affrontare la realtà. Era convinto che il fondo di un bicchiere di vodka fosse molto più piacevole della realtà nuda e cruda.»

«Fammi indovinare: hai scaricato quel povero idiota?»

Lei incrociò le braccia e distolse lo sguardo. «Veramente, era al volante in una giornata gelida poco prima di Natale ed è precipitato da un ponte. È morto. Non ho avuto la possibilità di scaricarlo.»

Quella dichiarazione lo colpì come un pugno allo stomaco. «Mi dispiace, Carrie. Davvero, ma io non sono come lui.»

Il suo sguardo carico di tensione scattò verso il suo viso. «No, non lo sei. Sei più intelligente. Sei migliore. Tu sei... decisamente più adulto e saggio di uno stupido ventitreenne con problemi di alcolismo. E...»

«E cosa?»

«... e non lo so!» Aveva gli occhi lucidi, li strofinò, e la sua espressione incerta divenne rabbiosa. «Io non piango, maledizione!»

Invece di sentire crescere la compassione che aveva preso piede sentendola parlare del suo ex fidanzato, Patrick provò rabbia. «Non piangere. Non per me.»

«Pensi che queste lacrime siano per te? Onestamente, Patrick, per tutto questo tempo ti ho creduto una persona speciale, ma ora vedo che non sei altro che un ragazzo egocentrico che si commisera e cerca risposte nei posti sbagliati.»

«È davvero questo che pensi di me?»

«Sì, è esattamente quello che penso.»

«Non ho chiesto io di parlarne. E sono dannatamente sicuro di non aver chiesto il tuo parere.»

«Be', l'hai avuto comunque.»

«Forse dovresti tenere per te i tuoi pensieri.»

«Visto che non puoi leggere le mie emozioni, se voglio che tu sappia quello che provo devo dirtelo, anche se non vuoi sentire.» Aveva gli occhi ricolmi di rabbia e le mani strette a pugno lungo i fianchi. Lui si aspettava quasi un'altra tempesta tropicale, ma non accadde nulla. Neanche una lampadina in frantumi.

«Allora è un bene che non mi interessi quello che provi» scattò lui.

«Idem.»

«Sto vivendo la mia vita nell'unico modo che conosco, e il tuo parere non conta niente per me.»

Lei lo fulminò. «Va' al diavolo, Patrick!»

«Dopo di te.»

Lui si voltò, arrabbiato più di quanto non lo fosse mai stato in vita sua. Non voleva più vederla. Aveva pensato di essersi innamorato di una donna incredibilmente sensibile! Che idiota! Maledì il giorno in cui l'aveva incontrata, tanto per cominciare. Rimpianse di aver fatto quell'intervista e di aver continuato a pensare a lei per due anni. Non voleva toccarla mai più.

Cosa diavolo sto pensando? Rimase pietrificato.

Non pensava quelle cose. Certo che no. Era come se quei pensieri velenosi gli fossero stati inculcati ribaltando le sue emozioni. Si girò lentamente, nonostante sentisse ancora l'ira bruciargli dentro, e vide Carrie che lo fissava con rabbia e confusione.

«Che cosa sta succedendo?» chiese impaurita.

«È la maledizione» le disse in tono dolce. «Perché io non sono infuriato con te.»

«Sembrava lo fossi.»

«Sembrava lo fossi tu.»

«Io lo sono, ma non fino a quel punto. Anche se ti prenderei per i capelli!»

«Per me è lo stesso, ma so che non è quello che provo davvero.»

«Neanche io.»

«Non è colpa di Erzulie.»

«No.»

«Nemmeno di Ruby.»

Lei scosse la testa. «No.»

Si sforzò di relegare in un angolo della mente quei sentimenti carichi di rancore che lo avvolgevano come una coperta pesante. «Sei tu la nuova agente paranormale. Risolvi il mistero.»

«Non darmi ordini!» scattò lei, poi sembrò dispiaciuta. «Scusa, non intendevo.»

«È una calda raccomandazione, non un ordine.»

Sospirò frustrata. «Okay, okay. Posso farlo. Posso darti un pugno prima? Sarebbe d'aiuto.»

«Niente violenza, per favore.»

«Bene. Niente pugni.» Emise un altro sospiro. «La maledizione riguarda solo ed esclusivamente questo albergo. Chiunque sia innamorato...» disse fissandolo.

Anche lui la fissò. «Io ti amo.»

«E anch'io ti amo, scemo.»

«Vai avanti.»

«Gli innamorati provano all'improvviso il sentimento contrario. Le coppie in viaggio di nozze sono destinate al divorzio. E quelli che non sono innamorati sono semplicemente disgustati da questo posto.» Aggrottò la fronte, concentrandosi. «L'hotel è di un uomo che era pazzamente innamorato di sua moglie, ma lei è morta e lui vive ancora il suo lutto, nonostante siano passati molti mesi.»

«Un fantasma vendicativo? Violet si aggira per l'albergo separando coppie innamorate per invidia?»

«Io non so nulla di fantasmi.»

«È possibile che esterni la sua rabbia e la usi contro gli altri.»

«Non so. Se quello che afferma Will è vero, sembrava amasse le storie d'amore. Può essere diventata cattiva dopo la morte?»

«No. La maggior parte dei fantasmi agisce come quando era in vita.»

«Addio teoria!» Si mise a camminare nervosamente avanti e indietro, e poi si fermò di colpo. «Ho trovato!» Sgranò gli occhi. «Penso di sapere cosa sta succedendo qui.»

Era come se lui potesse leggere la sua espressione. Aveva seguito il suo ragionamento. «È Will.»

Lei annuì. «È proprio lui.»

«Ma come?»

«Ha detto che pensava di essere un po' sensitivo. Credevo stesse scherzando.»

«Sensitivo? Io non me ne sono accorto.»

«Perché, sai distinguerli?»

«Be'... *di solito* sì.»

Lei socchiuse gli occhi. «Prima dell'amuleto.»

«Vuoi piantarla con questa storia dell'amuleto?»

«No. Non penso proprio.»

«Fallo almeno per adesso. Litigare per questo proprio ora non porterà a nulla di buono.»

«Okay, ma riprenderemo il discorso.»

Era più una minaccia che una promessa. «William Crane è empatico. Ecco perché non percepivo niente.»

«Empatico? Come te?»

«No. Se è lui il responsabile di tutto, è un altro tipo di sensitivo.» La prese per mano e la tirò. «Andiamo fino in fondo a questa storia una volta per tutte.»

Quando arrivarono all'ufficio di Will, lui non era solo. Ruby era già arrivata e Will stava firmando per cedere la proprietà del *Violet Shores*.

18

Ruby riprese i documenti firmati e li fece scivolare nella cartellina.

«Hai preso una decisione molto saggia» commentò la donna.

Diego stava alla porta, come di guardia.

«Abbiamo scoperto cosa succede» esordì Carrie.

Will si poggiò allo schienale della sedia. Sembrava stanco. «Non ha più importanza.»

«Sì che ce l'ha. Se non sistemi le cose la maledizione ti seguirà ovunque andrai.»

Patrick si fece avanti. Al momento era solo una teoria, ma era la più plausibile alla quale erano giunti da quando erano lì. «Non ti ho stretto la mano quando siamo arrivati.»

«No.»

«Mi dispiace. Non era niente di personale. È un mio problema, non dipende da te.» Patrick allungò la mano. «Per favore, stringimi la mano ora.»

Will lo guardò, poi alzò il palmo e strinse con decisione quello di Patrick. «Molto bene.»

Per un attimo non sentì nulla, poi arrivò il dolore e dalla testa si irradiò in tutto il corpo.

«Patrick» sussurrò Carrie, preoccupata.

«Solo un minuto.» Si concentrò, cercando di superare il dolore e guardare oltre per scoprire la verità su Will. Era dura: mentre soffriva non riusciva a vedere molto.

«Patrick, il naso!» Carrie sembrava nel panico. «Stai sanguinando.»

Alla fine mollò la presa, si passò la mano sotto al naso e si accorse che Carrie aveva ragione.

«Da quanto tempo sei empatico?» chiese a Will.

«Non so di cosa tu stia parlando.»

«Se ti avessi stretto la mano al nostro arrivo me ne sarei accorto subito.» Patrick serrò i denti. «Ma non l'ho fatto. Gli empatici non possono leggersi bene tra di loro. Questo impedimento sarebbe stato un campanello d'allarme sufficiente per capire quale era il problema del *Violet Shores*.»

Will sembrava confuso. «Io non sono un sensitivo.»

«Sì, lo sei. Sei empatico, ma sei il mio opposto: io sono ricettivo, posso leggere le emozioni degli altri e sentire quello che provano, mentre tu influisci su di esse.»

Carrie lo guardò ed ebbe un'illuminazione. «Ciò significa che lui emana ciò che prova, e i suoi pensieri incidono sugli altri. Può cambiarne lo stato d'animo.»

«Esatto.»

«Quello che provo?» Will si accigliò. «Io sto bene.»

«No.» Carrie gli andò incontro e gli mise una mano sul braccio. «Sei addolorato. Non hai superato la morte di tua moglie.» Fece un cenno alle foto sulla scrivania. «Ti circondi delle sue foto, che ti ricordano sempre la sua perdita. Stai soffrendo e senza saperlo stai condividendo questo sentimento con tutti i tuoi ospiti.»

«Inconsciamente sei riuscito ad avvolgere l'intero albergo nel tuo dolore, ed è questo che allontana la gente.» Lo stesso Patrick sembrava sorpreso del vero motivo dei problemi di Will. «Sei molto potente.»

«Ma... non ha inciso su te e Carrie.»

«In realtà sì» spiegò Carrie, «ma solo quando hai saputo che stavamo insieme.»

Will deglutì. «Quindi mi state dicendo che quando vedo una coppia felicemente innamorata, emano una sorta di veleno empatico perché... *perché?* Perché dovrei farlo?»

«Perché ti ricorda quello che provavi per Violet. E ciò ti addolora perché lei non c'è più.»

Ruby prese per mano Diego. «Ecco perché abbiamo

discusso dopo essere stati qui.» Guardò Will. «Sapevi che stiamo insieme?»

«L'ho percepito» rispose Will in tono spento. «Lui ti guarda nello stesso modo in cui io guardavo Violet.» Si lasciò cadere sulla sedia. «È impossibile.»

«Gli empatici come te sono rari. Anche più rari dei telecinetici.» Patrick lanciò uno sguardo eloquente a Carrie. «Ma esistono. Ed è difficile scoprirli finché le loro abilità non si manifestano in modo problematico. Provano emozioni estremamente intense. Quando amano, lo fanno con tutta l'anima. E quando soffrono, il mondo deve stare in guardia.»

«Ero io sin dall'inizio» commentò Will, stupito. «Pensavo fosse una maledizione, ma ero solo io. Stavo distruggendo i miei affari e mi sono indebitato fino al collo per comprare quell'amuleto.»

«È per questo che hai firmato?» Ruby aveva gli occhi lucidi. «Per i tuoi debiti?»

«Perché avrei dovuto, altrimenti?»

«Ascolta, non volevo dire niente» disse, «ma... ho trovato qualcosa. Io e Diego. Venendo qui proprio ora. Non so se è di valore, ma questa catenina era sulla tua spiaggia».

Tirò fuori il ciondolo che Patrick aveva visto restituirle da Diego. Un regalo di suo padre, che valeva una piccola fortuna. Guardò Carrie che, riconoscendola, aveva sgranato gli occhi.

Will lo afferrò. «L'hai trovato sulla mia spiaggia?»

Lei annuì. «Deve averla persa qualcuno. Non ho idea di quanto valga, ma scommetto che il suo valore basterà per saldare i tuoi debiti.» Posò la cartellina con i documenti sulla scrivania. «E potremmo dimenticarci di questi.»

Lui la studiò per un lungo momento. «Perché dovresti farlo, Ruby?»

«Sto solo cercando di essere una brava vicina.»

«È molto bella» disse, guardando la catenina con attenzione. «E sul retro del ciondolo è inciso il tuo nome.»

«Oh.» Ruby accasciò le spalle.

Will sorrise. «Bel tentativo. Lo apprezzo, ma... penso sia arrivato il momento di affrontare il mondo esterno. Vivere e lavorare qui è solo un'illusione. Sto solo evitando di fare i conti con la realtà. Stavo cercando una facile soluzione per curare il mio cuore infranto, ma non ha funzionato e ne ho pagato le conseguenze.» Sospirò. «È il momento di andare avanti e rifarmi una vita. Ho firmato i documenti e l'ho fatto spontaneamente. Il *Violet Shores* è tuo, Ruby.»

Una lacrima solcò la guancia di Ruby, ma lei annuì e riprese il plico. «Se insisti.»

«Insisto.»

Lei fece il giro intorno alla scrivania e si sporse per baciarlo sulla guancia. «Grazie. E buona fortuna, ti auguro di rifarti una vita. E che sia meravigliosa.»

Lui annuì. «Lo spero anch'io.»

Poi si avvicinò a Diego e uscirono, mano nella mano.

«Empatico, eh?» disse Will. «Accidenti!»

Patrick sorrise. «Non è così male. Hai solo bisogno di un po' di allenamento.»

«Puoi aiutarmi?»

«Naturalmente. Ti chiamo non appena rientro a Mystic Ridge per organizzarci. Ho un sacco di libri che potrei spedirti.»

«Con tutti i soldi che mi ha dato Ruby, posso concedermi un anno di pausa per decidere che direzione far prendere alla mia vita. Avrò molto tempo libero da dedicare alla lettura.»

Lui si alzò e Carrie lo abbracciò forte.

«Mi ha fatto davvero piacere conoscerti» gli disse.

«Anche se ho manipolato le tue emozioni?»

«Sono anch'io alle prese con qualche problemino da sensitivi, quindi penso di poter sorvolare.»

«Grazie.» Si voltò verso Patrick. «Grazie anche a te. Se non fosse stato per voi, non so cosa avrei fatto. Sapevo che eri la persona giusta per questo lavoro.»

Patrick non ne era ancora convinto, ma era sollevato per aver capito qual era il problema di Will. Se non fosse stato per Carrie...

Carrie.

«Ti devo parlare» le disse in tono dolce.

Lei annuì, dopo aver salutato Will.

«Allora, la discussione di prima?» domandò lui non appena uscirono dall'ufficio.

«Quella causata da un empatico iperemotivo?»

«Era solo quello?»

Carrie si morse il labbro inferiore. «Forse no.»

Patrick le prese la mano e la strinse. «Possiamo farla funzionare.»

«Possiamo?» Lei alzò lo sguardo su di lui, incerta.

«So che noi...» Lui rabbrividì quando fu sopraffatto da un'ondata di dolore. Ma lei emanava anche altro: tristezza, mancanza, paura, amore. Lui trasalì e abbassò lo sguardo sulla mano di Carrie. «Dov'è l'anello?»

Lei si guardò il dito. «È sparito.»

Cercò di continuare a tenerle la mano, ma faceva troppo male. La lasciò. «Sparito? Dove?»

«Erzulie non ha mai detto che avrei potuto tenerlo per sempre.»

Sarebbe dovuta essere una pugnalata, ma era come se lui se lo aspettasse sin dall'inizio. L'unico motivo per cui poteva toccare Carrie era l'anello.

Rise amaro. «Se avessi ancora il suo amuleto potrei invocarla e cercare di convincerla a ridarcelo, ma scommetto che se ne laverebbe le mani di noi una volta per tutte.»

«Non deve necessariamente finire così.»

«No?»

Lei scosse la testa e si avvicinò, ma ritirò la mano prima del contatto. «Il tuo amuleto guaritore...»

Lui si irrigidì e ci mise una mano sopra. «Non costringermi a scegliere, Carrie. Non sono il tuo ex. Non sono un alcolizzato. Né un tossicodipendente. Non soffro di dipendenza patologica dal gioco d'azzardo.»

«Ti sei affidato a un oggetto per evitare di impegnarti seriamente per tornare a camminare.» I suoi occhi brillavano, ma non le uscì una lacrima. «Ho capito, Patrick. Lo so quanto sarebbe difficile per te, ma le persone cambiano e devono adattarsi ai cambiamenti. Affrontare la realtà non ti renderà meno uomo, anzi...»

«Tu hai tutte le risposte, vero?»

Lei si ritrasse al suo tono. A volte era più facile ritirarsi dietro un muro di ghiaccio che rischiare di essere ulteriormente feriti aprendosi agli altri. Carrie era riuscita a farlo aprire e aveva colto i suoi punti deboli. Capì che non tutto quello che aveva visto le era piaciuto, ma non poteva biasimarla.

«Non ho tutte le risposte» replicò lei, «ma almeno ho capito che dovevo accettare la telecinesi per gestirla, e mi sembra di averlo fatto.»

«Sì, e sono molto orgoglioso di te.»

«Tu devi fare la stessa cosa. È diverso. Lo so che è diverso, ma...» Sospirò, prima di aggiungere: «Sei di fronte a un bivio. Devi scegliere».

«E fammi indovinare. Solo una strada porta a te.»

«Come può essere altrimenti? Se non puoi toccarmi...»

Aveva ragione, ovviamente. Senza l'anello non poteva toccarla, non poteva fare l'amore con lei, non poteva nemmeno tenerla per mano. Il pensiero di non poterla più stringere tra le braccia era un vero dolore.

E il pensiero di non poter più correre, non poter più camminare senza l'aiuto di un bastone, be' anche quello era terribilmente doloroso.

Il viso di Carrie era carico di trepidazione, stava aspettando una sua decisione.

Le sue emozioni erano incise nel suo bel viso. Ormai era facile capirla, non aveva bisogno di abilità psichiche. Carrie voleva che lui scegliesse lei. Voleva che fosse più intelligente e coraggioso dell'ultimo uomo a cui aveva aperto il suo cuore.

«Carrie.» Aveva un nodo alla gola. «Baciami.»

«Ma...»

«Solo un rapido bacio.»

Lei eliminò la distanza tra loro e prese il suo viso tra le mani prima di premere le labbra contro le sue.

Pura beatitudine. Ma solo per un istante. Un misto di emozioni e dolore si schiantò su Patrick e lui interruppe il contatto sforzandosi di mantenere un'espressione neutra.

«Ti amo» le disse, «e mi assicurerò di farti avere un partner ideale che mi sostituisca».

«Patrick, no...» disse con voce incrinata.

«È meglio, Carrie. Per entrambi.» Scosse la testa e indietreggiò. «Vado a chiamare un taxi. Dobbiamo andare subito all'aeroporto.»

Poi si voltò e si allontanò. Il solo dolore rimasto era quello che sentiva nel petto. Aveva voluto un ultimo bacio. Ne era valsa la pena.

«Stupido!» Carrie incrociò le braccia con rabbia e guardò Patrick uscire dalla hall. Poi si infilò la mano in tasca e tirò fuori l'anello fissandolo per qualche secondo.

Aveva mentito dicendo che Erzulie si era ripresa il gioiello. Se l'era tolto mentre parlavano con Will. Voleva vedere quale sarebbe stata la reazione di Patrick sapendo che non lo aveva più.

Ora lo sapeva.

Carrie uscì dalla hall e raggiunse la spiaggia. Si sfilò le scarpe e camminò a piedi nudi sulla sabbia calda stringendo l'anello tanto forte da farsi male.

Voleva buttarlo una volta per tutte, gettarlo nell'oceano e chiudere per sempre quella storia. Patrick credeva che fosse sparito e forse era così che doveva andare. Se lo avesse tenuto non sarebbe stata migliore di lui, perché si sarebbe aggrappata a un oggetto per trovare una soluzione facile a un problema difficile. Era tanto arrabbiata da essere irremovibile.

Ha bisogno di tempo, pensò.

No. Il tempo non avrebbe aggiustato le cose. E la cosa peggiore era che non poteva assolutamente biasimarlo. Non era come chiedergli di rinunciare a bere. Patrick a-veva perso una parte di sé nell'incidente. Se Carrie fosse stata al suo posto, cosa avrebbe fatto? Anni di dolorosa riabilitazione senza certezza di tornare al cento per cento della forma? O un amuleto guaritore che risolve tutto all'istante?

Sì, lo capiva. Non era cieca né insensibile al proble-ma. Eppure, avrebbe fatto la stessa cosa? Sinceramente, non pensava proprio. La realtà faceva male, ma era la so-la cosa... be', reale. In un mare agitato e tempestoso tra sensitivi, fantasmi, maledizioni e dee vendicative, voleva tenersi ancorata a qualcosa di solido.

Quello che provava per Patrick era reale. Lei lo ama-va, con tutti i suoi difetti, ma evidentemente quel senti-mento non era abbastanza per lui.

Strinse forte l'anello. «Non lo so» disse a voce alta. «Tenere l'anello e stare con Patrick o tenermi le mie convinzioni e vedere se sceglie me?»

«L'anello è la soluzione più semplice, bambina.»

S'irrigidì, non doveva voltarsi per sapere che era Erzulie.

«Certo che è più facile» replicò.

«Ma non ti piacciono le cose facili? Vero?»

«Se tengo l'anello non saprò mai se sarebbe disposto a rinunciare all'amuleto per me.»

«Vero.»

«Ma se lo butto, non potrò toccarlo mai più.»

«Ti piace toccarlo?»

«Sì.»

«Ne sei innamorata?»

«Credo di sì.»

«Credi?»

Carrie si girò a guardarla. «*Lo so* che lo amo.»

«E lui ti ama? O sei solo una persona con la quale po-teva finalmente fare l'amore dopo una lunga astinenza?»

Carrie non rispose.

Erzulie rise. «Voi umani siete così divertenti.»

«Grazie tante.»

«Cos'hai deciso?»

«Vorrei saperlo.»

Erzulie annuì e le posò una mano calda sulla spalla. «Posso semplificarti le cose, bambina.»

«Come con la tempesta di ieri?»

«Sembri arrabbiata con me.»

«Potevamo morire.» Non era arrabbiata, era furiosa.

«E che cosa ti avevo detto? Aprirti alla passione che infuriava in te ti ha dato il controllo.»

«Non sono ancora perfetta.»

«Oh, mia cara. Nessun essere umano è perfetto.»

Carrie accennò un sorriso incerto. «Hai detto che puoi semplificare le cose? Come?»

«Dipende tutto dal destino dell'anello. L'anello che il tuo amante crede che io mi sia ripresa.»

Carrie annuì.

«L'anello che mi sono ripresa» disse la dea.

Carrie sussultò e abbassò lo sguardo sulla mano. Il gioiello era sparito. «Ma... aspetta, Erzulie, devi...» Alzò gli occhi, ma la donna non c'era più.

Era finita.

Si rese improvvisamente conto che stava piangendo. In piedi fissò l'oceano per lunghi istanti prima di ritrovare il controllo di sé e rientrare per fare le valigie.

Patrick la stava aspettando. La guardava preoccupato. Aveva gli occhi talmente rossi che lui non poteva non averlo notato, ma non disse nulla.

Così vicini, eppure così lontani.

Non avrebbe più potuto toccarlo.

19

Da un tempo magnifico, tempesta a parte, a cumuli di neve... e a un risveglio brusco, per non dire altro.

«Vorrei che restassimo amici» le disse Patrick in tono teso all'arrivo in aeroporto.

Lei annuì. «Certo.»

«Vorrei potesse essere diverso.»

«Potrebbe esserlo.»

«Carrie...»

«Vuoi sapere la parte divertente?»

«C'è una parte divertente? Allora dimmela.»

«L'anello non era scomparso quando te l'ho detto. Era nella mia tasca.»

Una scintilla gli illuminò gli occhi in un misto di confusione e sollievo. «Dici sul serio?»

«Sì. Non sapevo cosa fare. Pensavo di buttarlo.»

«E lo hai fatto?»

«No.»

«Allora... ce l'hai ancora?»

Lei scosse la testa. «Erzulie è venuta a riprenderlo.»

Lui si accigliò. «Quindi non è cambiato niente.»

«No.»

«Perché dirmelo allora? Giusto per ferirmi?»

Lei lo guardò torva. «Sì, Patrick. Questo è il mio lato vendicativo. Visto che non possiamo più stare insieme, sto cercando di ferirti. Onestamente, il mondo non ruota tutto intorno a te e ai tuoi problemi, sai?»

Quelle parole avrebbero dovuto sconvolgerlo, invece ne sembrava divertito. «Come farò senza di te che mi dici queste cose?»

Lei deglutì a fatica. «Sopravvivrai.»

Questa volta fu lei ad allontanarsi per prima.

«Questa è la persona che ho scelto per sostituirmi come partner di Carrie.»

Amanda sfogliò le pagine del fascicolo che Patrick le aveva dato. «Jeremy? Stai scherzando, vero?»

«Nessuno scherzo. È perfetto per lei.»

«Ma è estremamente attraente. È single. E si dice che sia un dio del sesso. Le donne non possono staccargli le mani di dosso.»

Lui cercò di mantenere un'espressione neutra. «L'ho sentito anch'io.»

«E tu vuoi che Carrie sia sua partner?»

«Potrebbe essere d'aiuto.»

Lei annuì. Poi si allontanò.

Ci siamo, pensò Patrick. Andare avanti non era così facile come aveva sperato o immaginato.

All'improvviso Amanda si voltò, gli occhi carichi di rabbia. «Sei un vero e proprio idiota, Patrick!»

«Non esagerare.»

«Non esagero affatto. Perché diavolo le stai assegnando Jeremy? Credevo che voi due steste insieme.»

«No.»

«Ma lo siete stati, vero?»

«Noi... c'è stata una breve relazione» ammise.

«E cos'è successo?»

«Niente. Era il momento di chiuderla, tutto qui.»

Sapeva che Amanda aveva buone intenzioni, ma nessun altro doveva sapere del suo amuleto guaritore. Avrebbe solo complicato le cose.

«E ora vuoi mettere un pezzo di formaggio davanti a un topolino per vedere se è affamato?» Amanda gettò la cartellina sulla scrivania. «Qualunque cosa sia... mi hai stufato. Sei cambiato. Tu hai un problema serio, non è vero?»

«Posso affrontarlo da solo.»

Sospirò, frustrata. «Mi sembra di parlare al muro, quindi ho finito.»

«Promesso?» Provò a sorridere, ma dentro di sé avvertiva il peso della colpa.

«Sì, prometto. Non mi preoccuperò più per te. E sono sicura che Carrie e Jeremy andranno d'accordissimo. È un partner degno di lei in effetti. Buonanotte, Patrick. Ti lascio solo, in fondo è la cosa che preferisci.» Gli lanciò un ultimo sguardo e se ne andò.

Era solo in ufficio. Tutti gli altri se ne erano andati da un'ora. Appoggiato allo schienale della sedia aprì il fascicolo sull'irresistibile Jeremy Draper, lo osservò per qualche secondo e poi lo richiuse con impeto. La gelosia lo stava divorando e Carrie non aveva ancora incontrato il nuovo partner.

Cosa diavolo sto facendo?, si chiese.

Ascoltò la segreteria telefonica. Uno dei messaggi era da parte di un membro del consiglio dell'agenzia che gli chiedeva per l'ennesima volta di tornare al suo ruolo di direttore della sede di Mystic Ridge.

Cancellò il messaggio, agganciò il ricevitore e lo fissò a lungo, in silenzio. Poi afferrò il cappotto e uscì per comprare un nuovo BlackBerry e sostituire quello che aveva perso. Avrebbe voluto che tutti i problemi potessero essere risolti con la stessa facilità.

C'era una volta, in una terra lontana lontana, una giornalista di nome Carrie Stanfield che aveva il pieno controllo della sua vita. Laureata e prima del suo corso, aveva un bel lavoro, amici fantastici e tutto sommato, salvo rare eccezioni, era una persona felice.

Un giorno capì di essere telecinetica e andò tutto a scatafascio, mentre cercava di scendere a patti con quel nuovo e incontrollabile elemento della sua vita.

Poi si innamorò di un uomo impossibile che aveva ossessionato i suoi sogni per due anni. Così gli elementi incontrollabili e inattesi divennero due.

Dopo un po', riuscì ad accettarne uno, la telecinesi, ma non ebbe altra scelta che rinunciare all'altro. Lui non le aveva lasciato alternative. Lui non era disposto a scendere a compromessi, e lei neanche. Ed era così che doveva andare.

Fine.

«Altro vino?» chiese Amanda.

Carrie spostò il bicchiere vuoto. «Sì, grazie.»

Erano passati dieci giorni dal viaggio alle Bahamas, ma il ricordo era ancora vivido nella sua mente. Aveva sperato che si dissolvesse. Almeno un po'.

Aveva passato l'ultima settimana con il nuovo partner, Jeremy. Sembrava che Patrick lo avesse scelto apposta. Jeremy era un ottimo agente, oltre che incredibilmente sexy, con i capelli neri e ricci e un fisico statuario. Aveva anche manifestato un certo interesse per Carrie al di là del lavoro, e diverse sue colleghe le avevano riferito delle capacità amatorie che celava dietro al suo sguardo sbarazzino. In poche parole, era assolutamente perfetto.

Il problema era che Carrie non era così interessata alla perfezione. E sebbene Jeremy fosse un bravo ragazzo, lei non era attratta da lui. Non in quel senso.

Era ancora interessata all'uomo imperfetto che aveva già compiuto la sua scelta.

Scelta che non includeva lei.

«Ordino un'altra bottiglia?» suggerì Amanda.

Erano andate a pranzo fuori per festeggiare la decisione di Carrie di restare a tempo indeterminato, invece di tornare al vecchio lavoro. Infatti, le era stata anche assegnata un'altra missione sul campo, proprio con Jeremy, ed erano tornati quella mattina. Cinque giorni in Alaska.

Meno palme che alle Bahamas. Più alci.

«No, basta così. Cosa fai stasera? Stavo pensando di ordinare una pizza e cercavo compagnia.»

Amanda si accigliò. «Non posso... Ma non sai che giorno è oggi?»

«Ecco...»

«È San Valentino. Questa sera mio marito cucina per

me. La mia diffidenza sulle sue doti culinarie non mi impedirà di mangiare.»

Carrie scosse la testa, come se si fosse appena svegliata da un lungo sonno. «Oh, be', certo. San Valentino. Wow, ho perso completamente la cognizione del tempo. Sono sicura che ti divertirai.»

«Ascolta, Carrie, lo so che hai detto di non essere affatto interessata a Jeremy, ma potrei aiutarti a conoscere un altro ragazzo con cui potresti uscire qualche volta...»

«Stai cercando di farmi da Cupido?»

«Vorrei provarci. A meno che tu non sia ancora interessata a Patrick.»

«Chi, io? Non essere ridicola, con lui ho chiuso. L'ho superata, completamente.»

«Certo, come no! Comunque, ti è arrivato questo per posta mentre non c'eri. Viene dalle Bahamas.»

«Che strano. Chissà se lo manda Will.» Carrie prese la busta, l'aprì con l'unghia e tirò fuori un cartoncino bianco con una breve nota scritta a mano:

Durante la tempesta se l'albero non si piega, si spezza.

Cosa diavolo significa? Si accorse che la busta conteneva qualcos'altro. La rovesciò, facendo cadere il contenuto sul palmo della mano: un anello.

«Cos'è?» chiese Amanda.

Lei sgranò gli occhi e guardò Amanda, mentre l'emozione le cresceva dentro minacciando di divenire incontenibile. «L'anello! Me l'ha rispedito.»

Di colpo, il suo bicchiere andò in mille pezzi.

20

Carrie si precipitò fuori dal ristorante lasciando Amanda seduta e confusa.

Se un albero non si piega, si spezza.

Il significato implicito era palese.

Compose in fretta il numero sulla tastiera del cellulare e se lo portò all'orecchio. Dopo quattro squilli, lui rispose. «McKay.»

«Patrick, sono... Carrie. Ti devo parlare.»

Ci fu una lunga pausa. «Ho tempo. Dimmi.»

«Non per telefono. Dove sei?»

«In ufficio. Ma Carrie...»

«Sarò lì tra dieci minuti.» E agganciò. Non voleva che dicesse nulla che potesse farle cambiare idea.

Mi devo piegare, non spezzare. I consigli di una dea non dovrebbero mai essere presi alla leggera. Non si era resa conto di quanto rivolesse quell'anello fin quando non le era stato riconsegnato.

Nel suo ufficio, Patrick era ancora seduto alla scrivania e alzò gli occhi mentre lei faceva irruzione e si chiudeva la porta alle spalle, per poter parlare in privato.

«Carrie» disse lui. «Non sapevo nemmeno che fossi tornata dall'Alaska. Risolto il caso?»

«I fantasmi che infestavano il posto ci hanno chiusi in una stanza e hanno dato fuoco alla casa.»

«Insolitamente violenti, ma non senza precedenti.»

«Non sei preoccupato per me?»

«Dal momento che sei qui davanti a me presumo che sia andato tutto bene.»

«Sono riuscita a concentrarmi, aprire la porta e scappare. Come avevamo fatto insieme.»

«Bene. Quindi stai facendo pratica regolarmente?»

«Due ore al giorno, tutti i giorni, e non ho ancora rotto una tazza.» Il bicchiere al ristorante era un'altra storia.

«Sembri...» Il suo sorriso svanì. «Un po' turbata.»

«Lo sono.»

«In ansia.»

«Decisamente.»

Lui inarcò un sopracciglio. «Anche incazzata?»

«Nera.»

«Che c'è che non va?»

«Che c'è che non va?» ripeté lei, facendogli il verso. «Ottima domanda. Ne ho una per te.»

Patrick la studiò con aria diffidente. «Quale?»

«Sei innamorato di me, o quella alle Bahamas è stata solo un'avventura?»

Lui abbassò lo sguardo sulla scrivania. «Carrie...»

«È San Valentino, lo sai?»

«Sì.»

«Siamo tornati dalle Bahamas da dieci giorni, e da quel giorno hai fatto di tutto per evitarmi.»

«Lo so.»

«Sai che il mio nuovo partner è molto attraente?»

«Lo è?»

«Stavi cercando di farmi innamorare di un altro affinché non fossi più un problema per te?»

Lui serrò i denti. «Jeremy è un bravo agente. È paziente, e ha esperienza nella formazione di nuove reclute. Poi ho pensato che avresti cercato un diversivo, e che lui sarebbe stato disponibile.»

«Sono andata a letto con lui solo una volta.»

Patrick sbiancò. «Allora avevo ragione.»

Lei si trattenne dal sorridere. «Stavo scherzando. Non sono stata con lui, ma mi fa piacere che la cosa ti irriti. Cos'è? Sei geloso? O sei solo spiazzato dall'idea che avessi potuto superare tutto così in fretta?»

«Entrambe le cose, in verità. Non credo di essere in vena di scherzi oggi, Carrie.»

«Allora smetto di scherzare.» Mise una mano in tasca, tirò fuori l'anello e lo poggiò sul bordo della scrivania. Lui sgranò gli occhi. «Me lo ha spedito Erzulie. L'ho ricevuto un'ora fa.»

«Cosa vuol dire?»

«Un'altra ottima domanda. Ho come l'impressione mi stia dicendo di indossarlo, perché desidera che torniamo insieme.»

L'espressione di Patrick era indecifrabile. «E che ne pensi?»

«Una settimana fa sarei stata del tutto contraria. Ero furiosa. Con te e con me stessa. Non per ritirar fuori di nuovo la stessa storia, ma io sono una maniaca del controllo. Voglio che le cose vadano come dico io. Sono sempre stata così. E ogni volta che ho ceduto il controllo, almeno in passato, le cose sono andate male. Tu, però... be', sei molto diverso.»

«Non hai mai creduto fino in fondo alla nostra storia, vero? Per questo mi hai dato quell'ultimatum.»

«Era istinto di conservazione. Quello che provo...» Le bruciava la gola e una maledetta, indesiderata lacrima le scivolò lungo la guancia. Aveva imbottigliato le emozioni da oltre una settimana e ora stavano per esplodere. «Quello che provo per te è troppo forte, troppo intenso.»

«Vale lo stesso per me.» Il suo tono era dolce.

«Volevo che cambiassi» spiegò con voce impastata. «Ma ho capito. Davvero. Ti ho chiesto molto e comprendo perché non puoi farlo. C'è in ballo la qualità della tua vita. Sono stata egoista a chiederti di scegliere tra me e la tua felicità.»

«Carrie...»

«No, per favore lasciami finire.» Lasciò uscire un sospiro. «Non sono d'accordo con la tua decisione di usare un amuleto, ma la rispetto. Ho cercato di dimenticare quello che c'è stato tra noi, quanto mi è piaciuto averti nella mia vita, ma è stato inutile e ora ho preso la mia decisione. Voglio indossare l'anello, così potremo tornare insieme.»

«Perché faresti questo per me?»

«Perché sono perdutamente innamorata di te e non voglio perderti.»

Lui la fissava.

Lei deglutì. «Adesso puoi dire qualcosa. Se vuoi.»

«Hai finito?»

«È più o meno il discorso che mi ero preparata.»

«Lo sai cosa provo per te, Carrie.»

Lei scosse la testa. «Dovresti rinfrescarmi la memoria.»

«Ti amo.»

Carrie sentì un ardore nel petto. «Tu mi ami?»

«Senza alcun dubbio.»

«E mi hai assegnato Jeremy perché pensavi mi avrebbe fatto dimenticare di te?»

«Gira voce che sia difficile resistergli.»

«Non è il mio tipo. Preferisco i biondi.»

Patrick sorrise mesto e abbassò gli occhi sulla scrivania. «E adesso?»

«Adesso direi che ti rivoglio come partner. Posso fare una richiesta specifica?»

Lui scosse la testa. «Temo non sia possibile.»

La delusione fu come una pugnalata. «Perché no?»

«Perché non sono più un agente sul campo. Ho accettato di tornare al mio ruolo di manager.»

Lei sgranò gli occhi. «Quindi sei di nuovo il capo?»

«Così pare.» Si poggiò allo schienale della sedia. «E dovresti mettere al sicuro l'anello. Nel sotterraneo, per esempio, dove sono conservati sotto chiave tutti gli oggetti incantati o maledetti.»

«Non vuoi che lo rimetta?» chiese perplessa.

«No.»

Carrie sentì un nodo in gola. «Non capisco. Erzulie mi ha ridato l'anello. Ha detto che dovevo piegarmi. Be', mi sto piegando, Patrick. Voglio stare con te.»

«Non voglio che rinunci ai tuoi principi per me.»

«Pensavo che tu mi amassi.»

«Infatti.»

«Non vuoi toccarmi di nuovo?»

Il suo sguardo era di fuoco. «Non sai quanto.»

«Allora perché non mi baci? Metterò l'anello.»

«No, lascialo dov'è. Dico davvero.» Era serissimo. Poi si spostò indietro e spinse la sedia intorno alla scrivania. C'era qualcosa che non andava...

La sedia a rotelle!

«Patrick...» Carrie si portò una mano alla bocca, sconvolta.

Lui aveva l'aria tesa. «Ho distrutto l'amuleto ieri. Trenta minuti dopo non potevo più camminare, ma non ho perso la sensibilità delle gambe, e ho delle dolorose fitte ricorrenti. Dovrò fare molta fisioterapia per rimettermi in piedi, ma andrò a ogni maledetta seduta e mi impegnerò al massimo. Costi quel che costi.» Abbassò lo sguardo. «In meno di un anno potrò camminare con un bastone. Forse senza, se lavorerò sodo. Non sono stati incoraggianti per le maratone, ma non lo accetto. Niente è impossibile.»

Adesso stava proprio piangendo. «Oh, Patrick...»

«E non l'ho fatto per te» aggiunse in tono secco, ma gli occhi tradivano la sua debolezza. «Non solo, comunque. Ma l'idea di perderti ha reso tutto più chiaro. Non avevo più motivo di mentire a me stesso, ripetendomi che l'amuleto era la scelta giusta. Non c'è niente di magico nella riabilitazione, ma è la strada che ho scelto una volta per tutte.» La guardò intensamente. «Riuscirai ad aspettare che migliori?»

«Patrick» disse asciugandosi le lacrime. «Ho aspettato ventinove lunghi anni. Sarei disposta ad aspettarne altri ventinove. Minimo!»

La tensione sul suo volto si rilassò e sbatté le palpebre. «Non sai quanto sono felice di sentirtelo dire.»

Carrie si avvicinò e si chinò per baciarlo. Lui la tirò a sé e la afferrò per i fianchi mentre il bacio si faceva intenso e appassionato.

«E poi» gli sussurrò all'orecchio, «per cosa dovrei aspettare esattamente? Credevo ne avessimo già parlato. Puoi ancora fare l'amore con me».

Patrick incurvò le labbra. «Sì, certo.»

«Ma non puoi più scappare da me così facilmente.»

«Uno a zero.» Le mani di lui scesero lungo la schiena e la strinse a sé. «Quindi... per te va bene?»

«Benissimo! E ti aiuterò, Patrick. Tornerai a camminare e a correre prima che tu te ne accorga.» Lo baciò di nuovo, ed era ancora più bello senza l'anello.

Lui le sorrise e lanciò un'occhiata alla porta. «Sai, oggi è un giorno feriale e io sono il capo, quindi...»

Carrie inarcò un sopracciglio. «Quindi hai l'autorità per prenderti la giornata libera, portarmi a casa tua e farmi approfittare di te per il resto della giornata? Che ne dici se ci prendiamo una giornata di ferie, domani? Credo che sia meglio avere tutta la notte a disposizione...»

«Signora Stanfield, non sapevo che sapesse anche leggere nel pensiero.»

«Sono una donna dai molteplici talenti.» Gli passò le labbra sull'orecchio. «Andiamocene subito!»

Il suo sorriso si fece più ampio. «Ottima idea!»

Carrie e Patrick uscirono e poco dopo l'anello sulla scrivania sparì nel nulla. Erzulie aveva capito che il suo lavoro a Mystic Ridge era finito.

Perfetto! Faceva troppo freddo in quel periodo dell'anno.

Esotica avventura
giapponese

1

«E adesso addio ragazza tuttofare!» esclamò Juliana Thomsen, appoggiandosi con la schicna a una panchina del porto di Atami e cedendo solo per un istante alla stanchezza da jet lag.

Il cambio di fuso orario dalla California al Giappone si stava facendo sentire, alla fine, dopo la tregua del giorno prima. E starsene seduta con i piedi a mollo nell'acqua a quarantacinque gradi di una piscina pubblica non contribuiva certamente a tenerla sveglia.

La sua amica e compagna di viaggio, Sasha, immerse due dita nella vasca poco profonda per controllare la temperatura, ma le ritrasse di scatto. I riccioli biondo rame erano imprigionati in una stretta coda di cavallo che nemmeno la brezza marina riusciva a scompigliare. Guardò Juliana con aria interrogativa.

«La ragazza tuttofare sarei io» spiegò lei, sollevandosi i lunghi capelli biondi dalla nuca umida di sudore, nel caldo appiccicoso di inizio giugno. «La mia famiglia mi ha ribattezzato così da quando sono tornata a Parisville per occuparmi della libreria, dopo che la zia Katrina ha deciso di andare in pensione. Sarà che la mia vita è laggiù e io invece sono qui, ma questo viaggio mi dà l'impressione di potermi lasciare tutto alle spalle, almeno per un po'.»

Sasha sorrise e riportò lo sguardo sul mare luccicante con le barche che solcavano il blu. «Buona fortuna allora, perché questo non è certo lo scopo per cui tua zia ti ha spedito oltreoceano.»

Con un sospiro liberatorio Juliana assaporò il piacere decadente di starsene seduta a oziare sul lungomare in un paese esotico, con le sue pagode, le geishe e le carpe *koi* nei laghetti.

Dietro questo aspetto rassicurante però, si percepiva un'anima nascosta. Fatta di vicoli scuri bagnati di pioggia e insegne al neon che tremolavano nella notte.

Inesplorata.

Come lei.

Era stato soltanto quando era salita sull'aereo, lontana da una famiglia affettuosa ma troppo soffocante, che Juliana aveva assaporato un senso travolgente di libertà.

Questa era l'occasione perfetta per imboccare quei vicoli bui, fuori e dentro di lei.

E scoprire qualcosa di diverso, al riparo dallo sguardo acuto della prozia che l'aveva cresciuta negli ultimi ventiquattro anni, dopo che i suoi genitori erano morti in un incidente a bordo di un aereo ultraleggero, quando Juliana ne aveva appena otto.

Eppure era proprio la zia Katrina il motivo per cui lei ora si trovava in Giappone. E le voleva davvero troppo bene per rischiare di deluderla perdendo tempo prezioso.

Prima veniva il dovere e poi l'avventura, ammise Juliana, ricordandosi l'incarico che le era stato assegnato: assicurarsi il quadro che la sua famiglia stava inseguendo da molte generazioni, un acquerello andato perduto da oltre un secolo: il *Dream Rising*, sogno nascente.

Una vera ossessione per i Thomsen.

Finché uno scaltro mercante d'arte giapponese di nome Jiro Mori aveva scovato il famoso dipinto in un mercatino delle pulci di Phoenix e lo aveva spedito a Tokio, con l'intenzione di esporlo nella sua galleria. Scegliendo una tattica aggressiva, aveva sostenuto di avere un sacco di impegni in Giappone e che quindi non sarebbe potuto tornare sulla West Coast americana per almeno un altro mese. Così, quando le trattative telefoniche si erano arenate, l'astuta zia Katrina aveva messo Juliana sul primo volo per Tokio. Convinta che la nipote, con la sua esplosiva bellezza bionda, unita a una testa sopraffina per gli affari, avrebbe potuto condurre molto meglio la trattativa di persona, prima che fosse troppo tardi.

In altre parole, prima che il clan rivale dei Cole, che come loro erano da anni a caccia del quadro, scoprisse dove si trovava.

Mentre Juliana si fissava le unghie dei piedi smaltate di rosa nell'acqua bollente, un'altra immagine sfuocata le apparve davanti agli occhi, provocandole una stretta al cuore: uno schizzo del *Dream Rising*.

Curve indistinte, braccia e gambe intrecciate. E dal groviglio, una donna, i capelli sciolti, il corpo nudo e vulnerabile, sembrava volersi alzare e protendersi verso qualcosa che non riusciva a raggiungere.

Juliana lo aveva visto per la prima volta quando aveva nove anni ed era rinchiusa nel suo dolore per la morte dei genitori. La prozia Katrina, omettendo i dettagli più scabrosi, le aveva raccontato la storia di quell'acquerello e dell'amore contrastato tra Terrence Cole, l'artista, e la sua modella Emelie Thomsen, la trisnonna di Juliana, immortalata per sempre in quell'opera d'arte.

Soltanto parecchi anni dopo, Juliana aveva appreso il resto: che l'amore tra i due era finito quando la famiglia di Terrence lo aveva spinto a un matrimonio combinato e lui aveva chiesto a Emelie di diventare la sua amante.

Lei, sdegnata, aveva rifiutato e da lì era cominciata la lunga faida tra i Thomsen e i Cole. Quando si erano lasciati, Emelie era convinta che il *Dream Rising* fosse un regalo d'addio di Terrence, mentre lui insisteva che non era vero. E ne pretendeva la restituzione. Lei prima si rifiutò di ridarglielo. Poi raccontò che il dipinto le era stato misteriosamente rubato.

Tra i due clan nacque un'inimicizia che negli anni si trasformò in astio feroce e dichiarato, per cui ogni pretesto era buono a scatenare la battaglia: che si trattasse di una disputa sui confini tra la tenuta dei Cole e la proprietà dei Thomsen, di opinioni opposte sulle vicende politiche di Parisville o di un incidente d'auto in cui uno dei Thomsen era rimasto ferito mentre i Cole se l'erano cavata senza nemmeno un graffio.

Una guerra che sembrava non finire mai.

Una volta Juliana aveva quasi osato sfidare quell'odio secolare.

Una volta sola.

Quasi.

I colori sfuocati del dipinto continuarono a fluttuarle nella mente mentre ripensava a quando lei e Tristan Cole erano arrivati a tanto così dall'innamorarsi, appena finito il liceo, poco prima che Juliana partisse per il college. Però non avevano trovato il coraggio di andare fino in fondo sul sedile posteriore della sua Mustang *vintage*. E nemmeno di rivelare al mondo quello che provavano l'uno per l'altra.

Se l'avessero fatto, sarebbe successo l'inferno e lo sapevano entrambi.

Un Thomsen non doveva azzardarsi nemmeno a rivolgere la parola a un Cole, se per caso lo incontrava al mercato o al bar. E quando passava accanto nei corridoi della scuola, si doveva fingere di guardare da un'altra parte, anche se il Cole in questione era bello da togliere il fiato come Tristan, con quei capelli neri e lunghi e lo sguardo misterioso.

Juliana aveva una cotta segreta per lui, nata sui banchi della scuola media e poi esplosa all'ultimo anno di liceo. Finché, una sera d'estate, aveva scoperto che anche Tristan provava i suoi stessi sentimenti e che l'aveva sempre osservata di nascosto, senza farsi notare.

Ma erano troppo giovani allora – pensò – mentre il suo sguardo si cristallizzava di nuovo e l'acqua e le rocce della piscina presero a ondeggiarle davanti agli occhi. Non abbastanza maturi da poter affrontare le conseguenze. Lei aveva deciso di partire per il college e di cominciare una nuova vita. Senza però riuscire mai a dimenticare quel ragazzo che sedeva sempre in fondo alla classe, pericoloso e taciturno. E a quello che avrebbero potuto avere, se solo...

E invece erano passati tanti anni. Non le era mai capitato di incontrarlo, nemmeno per caso. Tristan preferiva vivere isolato nel capanno di legno nella tenuta dei Cole o chiuso in garage a lavorare sulle auto d'epoca che aveva sempre amato. E Parisville, circondata dalle montagne fitte di pini, non era poi così piccola, visto che ormai in giro era normale vedere molta gente sconosciuta.

Eppure era ancora abbastanza antiquata perché una faida tra famiglie rivali riuscisse a separare due ragazzi innamorati.

Spesso Juliana si trovava a chiedersi cosa si era persa con Tristan...

Sasha le batté piano su un braccio e il cuore di Juliana affondò mentre il ricordo struggente svaniva.

«Non pensi sia ora di andare?» le chiese l'amica.

Lei espirò a fondo, con la testa che le girava per aver trattenuto il fiato mentre sognava a occhi aperti, intorpidita dal calore dell'acqua. «Sì, sarà bene che mi presenti al mio appuntamento, suppongo.»

«Bene.» Sasha si stiracchiò. «Tutto sommato, anche se il tuo mercante d'arte ha fatto un po' di confusione, alla fine ci è andata meglio così.»

Dovevano incontrarsi alla sua galleria di Tokio e invece Jiro Mori aveva cambiato programma all'ultimo minuto, perché era dovuto correre ad Atami da un artista in crisi creativa, che minacciava di spaccare a martellate le proprie sculture.

Perciò aveva chiesto a Juliana di raggiungerlo nella famosa cittadina termale.

«È stato gentile da parte sua però farci avere i biglietti del treno» osservò lei, alzandosi. «Non ci abbiamo nemmeno messo molto ad arrivare.»

«Questo è un posto incredibile, affascinante!» esclamò Sasha. «Sul treno leggevo che il nome Atami letteralmente significa *mare caldo*, sai, per via del vulcano. E tutta questa storia delle sorgenti di acqua bollente gli aggiunge... non saprei... un che di peccaminoso...» Fece una pausa. «Si dice che persino gli *shogun* venissero a rilassarsi qui. E poi ci sono un sacco di cosette interessanti da vedere... tipo il museo per adulti... e magari potremmo riuscire a farci presentare una tipica geisha di Atami...»

Juliana era sempre stata curiosa di conoscere persone e culture diverse. «Che cos'hanno di speciale rispetto a quelle tradizionali?»

«Offrono sesso, piuttosto che conversazione brillante e doti artistiche, come se ne trovano in distretti più raffinati, tipo quello di Gion.»

Magari allora Atami era davvero il posto perfetto per affacciarsi su uno di quei vicoli scuri su cui Juliana si era sorpresa a fantasticare...

Uscendo dalla piscina, si divertì a sollevare qualche spruzzo sul bordo. Non sarebbe stato male concedersi un intermezzo trasgressivo. Doveva soltanto trovare il modo di convincere Sasha. Non era impossibile. In fondo era già riuscita a trascinarla fino in Giappone.

Erano diventate amiche quando Sasha si era trasferita a Parisville, quasi un anno prima, per andare a vivere con il suo fidanzato.

Un Cole, per l'esattezza. Cosa che aveva fatto storcere il naso alla zia Katrina e al resto dei Thomsen. Juliana però se n'era infischiata. E anche se adesso Sasha aveva cambiato casa di nuovo e non potevano più vedersi spesso come prima, si sentivano comunque al telefono tutti i giorni. Scrittrice di viaggi, Sasha appagava la vena avventurosa di Juliana raccontandole le sue peripezie in giro per gli Stati Uniti.

E quando aveva saputo di dover partire per il Giappone, Juliana aveva subito pensato a lei. Non se la sentiva di affrontare da sola un viaggio in un paese sconosciuto, con tradizioni complicate e una lingua di cui non sapeva una parola. Capirai, lei che non era mai nemmeno uscita dagli Stati Uniti.

Neanche Sasha era stata in Giappone. Però con la sua esperienza sarebbe stata un'eccellente compagnia.

Si infilarono i sandali e srotolarono i pantaloni prima di restituire gli asciugamani e ringraziare con un inchino deferente la vecchietta che le aveva convinte a provare le piscine per i piedi.

Dopo di che, ripresero la passeggiata sul lungomare, verso la *ramen house* – uno dei tanti ristoranti che servono le tipiche tagliatelle di frumento in brodo – dove Juliana doveva incontrare Jiro Mori. Passarono davanti a indaffarati venditori di gelato, ai piedi del castello di Atami, che dominava il panorama da sopra una collina. Si trattava di una pagoda bianca e grigia che si intravedeva in mezzo a un boschetto di pini. Una funivia che saliva lungo il sentiero ripido sembrava collegare il passato con il presente.

«Sei sempre dell'idea di andare a vedere quella mostra d'arte erotica al museo per adulti del castello, durante il mio pranzo di lavoro con il gallerista?» chiese Juliana, sollevando il viso verso il sole.

La riscaldò dal freddo che le era rimasto addosso da quando aveva ripensato a Tristan. Non riusciva a scrollarsi di dosso ricordi e sentimenti rimasti sepolti per anni.

Sasha prese la capiente borsa con dentro il suo fedele taccuino, la macchina fotografica digitale e il registratore. «Sì. Castello aspettami, sto arrivando.»

Ridendo, Juliana fece attenzione a tenere bassa la voce. «Sai, è davvero un'ironia che proprio tu sia qui con me a documentarti per un libro di avventure sexy in Giappone.»

«Mmh... Se non sbaglio sei stata tu a suggerirmi di accompagnarti. Anzi, per meglio dire, mi hai implorato di farlo...»

«Non è vero, non ti ho supplicato. Sapevo che eri in cerca di un argomento piccante e ti ho solo messo una pulce nell'orecchio. *Esotico ed erotico: oltre il kimono.*» Juliana sorrise complice all'amica. «Sono ancora convinta che sia il titolo giusto.»

«Tutto, purché questo libro vada a ruba dagli scaffali.»

«Ehi, non ti è concesso dubitare di te stessa. Quando hai lanciato questa idea al tuo editore, mi pare che abbia abboccato subito.»

Sasha sospirò. «Spero di non essere stata troppo impulsiva partendo prima di avere chiuso il contratto. Questo viaggio mi sta costando un occhio della testa.»

Sasha si manteneva con le rendite di alcuni buoni investimenti, ma in quei tempi le azioni in borsa non davano più garanzia assoluta. Perciò riuscire a piazzare un libro di successo era importantissimo. I primi due erano andati bene, ma senza sfondare.

«Okay, forse sono agitata anche per l'argomento» ammise Sasha, rispondendo allo sguardo prolungato di Juliana. «Voglio dire: ti interessa leggere un reportage tra i vigneti della California del Nord? Eccomi, sono la scrittrice che fa per te. Vuoi seguire le orme dei cowboy? Sono pronta. Ma scoprire il lato esotico, erotico e non troppo scontato in un posto, che un sacco di americani considerano represso e conservatore, è un altro paio di maniche.»

«Sarà divertente.»

«Sì, ma non ti scordare che, non appena avrai finito con gli affari di famiglia, mi seguirai passo passo tra *love hotel* e *sexy bar*. E dobbiamo anche provare le terme, già che ci siamo.»

«Te l'ho già promesso.» E Juliana non intendeva assolutamente sprecare l'occasione per provare qualcosa di diverso. E di eccitante. Come non le accadeva dai tempi del liceo...

Per discrezione si guardò attorno, controllando che nessuno fosse abbastanza vicino da poterle sentire. Durante la preparazione affrettata di quel viaggio, aveva letto che i giapponesi di solito studiano l'inglese e non voleva sembrare la classica *gaijin*, ovvero la tipica straniera. Lei e Sasha davano già parecchio nell'occhio con quei capelli biondi e la pelle chiara, se n'erano accorte sul treno per Atami, quella mattina.

Tuttavia se c'era una cosa che Juliana aveva imparato fino a quel momento era che in Giappone la gente era amichevole e ospitale con i forestieri, però un conto era un turista, un altro era chi *appartiene* al paese, grande motivo di orgoglio per ogni giapponese.

Gli adulti erano curiosi in maniera discreta, i bambini invece le fissavano a bocca aperta. In ogni caso né Juliana né Sasha si erano sentite a disagio, per quanto non fossero abituate a essere osservate con tanta meraviglia.

La California pullulava di belle ragazze bionde.

Mmh...

La mente di Juliana imboccò sentieri maliziosi. Non sarebbe stato male essere osservata in quel modo da un aitante sconosciuto dai capelli neri e dagli intensi occhi grigi...

Una vampata di desiderio si accese dentro di lei.

Abbassò la voce. «Credi che troveremo qualche passatempo pepato qui ad Atami? Voglio dire, a parte la tua mostra d'arte a luci rosse...»

«Ma sentila. Non te la sei spassata già abbastanza prima di tornare a Parisville?»

Juliana provò una fitta di rimpianto. Dopo l'università si era trasferita a San Diego dove con alcuni soci aveva messo su un'agenzia turistica che organizzava giri esclusivi ed eclettici della città del celebre sceriffo Wyatt Earp o del romantico quartiere Gaslamp. Un lavoro creativo che le piaceva molto.

Ma poi la zia Katrina le aveva chiesto di tornare a casa e prendere le redini della libreria di famiglia, che faceva ottimi affari anche grazie alla graziosa caffetteria interna, famosa per la *cheesecake*.

E lei non se l'era sentita di rifiutare l'aiuto a chi l'aveva cresciuta come una figlia. Perciò aveva venduto la sua quota di società ed era rientrata a Parisville.

«In realtà è parecchio che non mi concedo un po' di sano divertimento» ammise Juliana. «Di questi tempi evito persino di accettare appuntamenti entro i confini della città, se voglio evitare di subire un terzo grado. La mia famiglia pensa ancora che io sia una brava ragazza.»

«Ti conoscono molto poco.»

Juliana scrollò le spalle. Era uscita con un buon numero di ragazzi durante quegli anni di libertà assoluta, ma niente che fosse sfociato in una relazione seria. E nessuno di loro le aveva mai fatto provare piacere fino in fondo.

Forse perché in segreto Juliana sognava un amore travolgente come quello tra Terrence ed Emelie. Magari qualcuno le avrebbe dato dell'ingenua, però si era voluta conservare per qualcosa – e qualcuno – di davvero speciale.

Unico.

«E tu?» chiese a Sasha. «Fino a che punto intendi spingerti nelle tue ricerche per il libro?»

«Non fino a *quel* punto.»

Era passato quasi un anno da quando Sasha aveva rotto con Chad e lasciato Parisville. Eppure Juliana poteva ancora scorgere la sofferenza sul suo viso.

E perché no, del resto? Chad Cole le aveva spezzato il cuore rifiutandosi di ammettere che i sogni e le aspirazioni di Sasha erano importanti quanto i suoi. Era diventato sempre più possessivo, pretendendo che lei gli dedicasse tutto il suo tempo. E alla fine le aveva posto un ultimatum: o me o il tuo lavoro.

Sasha aveva scelto la carriera, convinta che i problemi tra loro fossero altri e irrisolvibili. Quindi si era trasferita nella Orange County, estesa contea californiana, a più di un'ora da Parisville e da lui.

«La storia con Chad è archiviata da un pezzo» sottolineò Juliana. «Adesso hai il diritto di divertirti con chi ti pare. Il periodo di lutto è bello che finito.»

«Ma guarda che già lo faccio. Giuro.»

Juliana non ebbe cuore di contraddirla. «Chad Cole è roba vecchia, stravecchia, Sash. *Questo* è il nostro futuro: divertirci come pazze scatenate in un posto dove nessuno potrà sparlare di noi. Se farai la cattiva ragazza non lo dirò ad anima viva. Quel che succede a Tokio, resta a Tokio...»

Per un secondo gli occhi blu di Sasha si accesero di speranza. Era vero: lei e Juliana erano lì, finalmente libere dal passato e dal presente.

Ma poi una giovane coppia di fidanzati giapponesi passò loro accanto, ridendo e mangiando un gelato.

Lo sguardo di Sasha perse la sua luce.

E all'improvviso per Juliana quel viaggio diventò molto più importante di un quadro prezioso o di un bestseller assicurato. L'unica cosa che contava era riaccendere la speranza negli occhi della sua amica.

Ed era chiaro che Sasha stava ancora pensando a Chad, anche se non lo nominò in maniera diretta.

«Come la prenderanno i Cole, se riuscirai a portare a casa quel dipinto?» le chiese.

«Prevedo che ci resteranno malissimo, dal momento che lo stanno inseguendo per mari e per monti da decenni anche loro. È per questo che il gran consiglio dei Thomsen ha pensato di spedirmi qui. Non vedono l'ora di poter mostrare il simbolo del loro trionfo sui Cole a tutta la città. Io sono soltanto un'umile esecutrice.»

Si scambiarono un sorriso.

«Ti ho mai detto quanto sono contenta che siamo rimaste amiche anche se ti eri messa con uno di *loro*?» disse poi Juliana.

Sasha le allungò un buffetto affettuoso.

Si fermarono sul lungomare.

«Sicura che non vuoi che venga con te?» chiese.

«No, no, vai pure a fare quella tua ricerca sexy. Inoltre ho già chiacchierato parecchio al telefono con Jiro Mori, è decisamente occidentalizzato e parla un buon inglese. Quindi posso cavarmela da sola.»

«Forse sarò io ad avere bisogno di te. Non vedo molte scritte nella nostra lingua qui in giro.»

L'espressione divertita di Sasha le fece capire che stava scherzando.

«D'accordo allora» disse Juliana. «Ti chiamo quando ho finito. Non credo prima di due ore, però.» Avevano noleggiato due telefoni cellulari. Costosi ma indispensabili. «A quel punto possiamo farci un giro alle terme e poi riprendere il treno per Tokio. E stasera andare a caccia di guai nel distretto di Roppongi... Che te ne pare?»

Locali notturni, cabaret, discoteche, tanto per cominciare. E poi chissà che altro potevano scoprire nella notte giapponese...

«Okay. Ci vediamo all'ingresso del museo per adulti *Hihoukan*, collegato al castello di Atami. Magari potrebbe venirti qualche ispirazione...»

«Mi sembra un ottimo programma.»

Juliana si incamminò.

Era un po' preoccupata all'idea di proseguire da sola, ma non perché il Giappone fosse un posto pericoloso, tutt'altro.

Solo che le sembrava strano muoversi da sola, pensò, sentendosi come Alice nel Paese delle Meraviglie quando attraversa lo specchio ed entra in un mondo sconosciuto.

Eppure cominciava a credere che proprio lì, così lontana da casa, avrebbe trovato la vera Juliana.

Così diversa da come la voleva la sua famiglia.

Quando Tristan Cole vide Juliana Thomsen davanti alla bancarella di frutti di mare, nel vicolo affollato e impregnato dell'odore di fritto, a pochi metri dalla *ramen house* dove lo aspettava Jiro Mori, si fermò di colpo.

Lo shock di rivederla quasi lo pietrificò. Mentre i ricordi riaffioravano veloci.

Una notte d'estate, poco prima che Juliana partisse per la Cal Poly State University. *Un falò acceso a Taggert's Field, l'ombra delle colline al crepuscolo.*

Seduto in disparte vicino al fuoco, Tristan stava bevendo una birra quando a un tratto le voci degli altri ragazzi si abbassarono in un mormorio concitato.

Si era voltato per capire perché, e l'aveva vista, circondata dalle amiche. Quel party era l'ultima occasione di fare baldoria, prima di iniziare una nuova vita.

I loro sguardi si erano incrociati al di sopra delle fiamme. Tristan ricordava ancora bene come di colpo gli si fosse chiuso lo stomaco, mentre il sangue accorreva impetuoso alla testa e al basso ventre. Juliana continuava a fissarlo sfrontata.

Juliana, la sua fantasia segreta. La passione proibita che non aveva confidato a nessuno. E a cui non aveva mai osato avvicinarsi. Fino a quella sera.

Tristan attese che le amiche si fossero allontanate e poi, quando lei passò accanto all'albero a cui era appoggiato, in disparte dal resto del gruppo, le rivolse la parola per la prima volta.

Lei si fermò e si capiva che era interessata, il viola dei suoi occhi brillava alla luce della luna.

Chiacchierarono del più e del meno, finché Tristan era riuscito a resistere. Poi l'aveva afferrata e stretta contro il suo corpo, si era appoggiato al tronco ruvido e l'aveva baciata.

E per una sola settimana rubata al destino, si erano baciati ancora e ancora. Fino a quella notte, quando erano andati così vicini a...

Avrebbe dato qualsiasi cosa per entrare dentro di lei. La desiderava da stare male. E dopo era stato anche peggio, quando avevano deciso che le loro famiglie non avrebbero mai capito, se fossero andati oltre.

Poi Juliana era andata via, lasciandolo col dubbio che avesse soltanto voluto levarsi uno sfizio passeggero e di poco conto.

Per molto tempo ancora, dopo quella sera, si era chiesto se lei in fondo non fosse stata contenta di partire. Sollevata. Quanto a lui, invece, si era convinto che mai nessuna sarebbe stata come Juliana Thomsen. E le successive esperienze sentimentali glielo avevano confermato.

Adesso era lì, in Giappone, l'ultimo posto in cui si sarebbe aspettato di incontrarla.

Fece un sorriso tirato. A trascinarlo in quell'impresa era stato suo cugino – anzi, la famiglia al gran completo – che l'aveva arruolato per dare la caccia al *Dream Rising*, il dipinto su cui i Cole da anni cercavano di mettere le mani. Un colpo che avrebbe fatto schiattare di rabbia i Thomsen e scritto la parola fine alla stramaledetta leggenda di Terrence ed Emelie.

Ma aggiudicarsi l'acquerello significava anche restituire l'orgoglio al nonno Zachary Cole, per gli anni che gli restavano da vivere. Nello sforzo di non sentirsi *vecchio e inutile* – come ripeteva spesso, con dispiacere di Tristan – si era messo in testa di trovare il quadro a ogni costo.

A ogni fallimento il suo ego ne era uscito ammaccato. Persino perdere la causa sui confini tra la terra dei Cole e la proprietà dei Thomsen l'aveva vissuta come una sconfitta personale.

Quindi se il *Dream Rising* era ciò che ci voleva per restituire un pochino di entusiasmo al nonno, allora Tristan glielo avrebbe portato.

Su un vassoio d'argento.

Era stato scelto per questa missione soprattutto perché aveva imparato un po' di giapponese. In realtà si era limitato ad ascoltare il dvd di un corso per principianti, giusto perché faceva affari con un appassionato di automobili d'epoca che viveva a Tokio. Uno dei tanti ricchi clienti a cui Tristan procurava pezzi da collezione introvabili. E che foraggiavano il suo conto corrente. Ma il nonno aveva deciso che Tristan sarebbe stato il candidato migliore per accompagnare Chad.

«Partirei io stesso» gli aveva detto dal letto, con voce affaticata. «Ma queste dannate gambe non ne vogliono sapere di funzionare. Se fosse vivo, tuo padre, ti avrebbe chiesto di andare. Fai che sia orgoglioso di te.»

Sua madre era rimasta a osservarlo in silenzio, durante quell'incontro. Tristan, che finora si era tenuto lontano dalle beghe familiari, adesso ci era finito dritto nel mezzo.

L'accanita battaglia per aggiudicarsi il *Dream Rising* lo

aveva sempre lasciato indifferente. Non aveva mai dimostrato grande interesse nemmeno per l'allevamento dei cavalli, l'attività principale dei Cole, preferendo passare la maggior parte del tempo con la testa infilata sotto il cofano di un'auto.

Ma avrebbe fatto qualsiasi cosa per il nonno.

Per questo adesso si trovava in quel vicolo affollato di gente, costretto a scansarsi ogni tre secondi.

Accanto a lui, anche Chad stava guardando Juliana Thomsen. Ma non per la stessa ragione.

«Deve essere qui per incontrare Jiro Mori» affermò suo cugino, che non sapeva niente di quello che era successo tra Tristan e Juliana tanto tempo prima.

«Mi sembra logico» rispose Tristan con noncuranza. «Tutte e due le famiglie sono alla ricerca del dipinto, perciò è naturale che il gallerista cerchi di sfruttare la nostra rivalità per il proprio tornaconto. Dimostra un ottimo senso degli affari, direi. Deve aver intuito che chiunque riesca a mettere le grinfie sul quadro ne uscirà vittorioso, dopo tanti anni di accese schermaglie.»

Sentiva lo sguardo concentrato di Chad su di sé, ma la sua attenzione fu attratta di nuovo da Juliana e da quei capelli lucenti e setosi in cui sembravano intrecciarsi fili d'oro e d'argento.

Ricordava perfettamente i suoi occhi, di quella sfumatura che aveva visto soltanto nei vecchi film di Hollywood.

Viola.

Prima o poi si sarebbe voltata. Cercò di immaginare com'era diventata. Quattordici anni dopo il giorno in cui per poco non erano andati a letto insieme. E tanto bastò a far impennare la sua libido.

«Che ti prende?» chiese Chad, a cui gli occhiali dalla montatura in metallo conferivano un'aria da professore.

«Mi sto godendo il panorama.»

Suo cugino tacque. In famiglia era lui che gestiva le finanze. Non che i Cole fossero milionari, però negli anni avevano messo da parte molti soldi con la speranza di trovare un giorno il loro Santo Graal, ovvero il dipinto di Terrence. Chad era il contabile, quello che reggeva i cordoni della borsa. A Tristan invece era stata affidata la trattativa vera e propria.

Rassegnato, si augurava soltanto di liberarsi in fretta dell'incombenza per poi spassarsela almeno un po'. Si era consolato pensando che quel viaggio in Giappone in fondo era un regalo, perché per la prima volta avrebbe potuto incontrare faccia a faccia il suo cliente più importante. Un'ottima occasione per fare affari.

Eppure il suo sguardo fu di nuovo catturato da Juliana Thomsen che assaggiava un bocconcino di polipo grigliato.

Afrodisiaco.

Juliana stava ammirando le lanterne di carta appese al soffitto, come se volesse godersi non solo il cibo ma tutto ciò che le stava attorno.

Tristan osservò Chad e poi ancora Juliana. Non erano a Parisville. Dunque perché non avvicinarla?

Si avviò verso di lei, con il sangue che gli ribolliva nelle vene tanto da dargli leggermente alla testa, rendendolo più imprudente del solito, diverso dal tipo taciturno che amava starsene da solo.

Sentì che Chad lo seguiva.

Juliana fece un piccolo inchino al venditore di pesce. Stava per allontanarsi.

Il tempo di voltarsi e si trovò di fronte Tristan che le bloccava la strada.

Fece un passo indietro, trattenendo il respiro, gli occhi spalancati dalla sorpresa.

Lo fissò, chiaramente sconcertata all'idea che lui fosse proprio lì, in un paese così lontano, nella sua stessa città, nello stesso vicolo.

Il viola dei suoi occhi lo ipnotizzò. Ma avrebbe giurato di averci intravisto una scintilla.

La felicità di rivederlo?

Rimpianto per ciò che poteva esserci stato tra loro?

Forse ora Juliana si sentiva una vera Thomsen e si era lasciata alle spalle i sogni da ragazzina, di quando avevano steso una coperta sul sedile posteriore della sua auto e lentamente, come in una dolce agonia, si erano tolti i vestiti. E si erano ritrovati alle prese con qualcosa che lui ingenuamente aveva creduto potesse diventare amore.

Lei deglutì e poi rise piano mentre guardava anche Chad. Si stava riprendendo dallo shock, come lui.

«Questo in fondo non dovrebbe sorprendermi» disse, con un tremito appena percettibile nella voce. «Suppongo che chiunque sia incaricato di seguire le tracce del *Dream Rising* per conto dei Cole abbia seguito la nostra stessa pista.»

Tristan non poté evitare di fissarla con insistenza. Quando Juliana se ne accorse, la sua pelle estremamente chiara, che già aveva preso colore sotto al sole, divenne un po' più rosata.

Dei tre però fu Chad a parlare. «Sei coraggiosa, signorina Thomsen. A venire fin qui tutta sola per chiudere l'affare.»

A malincuore, Juliana distolse lo sguardo da quello di Tristan.

«In realtà sono con un'amica. E credo sia meglio dirlo subito, così non ci saranno altre sorprese: si tratta di Sasha.»

Chad non disse niente per qualche momento e Tristan intuì che era rimasto senza fiato. Suo cugino aveva il cuore ancora ferito.

Poveraccio. Tristan sapeva tutto della sua sfortunata storia d'amore con Sasha. Una sera, dopo parecchie birre, Chad gli aveva confessato il rimpianto per essere stato troppo possessivo con lei. *Solo perché la amavo*, così aveva detto. Da quando si erano lasciati, aveva capito molte cose. Ma era convinto che Sasha non sarebbe mai tornata con lui.

E adesso che si trovava lì, davanti a Juliana, Tristan

realizzò che era da un pezzo che si sentiva come Chad. Vuoto. Dannatamente vuoto.

Come sarebbe stata la vita se lui e Juliana avessero avuto il fegato di dire alle rispettive famiglie che cosa potevano farci con la loro rivalità?

Ma, a diciotto anni, lei non se l'era sentita e Tristan aveva potuto capirla, perché diventare la pecora nera dei Cole non andava nemmeno a lui. Non poteva voltare loro le spalle.

Juliana stava valutando la reazione di Chad. Era ovviamente protettiva con Sasha. E questo diede a Tristan l'opportunità di osservarla ancora: fresca e innocente, anche dopo tanti anni.

Chad alla fine parlò. «Puoi dirmi dov'è?»

Accidenti, amico, rimangiatelo subito, pensò Tristan.

Juliana strinse gli occhi, come se si fosse pentita di avergli rivelato la presenza dell'amica. Ma poi sospirò, realizzando che erano tutti adulti e che non c'era motivo di essere rigida.

«È andata a una mostra d'arte erotica al museo per adulti del castello di Atami» spiegò. «Sta facendo delle ricerche per il prossimo libro.»

Non era abbastanza per Chad. «Come sta?»

«Chad!» lo ammonì Tristan.

Il cugino valutò l'avvertimento ma poi gli rivolse un sorriso timido che era quasi un'ammissione: aveva desiderato rivedere Sasha dalla sera che lei lo aveva lasciato e non aveva mai smesso di amarla.

Dopo tutto quel tempo passato a rimpiangerla, dannazione, non si sarebbe lasciato scappare un'opportunità del genere.

Tristan ebbe un'illuminazione.

Una seconda possibilità. Per lui e Juliana. Qui, in Giappone, dove nessuno lo avrebbe mai saputo...

Chad lo salutò. «Chiamami quando hai finito» disse a Tristan.

Juliana sembrò volerlo fermare. Ma appena Chad si

mescolò alla folla dei passanti nessuno dei due disse niente per riportarlo indietro.

Si limitarono a guardarlo andare via, la testa bionda che spiccava tra quelle scure, finché scomparve dietro un angolo.

«Bene» disse Juliana. «Immagino che ci rivedremo tra pochissimo, alla *ramen house* con Jiro Mori.»

Tristan si voltò e si accorse che lei si stava già allontanando con il cellulare in mano, forse per chiamare Sasha. Ma non c'era campo, a quanto pareva. Juliana rimise il telefonino nella borsa, prese un foglietto di carta e controllò i negozi intorno a lei.

Probabilmente erano le indicazioni di Jiro Mori, pensò Tristan, ammirando la curva rotonda del suo sedere sotto la gonna. E i capelli lisci che le ondeggiavano a metà schiena. Ricordò estasiato come gli erano apparsi soffici quando ci aveva passato dentro le dita.

La raggiunse in poche, lunghe falcate. «Chad non sarà di certo un pericolo per Sasha, se è questo che temi.»

«Lo so. E comunque perché non dovrebbe provare a parlarci? Sono passati mesi. Sapranno vedere le cose con maggiore distacco, adesso. Da persone civili.»

Il passato era una barriera tra loro e Tristan avrebbe tanto voluto toglierlo di mezzo dicendo quello che davvero gli passava per la testa.

Forse però era meglio procedere con prudenza.

«Civili. Una parola che sembra fuori posto in una conversazione tra un Cole e una Thomsen.»

Juliana continuò a camminare, a passo più lento, quanto bastava perché Tristan potesse sentire il profumo fiorito del suo shampoo e della sua pelle calda nell'aria umida.

Un brivido gli scivolò sulla carne. Dio, quel profumo lo aveva vagheggiato molte volte in quegli anni, ma in qualche modo era rimasto inafferrabile.

E adesso?

«Sarò sincera» disse Juliana. «Tutta questa epopea del *Dream Rising* mi ha sempre appassionato molto poco.

Sono qui più per gli spiedini di carne *yakitori* e per il *sakè*.»

Tristan sollevò un sopracciglio.

E lei scoppiò a ridere. «Sono venuta per compiacere mia zia Katrina. Lei e gli altri miei parenti ci tengono da morire a quell'acquerello. E io non vedo l'ora di chiudere l'affare e poi godermi la vacanza, prima di tornare a casa.»

«A meno che non sia *io* ad aggiudicarmelo.»

Si fermò e lo guardò. Ma non con l'aria di sfida che Tristan si aspettava, anzi, con dolcezza, negli occhi i suoi stessi indimenticabili ricordi.

E il corpo di lui stavolta rispose con impeto. E una furiosa erezione premeva contro la lampo dei pantaloni. Una passione adolescenziale che non si era mai smorzata, pensò.

Tutto qui.

Si concentrò sulla bocca di Juliana. Già da sola bastava a distrarre chiunque, con quel labbro superiore pronunciato e quell'accenno di broncio che si intonava alla luce delle iridi viola.

«Okay» disse poi. «Sarò sincero anche io. Sono qui per il nonno, soprattutto. Sta invecchiando e...»

«... vorresti soltanto vederlo felice.»

Tacquero entrambi, l'aria tra loro densa e rovente. Tristan indugiò ancora sulla bocca di lei e risentì il sapore dei suoi baci.

Non l'aveva mai dimenticata e gli era bastato rivederla una sola volta, per capirlo.

Juliana se ne accorse e si morse un labbro. Poi lo increspò in un sorriso imbarazzato che gli mandò in tilt il cervello.

Ma il suo corpo invece vedeva le cose molto chiaramente. Juliana era turbata, proprio come lui. C'era qualcosa che surriscaldava la sua immaginazione.

Poi lei si incamminò di nuovo. «Immagino che per chi si aggiudicherà il dipinto, sarà una dolcissima vendetta.»

Rise e il suono fluì dolcemente dentro di lui. Ma invece di raffreddarsi, il suo desiderio bruciò più forte.

Le si affiancò. Come per caso, la spalla di lei gli sfiorò il braccio.

Una fiammata di calore bianco lo fece sobbalzare.

«Nonostante le circostanze, è bello rivederti, Tristan» disse Juliana con la voce strozzata.

Il suo nome su quelle labbra.

«Anche per me è bello rivederti» rispose Tristan desiderando poter dire di più. Meglio non rischiare.

Dopo tutto lo aveva lasciato e non era mai tornata.

Quello che c'era tra loro forse non era stato così importante per lei.

Decise di farle un piccolo dispetto strusciandosi apposta contro il suo fianco.

La frizione sollevò scintille tra loro.

Pensò di averla sentita trattenere il fiato.

Si fermarono di fronte alla *ramen house* e con un sorriso misterioso lei gli passò vicino e lo sfiorò una volta ancora, con la mano. Un gesto lieve ma capace di far tremare la terra.

La vista di Tristan si appannò, una scarica di elettricità crepitò nel suo corpo.

Mentre Juliana entrava nel ristorante lui restò fuori, cercando di riprendere il controllo.

Per ricominciare da dove la donna che non avrebbe dovuto desiderare lo aveva lasciato, tanti anni prima.

2

Quando Juliana entrò nella *ramen house* se lo sentiva ancora addosso. Tristan le era entrato sotto la pelle, un calore diffuso che la accendeva di desiderio.

All'inizio si era detta che era stato solo lo shock di averlo rivisto ad averle confuso la mente. Ma non bastava a spiegare le mutandine bagnate e quei brividi inconfondibili al basso ventre.

Vicoli bui ancora da esplorare.

Era lontana da casa, in un mondo dove nessuno la conosceva, dove già si sentiva diversa. E poi ecco che Tristan era apparso all'improvviso, bruciandola con lo sguardo, come aveva fatto quella prima notte in cui si erano baciati.

Una fitta dolorosa la attraversò. Rimpianto.

Quante volte si era chiesta come sarebbe stato averlo dentro di sé. E muoversi insieme a lui, mentre la radio dell'auto suonava canzoni lente e romantiche.

Ma anche adesso, come allora, Juliana pensò alla sua famiglia. Quelle sensazioni che provava sarebbero già state considerate un tradimento.

Cercò di schiarirsi le idee mentre i fremiti di desiderio continuarono a trafiggerla. Si guardò attorno. Il piccolo ristorante era arredato con tavoli semplici e panche imbottite, un lungo bancone e pannelli di carta di riso alle pareti.

«*Irasshaimase.*» Benvenuta. Gli indaffarati camerieri le fecero un veloce inchino che Juliana ricambiò. Un ragazzo giapponese con gli occhiali dalla montatura scura e una maglietta con il simbolo della pace, seduto alla cassa, agitò una mano. Stava bevendo una bottiglia di birra. Dal modo in cui continuava a sorridere, Juliana intuì che non era la prima.

Si sentiva un po' isolata lì dentro. In un altro mondo, diverso da quello che c'era fuori.

A uno dei tavoli più appartati scorse un uomo sui venticinque anni che poteva essere il gallerista Jiro Mori. Teneva la testa china e scriveva forsennatamente su un taccuino. Forse stava calcolando quanto poteva ricavare da quell'affare, pensò Juliana mentre gli si avvicinava. Notò qualche ciocca tinta di blu nei capelli dal taglio scalato e una camicia a maniche lunghe a piccoli disegni. Corrispondeva alla descrizione che le aveva dato di sé al telefono.

Si mantenne a distanza dal tavolo, tuttavia, aspettando il momento opportuno per presentarsi, ritenendo che fosse scortese interromperlo.

Intanto andò in fibrillazione. Tra poco li avrebbe raggiunti Tristan. Gettò un'occhiata verso la porta e scoprì che non era ancora entrato.

Che quel veloce contatto tra i loro corpi lo avesse sconvolto come era successo a lei? Oppure stava ritardando apposta il suo ingresso perché, in un paese dove le effusioni in pubblico non erano gradite, avevano osato troppo?

Lei per prima.

Non l'avrebbe biasimato se voleva mantenere una certa distanza tra loro. A suo tempo Tristan era stato irremovibile nel voler rispettare i sentimenti della propria famiglia, proprio come lei. Perciò Juliana era partita per il college senza cedere alle sue voglie. Anche se, dopo, l'avevano tormentata a lungo.

Nessuno l'aveva mai baciata o toccata come lui.

Nemmeno lontanamente.

Si passò una mano sulla nuca. Era sudata. Non per il caldo.

Realizzò che il cassiere le stava parlando. Snocciolando una sequela di parole incomprensibili.

Prese dalla borsa il vocabolario tascabile con le frasi già pronte e trovò la pagina giusta. «*Nihongo wa wakarimasen.*»

Non parlo giapponese.

Il tizio allora intonò una canzone di Bruce Springsteen, finché un uomo e una donna dietro al banco, i proprietari, probabilmente, lo interruppero inveendo contro di lui. Non parevano molto contenti.

Juliana sentì Jiro muoversi alle sue spalle e quando si voltò vide che si era alzato e le porgeva la mano, invece che farle il solito inchino.

Decisamente moderno. Curiosando su Internet in cerca di informazioni sulla sua galleria di Tokio, che aveva molti clienti stranieri, aveva letto che Jiro Mori era molto ben introdotto nel jet set europeo.

«La signorina Thomsen?»

«Sì.»

«Grazie per aver accettato di spostare qui il nostro incontro.»

«Grazie a lei per avermi invitato, signor Mori.»

Si strinsero la mano, poi lui le fece strada al tavolo. «Temo di essere stato troppo immerso nel mio lavoro, poco fa» disse. «Mi spiace.»

Non sapendo fino a che punto fosse occidentalizzato, Juliana si attenne a quello che aveva letto sulla guida e dichiarò che gli aveva portato un dono, dei costosi dolcetti comprati nella boutique dell'albergo.

Sperò di aver scelto bene, perché in Giappone persino per i regali c'è un elenco rigido di cose da fare e cose da evitare.

Tutte quelle insidie culturali la tenevano sulle spine.

E pure Tristan, se proprio doveva essere sincera.

Jiro Mori rise, la ringraziò e si sedette di fronte a lei. «È nervosa, lo vedo. Ma se la sta cavando bene, signorina Thomsen. Il Giappone è un posto complicato dove fare affari, per gli stranieri.»

«Più di ogni altro paese dove sono stata, questo è certo.» Finora aveva viaggiato soprattutto con l'immaginazione. Ma non era costretta ad ammetterlo.

Di nuovo si chiese dov'era finito Tristan. Al pensiero di lui il cuore fece un salto, lo stomaco si chiuse, il sesso palpitò. Juliana si guardò oltre la spalla, in attesa che lui entrasse da quella porta per stordirla di nuovo.

Prima ancora che Jiro Mori si alzasse dal suo posto, qualche minuto dopo, un brivido prolungato le disse che Tristan era arrivato.

Quando li raggiunse al tavolo, Juliana cercò di non guardarlo subito. Ma il suo profumo la riportò indietro nel tempo, mentre lui e il gallerista ripetevano la scena delle presentazioni e del regalo.

Nonostante le migliori intenzioni, finì per lanciargli un'occhiata veloce.

Da diciottenne.

Che sbircia un uomo di nascosto.

E che uomo: bello, con i capelli neri sempre un po' lunghi, che gli ricadevano ribelli sulla fronte. Ma gli occhi grigi avrebbero brillato anche tra le nuvole. Lineamenti perfettamente scolpiti, zigomi pronunciati, mascella volitiva. Forza e avvenenza e una quieta sicurezza di sé che avevano sempre avuto un effetto devastante su di lei. Mai eguagliato.

Mentre Jiro andava a parlare con i camerieri, Tristan scivolò sulla panca accanto a Juliana, un sorriso appena accennato sulle labbra.

Era vicino.

Davvero vicino.

Il braccio muscoloso sfiorò il suo e il cuore di Juliana sussultò.

Fece un lungo respiro, sapendo bene che i suoi familiari si sarebbero infuriati, se li avessero visti in quel momento.

Ma non potevano vederli.

Erano loro due soltanto.

Un inebriante senso di libertà si espanse dentro di lei.

«Hai studiato con cura il tuo ingresso trionfale» mormorò.

«Aspettavo di raffreddarmi un po', sapendo che qui dentro avrebbe fatto piuttosto caldo.» Tristan sollevò un sopracciglio scuro. «Per via dell'asta per il quadro, intendo.»

Sotto la tovaglia, posò la mano sul sedile.

Le dita erano a meno di due centimetri dalla gamba di Juliana, ma era come se la stesse accarezzando. La sua clitoride pulsò sotto lo slip di tulle e quasi non sentì Jiro chiederle cosa voleva da bere. Poi, mentre lui ordinava, Tristan catturò il suo sguardo.

Sorrideva malizioso.

E prima che Juliana intuisse le sue intenzioni, fece scorrere un dito lungo lo spacco laterale della gonna.

Lei chiuse gli occhi, assalita dalle emozioni e dal desiderio represso.

Lo sentì sussurrare: «Te lo sei mai chiesta, Juliana?».

Non aveva bisogno di spiegarle cosa. «Sì» rispose d'impulso.

Quando riaprì gli occhi, i loro sguardi si incontrarono. Quello di Tristan era di argento bollente, acceso di una passione che lei non poteva combattere.

La voce di lui si abbassò ancora di più. «Hai mai pensato di finire quello che avevamo cominciato l'ultima sera che siamo stati insieme?»

Non le sembrava reale.

Quante volte aveva rivissuto quella notte, quando avevano deciso di non fare l'amore.

E adesso Tristan le stava chiedendo di...

Oh, mio Dio. Le stava forse proponendo di fingere di essere ancora adolescenti ed esaudire le sue fantasie ricorrenti?

Prima di potersi fermare aveva già risposto di sì.

Lui sorrise e lei per poco non scivolò a terra.

Poi la voce di Jiro Mori li riscosse e Juliana sobbalzò, mentre il gallerista riprendeva posto al tavolo.

«Le piace il Giappone, finora?» le chiese.

Per Juliana fu come se avesse parlato in swahili.

Aveva detto sì a Tristan senza nemmeno pensarci.

E per una volta fu entusiasta di essere stata così precipitosa.

«Sì, è molto bello qui» balbettò.

«Puoi trovare qualcosa di inaspettato a ogni angolo» aggiunse Tristan.

Un cameriere arrivò con un vassoio di *oshibori*, piccoli asciugamani caldi.

Juliana si raddrizzò a sedere, ne prese uno e se lo passò tra le mani.

Era una consuetudine prima di mangiare, in quel paese. Ma rese la sua pelle ancora più sensibile.

Cercò di scacciare quella sensazione elettrica, mentre un'altra cameriera porgeva a Tristan una bottiglia di birra *Asahi* e a lei l'occorrente per un *sawa* al pompelmo, una tipica bibita fresca. Jiro si soffermò qualche istante a chiacchierare con la donna e durante quella pausa Tristan le toccò di nuovo la gamba.

Juliana trattenne il respiro e si agitò sulla panca imbottita. Aveva detto sì, ma prima bisognava pensare agli affari.

Stramaledetti affari.

Anche Tristan si mosse, come se volesse cambiare posizione. Ma era una scusa per continuare a sfiorarle la gamba.

Una fitta di eccitazione la indusse ad accavallare le gambe per mettersi al riparo dalle sue dita.

Lui sorrise e si rilassò contro lo schienale, con un braccio appoggiato proprio dietro Juliana, che poteva sentire il calore della sua pelle.

Desiderava che la toccasse di nuovo. Quegli sfioramenti rubati non erano abbastanza.

Non riusciva a pensare ad altro che al suo sesso inturgidito e alle mutandine bagnate.

Un ignaro Jiro le indicò il mezzo pompelmo nel piattino, accanto al bicchiere. «Puoi spremere il succo da sola e aggiungerlo al resto del drink.»

Dunque aveva pensato che non si fosse mossa perché non sapeva come prepararsi il *sawa*. Bene.

«Allora, signor Mori» intervenne Tristan, concentrato sugli affari, adesso. «Parliamo del quadro.»

«Diretto al punto.» Jiro assaggiò un sorso di birra. «Mi piace il suo modo di affrontare la questione. E mi scuso con entrambi per non avervi avvisato che avevo invitato anche la controparte. Intendevo discutere con ciascuno di voi separatamente, ma la piccola emergenza di oggi ha cambiato la situazione e nel caos mi è passato di mente.» Posò la birra. «Sapete, gli artisti sono piuttosto difficili da gestire, specialmente quando diventano molto richiesti.»

Da come parlava, Juliana sospettò che Jiro avesse organizzato apposta quell'appuntamento a sorpresa, per alimentare la rivalità tra le due famiglie interessate all'acquisto dell'acquerello. E alzare il prezzo.

Mica scemo questo tizio, rifletté.

«Con il vostro permesso» riprese Jiro, «vorrei soffermarmi

sul passato di questo dipinto. Il *Dream Rising* ha una storia burrascosa, e qui davanti a me ci sono i discendenti dei due protagonisti.»

Bene, a quanto pare il gallerista giapponese non disdegnava il pettegolezzo.

Juliana guardò Tristan. «L'acquerello andò perduto oltre un secolo fa, ma questa è solo una parte della verità.»

La bocca di lui si distese in un mezzo sorriso. Un'altra scintilla a ravvivare il fuoco già acceso.

«Lo dipinse il mio trisnonno, Terrence Cole» aggiunse Tristan. «E la modella era la sua...»

Si fermò. Probabilmente si stava chiedendo se il termine *amante* fosse adeguato alla circostanza. Sebbene le avventure extraconiugali siano molto comuni in Giappone, forse temeva di risultare troppo sfacciato.

Juliana decise di lanciargli un salvagente. «La modella di Terrence era la mia trisnonna Emelie.»

Non era proprio così semplice. In verità Terrence aveva piantato Emelie per sposare la donna a cui era stato promesso dalla sua famiglia.

Lei ne aveva sofferto molto e non si era mai ripresa dal dolore, nemmeno quando aveva sposato un immigrato tedesco molto più vecchio di lei, che aveva fatto fortuna con la corsa all'oro.

Terrence le aveva spezzato il cuore.

Jiro annuì. «So che lei rubò il quadro e che questo diede inizio all'astio tra le vostre due famiglie che dura da generazioni, giusto?»

«Proprio così» confermò Juliana con un cenno verso Tristan.

Lui esitò un istante, come se sapesse che Juliana stava ripensando alle sue dita sulla coscia. E a quanto avrebbe voluto che le avesse fatte scorrere più su.

Strinse le gambe, cercando sollievo al languore quasi doloroso.

«Noi due siamo acerrimi nemici» concluse Tristan, infine.

La sua voce bassa rimbombò dentro di lei, mentre Juliana ricordava la sera in cui avevano deciso di lasciarsi. E di non rivelare mai a nessuno che erano stati sul punto di andare a letto insieme. E di spezzare quella catena di rancore.

Tristan tolse il braccio dallo schienale e posò di nuovo la mano sul sedile. La pelle di Juliana vibrò in attesa, *sperando* che lui la toccasse.

Ma non lo fece.

Jiro proseguì sull'argomento. «Ho sentito dire che la versione di Emelie era molto diversa.»

«Vero anche questo.» Juliana posò una mano sulla borsa, in cui c'erano le copie delle lettere di Emelie alla sorella. «Quando Terrence le disse addio, lei trovò giusto portarsi via il quadro. Lo considerava un regalo. I Cole si infuriarono. Scoppiò lo scandalo. Ma la mia trisnonna non restituì mai l'acquerello perché subito dopo le fu portato via da un ladro.»

«Dai diari di Terrence però si capisce che quando lui ruppe la loro relazione, Emelie si arrabbiò e scappò col dipinto. Non era affatto un dono» intervenne Tristan.

«E invece, leggendo le lettere di Emelie, si scopre che lei era davvero convinta che Terrence intendesse lasciarle il quadro come regalo d'addio, prima di sottomettersi a quel matrimonio di convenienza. I genitori di lui non l'avrebbero mai accettata. Emelie allora era un'umile lavandaia, soltanto dopo sposò un uomo molto ricco, mentre Terrence era un artista importante e apparteneva a una famiglia rispettabile. Perciò le restarono soltanto il *Dream Rising* e il suo orgoglio.»

Quando i loro sguardi si incontrarono non c'era nemmeno l'ombra dell'ostilità con cui le generazioni precedenti avevano intriso i loro racconti.

Non ce n'era mai stata, tra loro.

C'erano soltanto ricordi sfuocati di abbracci sensuali e baci proibiti, che avevano insegnato a Juliana come dovrebbe essere l'amore appassionato.

Deve bruciare dentro di te. Attraverso di te. Controllare ogni tuo movimento e ogni tuo respiro, mentre tu e lui diventate una cosa sola.

Per un momento le sembrò che il passato volesse riportarli insieme.

Più vicini...

Più vicini.

Sentì la mano di Tristan sulla coscia. Stavolta però accostò la gamba, invitante.

Tornò il cameriere con le pietanze.

Siamo in un ristorante, si ripeté Juliana.

Erano in pubblico. Non da soli.

Non ancora...

Jiro preparò le bacchette e prese la sua scodella. «Un racconto molto interessante» disse, prima di assaggiare le tagliatelle in brodo.

Juliana girò pigramente la bacchetta nella zuppa di *noodles*, tofu e verdure. Non aveva fame. Non di cibo. Non con lo stomaco così sottosopra.

Non con Tristan così appiccicato.

Nemmeno lui aveva ancora cominciato a mangiare. Chissà se era scombussolato come lei. E se stava già pensando a cosa sarebbe accaduto, una volta usciti dal ristorante.

Jiro assaporò la pietanza. «Purtroppo devo informarvi di una lieve complicazione nella nostra trattativa, che tuttavia potremo risolvere molto facilmente. Ho scoperto solo mezz'ora fa che il *Dream Rising* non arriverà con la spedizione che avevo programmato.»

Juliana smise di mescolare il *ramen*. Se prima aveva qualche dubbio, adesso era certa che Jiro Mori stesse cercando di fomentare la loro rivalità. Forse il dipinto era veramente in ritardo, ma il gallerista stava chiaramente cercando di sfruttare la situazione.

Tristan rise, come se stesse pensando la stessa cosa. E quel suono fu un graffio al cuore. Le ricordò di quando ridevano abbracciati, pelle contro pelle.

Jiro posò la scodella sul tavolo. «L'acquerello è stato mandato per sbaglio a una galleria associata di New York, dove spesso organizzo delle mostre. Il mio assistente è alle prime armi e non deve aver compreso bene le mie indicazioni. Lo farò rispedire qui, ma al momento a Manhattan è notte fonda, perciò dovrò aspettare ancora qualche ora.»

«Ha già fissato un prezzo?» chiese Tristan prendendo in mano le bacchette.

Non le sembrò seccato dall'inconveniente, anche se Juliana avrebbe scommesso che i Cole sarebbero andati su tutte le furie, proprio come i Thomsen.

Jiro li stava osservando entrambi, come se volesse misurarne le rispettive possibilità economiche.

Poi sorrise. «Possiamo discutere della quotazione del *Dream Rising* tra qualche giorno, quando avrò il quadro nelle mie mani e voi potrete ammirarlo di persona. Un esperto ne garantirà l'autenticità. E per farmi perdonare il disguido vorrei invitarvi ad Hakone, nel *ryokan* della mia famiglia, dove potremo riprendere a discutere del nostro affare.»

«Il *ryokan* è un tipico hotel giapponese, vero?» domandò Tristan. «È gentile da parte sua. Pensavo di provarne almeno uno, prima di ripartire. E ad Hakone sarebbe perfetto, visto che ho in programma di passare a trovare un grosso cliente di auto d'epoca che vive proprio vicino al monte Fuji.»

La sua gamba si riavvicinò a quella di Juliana.

Secondo la guida, i *ryokan* potevano essere dei piccoli angoli di paradiso dove assaporare la quiete e il romanticismo del vecchio Giappone.

Il cuore di Juliana prese a battere come impazzito mentre immaginava Tristan entrare nella sua stanza e chiudersi la porta alle spalle.

«La ringrazio del pensiero» disse a Jiro, cercando di mantenere la voce più distaccata possibile.

Sì, aveva detto a Tristan, poco prima.

E adesso gli mostrò quanto era vero, allungando una mano per accarezzargli la gamba, proprio sopra il ginocchio.

Lui la guardò. E Juliana sentì che dovevano uscire da quel ristorante prima possibile.

Mentre curiosava nel gift shop del museo per adulti, collegato al castello di Atami, Sasha guardò nuovamente l'orologio. Chissà quando si sarebbe fatta viva Juliana.

Fu presa dall'ansia, come fosse ai blocchi di partenza dei

cento metri. Non vedeva l'ora che la sua amica si liberasse degli impegni di lavoro e finalmente, per una volta, facesse qualcosa per sé. Tornando a Parisville, dopo aver vissuto a San Diego, lontana da una famiglia affettuosa ma troppo soffocante, Juliana era tornata in gabbia.

Sasha se n'era andata proprio per quel motivo: le piccole cittadine non facevano per lei. Ci era rimasta soltanto per un breve periodo, quando stava con Chad. E forse era stato un bene che avessero preso strade separate. Lei amava viaggiare, sentirsi libera di andare dove voleva e vivere come più le pareva, senza che nessuno potesse impedirglielo.

Osservò gli oggettini e i gingilli vari in mostra. Aveva deciso di non pensare a Chad, anche se prima era capitato per caso nella conversazione. Perché rovinarsi quella vacanza? Aveva già perso troppo tempo a rivangare il passato. Quando invece la medicina migliore era andarsene in giro con Juliana e ampliare i loro orizzonti. Anche se forse questa sua ricerca era un po' un azzardo, per lei.

Però era determinata a sbalordire il suo editore, con il prossimo libro. Convinta che l'idea di Juliana fosse formidabile. Quello che il pubblico voleva: avventure esotiche ed erotiche in Giappone per ragazze single. Sasha intendeva mettercisi d'impegno. E scrivere un bestseller di successo che le avrebbe assicurato carriera e guadagni per gli anni a venire.

Da uno scaffale prese un asciugamano da mare con sopra stampata l'immagine di una geisha. Un gadget piuttosto innocente, all'apparenza. Finché la commessa del negozio di souvenir si avvicinò con un piccolo phon portatile. Lo accese, dirigendo il getto d'aria calda verso il telo di spugna: e come per magia i vestiti della geisha scomparvero, lasciandola tutta nuda.

Incapace di trattenere una risata, Sasha fece un inchino alla ragazza, le augurò buona giornata e uscì. Va bene, dunque i giapponesi non erano sempre così repressi. Ma qualche souvenir kitsch non bastava a mettere insieme un bestseller. Doveva guardare sotto la superficie della cultura del Sol Levante e scoprirvi i segreti celati. Proprio come l'aria calda sul telo da spiaggia aveva svelato la figurina sexy, dietro l'apparenza innocente.

Si fece vento con la mano. Chad le aveva sempre detto che era troppo repressa. La prendeva in giro con tenerezza, cercando di farla sciogliere. Ma Sasha non ci era mai riuscita.

Forse era stato anche questo ad allontanarlo. E se si fosse slegata i capelli e gli avesse davvero dato tutto di sé? Inutile chiederselo ora. Non con Chad. Per quanto, anche in una prossima relazione, il problema si sarebbe ripresentato.

Assalita dal rimpianto, scese al piano terra, dove era allestita un'esposizione temporanea di stampe.

Stampe erotiche.

Sasha si guardò intorno. Non c'era nessuno.

Repressa? *Lei?*

D'un tratto scoprì che non voleva soltanto scrivere quel libro. Era pronta ad aprire un nuovo capitolo nella sua vita.

Si avvicinò circospetta alla prima immagine e arrossì di colpo, trovandosi faccia a faccia con una geisha e un samurai colti sul più bello, in pieno amplesso.

Deglutì nervosamente, mentre passava in rassegna le altre stampe. In tutte erano raffigurati uomini dal pene enorme e geishe a gambe aperte, impegnati in varie e interessanti posizioni.

Ritornando al primo quadro, si immaginò al posto della donna. Poi ripensò all'ultima volta che era stata a letto con qualcuno.

Erano passati mesi. Non era più successo, dopo Chad. Aveva avuto parecchio lavoro. Ed era diventata pigra.

O forse continuava a paragonare chiunque al suo ex.

Sentì dei passi alle sue spalle e si allontanò di scatto dalla stampa erotica, cercando di assumere un'aria distaccata. Ma la sua pelle era rovente come l'asfalto sotto al sole.

C'era qualcuno a pochi metri da lei. Sasha si impose di non voltarsi a guardare l'altro visitatore del museo. Si sarebbe sentita ancora più in imbarazzo.

E questo perché voleva diventare spudorata e trasgressiva.

Giocherellò con la scollatura casta della maglietta, proseguendo velocemente stampa dopo stampa. Una però la indusse a fermarsi un istante di troppo: raffigurava un uomo chino tra le gambe di una donna.

Ma non era questo che aveva colpito la sua attenzione, quanto l'espressione annoiata della signorina che leggeva un libro mentre lui si dava da fare.

I passi si avvicinarono.

Ancora di più.

Poi Sasha sentì la fragranza di bagnoschiuma maschile.

Chiuse gli occhi, sommersa da un mondo di ricordi: notti sul divano passate a leggere le riviste rannicchiata accanto a Chad, che sfogliava *Fortune* o *Wired*. Chad che la passava a prendere all'aeroporto quando lei rientrava da Reno, in Nevada, dove abitava prima di trasferirsi a Parisville per cominciare una vita insieme.

Riaprì gli occhi.

Chad?

Qui ad Atami? Impossibile.

E invece no. Forse anche i Cole avevano trovato le tracce del dipinto.

E allora che ci faceva al museo? In *quel* museo?

Sentì la sua voce di fianco a lei.

«Poveretto.» Parlava del tizio in posa hard. «Si sta dando tanto da fare per la signora e lei non mette nemmeno giù il libro.»

Sasha si strofinò le mani sulle braccia, sperando di cancellare la pelle d'oca. «Forse dovrebbe chiederle cosa le piace. E non farebbe questa figuraccia.»

Cadde un silenzio pesante tra loro, mentre il tempo tornava indietro alla sera in cui era finito tutto.

La sera in cui Sasha era stata convocata all'ultimo minuto per una conferenza, a tre ore d'auto da casa. Dove avrebbe incontrato altri scrittori affermati della sua stessa agenzia.

«Non avrai davvero intenzione di andartene proprio adesso!» aveva esclamato Chad, incredulo, quando lei aveva chiuso la telefonata.

Era il modo in cui l'aveva detto che le aveva dato fastidio. Risvegliando l'inquietudine che Sasha covava da quando si era trasferita a Parisville per lui. Mettendo al primo posto la vita di Chad e la sua famiglia.

Forse era il risentimento che li aveva allontanati. Sasha lo aveva accusato di non credere in lei. E di essere troppo soffocante.

E Chad le aveva rinfacciato che la prima a soffocare se stessa era proprio lei.

Le aveva dato della repressa. E in parte era vero. Sasha teneva sotto controllo ogni emozione, lasciarsi andare le era difficile.

Troppa era la paura di perdersi e non ritrovarsi mai più. Come era successo a sua madre e alle mogli dei suoi fratelli. Che vivevano all'ombra dei mariti. Si era ripromessa di non diventare mai come loro.

Aveva mantenuto la parola. Anche se faceva male.

Lo aveva lasciato.

Adesso che se lo trovava di fronte non era preparata alla violenza della sua reazione: una fiammata di desiderio. E tutto l'amore che pensava si fosse spento.

Chad non era cambiato di una virgola.

Aveva gli stessi occhiali con la montatura di metallo. Gli bastava toglierseli per perdere quella maschera conservatrice e diventare l'amante sexy e intraprendente che c'era dietro. La stessa camicia con i bottoncini sul collo che nascondeva il fisico asciutto e forte, che teneva in forma andando a cavallo ogni volta che era a casa. Gli stessi luminosi occhi azzurri che lasciavano trasparire i sentimenti.

Non le sembrava che brillassero tanto, in quel momento. Magari gli era passata del tutto.

«Che ci fai qui?» gli chiese, inorridita dalla durezza orgogliosa della domanda.

Chad infilò le mani in tasca. «Ho accompagnato mio cugino a comprare il dipinto. Ma a quanto pare quel Mori ha organizzato un doppio appuntamento. Oltre a Tristan c'è anche Juliana. Ed è stata lei a dirmi che potevi essere da queste parti. Non che fosse felice di farmelo sapere. Ma ho insistito io. Spero di non aver sbagliato.»

«No, siamo adulti, dovremmo essere in grado di affrontare la cosa.»

Senza parlare, si allontanarono dall'illustrazione sul tema del sesso orale e passarono a quella dopo. Sasha desiderò essere ancora capace di cogliere i segnali nascosti che facevano parte dell'intimità che si era creata tra loro. Tra due persone che erano state sul punto di impegnarsi per la vita.

Perlomeno questo era ciò che aveva creduto. Finché non avevano fallito miseramente.

«Ci sono parecchie cose che volevo chiederti» disse Chad. «Ma adesso non so da dove cominciare.»

Il suo sguardo era come una carezza. Sasha fu costretta a guardare altrove.

«Che genere di domande?» Di nuovo, ecco che spuntava fuori l'orgoglio. Era stato il suo unico appiglio, da quando era rimasta sola. «Te ne pongo una io: non ero abbastanza eccitante per te?»

«Sasha!» Chad fissò il pavimento. «Per te si trattava solo di questo?»

Lei sospirò, per lenire la sofferenza. «No. Sai bene che c'erano molte altre questioni.»

«Sì. E so anche che non è stato giusto pretendere che tu mollassi tutto e ti adattassi alla mia vita, sacrificando la tua. L'ho capito soltanto dopo, quando sono riuscito a pensare a mente fredda.»

Presa alla sprovvista dalla sua sincerità, anche Sasha avrebbe voluto confessare di essersi sentita in colpa, a momenti. Sua madre in fondo sembrava felice di dedicarsi soltanto al marito, organizzando party e ricevimenti per soci e clienti.

«Dimmi soltanto una cosa» riprese Chad. «Sei felice adesso?»

Felice.

Lo era?

Mentre cercava una risposta, lui azzardò una lieve carezza sulla guancia.

Le sue dita le sfiorarono la pelle e Sasha restò a corto di ossigeno, soffocata dall'angoscia per ciò che avevano perso.

Non potevano riaggiustare qualcosa che si era già rotto. D'altra parte non voleva rischiare di ricadere nello stesso stereotipo di coppia che l'aveva spaventata la prima volta.

«Mi spiace» disse allora spostandogli la mano. Trattenendola giusto un istante, per poterlo toccare. E ricordare.

Poi si voltò e se ne andò. Senza mai guardarsi indietro. Anche se moriva dalla voglia di farlo.

3

Fuori dalla *ramen house*, Tristan e Juliana imboccarono un vicolo appartato pieno di piccole botteghe.

Le guance di lei erano particolarmente accese, anche se una brezza marina con vago sentore di zolfo stava rinfrescando la temperatura.

Dalle grate a terra salivano sbuffi di vapore.

Vederla così accaldata e turbata lo eccitò ancora di più. La immaginava nuda e appena sudata, pronta per l'amore.

Era tutto ciò che desiderava. Poterla avere. Finalmente. E poi avrebbe trovato pace.

Non era facile decidere come. Qualcosa gli disse che era bene procedere con cautela, perché stavolta non voleva farla scappare.

Juliana si fermò davanti alla vetrina di un negozio di dolciumi. Sorrideva. E non solo perché stava osservando la mercanzia colorata e invitante.

Tristan restò un passo dietro. «Non so tu, ma io sono contento di non dovermi precipitare al telefono per avvisare i miei dello sbaglio con la spedizione.»

«Il fuso orario ci regala una breve tregua, non è così?» Juliana si scostò i capelli dal collo.

Dannazione, doveva avere un buon sapore, pensò lui. Dovunque.

«Dovrei chiamare Sasha e raggiungerla da qualche parte» disse Juliana.

Lo stava mettendo alla prova per vedere se prima aveva parlato sul serio, era chiaro.

«Non farlo» le sussurrò.

Lei lo guardò senza parlare. Ma bastò a farlo sbandare.

«Il mio albergo è a Tokio, tu sei qui ad Atami?»

«No, anche io e Sasha abbiamo preso un hotel in città, nel distretto di Shinjuku, vicino alla stazione.»

Tristan sorrise. «Siamo praticamente vicini di casa. Come a Parisville.»

«Non è lo stesso.»

«No, per niente.»

Lo fissava in un modo che poteva significare molte cose. Sperò che sottintendesse anche un invito.

A fare cosa, non ne era ancora sicuro. Però era deciso a scoprirlo, mentre erano lì in terreno neutro, così lontani dalle loro vere vite.

Finché Jiro Mori non rintracciava il quadro, il tempo era tutto loro.

Sarebbe riuscito ad averla nella sua stanza d'albergo nel giro di due ore?

Ci stava mettendo troppo a trovare le parole. Lo capì dall'aria incerta di Juliana, che riprese a camminare.

«Immagino che avrai un sacco di cose da fare a Tokio» disse lei.

Lo stava ancora mettendo alla prova.

Tristan la assecondò. Gli piaceva quel loro reciproco cercarsi e poi ritrarsi. Nella certezza che nessuno qui sapeva niente di loro e del passato.

«Non ho programmato niente, mi piace decidere all'ultimo istante» rispose.

Arrivarono a una rientranza buia, schermata da una mezza porta.

Juliana lo guardò con malizia negli occhi. Così almeno gli parve. Aveva la stessa espressione di quella prima sera, dopo che lui l'aveva baciata, mentre lo afferrava per la maglietta per attirarlo contro di sé.

Si infilò in quella sorta di alcova.

Il corpo di Tristan non aspettò che il cervello formulasse il pensiero successivo: *tanto ti lascerà di nuovo*. Non che l'avrebbe ascoltato, in ogni caso.

La seguì al riparo della nicchia, in penombra.

«Che vuoi fare?» chiese.

Lei sorrise, le spalle appoggiate alla parete, inclinando il capo come se stesse soppesando i suoi stessi dubbi.

Poi qualcosa cambiò nel suo sguardo e Tristan capì che ce l'aveva fatta. Era sua.

«Alla *ramen house* pareva che fossimo giunti a un certo accordo, tu e io» gli ricordò Juliana.

«Su cosa?»

Voleva che fosse lei a dirlo. Sapere di essere sempre stato il suo desiderio segreto. Il cuore gli martellava così forte nel petto che era certo se ne sentisse il rumore.

Juliana deglutì nervosa. «Su... dimenticare il resto e vedere cosa potrebbe accadere tra noi. Solo per questa volta.»

Con gentilezza, Tristan pòsò una mano sulla seta della camicetta, all'altezza della vita.

«Non mi andava di dirtelo là» disse lei.

«Dove la gente poteva vederci e ascoltarci?»

«Vorrei evitare incidenti internazionali, Tristan. Le effusioni in pubblico qui non sono ben viste.»

Lo guardò con sfida. Tristan strinse il lembo di stoffa attirandola più vicino. A distanza di un respiro.

Poi di un sussurro.

Dio, il suo profumo...

Si rese conto che c'era gente che passava nel vicolo e lasciò andare la blusa. Ma il suo corpo restò in allerta, il sangue che pulsava veloce.

«Sai cos'è un *love hotel*, Juliana?» le chiese e pensò che il suo nome aveva un bel suono. Lo aveva pronunciato poche volte ad alta voce.

Lo sguardo di Juliana si accese. «L'albergo dell'amore. Un'istituzione qui in Giappone: si tratta di un hotel che affitta stanze a ore. Ufficialmente per riposare. Per appuntamenti clandestini, in realtà.»

«Hai studiato la lezione, vedo. Le camere sono a tema. Qualunque cosa possa stuzzicare la coppia. E sono molto discrete.»

«Ottime per mantenere un segreto.»

Tristan si arrotolò la camicetta attorno alle dita, avvicinandola di nuovo a sé, finché le loro labbra quasi si toccarono.

«Forse potremmo trovare una stanza che assomigli al sedile posteriore della mia auto.»

Lei rise e il suo respiro gli sfiorò la bocca. «O forse è meglio qualcosa di più comodo.»

Tristan posò l'altra mano contro il muro, proprio sopra la spalla di Juliana. Adorava il modo in cui la sua bocca si increspava a ogni parola.

Che altro sapevano fare quelle labbra?

«Quando rientreremo a Tokio con il treno sarà pomeriggio inoltrato» sussurrò lui, la voce roca. «Potremmo vederci, andare al Kabuki-cho, il quartiere a luci rosse, e provare questa esperienza culturale...»

Il respiro di lei sembrò tremare. «Ho letto che quegli hotel accettano solo giapponesi. Non so se è vero, noi oltretutto non parliamo nemmeno la loro lingua.»

«Io potrei cavarmela. Ho fatto pratica da solo.»

Il doppio senso involontario sembrò divertirla.

«E che dico a Sasha?»

«Tutto. Niente.» Tristan abbassò la bocca verso la sua fino a toccarla. Respirarono uno contro l'altra «Qualsiasi cosa.»

A ogni secondo sentiva aumentare la pressione nella testa e nei pantaloni.

Poi Juliana parlò.

«A una condizione.»

Il suo membro pulsava, adesso. Avrebbe accettato di prendere al laccio la luna, se era questo che voleva. «Spara.»

Lei si ritrasse appena, di mezzo centimetro, ma abbastanza per causargli una fitta al basso ventre.

«Quando torniamo a casa, sarà come se qui non fosse successo nulla. Non voglio causare altra tensione, oltre quella che già c'è.»

Per un istante Tristan si chiese se fosse stato inutile tenere nascosto il suo flirt con Juliana tutti quegli anni. Era troppo giovane allora, per conoscere tutta la vera storia di Terrence ed Emelie.

Magari invece i suoi lo avrebbero applaudito, se avessero saputo che aveva rimorchiato una Thomsen, seguendo le orme del trisnonno. Questo avrebbe provato che i Cole erano il clan vincente.

A volte sembrava che suo nonno Zachary ignorasse di proposito che Terrence aveva amato pazzamente la rancorosa Emelie. Nessun'altra donna aveva più catturato il suo cuore, nemmeno la moglie.

Eppure Emelie si era vendicata prendendosi quel dipinto.

Perlomeno così si diceva in famiglia.

La rivalità tra Cole e Thomsen adesso però non contava. Non con il profumo dei capelli di Juliana che gli annebbiava il cervello. Non con lei così vicina e così calda. La fantasia inconfessabile che finalmente poteva diventare realtà.

«Acqua in bocca» promise lui. «Non lo dirò ad anima viva.»

Lei respirò ad appena un gemito dalle sue labbra.

Ma poi poco lontano qualcuno gridò e Juliana si ricompose, come realizzando dove si trovavano.

Prima che lui potesse ribattere era scivolata via, fuori dal loro nascondiglio.

Lui la seguì e la ritrovò nel vicolo, il sole che illuminava il biondo argentato dei capelli. Si chiese se era ancora altrettanto chiara tra le gambe.

Il solo pensiero rinvigorì la sua erezione.

«Vediamoci al tuo hotel tra qualche ora. Ti chiamo quando sono nella hall. Tieniti pronta.»

Juliana sorrise. «Sono pronta da più tempo di quanto credi.»

Poi scomparve, veloce come era apparsa, soltanto due ore prima.

Raggiunta Sasha al castello, Juliana non le disse una parola su Tristan e l'appuntamento al *love hotel*, anche se era eccitata come il coniglietto che saltellava sullo schermo del navigatore satellitare del taxi.

In realtà, quando si era scusata per non averla avvisata della presenza di Chad, si aspettava che Sasha le raccontasse com'era andata. Ma visto che la sua amica non sembrava intenzionata a dirle altro – a parte che lui era passato e se n'era andato – Juliana lasciò cadere il discorso. Sapeva quando non era il caso di insistere.

Sasha aveva bisogno di tempo per riflettere. Sicuramente le avrebbe riferito i dettagli più tardi. Appena si fosse sentita pronta.

Nemmeno Juliana aveva parlato. Persino dopo aver visto in bella mostra al museo per adulti stranezze come genitali di balena e seni di sirenetta, prima di tornare a Tokio, si era tenuta per sé l'incontro con Tristan.

Non perché temesse la disapprovazione di Sasha. Niente affatto. Juliana non voleva che niente – neanche un'occhiata sorpresa della sua amica – le ricordasse che stava andando contro i desideri della sua famiglia.

Nulla l'avrebbe fermata. Avrebbe realizzato la sua più grande fantasia. Sarebbe andata fino in fondo. Una volta sola. Senza curarsi di cosa diavolo pensassero gli altri.

Per adesso, almeno.

In hotel fece la doccia e si vestì già per la serata: stivali neri al ginocchio, gonnellina corta a quadretti e camicetta bianca stretta in vita.

Desiderava mostrare a Tristan che si era fatta bella per lui. Sentirsi più sexy.

Voleva indietro tutto quello a cui aveva rinunciato: l'adrenalina di un incontro proibito, la speranza euforica di passarla liscia.

Aspettò la telefonata di Tristan studiando le frasi utili in giapponese segnalate sulla guida. Sasha invece stava navigando su Internet cercando informazioni su Atami. Stava progettando persino di tornare nella cittadina turistica per fare un giro delle spa più raffinate, visto che la loro prima visita era stata veloce.

Con gran sollievo di Juliana, Sasha era stanca. E voleva restare in camera.

«Sicura che non ti secca se non ti accompagno a fare shopping?» le chiese sollevando la testa dal computer portatile.

«Niente affatto.» Juliana le aveva detto che sarebbe andata a curiosare tra i negozi intorno alla stazione di Shinjuku. Si sentiva in colpa per quella piccola bugia. «Tu resta pure qui a lavorare, me la caverò benissimo a girare da sola fino a stasera.»

«Va bene, allora. Dammi quattro ore e poi sarò pronta per andare a cena o per qualunque cosa preveda la serata.»

«Perfetto. Il tempo di imparare qualche frase utile per lo shopping e poi vado.»

Juliana riprese la guida e Sasha si rimise al computer. Dopo quindici minuti suonò il telefono.

Rispose Juliana, simulando un'espressione sorpresa, per la serie: chi sarà mai?

Dall'altra parte risuonò la voce profonda di Tristan. «Ciao.»

Non era un saluto. Ma una promessa.

«Sei pronta?» le chiese.

«Sì.» Poi, tanto per sviare Sasha, aggiunse: «Mi spiace, non parlo giapponese».

Riappese e scrollò le spalle.

«Hanno sbagliato numero.» Si alzò dal letto, si stiracchiò e mise in borsa la guida. «Be', allora io vado.»

«Divertiti. Ma stai attenta.»

«Io?» Juliana sorrise e andò alla porta. «Starò attentissima.»

Sasha sorrise salutandola con la mano e Juliana si sentì una carogna.

Gliene avrebbe parlato più tardi. Caspita, non sarebbe mai riuscita a tenere la bocca chiusa dopo un pomeriggio al *love hotel*. Con Tristan. E se c'era qualcuno di cui poteva fidarsi era Sasha.

Prese l'ascensore fino alla reception, si guardò intorno e lo vide appoggiato a una parete, vicino al banco.

Il suo cuore – e tutto il resto – ebbe un sussulto.

Indossava una camicia blu scuro infilata nei jeans. I capelli neri, ancora bagnati dopo la doccia, erano pettinati all'indietro, mettendo in risalto gli zigomi pronunciati e il grigio degli occhi.

Tristan era bello da far tremare le ginocchia.

Mio Dio!

Mentre si avvicinava lui si raddrizzò, gli occhi improvvisamente più scuri e intensi.

Il cattivo ragazzo. Tutto suo, per poche, meravigliose ore.

«Ehi.» Juliana si accorse che stava stringendo troppo la borsa e si rilassò.

«Ehi, ti trovo...» Sembrava teso anche lui.

«Meno formale?» chiese lei con una risata. «Ho preferito cambiarmi d'abito.»

«Ti trovo molto bene. Sai cosa intendo.»

«Suppongo di sì.»

Tristan scosse la testa, rise piano e il cuore di Juliana si sciolse per quanto era adorabile, come se davvero fossero ancora al liceo e lui fosse passato a prenderla per il primo appuntamento.

Questo qui però – lo garantiva lei – prevedeva più di un film innocente e di una cena da *Red Lobster*.

Si avviarono all'uscita. Tristan le tenne aperta la porta.

Un vero gentleman, pensò Juliana. Chiedendosi quante facce avesse quell'uomo così riservato e misterioso. Lo conosceva poco, nonostante l'intimità che avevano condiviso.

Doveva essere cambiato negli anni. Chissà come.

Fuori l'aria era densa di smog e umidità. Camminando verso il distretto a luci rosse, lo sorprese a guardare la sua minigonna.

«Che ti prende, hai il complesso della studentessa?» gli chiese.

«Non direi. Ma questa gonna mette in risalto le tue magnifiche gambe. E non c'è uomo al mondo che non apprezzerebbe il panorama.»

Il complimento suonava così sincero che Juliana non sapeva come rispondere. «Grazie» disse soltanto.

Passarono davanti ai negozi dove sarebbe dovuta andare a fare shopping e dopo aver consultato la mappa soltanto una volta trovarono il Kabuki-cho. Il sole del tardo pomeriggio si posava sulle sale giochi lampeggianti di luci al neon, sui ristoranti e i bar. Le strade erano costellate di insegne, una sopra l'altra. Ideogrammi affascinanti e incomprensibili. Il Giappone era pieno di silenziosi misteri.

Ci siamo, pensò. *Qui comincia il mio viaggio.*

Chi poteva sapere cosa si nascondeva oltre quelle porte?

Si fermarono davanti a un ingresso anonimo, illuminato da una luce blu.

«È un *love hotel*?» chiese Juliana. «Credevo che la facciata fosse più strana.»

«Fuori città ce ne sono a forma di Ufo, di nave, di qualsiasi cosa attiri l'attenzione.»

«E dentro Tokio?»

«Devono restare più discreti, per questioni di decoro. Qui però siamo nel distretto a luci rosse. E questo qui dovrebbe essere proprio quello che cerchiamo. L'ho scelto su Internet, per essere sicuro.»

Tristan aprì la porta ma lei esitò.

Ora che il momento era arrivato, aveva quasi paura di entrare. E se il sesso con lui si fosse rivelato un disastro? E se la realtà avesse distrutto il sogno a cui si era aggrappata dopo tutti gli appuntamenti deludenti degli ultimi anni?

Ma lui le porse la mano e questo bastò.

Trattenendo il respiro, Juliana accettò l'invito e lasciò che la portasse oltre la soglia.

Si ritrovarono in un ingresso completamente vuoto, a parte una specie di sportello bancomat e un tabellone luminoso con le foto delle camere disponibili.

Ci si poteva sbizzarrire con la fantasia. Ma a lei sarebbero andate bene tutte, se dentro c'era Tristan in carne e ossa.

Guardò la galleria di foto. C'erano una prigione, una discoteca, un'oasi rosa di Hello Kitty.

Niente che comprendesse il sedile posteriore di un'auto, comunque.

Poi vide una camera con una piscina e una cascata e capì che era quella giusta.

Tristan tutto bagnato. E tutto per lei.

Lui infilò la carta di credito e premette il pulsante corrispondente. Da uno sportellino uscì una chiave magnetica. E una freccia luminosa si accese sulla destra, indicando la direzione.

Dopo tutto, non era necessario parlare giapponese.

Imboccarono un corridoio stretto e lungo, finché non giunsero a una porta con la luce lampeggiante: la loro.

Con un sorriso sicuro Tristan la aprì, lasciandole la precedenza. Il cuore le batteva a un ritmo forsennato.

Eccoci qui, pensò, sentendo lo scroscio della cascata dietro la parete. C'era odore di detergente e di gelsomino.

Questa è la tua occasione, tra te e lui ci sarà soltanto l'acqua.

Oltrepassarono l'ampio bagno, aggirando il muro. Sulla destra trovarono una piscina a forma di laguna circondata di rocce, da cui sgorgava una cascatella. Sul lato meno profondo c'era un'altalena con corde di velluto. Dalla parte opposta, un letto *king size* con un decoro di foglie e dei condom posati sui cuscini. Una tv a schermo piatto con una collezione di dvd, il microfono per il karaoke e una console per i videogiochi.

Juliana guardò di nuovo la piscina. Sentiva la clitoride già tumida, i capezzoli eretti.

Dietro di lei, Tristan la circondò con le braccia, le mani scivolarono attorno alla vita e sul ventre.

Bang. Il corpo ricordava tutto: l'eccitazione di appartarsi, le dita sfrontate che esploravano posti dove nessuno l'aveva mai toccata prima.

Soltanto lui sapeva renderla così impaziente.

Si appoggiò contro la sua massiccia erezione, avvertendone il contorno solido, ricordando com'era stato averla tra le sue mani.

E come sarebbe stato adesso.

«Ci siamo, finalmente» le sussurrò Tristan all'orecchio. «Sei tutta mia, Juliana Thomsen.»

4

Tristan stava facendo tutto ciò che era in suo potere per non strapparle i vestiti ed entrare subito dentro di lei.

Era duro, era pronto. Già da un pezzo.

Ma quando l'aveva vista con quella gonnellina corta e gli stivali...

Era diventato ancora più duro e ancora più pronto.

«Cosa ti piace?» le chiese salendo con le mani verso il costato. «Abbiamo tre ore, Juliana. C'è tempo per tutto quello che vuoi.»

Strofinò il viso sotto il suo orecchio e lei ansimò. Provocandogli un corto circuito di desiderio.

Juliana non si guardò nemmeno attorno. Restò dove voleva stare, tra le sue braccia, soffice e arrendevole.

Tristan le baciò il collo – si fermò un istante per permettere al passato di riallacciarsi al presente – poi affondò dietro la guancia, dove era calda e profumata come un fiore di serra. Se ricordava bene, anche molto sensibile. Juliana appoggiò la testa contro di lui.

«Dio se sai di buono» le disse. «Non ho mai dimenticato il tuo profumo.»

«Anche io ricordo un sacco di cose di te.»

Era vero?

Qualcosa si allargò nel suo petto al pensiero di esserle rimasto dentro, come lei con lui.

Ma adesso non era questo che voleva.

Sesso. Stava per prendersi quello che avrebbe dovuto essere suo già tanti anni prima.

Sesso.

Fece scorrere i pollici proprio sotto la curva del suo seno, mordendole piano l'orecchio.

Juliana gemette di beatitudine.

Questo era solo l'inizio: da lei voleva altri gemiti, altri lamenti, sentirla gridare di piacere e supplicarlo di dargliene ancora.

Juliana sfregò la guancia sul suo torace. I capelli biondissimi si sparsero sulla pelle di Tristan. E la sensazione, finora proibita, gli diede alla testa.

Gli ricordò come si era sentito quando lei se n'era andata. Lasciando la città. Lasciando lui.

Vuoto.

Adesso invece, mentre le prendeva i seni nelle mani, Tristan si sentì pieno.

Lei trattenne il fiato, ondeggiando piano il fondoschiena morbido contro la sua potente erezione. Tristan disegnò dei cerchi con le dita intorno ai suoi capezzoli. I seni di Juliana erano sempre stati piccoli, sodi, perfetti.

Come fosse stata plasmata per lui.

Pensiero da cancellare. Questa era soltanto una bolla d'aria nel tempo, una notte in cui potevano fingere che non ci fosse niente altro, là fuori. E una vita reale a cui dover ritornare.

Senza voltarsi, Juliana sollevò le braccia e gli allacciò le mani dietro al collo, inarcandosi in avanti, sexy.

Lui ne approfittò per infilare le mani sotto la gonna a quadretti, insinuandole le dita tra le gambe. Le mutandine di pizzo erano già bagnate.

Trovarla pronta lo esaltò, offuscandogli le facoltà mentali e l'autocontrollo.

Si chinò, passò il braccio sotto le ginocchia di Juliana, la sollevò di peso e si diresse verso la piscina, dove la cascata scrosciava con forza, come la passione dentro di lui.

Juliana lo guardò attonita, le labbra socchiuse, gli occhi spalancati, il viso arrossato.

«Che vuoi fare?» gli chiese.

«Farti bagnare ancora di più.»

La risposta esplicita aggiunse altro colore alle sue guance. Non era così sfrontato da ragazzo, era più impacciato, non uno che andava così dritto al sodo.

«Aspetta... Gli stivali, devo togliermeli.»

La posò a terra, maledicendo l'interruzione.

Il suono della chiusura lampo gli si conficcò nella carne e gli corse lungo la pelle, come le unghie con cui lei aveva graffiato la sua schiena, una notte che si erano baciati fino a restare senza respiro.

Provando la stessa sensazione di stordimento di allora, Tristan si sfilò le scarpe, le calze, la camicia.

Quando Juliana entrò in acqua con indosso la gonna e il top, Tristan interruppe lo strip, restando a torso nudo. Lei lo stava osservando e il suo sguardo annebbiato gli rivelò che apprezzava il panorama.

«Ti sei irrobustito. Non che fossi magro, allora, ma...»

«Hai intenzione di tornare qui o devo venire a prenderti?» Brusco. Aveva bisogno di lei e non poteva nasconderlo.

Juliana si scostò i capelli dal viso. Tristan notò che le tremavano le mani.

Chiaro perché. Non stavano più giocando, avvinghiati sul sedile posteriore dell'auto. Lui lo sapeva. Lei lo sapeva.

Adesso si faceva sul serio. E dopo sarebbero dovuti tornare a Parisville, riprendere la propria vita e...

Non voleva pensare a quando si sarebbe ritrovato da solo nel suo bungalow, a guardare dalla finestra verso la proprietà dei Thomsen.

Juliana indietreggiò verso l'altalena con le corde di velluto. Si appoggiò al sedile, come per cercare l'equilibrio che avevano perso entrambi, entrando in quella stanza.

L'acqua, che da quella parte era più bassa, le arrivava a metà coscia. Era più profonda verso la cascata. L'orlo della gonna sfiorava la superficie.

Incapace di aspettare ancora – nemmeno il tempo di togliersi i jeans – Tristan entrò in acqua.

Juliana trattenne il respiro ma lui, inarrestabile ora, avanzò fino a fermarsi di fronte a lei, così vicino che doveva sollevare il mento per poterlo guardare negli occhi.

Senza una parola, le tirò su la mini e lei si aggrappò con più forza all'altalena.

«Adoravo sentirti qui sotto» le disse, inserendo un dito tra le gambe di Juliana, accarezzandola avanti e indietro, facendola sussultare. «Amavo i gemiti che facevi quando ti toccavo così.»

«Tristan...»

Sentirla pronunciare il suo nome lo fece indurire ancora di più. Infilò tutte e due le mani sotto la gonna, afferrandole le mutandine e tirandole giù.

Prima una gamba, poi l'altra.

Soppesò l'indumento minuscolo.

Pizzo bianco, annotò, prima di gettarla sul bordo della piscina. Allora indossava slip con i cuoricini.

Meglio il pizzo.

La mise a sedere sul sedile dell'altalena. Juliana afferrò le corde di velluto.

Non smisero mai di guardarsi. Come se temessero di spezzare un sogno a occhi aperti.

Tristan sollevò l'orlo della minigonna, quel poco che bastava per sbirciare sotto.

Era ancora bionda.

Con la gola chiusa, incatenò di nuovo il suo sguardo e la tensione rombò attorno a loro, come lo scroscio della cascata.

Le allargò le gambe e la gonna salì più su, rivelando la sottile peluria chiara sulla carne rosa. L'adrenalina lo divorò, mandandogli in tilt la mente.

Si era inebriato dei suoi baci, ma non aveva ancora posato la bocca sulla sua parte più sensibile. E voleva farlo, lo voleva da morire.

Poi avrebbe avuto anche il resto.

E sarebbe stato soddisfatto.

Afferrò il sedile dell'altalena, avvicinandola a sé. Allacciò le braccia sotto le gambe di Juliana, in modo che i polpacci di lei si agganciassero alle sue spalle. Juliana si appoggiò da un lato, tenendosi alla soffice catena, le labbra umide e schiuse.

Tristan la guardò per un istante.

Bellissima Juliana Thomsen. Non un sogno, il frutto della sua fantasia.

Non era la brava ragazza che aveva sempre immaginato. Non più.

Per spronarlo, si sollevò del tutto la gonna.

Come un affamato, lui chinò la testa e premette la bocca sul suo sesso caldo e turgido.

Sì, gridò in silenzio, perdendo completamente la ragione. *Juliana.*

La leccò, bagnandola ancora di più, e lei gemette, spingendo in avanti i fianchi.

«Così... sì, sì... così...»

Tristan la baciò più a fondo, strofinandosi contro di lei, usando la lingua per assaggiarla tutta e poi infilandola dentro, come un tempo aveva immaginato di fare con il suo membro. L'avrebbe amata per ore e ore, se solo ne avesse avuta l'opportunità...

Qualcosa lo riscosse.

Amata.

Amata?

Il pensiero lo sconvolse totalmente. E gli riecheggiò martellante nel cervello, mentre lei affondava le dita nei suoi capelli, attirandolo contro di sé, incoraggiandolo con gemiti e lamenti.

Tristan cominciò a strofinarle la clitoride con un pollice, premendola piano e disegnando piccoli cerchi concentrici, ancora e ancora, finché Juliana prese a roteare il bacino, senza più controllo.

«Tristan... non smettere ti prego...»

La sua missione diventò farla finire, farla gridare, farla impazzire e chiedere di più.

La leccò finché Juliana si dimenò così tanto sull'altalena che perse l'equilibrio e cadde nell'acqua trascinandolo con sé.

La aiutò a tirarsi su e lei si scansò i capelli fradici dal viso, il respiro affannoso.

Ma non perse tempo, lo afferrò e lo baciò avidamente, la camicetta bagnata incollata al torace di Tristan, che rallentò per un momento e le prese il viso tra le mani.

Finalmente. Juliana era sua. E lui intendeva gustarsi quel momento, come aveva fatto tanto tempo prima.

Lei rispose offrendogli la bocca per un altro bacio che sembrò non avere mai fine. E intanto si perdevano sempre più l'uno nell'altra, sprofondando in una voragine che sembrava spalancarsi sotto di loro.

Tristan stava precipitando in un vortice di capelli d'argento, pelle soffice e occhi viola come l'ultima banda dell'arcobaleno.

Ma non per forza verso il basso...

Lontano, però.

Lontano dal motivo per cui era venuto in Giappone.

E da quello che i suoi si aspettavano da lui.

Juliana stava per esplodere, il corpo scosso dai fremiti, i polmoni così vuoti che riusciva a stento a respirare.

Persino l'accenno di barba di Tristan che le pungeva la pelle alimentava il fuoco acceso nel suo ventre, spingendola verso la vetta del piacere.

Sempre più vicino.

Eppure qualcosa dentro di lei stava cercando di contrastare quell'orgasmo. Di allontanarlo.

Magari era solo perché non voleva che la sua prima volta con Tristan finisse così in fretta.

O invece perché...

No. Niente sensi di colpa. Vietato pensare a lealtà e tradimento, concetti che sembravano valere soltanto nel mondo fuori da quella stanza.

Lo baciò e fece scorrere le mani sulla schiena muscolosa, carezze frenetiche che l'acqua rendeva scivolose.

Toccarlo era come essere tornata a casa. Giusto e naturale. Come tanti anni prima.

E allora perché non era uscita dal suo limbo per stare con lui?

Perché non era stata abbastanza forte?

Non lo era nemmeno adesso. Scacciò anche quel pensiero. Tutto ciò che volevano lei e Tristan era togliersi lo sfizio, cedere alla tentazione, almeno per una volta.

È solo sesso ora, si disse. Erano grandi abbastanza per concedersi un'avventura e poi darci un taglio.

Tristan la portò verso il costone roccioso della laguna. Su

uno scaffale di finta pietra era allineata una selezione di giochi d'acqua.

«Ci sei vicina, vero?» le domandò, la voce che gli rimbombava nel petto e vibrava dentro di lei. «Quanto vicina?»

La sollevò senza sforzo e la mise a sedere sul bordo della piscina. «Molto... continua a fare quello che stai facendo» gli sussurrò lei.

Il suo sesso spasimava.

E così il suo cuore.

No, si corresse. Non il cuore. Non c'entrava niente, anche se continuava a ricordarle che stava per esplodere.

Tristan osservò i giocattoli – che includevano un paio di braccioli galleggianti, racchette da tennis in plastica e pistole ad acqua – e sorrise con quel ghigno da cattivo ragazzo che Juliana aveva sempre adorato. I lunghi capelli gli scendevano sulla fronte, dandogli un fascino dark.

«Voglio che duri parecchio, Juliana.» Prese un cagnolino gonfiabile e lo rimise subito a posto. «Molto, molto tempo.»

Lei mosse i fianchi, lo voleva da stare male.

«Non avere fretta. Abbiamo aspettato anni per tutto questo, ne sarà valsa la pena.»

Un fremito prolungato la scosse.

L'acqua luccicava sulla pelle di Tristan, sui muscoli definiti, eccitandola come se avessero appena cominciato quell'amplesso, mentre il battito del suo cuore galoppava impazzito.

Lui le afferrò la camicetta fradicia, appiccicata come una seconda pelle. I capezzoli eretti premevano contro il tessuto, non riuscendo a nascondere quanto lo desiderasse.

Tristan cominciò a sbottonarle il primo bottone. Poi un altro. Poi il terzo.

Il torace di Juliana sussultava al ritmo affannoso del respiro.

Sfilata la blusa, fece lo stesso con il reggiseno, gettandoli di lato. Strofinò le nocche delle dita sopra uno dei seni, come per memorizzarne il ricordo. Per quando, una volta usciti da quell'hotel, avrebbero preso strade separate.

Portò il capezzolo di Juliana a un picco di eccitazione che sconfinò nel dolore.

«Dopo che te ne sei andata, sognavo di te ogni notte» le disse. «La tua pelle, la tua vita sottile. Come il tuo petto si alzava e si abbassava a ogni respiro. Il modo in cui mi guardavi, proprio come stai facendo adesso.»

Nessuno le era mai sembrato così romantico. E sincero. Non sapeva che dire. Quando lui si chinò a baciarle l'altro seno, comunque non le era rimasto abbastanza ossigeno.

Gettò la testa all'indietro.

«Ora, per quanto mi piaccia questa gonna, è il momento di toglierla» disse lui.

Nessuna discussione.

Juliana aprì la zip e se la abbassò sui fianchi.

Tristan gettò via anche quella. Lasciandola nuda e indifesa davanti a lui, l'aria che le solleticava la clitoride.

Prese una pistola ad acqua. Poi, con delicatezza, le aprì il sesso con le dita.

Spruzzò un getto d'acqua calda.

Quando la colpì, Juliana boccheggiò, scossa da onde di piacere.

Tristan avvicinò ancora di più la pistola di plastica. E le innaffiò la clitoride, prolungando lo schizzo.

Fu a quel punto che lei andò in pezzi. Le sue braccia persero ogni forza e Juliana dovette appoggiarsi per non cadere, mentre il bocciolo carnoso si induriva e pulsava e diventava più sensibile...

C'era quasi. Oh, era così vicina...

Tristan la trascinò di nuovo in acqua. Juliana era così stordita che non si era nemmeno resa conto che si era spogliato anche degli ultimi indumenti. Se ne accorse molto bene quando sentì la sua virilità premerle prepotentemente contro la coscia.

«Ho dimenticato il preservativo» mormorò Tristan portandola verso la parte bassa della finta laguna. Il pacchetto era rimasto sul cuscino.

«Aspetta» lo trattenne lei con la voce strozzata. «Io sono a posto.»

«Anche io.»

«E prendo la pillola.»

Forse non era in sé. Però voleva sentirlo dentro di lei. Senza barriere. Sarebbe stato diverso che con gli altri uomini con cui era stata. Si fidava di Tristan perché aveva tenuto segreta la loro storia. Senza andare in giro a vantarsene.

Non lo avrebbe mai fatto. Per rispetto a lei e alla propria famiglia. E questo la diceva lunga su chi era Tristan Cole.

Lui la fissò per un istante con quegli occhi grigio chiaro in cui le sembrava di affogare.

Juliana lo seguì al centro della piscina, dove l'acqua era più profonda e gli arrivava al torace. Gli avvolse le gambe intorno ai fianchi. Gli spruzzi sollevati dalla cascata le pizzicavano la pelle come microscopici aghi.

Sul volto di lui lesse molte cose: tenerezza, desiderio profondo, eccitazione per aver finalmente ottenuto ciò che voleva.

La prese per i fianchi. Lei si preparò inspirando a fondo...

... e poi buttò fuori l'aria quando Tristan scivolò dentro di lei.

Per un attimo Juliana non si mosse.

Era come lo aveva immaginato. Lui la colmava completamente. Non si era mai sentita così.

Per questo non aveva voluto arrivare fino in fondo con nessun altro. Aspettava Tristan. La fusione perfetta di due esseri che si annullano e diventano uno.

Lentamente, sinuosamente, Juliana mosse il bacino, andandogli incontro. Prendendo quanto più poteva.

«Juliana» mormorò lui e la passione non più nascosta nella sua voce la eccitò ancora di più, come non credeva fosse possibile.

I suoi fianchi impazziti.

E l'acqua che sbatteva sui loro corpi.

Tristan la afferrò per i capelli e la costrinse a guardare in basso, dove il suo membro le affondava nel sesso. Si mossero all'unisono, seguendo lo stesso ritmo primordiale, puntati verso l'ultimo traguardo.

I suoi occhi erano così belli, pensò Juliana. Grigi, chiari e limpidi...

In un angolo remoto della mente, qualcosa la stava ancora trattenendo.

L'orgasmo era lì, a un battito di cuore.

C'era quasi...

Quasi...

Lui venne per primo, esplodendo dentro di lei, gonfio e pulsante, dilatandola finché le sembrò di non poterlo più contenere.

Juliana ancora no.

Dannazione, perché no? Perché non riusciva a...

Senza smettere di spingere, Tristan la stimolò toccandola piano con le dita, sul sesso palpitante, come se stesse suonando un delicato strumento.

Lei lo abbracciò roteando vorticosamente i fianchi.

Ricordò quell'ultima notte, quando non avrebbe voluto lasciarlo, quando aveva creduto che il cuore le fosse stato strappato dal petto...

E alla fine...

... alla fine gridò, squassata dall'orgasmo che le tolse il respiro, sospendendola in un vuoto senza tempo.

Quando tornò in sé non aveva idea di quanto fosse rimasta incosciente.

Tremando, crollò addosso a lui. Faccia a faccia, ansimando l'uno contro l'altro.

Restarono così a lungo, tenendosi stretti. Poi, col passare dei minuti, la realtà riprese il sopravvento.

Juliana pensò alla sua famiglia.

Che sarebbe successo se l'avessero scoperto?

Lo sapeva già: li avrebbe delusi. Parecchio.

Angustiata, baciò Tristan una volta ancora e poi si ritrasse, spostandosi verso il bordo della piscina.

Si voltò indietro e lo vide passarsi una mano tra i capelli, gli stessi dolorosi interrogativi scritti chiaramente sul viso scolpito.

La sua coscienza le aveva già risposto. Cose che non avrebbe voluto ascoltare.

5

Nella spossatezza dopo l'amore, Tristan si immerse pigramente in acqua.

Juliana era tutto ciò che sperava. Più di ogni altra donna al mondo. Più di qualunque sogno di cui si fosse nutrito la notte, quando l'immaginava nuda e selvaggia, sopra o sotto di lui.

E allora perché adesso era così distante?

In realtà non c'era nemmeno bisogno di chiederglielo, perché lo sapeva già.

Il dipinto. La trattativa, la guerra tra clan.

Si piazzò sotto la cascata, lasciando che il getto gli cadesse addosso. Rilassante.

Guardò Juliana, appoggiata al bordo, di spalle. La schiena snella, il sedere tonico e invitante.

«Niente male per una Thomsen.»

Lei lo guardò oltre la spalla.

«Non male nemmeno per un Cole» rispose.

Sorrise, come se stessero ricominciando il gioco della seduzione, quindi si voltò.

L'acqua riluceva sopra i seni piccoli, con le punte rosate ed erette. Tristan ripensò a quel corpo flessuoso sotto le sue mani.

Quando attraversò la piscina diretta verso di lui gli fu improvvisamente difficile respirare.

«Che direbbero i tuoi se sapessero che mi hai portato in un *love hotel* così kitsch?»

Tristan rise. «Perché te ne preoccupi? Non dobbiamo pensarci. Non adesso.»

Juliana si lasciò galleggiare, indolente, a qualche passo da lui. «Sì, hai ragione. Non devo lasciarmi condizionare. Me lo continuo a ripetere, però sentirtelo dire rafforza la mia convinzione.»

«Nessuno saprà cosa è successo qui in Giappone» disse, mentre il suo corpo ticchettava come una bomba a tempo, pronta a esplodere di nuovo dentro di lei. «Nemmeno Chad. Terrò la bocca chiusa.»

Avrebbe mantenuto la promessa. Anche se una parte di lui avrebbe voluto gridare al mondo che aveva fatto l'amore con Juliana Thomsen.

Quella parte che, tanti anni prima, avrebbe trovato il coraggio di affrontare la sua famiglia, se solo glielo avesse chiesto, invece di lasciarlo.

Era facile ammetterlo, adesso.

Juliana nuotò fino a lui, l'acqua che le lambiva le spalle. Tirò su una mano, con il mignolo dritto.

«Che cos'è?»

«Facciamo *giurin giurello*.»

«E che diavolo significa?»

«Non ricordi? Si usava da bambini. Una promessa solenne, come tra fratelli di sangue.» Rise e il suono quasi lo mandò al tappeto.

«Va bene. Sarà il nostro piccolo segreto.»

Era così facile cederle. Le porse il mignolo.

Gli occhi di Juliana brillarono mentre incrociavano le dita.

Lo scroscio della cascata scomparve, lasciando il vuoto attorno a loro. C'era solo lei.

Juliana.

Non si era mai sentito così vicino a qualcuno. Con le altre ragazze non era mai andato oltre qualche appuntamento, prima che uno dei due perdesse interesse.

Perché non aveva mai dimenticato Juliana. Forse aveva persino sperato di vederla passare alla tenuta, un giorno o l'altro. O di incontrarla per caso in un *diner*, una delle rare volte che si spingeva in città. Oppure avrebbe potuto mettersi a sbirciare dalla vetrina della libreria dei Thomsen, per la gioia di tutti i pettegoli di Parisville.

Le afferrò la mano e attraversarono la cascata, fino a un'ansa di finta roccia. Nascosti dietro una parete d'acqua. La cortina di vapore che li avvolgeva gli ricordò una modesta copia del *Dream Rising* appesa sul camino a casa del nonno.

«Che cosa pensi che sia successo davvero tra Emelie e Terrence?» le chiese.

Juliana gli mise le braccia attorno alle spalle. «Ho sempre creduto alla versione di Emelie, a quello che scriveva nelle sue lettere. Preferisco pensare a quando erano innamorati, piuttosto che a ciò che accadde dopo.»

Una romantica. Tristan ricordava quanto le piaceva ascoltare canzoni d'amore alla radio.

«Io invece ho dato per scontato che la verità fosse soltanto quella dei diari di Terrence» ammise. Ne aveva una copia in valigia, i suoi avevano insistito perché se la portasse dietro, nel caso potesse favorire la trattativa.

Le scostò i capelli inzuppati dal viso e lo sguardo di Juliana si addolcì.

«Forse non c'è un vero cattivo, nella loro storia» continuò Tristan. «Ognuno ha semplicemente visto la situazione dal proprio punto di vista. La ragione, come sempre, sta nel mezzo.»

«Vorrei che i nostri parenti la pensassero allo stesso modo.»

Lui sorrise. «Dovrebbero trovarsi dei passatempi, come noi. Togliersi altre soddisfazioni.»

Risero entrambi. Lui la mise a sedere in una nicchia scavata nella roccia di plastica.

«Soddisfazioni?» ripeté Juliana, rannicchiandosi con le gambe di lato, come una sirena. «Ce ne sono ben poche, nella mia vita.»

Con le sue capacità, rifletté Tristan, Juliana avrebbe potuto fare molto di più. Voti altissimi, laurea in Economia, fiuto per gli affari, avrebbe potuto avviare una carriera di successo.

Eppure era finita nella sua stessa situazione.

Al palo.

«Tutti e due ci siamo lasciati influenzare da ciò che volevano gli altri, nostro malgrado.»

«Per essere all'altezza delle loro aspettative. È dura, eh.»

Tristan accarezzava il polpaccio tonico di Juliana. Era in forma, si vedeva che andava a correre.

«In realtà non so bene che cosa si aspetti mio nonno da questa faccenda.»

«Lo stesso vale per la mia famiglia. Il *Dream Rising* è un magnifico acquerello. Capisco il loro attaccamento sentimentale, visto che è una parte della nostra storia, però... l'ossessione di trovarlo per primi non ha niente a che fare con la sua bellezza.»

«Non è certo per l'oggetto d'arte in sé» confermò lui.

«No, è una questione di potere e rivincita.»

Tristan la guardò, chiedendosi cosa ci vedesse lei nel quadro. «Prima di morire, qualche anno fa, papà mi suggerì di non buttarmi a testa bassa nella mischia. Di pensarci bene. Finché c'è stato lui, mi ha sempre tenuto lontano dalla faida tra i Thomsen e i Cole.»

«Mi spiace per quello che è successo a tuo padre» disse Juliana con dolcezza.

Un attacco di cuore improvviso, una sera dopo cena, mentre Tristan stava lavorando in garage.

«Grazie.»

Alle sue spalle la cascata cominciò a perdere potenza. Doveva essere regolata da un timer.

«Così adesso eccoci qui a rappresentare gli interessi delle nostre famiglie in questa trattativa. Un Cole contro una Thomsen. Credi che diventeremo come mio nonno e la tua prozia?»

«O come Terrence ed Emelie, che hanno finito per odiarsi?» domandò lei, con tristezza.

«Basta, lasciamo perdere questi pensieri. E concentriamoci sulle due ore che ci restano» propose Tristan accarezzandole una coscia.

Mentre la baciava, la sua mente stava già correndo all'indomani. Chissà che non potessero inventarsi un'altra occasione per stare insieme.

Prima di doversi dire addio.

Tornato in hotel, Chad aveva deciso che il modo migliore per passare il tempo era bersi una buona birra giapponese nel pub dell'albergo.

Seduto in una delle accoglienti poltrone della sala, arredata con vetri satinati e lampade d'ottone, cercò di non pensare a quel pomeriggio.

A come Sasha lo aveva piantato in asso.

Cosa si aspettava?

Per mesi si era tormentato con i sensi di colpa. Ma ogni volta che aveva provato ad alzare il telefono per scusarsi si era bloccato.

Aspetta ancora una settimana, si diceva. Così magari Sasha sarebbe stata meno arrabbiata.

Non l'aveva chiamata mai. Dopo cinque mesi le aveva mandato dei fiori e lei lo aveva ringraziato con una e-mail. Un chiaro segnale che non gradiva contatti troppo personali.

Quando è finita è finita, aveva concluso Chad. Ben sapendo che Sasha non cambiava facilmente idea, una volta presa una decisione.

Nei giorni più duri, subito dopo la rottura, i suoi gli avevano confessato di esserne quasi contenti. Per quanto fosse intelligente e simpatica – avevano detto – non erano mai stati entusiasti di quella ragazza. Troppo fredda e chiusa in se stessa.

Con loro Chad non lo aveva ammesso, ma a volte aveva pensato la stessa cosa. Tuttavia l'aveva difesa. Solo perché era cauta con le parole e nei comportamenti, questo non significava che non provasse emozioni.

La sua famiglia non capiva cosa ci trovasse in lei. Come poteva spiegare l'amore? Raccontare che, quando la vedeva sorridere, provava tenerezza e passione allo stesso tempo. Descrivere l'orgoglio che le brillava negli occhi quando Chad concludeva con successo un affare.

E non poteva certo parlare di sesso: di come stavano bene a letto e di quanto i loro corpi fossero fatti l'uno per l'altro.

Di come, ogni volta, aveva sperato che Sasha si sciogliesse finalmente i capelli. Niente da fare.

Si era detto che un giorno lei gli avrebbe dimostrato i suoi sentimenti. Non era mai successo. E Chad aveva cominciato a chiedersi se si stava prendendo in giro da solo. Se il loro amore non fosse a senso unico e se questo fosse evidente per chiunque, tranne che per lui. Ma ciò non gli aveva impedito, quel giorno, di raggiungerla al museo per adulti. Un gesto impulsivo.

Era passato abbastanza tempo – parecchi mesi – perché Sasha avesse cambiato opinione. A quanto pare si era sbagliato...

Quando Tristan si affacciò al bar, Chad si era già scolato cinque birre. E con tutto ciò le sue idee non erano più chiare. Anzi era abbastanza confuso.

Suo cugino si stava infilando in tasca il cellulare internazionale preso in affitto. Chad notò vagamente che non indossava gli stessi jeans di prima.

«Ho trovato il tuo messaggio sotto la porta» disse Tristan, sedendosi. Aveva i capelli bagnati. «Da quanto sei qui?»

«Da un'ora. Forse due. Ehi, ma è così umido là fuori? Sembra che ti sia tuffato in piscina.»

L'ombra di un sorriso passò sulle labbra di Tristan e Chad pensò che era il classico sorriso di un uomo che nasconde un segreto.

Ma il suo cervello non funzionava abbastanza per approfondire il ragionamento. Il viso di Sasha continuava a lampeggiargli davanti agli occhi, cancellando ogni altra cosa.

Tristan si passò una mano tra i capelli. «Ho fatto una doccia dopo che sono rientrato dal mio giro.»

«Una passeggiata piuttosto lunga, socio.»

«Per un po' di tempo sono stato al telefono con Jiro Mori. Dice che il dipinto lo stanno spedendo adesso da New York. Secondo i suoi calcoli sarà qui entro dopodomani.»

«Onestamente sono contento di questo ritardo. Mi sto divertendo nella terra del Sol Levante.» O forse dei soli, visto che Chad al momento vedeva doppio.

«Stai farfugliando» osservò Tristan.

Chad sollevò la birra mezza piena. «Lo credo.»

Tristan lo fulminò con un'occhiataccia.

«Okay, okay. Rivedere Sasha non è stata l'idea migliore che abbia mai avuto.»

«Sasha.» Tristan si appoggiò allo schienale della poltrona. Sarebbe stata una lunga chiacchierata. «Avrei dovuto intuire che sei sbronzo per colpa della tua ex.»

«Mi ha piantato lì come un fesso.»

«Me l'hai detto.»

«Non è giusto che Sasha sia in un hotel poco lontano e io invece qui da solo.» Sentì una fiammata di ribellione in corpo. *Al diavolo quello che pensano gli altri.* «Non so come convincerla, ma lei è quella per me, Tristan. L'unica.»

«Spero che tu non mi stia chiedendo consigli per riconquistarla perché io non so niente dell'amore. Un accidente di niente.»

Con un altro sorriso enigmatico, Tristan si alzò di scatto. «Saliamo in stanza, ti rimetti in sesto e poi andiamo a cena.»

«Stavo cercando un dialogo costruttivo.»

Tristan lo guardò accigliato. «L'hai presa proprio male.»

«Non potrebbe essere peggio di così.»

Sembrava che gli avessero strappato il cuore. Un cliché dolorosamente reale. Rivedere Sasha era stato come riaprire una ferita ancora fresca.

Eppure lo avrebbe rifatto una seconda volta. E una

terza. Perché poteva giurare che anche lei aveva sentito la sua mancanza. Glielo aveva letto negli occhi.

Tristan lo stava osservando. Probabilmente giungendo alla conclusione che il povero Chad era un patetico idiota. Ma in fondo sembrava capirlo.

Magari quella canaglia di suo cugino l'avrebbe persino aiutato. Era un duro dal cuore tenero.

Lo sentì imprecare sottovoce, per non oltraggiare i camerieri o i pochi clienti.

«Coraggio, alzati» sospirò Tristan. «Magari possiamo dare un'occhiata alla guida e trovare un posticino romantico per questa tua impresa disperata.»

Chad posò la birra ignorando la sua mano tesa e tirandosi su da solo.

«Grazie amico» disse, battendogli sulla spalla. «Sei sempre stato l'unico gentile con Sasha.»

Salirono in stanza. E Chad cominciò a studiare un piano per riconquistare il suo perduto amore.

Mentre Sasha si annodava i capelli sulla nuca in un complicato chignon, Juliana era seduta sul letto a parlare al cellulare con la prozia Katrina.

«Cosa, cosa? Hanno perso il dipinto?» chiese ansiosa l'anziana signora.

«Zietta, ti prego, stai calma. Non agitarti che poi stai male.» E invece era proprio quello che stava facendo.

In realtà, dietro quell'aspetto fragile, era una gran manipolatrice.

Juliana non le voleva meno bene per questo. Però era bene stare in guardia, con lei.

Poteva quasi vederla seduta a bere il caffè sul portico, con indosso la vestaglia a pois colorati, mentre gli uccellini cinguettavano il loro buongiorno a Parisville.

«Storie! Mi sento vent'anni di meno, tesoro. Ma gradirei una spiegazione sulla sorte del quadro.»

Nessuna crisi in atto. Grazie a Dio. «C'è stato un disguido nella spedizione, ma Jiro Mori mi ha appena chiamato per dirmi che il *Dream Rising* sta arrivando. E presto apriremo la trattativa.»

«Spero solo che tu ci metta le mani sopra prima di quel Cole. Ancora non riesco a credere che siano lì pure loro. Com'è potuto succedere?»

«Non lo so. Ma del resto dovevi immaginartelo. Lo stanno cercando tanto quanto voi.»

Sasha, che si era infilata uno *yukata* – un kimono di cotone a maniche larghe – e un paio di ciabattine, le passò accanto facendole un gesto con le dita, per sottintendere che era una gran chiacchierona.

Juliana trattenne una risata e bevve un sorso di tè verde dalla tazza sul comodino, mentre la zia Katrina si dilungava, con voce dolce ma ferma, su come quei dannati Cole avrebbero fatto qualunque cosa, pur di umiliare di nuovo i Thomsen.

Nel frattempo il corpo di Juliana fremeva al ricordo del pomeriggio trascorso con uno di quei *dannati* Cole. *Benedetto*, però. Le aveva regalato altri due orgasmi in quel *love hotel*. Tre ore meravigliose.

Perché non potevano averne altre?

O almeno una notte intera?

«Zietta? Ti ricordo che parlare al cellulare è molto costoso» disse infine, riuscendo a interrompere l'interminabile monologo.

«Sì, certo, lo so, mi sono lasciata prendere la mano.»

La prozia le mandò un bacio per telefono e Juliana, per l'ennesima volta, si chiese come questa donna affettuosa, che le aveva rimboccato le lenzuola la notte e l'aveva tenuta tra le braccia quando piangeva – fosse capace di odiare così tanto un'altra famiglia.

«Buona fortuna, tesoro.»

«Grazie, zia. E cerca di cavartela ancora per qualche giorno senza di me.»

«Senza la mia ragazza tuttofare?» Zia Katrina rise, una risata fragorosa e contagiosa. «Ci sto provando, ma tornare a occuparmi della libreria mi ricorda soltanto di quanta *cheesecake* sgraffigno nei momenti morti e quanto lavoro si accumula quando mi perdo in chiacchiere con i clienti.»

«Be', metticela tutta. Arrivederci zia.»

«A presto, tesoro.»

Juliana riagganciò, mise il cellulare nella borsa e si alzò, premendo le mani sul suo *yukata*. Al *love hotel* si era asciugata i capelli e la camicetta, prima di uscire, ma la gonna era tuttora bagnata. Fortuna che Sasha stava scrivendo degli appunti dettagliati su Atami, quando era rientrata, perciò a stento aveva alzato la testa e lei era riuscita a passare inosservata.

Visto che la sua compagna di stanza era così presa dal lavoro, Juliana si era messa a fare delle telefonate. Senza nemmeno un accenno al suo incontro rovente con Tristan.

Per quanto non vedesse l'ora di sfogarsi.

Dopo tutto, raccontarlo alla sua migliore amica era come ripeterlo a se stessa, no? Sasha avrebbe tenuto la bocca chiusa, dunque non c'era pericolo.

In quel momento Sasha stava frugando nei cassetti dove aveva sistemato la sua roba. Sospirò.

«Non sai cosa metterti?» le chiese Juliana.

«Non c'è un ferro da stiro in camera, per cui sto cercando il mio vestito di jersey nero, l'unico che non sarà tanto spiegazzato.» Si guardò intorno. «Ma lo avrò portato?»

«Nell'armadio non l'ho visto.»

Sasha chiuse l'ultimo cassetto con un fianco. Juliana intuì che era frustrata, ma non per il vestito.

Era pronta per dirle di Chad. Finalmente.

Aspettò. E, come aveva previsto, Sasha incrociò le braccia al petto e sospirò di nuovo. Ma c'era anche un tremito, dentro.

«L'ho piantato lì al museo, Jules» disse. «È tutto il pomeriggio che mi sforzo di dimenticarlo. Ma non ci riesco. L'orgoglio mi ha preso la mano. E la paura di fallire una seconda volta, credo.»

413

«Che ti ha detto lui?»

«Niente di sbagliato. Anzi, molte belle cose. Ero persino tentata di abbassare la guardia, perché credo che mi voglia ancora bene...» Un lieve sorriso le sollevò gli angoli della bocca. Come se Sasha stesse ricordando qualcosa di piacevole. Poi scomparve. «Invece gli ho risposto che non me la sento di riprovarci. Che non ne ho la forza e...» Scosse la testa. «Non potrei sopportarlo, se tra noi non funzionasse di nuovo.»

«Sì, invece.» Juliana le posò una mano sul braccio. «Sei più forte di chiunque altro io conosca.»

Lei compresa.

Ma stava cercando di cambiare.

«Grazie per averlo detto.» Sasha aprì un altro cassetto e scavò tra gli indumenti. Poi si fermò e guardò Juliana. «Davvero Jules, grazie.»

Non ha più energie, pensò Juliana, ricordando la scintilla che le si era accesa negli occhi, quando erano al porto.

Si era spenta, ormai.

Avrebbe voluto che la sua migliore amica si divertisse come non mai. E invece aveva il morale sotto ai tacchi.

Ormai però quel che era fatto era fatto. Magari ne avrebbero discusso ancora più tardi, a cena o davanti a un drink.

Sempre che Sasha fosse in vena di analizzare i propri sentimenti per Chad.

Ma c'era una mossa segreta che di sicuro le avrebbe sollevato il morale, facendole dimenticare il suo ex per un po'. Per poi indurla a riprendere il discorso a mente più serena.

Juliana partì all'attacco.

«Indovina?» le chiese con tono allegro.

Sasha smise di frugare nel cassetto e la guardò con interesse. «Perché ho un brutto presentimento a questa tua domanda? Che hai combinato?»

Juliana assunse un'espressione innocente. «Io?»

«Sì tu, pazza scatenata.» Sasha sedette sul letto. «Dai, spara.»

Il cuore prese a batterle forte. «Questo pomeriggio non sono andata a fare shopping. Stavo... be', stavo cercando qualche spunto per il tuo libro. Ricordi quei *love hotel* di cui mi hai parlato?»

Juliana le lasciò il tempo di assorbire il colpo.

Ci volle qualche momento. Poi Sasha sorrise. «Non puoi averlo fatto.»

Bene. Chad sembrava archiviato. Almeno per ora.

«Oh sì che l'ho fatto» disse Juliana. «E parecchie volte, pure.»

«Con Tristan Cole?»

«No, con il cassiere della *ramen house*... Sì, con Tristan.»

Ammetterlo la fece surriscaldare. Risentì sulla pelle le sue carezze.

Sasha restò a bocca aperta.

Juliana scrollò le spalle. «Ti darò i miei appunti, se vuoi.»

Sasha non raccolse la provocazione. «Tristan Cole.»

Persino il suo nome, quelle sillabe proibite, le accendeva i sensi. «Sì. Tristan Cole.»

Sasha si sedette sul letto con le ginocchia raccolte di lato. «E allora?»

Vedendo come le brillavano gli occhi, Juliana pensò che il suo piano d'emergenza antitristezza aveva funzionato.

Ma il desiderio continuò a martellare dentro di lei. *Bum, bum, bum.*

Provandole che non era affatto finita con l'uomo che quel giorno l'aveva mandata in paradiso.

6

Il mattino dopo, Sasha si svegliò prima di Juliana e cercò di prepararsi facendo meno rumore possibile.

Avevano passato una bella serata nel quartiere di Roppongi, in un animato ristorantino francese, che Sasha era stata entusiasta di trovare in pieno Giappone. Dopo cena il fuso orario si era fatto sentire, perciò avevano rimandato il giro dei sexy bar ed erano rientrate abbastanza presto in hotel. Come primo giorno avevano già fatto abbastanza.

O forse la stanchezza era stata soltanto una scusa per rimandare qualcosa per cui non si sentiva ancora pronta. Si chiese – e non per la prima volta – se non aveva fatto il passo più lungo della gamba, proponendo all'editore un libro a sfondo erotico.

Comunque, rifletté mentre si legava i capelli nella solita coda, sarebbe rimasta in Giappone più di Juliana, quindi non c'era fretta. Forse poteva persino assumere una guida del posto perché l'accompagnasse a scoprire gli itinerari a luci rosse di Tokio.

Quando Juliana si alzò dal letto, Sasha aveva già preparato il tè con il bollitore e stava cercando su Internet i *love hotel* più divertenti. Dopo quello che le aveva raccontato Juliana, era ancora più curiosa.

Eppure, scorrendo le immagini, fu sopraffatta da una lancinante malinconia.

I *love hotel* non erano posti per single...

Scacciò il pensiero. Magari invece poteva affittare una stanza da sola. O semmai ci avrebbe portato Juliana. Però nel caso avrebbe dovuto sceglierne uno che accettasse coppie dello stesso sesso.

Si alzò e aprì le tende. La finestra si affacciava sul parco

Shinjuku Gyoen, bagnato dalla pioggia. Dalla notte prima il tempo era cambiato, il cielo era diventato grigio.

Grigio e triste.

Ammettilo, pensò. *In questo momento vorresti essere con Chad.*

Per questo non ne aveva ancora parlato con Juliana: temeva di crollare, se le avesse detto quanto avrebbe voluto tornare con lui. E quanto le era costato tenere duro e voltargli le spalle.

Le sembrava di stare sempre allo stesso punto.

Juliana finì di prepararsi, indossando dei pantaloni neri con un top di lino bianco senza maniche e un leggero impermeabile. Erano dirette ad Harajuku per un giro di shopping nei negozi più trendy di Tokio, frequentati dalle giovani generazioni che, con il loro stile *hip* e l'abbigliamento alquanto stravagante, avevano attratto l'attenzione dei media.

Non tornarono in hotel che al crepuscolo, le braccia cariche di buste. Avevano speso una fortuna in una boutique *vintage* che vendeva vecchi kimono e abiti anni Cinquanta.

Ci avevano passato due ore. E alla fine non c'era più rimasto tempo per lavorare al libro di Sasha.

O forse era stato soltanto un utile diversivo per evitare, ancora una volta, di affrontare quello che la spaventava. Perché era inutile negarlo: quel giro turistico tra l'esotico e l'erotico le faceva venire in mente lo sguardo azzurro di Chad, il suo profumo...

Chad, Chad, Chad.

Juliana lasciò cadere pesantemente l'ultimo pacco sul letto. «Quando mai lo metterò, un kimono di seconda mano?»

«È un souvenir perfetto.»

«E piuttosto costoso, per quanto semplice. Ma continuava a chiamarmi dalla gruccia: *Prendimi. Sono bello. Non te ne pentirai.*»

Ridendo, Sasha accese il computer. Notò una lucetta lampeggiante sul telefono. C'era un messaggio.

Juliana lo vide nello stesso momento e fu più svelta ad afferrare la cornetta e a premere il tasto della segreteria telefonica.

Tristan. Ovviamente sperava che fosse lui.

E all'inizio lo diede per scontato anche Sasha, notando che il suo sorriso si faceva sognante. Ma poi pensò di essersi sbagliata, visto che Juliana riagganciò per poi chiamare subito dopo qualcuno, salutandolo con voce sensuale. E voltandosi dall'altra parte, come per nascondere il viso, mentre parlava quasi per monosillabi. «Sì... mmh... non ne sono sicura... Okay... sì, tra mezz'ora.»

Quando rimise giù il telefono aveva un'espressione indecifrabile.

«Che succede?» chiese Sasha.

Juliana aggrottò appena le sopracciglia bionde.

«Che ne dici se ci vestiamo per cena e scendiamo a bere un drink veloce nella hall?»

«Hai preso appuntamento con Tristan?»

«Più o meno.» Aveva un'aria colpevole, ma Sasha la attribuì alla tresca con il giovane Cole.

«Juliana.»

«Poi ti spiego. Ma spicciati a prepararti, okay?»

«Ma...»

«Niente ma.» Juliana alzò un dito per fermare le proteste dell'amica. «Fidati Sash, so che adesso ti sembro misteriosa, ma ti prometto che passerai una serata fantastica.»

Incuriosita, Sasha la assecondò, infilandosi un tubino color caffè, semplice ma chic, con maniche ad aletta e scollatura quadrata. Raccolse i riccioli biondi in uno chignon alto, non troppo stretto. Juliana scelse un abito turchese con le spalline sottili, corto al ginocchio.

Scesero nella hall e Juliana si diresse spedita verso un salottino sulla destra, sotto un candelabro di cristallo. C'era una persona seduta su una delle poltrone di pelle nera, di spalle.

Un giovane uomo con capelli biondi e ondulati...

Con il cuore che le schiacciava lo stomaco, Sasha si voltò verso Juliana. «Che succede?»

Ora la sua amica aveva un'espressione *davvero* colpevole. «Se preferisci che andiamo via subito, ti capirò. Ma sento che vorrai restare qui. Forse non sarai contenta di come ho forzato la mano, però ti conosco. E so che ti sei pentita di quello che è successo ieri al museo.» Juliana fece una pausa. «Ora hai una seconda occasione.»

Sasha non sapeva cosa rispondere. *Hai ragione, Juliana. Non ho fatto che rimproverarmi per non essere riuscita a reagire diversamente.* O forse sarebbe stato meglio: *Tu e Tristan godetevi i vostri* love hotel *e lasciatemi in pace.*

Riecco quel maledetto orgoglio. Che riusciva sempre a rovinare tutto.

Juliana la guardò rattristata. «Vorrei soltanto che tu fossi felice.»

Adesso il cuore di Sasha era completamente fuso.

Le fu facile rispondere, stavolta, sebbene avesse la gola chiusa dalla commozione. «Lo so.»

Guardò Chad. E le sembrò che persino la luce del candelabro lampeggiasse attorno a lui, come per indicarle che direzione prendere.

Juliana intanto stava parlando a raffica, cercando di spiegarle il perché di quell'appuntamento al buio. «Sai quel messaggio in segreteria? Era di Tristan. Diceva di richiamarlo in albergo appena potevo e all'inizio ho pensato... *sperato*... che volesse chiedermi di rivederci. Ed era così infatti, Sasha. Poi però mi ha confidato che Chad voleva parlarti. Sapere se poteva passare di qui, giusto per un drink. Ho risposto di sì. Non te ne ho parlato subito perché, testarda come sei, volevo che ti trovassi nella stessa stanza con Chad, prima di prendere una decisione.»

Sasha non riusciva a smettere di guardarlo. L'uomo che in quei lunghi mesi le era mancato più di ogni altra cosa. Notte e giorno.

Quello che le aveva spezzato il cuore.

«Sasha?»

A malincuore, distolse l'attenzione dal suo ex. Sentendosi come se le strappassero una parte di sé.

Juliana le posò una mano sul braccio. «Se invece non ti va di parlarci, allora ce ne andiamo in uno di quei sexy club, io e te, e ci diamo alla pazza gioia. Non hai che da dirmelo.»

Le sue parole alla fine raggiunsero la meta. Sasha le prese la mano e gliela strinse.

Voleva restare con Chad. Così tanto da stare male.

Ma era pure spaventata. Dannatamente spaventata, all'idea di dover affrontare altre scomode verità, per poi ritrovarsi a un punto morto, ferita ancora di più.

«In fondo è soltanto un drink» la incoraggiò Juliana. «Tutto qui.»

Soltanto un drink.

Sasha guardò di nuovo Chad. Il suo cuore aveva già deciso.

«Ciò di cui dobbiamo parlare io e lui richiede più di un aperitivo. E non voglio rovinare la tua serata.»

«Se credi che ti ci vorrà più tempo, mi posso organizzare.»

E d'istinto si voltò verso il banco del *concierge* dove, quasi nascosto da un gruppo di uomini d'affari occidentali, c'era Tristan, con una camicia bianca a maniche lunghe e un paio di jeans neri.

Gli occhi viola di Juliana lampeggiavano di desiderio.

«Vai pure» le disse Sasha, liberandole la mano. Le sembrò di aver appena lasciato andare un salvagente. Adesso era costretta a restare a galla da sola.

Juliana sorrise. «Buona fortuna» le sussurrò. Poi raggiunse Tristan e Sasha si sentì andare alla deriva.

Si voltò verso Chad. Fece un lungo respiro e si buttò.

Col cuore in gola, Tristan osservò Juliana avvicinarsi. Da quando se n'era andata, il giorno prima, non era riuscito a smettere di pensare a lei. Aveva trascorso una notte insonne, ore e ore a rigirarsi inquieto nel letto.

Ma adesso eccola, con quel meraviglioso abito turchese che le sottolineava i fianchi e la vita. Portava ancora i capelli sciolti. Tristan avrebbe tanto voluto infischiarsene delle usanze di quel paese – toccarsi in pubblico era considerato disdicevole – e passarci le dita in mezzo.

Juliana aveva l'aria soddisfatta.

«Fase uno completata» gli disse riferendosi a Chad e Sasha e al piano messo a punto da Tristan dopo quella conversazione ad alto tasso alcolico con suo cugino, mentre cenavano con il servizio in camera.

Adesso però nessuno dei due stava più pensando alla coppia che sembrava avere contro le stelle e i pianeti.

Lui non riusciva a distogliere lo sguardo da Juliana.

Aveva le guance arrossate. Dieci a uno che stava ripensando alla cascata, alla piscina e al letto del *love hotel*.

A quelle poche ore passate insieme. E a questo imprevisto secondo tempo.

Le passò un dito sul braccio – un tocco lieve – e lei si mordicchiò il labbro inferiore.

«Chad ha grandi progetti» disse Tristan. «Sono contento che Sasha gli abbia concesso una possibilità.»

«Grazie a Dio. Non ha fatto che pensare a lui, da ieri.»

Parlava di Sasha, ma dal suo sguardo era chiaro che era a se stessa che si riferiva. Come Tristan, anche Juliana aveva ripensato un milione di volte a quel loro incontro segreto. Attimo dopo attimo. Per rivivere ogni esaltante emozione.

In quel momento un tipo ben vestito e dai capelli rossicci un po' diradati, si accostò a Tristan con fare cordiale. «Vi va di venire con noi, allora?»

Juliana lo guardò stupita. Non si aspettava che avesse fatto nuove amicizie, mentre la aspettava.

Tristan sollevò le spalle – *Non sono così asociale come credi*, era il messaggio – e poi passò alle presentazioni. Si trattava di una squadra di esperti di computer americani, sbarcati a Tokio per un programma di scambio con un'importante società di software giapponese.

L'unica donna tra i quattro – una bruna di nome Caroline – si rivolse a Juliana. «Scusaci sai, ma quando abbiamo sentito il tuo fidanzato chiedere al *concierge* qualche dritta sulla vita notturna di Tokio ci siamo intromessi.»

Alla parola *fidanzato* Tristan e Juliana si sorrisero complici. Non c'era pericolo.

Comunque un campanello d'allarme suonò dentro di lui. Grazie a Dio avevano ancora quella serata da passare insieme. L'ultima, però. Poi la storia doveva finire. Con l'arrivo del *Dream Rising*, l'indomani. Gli affari di famiglia avrebbero provveduto a dividerli, poco ma sicuro. O il buonsenso.

«Veniamo a Tokio diverse volte all'anno» aggiunse l'uomo dai capelli rossi, che si chiamava Charles. «Perciò siamo di casa, qui. Stiamo andando a mangiare in un posticino fantastico, vi piacerà. È un semplice bar, un buco di locale, ma la *mamasan* che lo gestisce ormai ci considera amici.»

Quando gliene avevano parlato, mentre aspettava Juliana, Tristan era stato subito entusiasta all'idea di accodarsi al gruppo, visto che conoscevano bene lingua e usanze del posto. Inoltre aveva proprio voglia di portare Juliana da qualche parte, di mostrarsi in pubblico con lei, almeno per una cena.

Un lusso che, tornati a casa, non si sarebbero potuti più permettere.

Sarebbe stato come entrare in una realtà parallela. Scoprire come sarebbe potuta essere la loro vita, se avessero deciso di mettersi insieme senza nascondersi.

Non avrebbe sprecato quel tempo supplementare che il destino gli aveva concesso. Dopo sarebbero tornati al presente, di nuovo soli, ognuno nel proprio hotel, a ricordare cosa li aspettava a Parisville.

Uscirono tutti insieme dall'albergo, incontro alla sera piovosa, Tristan e Juliana sotto lo stesso ombrello, seguiti dai *Fantastici Quattro*, come li aveva ribattezzati lui. Presero la metropolitana per Ebisu, quartiere che pullulava di bar e ristoranti, addossati uno all'altro, segnalati da insegne luminose quadrate che sembravano le definizioni verticali di un cruciverba.

Misteriosa, bagnata dalla pioggia, sexy. Era esattamente la serata avventurosa che sarebbe piaciuta a Juliana. Era impaziente di vederla sorridere felice.

E dimenticare che non poteva esserci un futuro per un Cole e una Thomsen.

In un vicolo tranquillo, illuminato da lanterne di carta, dietro una porta a pannelli bianchi che lasciava intravedere le sagome, trovarono il loro bar. Dalla strada si sentiva cantare una voce femminile.

La sala, rivestita di legno scuro, fumosa, non era affollata. C'erano una decina di persone in piedi al bancone che aspettavano di sedersi ai tavoli.

La *mama-san*, una donna di mezza età, con un kimono a righe blu e grigie, riservò un'accoglienza speciale ai *Fantastici Quattro*, a Tristan e Juliana, come fossero ospiti di riguardo che la onoravano di una visita. Li accompagnò personalmente ai loro posti, si fermò a chiacchierare, prese gli ordini per i drink, serviti con popcorn e piattini di insalata.

Sulle pareti, schermi tv mandavano l'immagine delle onde di un oceano, mentre sotto scorrevano le parole delle canzoni per il karaoke. Tristan non vi prestò la minima attenzione, troppo concentrato su Juliana seduta accanto a lui, la coscia contro la sua.

Si chinò a parlarle all'orecchio, per via della musica piuttosto forte. «Hai dovuto rinunciare a qualche programma interessante, stasera?»

Lei scrollò la testa e qualche filo biondo gli solleticò le labbra. Subito partì una staffilata di desiderio.

«No, sono contenta che tu abbia chiamato.» Si avvicinò ancora di più. «Davvero contenta.»

Tristan bruciava dalla voglia di prenderla in braccio e mettersela a cavalcioni sopra di lui, il sesso morbido contro la sua erezione già dura...

Purtroppo uno dei *Fantastici Quattro*, Daryl, un tizio che assomigliava a Tommy Lee Jones, si allungò verso di loro e Tristan dovette ricomporsi in fretta.

«Attenti a cosa ordinate» disse, sopra il finale della ballata rock.

Erik, il quarto del gruppo, si allentò la cravatta a righe mentre arrivava la prima portata. «Il conto sale in fretta. Ti fanno pagare pure gli stuzzichini...»

La cantante chiuse l'esibizione tra gli applausi entusiasti, cedendo il microfono a uno dei clienti che partì con un'interpretazione molto personale di *Love me tender*.

Juliana sollevò il bicchiere con la grappa alla prugna e Tristan la sua birra, rilassandosi contro lo schienale. Fecero un brindisi senza mai smettere di guardarsi.

«Dunque c'è qualcosa in particolare che volete assolutamente vedere in Giappone?» chiese Charlie il rosso, gridando per farsi sentire, mentre gli altri tre sfogliavano il libro con i brani musicali a disposizione per il karaoke.

Sì, pensò Tristan. *Juliana senza vestiti addosso*.

«Domani andiamo in un *ryokan*» rispose lei.

«Ah sì, un tipico albergo in stile giapponese» osservò Charles sorridendo. «Vi piacerà molto. È una bella esperienza, per quanto complicata. In stanza ci sono interi fogli di istruzioni su come comportarsi.»

«Ogni cosa qui è complicata» osservò Juliana con noncuranza.

Ma dal suo sguardo Tristan intuì il doppio senso.

La rivalità tra le loro famiglie rendeva tutto troppo difficile.

Giocherellò con la bottiglia di birra. Juliana accavallò le gambe, sfiorandolo e non per sbaglio. I suoi sensi impazzirono. E rimpianse le fantasie romantiche che l'avevano indotto a invitarla fuori a cena per quello che sarebbe rimasto il loro unico appuntamento.

Forse avrebbe dovuto limitarsi a portarsela a letto, come aveva fatto Terrence con Emelie, durante i giorni felici fatti di sesso e pittura.

Prima di dover fare i conti con la realtà.

Prima che il mondo arrivasse a separarli.

Juliana stava di nuovo parlando con Charles. «Mi piacerebbe anche poter incontrare una vera geisha.»

Ai tempi della scuola, Tristan la vedeva spesso nella biblioteca scolastica, intenta a sfogliare libri sul Giappone, curioso di sapere cosa le passasse per la testa. Aveva persino cercato la voce sull'enciclopedia del nonno.

«Non è per niente facile» le stava spiegando Charles. «Le loro feste di solito sono chiuse agli estranei. Bisogna essere invitati da un giapponese che abbia familiarità con loro. La società con cui collaboriamo lo scorso anno ha organizzato un ricevimento favoloso, con le geishe più famose di Tokio, a cui ho avuto la fortuna di partecipare. Indimenticabile, davvero.»

La *mama-san* tornò al loro tavolo e confabulò con Caroline, indicando la postazione con il microfono e allontanandosi poi soddisfatta.

«Quando abbiamo cominciato a venire in questo locale» spiegò Charles, «la *mama-san* era diffidente perché siamo stranieri. Ma adesso sono abituati a noi. E spesso ci chiedono di cantare canzoni americane.»

Fu proprio lui il primo ad alzarsi. Si lanciò in una *cover* di *Just the way you are*, come stesse ad *American Idol*, acclamato in sala manco fosse una rockstar.

Juliana e Tristan si unirono agli applausi. Dopo un altro giro di drink i quattro esperti di computer erano talmente presi dal karaoke che non tornarono al loro tavolo per un pezzo. Lasciandoli finalmente soli.

«Hai intenzione di cantare anche tu?» le chiese Tristan.

Juliana scosse la testa con decisione.

«Dai, dai, almeno una!» Prese il libro con i testi delle canzoni in inglese. «Madonna? Spice Girls? Britney Spears?»

«No, no e no.»

«Nemmeno un pezzettino di Beyoncé?»

Lei rise di gusto, gettando la testa all'indietro e lui si sentì rimescolare tutto.

Incredibile. Riusciva a fargli quell'effetto e non era neanche nuda.

Non aveva nemmeno fatto un'allusione sfacciata su quello che avrebbero potuto fare a letto, loro due insieme, dopo aver mangiato quanto bastava per avere energie da spendere per una notte intera.

Juliana si ravviò i capelli dietro l'orecchio.

Poi tacque di colpo quando si accorse dell'intensità dello sguardo di Tristan.

Lui la fissò.

Lei fissò lui.

Tristan si era innamorato di lei tanto tempo prima ma adesso, in un posto dove a nessuno importava di quello che provava per una Thomsen, era libero di ammettere che aveva sempre sperato che gli fosse concessa una seconda opportunità.

Ce l'aveva proprio lì davanti.

Juliana quasi non sentì Caroline che cantava *Like a Virgin*, la sua voce diventò un rumore indistinto di sottofondo.

L'unica cosa che esisteva era Tristan e il modo in cui la guardava, come se...

Come se stesse vedendo *dentro* di lei.

Si allungò a prendere il bicchiere così che non potesse leggerle negli occhi.

Mentre sorseggiava la grappa alla prugna – forse era il liquore che le aveva dato alla testa – si ricordò dell'appuntamento al *ryokan* per trattare l'acquisto del *Dream Rising*. Mancavano poche ore. Dopo di che sarebbe dovuta tornare a casa. Presto.

Se solo fossero stati due persone diverse.

Ma non lo erano.

E inoltre, anche se per assurdo la sua famiglia avesse adorato Tristan, non era sicura che glielo avrebbe presentato, comunque.

Forse l'avrebbe tenuto nascosto di proposito, pur di ribellarsi al loro controllo.

L'unica cosa certa era che Tristan la faceva sentire fragile: nel corpo, nella mente, nella volontà.

Essere la parte debole non le era mai piaciuto. Non sarebbe mai voluta diventare come...

Come *Emelie*.

Questa rivelazione la riscosse.

Ritrovò lo sguardo di Tristan.

Non che lui sembrasse intenzionato a chiederle di continuare a frequentarsi a Parisville. Se pure lo avesse fatto, Juliana non intendeva trasformarsi nella versione moderna di Emelie: una donna disperatamente innamorata di un uomo e poi messa da parte come un pennello vecchio con le setole spelacchiate.

Non le era ben chiaro come doveva regolarsi, da quel momento in poi.

Se continuare a frequentare altri uomini che non erano Tristan. Uomini che la annoiavano e non avevano la minima possibilità di competere con lui.

O invece rinunciare all'affetto della sua famiglia e vivere la loro storia alla luce del sole. Sfidando le regole e il giudizio degli altri.

Avrebbe voluto poter parlare con Terrence ed Emelie. Chiedere loro consiglio, sapere se si erano mai pentiti di non aver lottato l'uno per l'altra.

Che cosa era successo *davvero* tra di loro, al di là delle leggende tramandate dagli anziani?

In fondo aveva sempre conosciuto solo la versione di Emelie.

Forse c'era un modo di scoprirlo...

«Sai quale potrebbe essere un csperimento interessante?» chiese a Tristan, fissandolo negli occhi grigi. L'avrebbero convinta a fare qualsiasi cosa.

Quasi.

«Dimmi.»

Non riusciva quasi a sentirlo con quella musica a tutto volume, ma la sua voce bassa vibrò dentro di lei.

«Potresti raccontarmi cosa c'è scritto nei diari di Terrence. E io ciò che ho letto nelle lettere di Emelie.»

Lui si agitò sulla sedia.

Certo, che stupida. Si era quasi dimenticata che Tristan, anni prima, non era sembrato poi così ansioso di trattenerla. Nemmeno lui voleva attriti con la famiglia.

Era stato leale con loro.

E così doveva continuare a fare lei.

«Okay, forse non era poi un'idea così brillante. Quel diario e quelle lettere appartengono alle nostre rispettive famiglie, non solo a noi. E so benissimo che i miei andrebbero su tutte le furie se te le mostrassi.»

«Esatto.» Tristan si passò una mano tra i capelli folti, scostandoli dal viso.

Sembrava combattuto. Ma non voleva illudersi.

«Facciamo finta che non te ne abbia mai parlato» propose Juliana.

«No. Era una buona idea. Se le nostre famiglie si capissero di più, magari...»

Si interruppe e Juliana ebbe la sensazione elettrizzante che fosse sul punto di dire qualcosa che nessuno dei due avrebbe dovuto nemmeno pensare.

Chissà, un tempo forse avrebbero avuto il coraggio di affrontare insieme le loro famiglie.

Adesso però era meglio chiuderla lì, prima che uno dei due dicesse la cosa sbagliata.

Prima di spingersi troppo in là.

Più di quanto non avessero già fatto.

I pochi avventori, a cui si erano aggiunti altri tre giapponesi negli ultimi cinque minuti, applaudirono Caroline, che li ringraziò con un cenno della mano.

Juliana intercettò un'occhiata di Tristan che annullò ogni residuo di buonsenso. Restò soltanto il desiderio di lui.

Lo voleva così tanto. E invece restavano lì a parlare di cose che non potevano essere cambiate.

Mancavano soltanto poche ore alla trattativa che li avrebbe visti di nuovo rivali.

Perciò perché stavano sprecando tempo?

Buttò giù l'ultimo bicchierino di grappa alla prugna, sentendo il liquido caldo scenderle nella gola e poi nello stomaco, infiammando ancora di più il desiderio, acuto e violento di Tristan, che chiedeva di essere assecondato.

«Sei pronto?» gli chiese.

Con lo sguardo acceso di passione, lui fece cenno alla *mama-san* di preparare il conto.

7

Tornarono all'hotel di Tristan, nella sua stanza.

Juliana si rifugiò in bagno per togliersi gli abiti bagnati e mettersi qualcosa di più comodo. Aveva ripreso a piovere forte e durante il tragitto dalla metropolitana all'albergo ci si era aggiunto anche il vento.

Nel frattempo Tristan si infilò un paio di pantaloni di felpa grigio scuro e aprì le bottigliette di tè verde che aveva comprato a un distributore automatico lungo la strada. A Juliana ne era venuta voglia e lui l'aveva subito accontentata.

Pazzesco. Un Cole che viziava una Thomsen.

Suo nonno sarebbe andato in bestia.

Tutti quei discorsi su Terrence ed Emelie lo avevano messo di fronte alla realtà. E alle conseguenze che avrebbero dovuto affrontare, in ogni caso.

Per lui e Juliana non ci sarebbero mai state allegre riunioni di famiglia e feste di Natale con i parenti. E tutte quelle cose normali che la gente normale faceva con le persone che amava.

Detto questo, Tristan non era disposto a rinunciare a lei. Solo il pensiero lo faceva stare male.

Qual era l'alternativa, però? Tenerla come amante segreta, come Emelie lo era stata per Terrence?

Sconfortato, prese il tè e una tazza. Juliana meritava di meglio, sebbene non è che ci fossero molte altre opzioni all'orizzonte. Sempre che fosse disposta a trasformare questa avventura in...

In cosa?

In una vera relazione?

Ripensando alle altre storie che aveva avuto, Tristan realizzò che in fondo non si era mai voluto impegnare con una donna. Forse perché nel suo inconscio era rimasto ad aspettare Juliana.

E quando lei uscì dal bagno, avvolta nell'accappatoio candido dell'hotel, il motore del suo cervello fuse la testata.

Persino stare nella stessa stanza era un'impresa. I suoi occhi e la sua pelle e le sue labbra erano frecce che si piantavano al centro di un invisibile bersaglio.

Restò lì a fissarla con la bottiglia in mano, senza nemmeno versare il tè.

Juliana si guardava intorno: le pareti bianche e le lampade d'acciaio, la scrivania di design davanti alla finestra che incorniciava lo skyline di Tokio bagnata dalla pioggia.

Poi i suoi occhi viola si soffermarono sul letto e Juliana sorrise, conficcandogli nel petto la freccia mortale.

Tristan si impose di ritrovare la sua abituale freddezza.

«Peccato che l'albergo non abbia in dotazione un kimono di seta, invece di quest'accappatoio di cotone.»

«Ne ho comprato uno, oggi. Non di seta, è sintetico, ma l'ho pagato un sacco di soldi. Per non parlare della carrettata di souvenir da portare a casa.»

«Eh, lo so. Quella è un'incombenza da cui non si scappa» concordò Tristan e con il collo della bottiglia indicò una pila di buste appoggiate in un angolo, accanto alla valigia. «Chad e io abbiamo concluso la spedizione questo pomeriggio. Non oseremmo presentarci a mani vuote da zie e cugine.»

Era sempre stato un piacere parlare con Juliana, intelligente e curiosa, persino degli argomenti più banali. Da sempre, anche quando, in quella lontana estate di fine liceo, restavano seduti nella sua auto a chiacchierare davanti al canyon assolato.

«Che hai comprato?» si informò lei e già le brillavano gli occhi.

«Puoi dare un'occhiata, se vuoi.»

Juliana non se lo fece ripetere e andò ad aprire una busta, sbirciando tra bamboline di legno, pezze di seta e ventagli di bambù.

Ne prese uno e lo aprì, rivelando una mezzaluna di seta rossa ricamata di fiori. Se l'agitò di fronte al viso mentre batteva le ciglia, giocando alla seduttrice.

Il cuore di Tristan fece una capriola brusca e in un istante fu di nuovo suo. Non che avesse mai smesso.

«Sembri una vera geisha» le disse versando finalmente quel dannato tè nella tazza. «Potresti essere scambiata per una di loro, da come sai usare quel ventaglio.»

«Una vera geisha... Da ragazzina avevo una fissazione per il Giappone. Come per l'Egitto, il Medioevo, la caccia ai fantasmi... Passavo giorni e giorni in biblioteca o a scartabellare tra i libri di seconda mano della zia Katrina.»

«Me lo ricordo.»

Juliana sembrò sorpresa, poi compiaciuta. «Eri così interessato a me, anche prima che ci mettessimo insieme?»

«Lo hai sempre saputo.»

«No, non me l'hai mai detto. Mi hai raccontato che mi avevi notato ma... Pensare che mi seguivi con lo sguardo nei corridoi e che ti ricordi ancora i libri che leggevo... è diverso.»

«Sapevi benissimo che ero pazzo di te.»

Juliana fece un passo verso di lui e gli posò il ventaglio sul braccio. Brividi gli corsero sotto pelle fino al centro del suo essere.

«E *quanto* eri pazzo di me?» gli chiese sorridendo, mentre faceva scorrere la seta rossa sul torace.

«Abbastanza da immaginarti come la *mia* geisha.»

«Mi stai chiedendo di diventarlo adesso?»

Lui le sollevò il mento con un dito per poterla guardare negli occhi.

Ma prima che potesse dire altro, Juliana si scostò da lui e Tristan ebbe la sensazione che stesse cercando di mantenere un'atmosfera leggera per quell'ultima notte insieme che era stata loro concessa.

«Ho letto su parecchie guide che le geishe non sono uguali in tutto il Giappone» disse lei. «Ma di certo una vera geisha non è soltanto un oggetto sessuale.»

«Lo so, non hanno niente a che fare con le prostitute» rispose Tristan, posando la tazza del tè. «È difficile definirle, perché la

431

loro vita è complessa. Gli occidentali hanno la convinzione che il loro unico compito sia compiacere gli uomini, quando invece sono abilissime a manovrarli a loro piacimento. Quando invecchiano, quelle più ricercate si guadagnano rispetto e indipendenza economica. Possono anche scegliere a chi concedere i propri favori. E se prendersi un *danna*, una sorta di protettore.»

Sicuramente Juliana aveva già letto queste cose sui libri, rifletté Tristan. Dunque doveva aver capito dove voleva arrivare con quel discorso.

Non ci poteva credere. Stava davvero parlando di uomini e amanti. Non aveva già stabilito che non le avrebbe mai proposto una storia clandestina?

Cerca di controllarti, si rimproverò. *Che stai facendo? È troppo presto anche solo per pensare a un futuro insieme.*

Dentro di sé, però, sapeva di avere già aspettato abbastanza.

Le si parò davanti, accanto al letto, e posò le mani sulla cinturina dell'accappatoio.

«Le geishe possono fare le amanti» continuò Juliana. «Ma se vogliono continuare la vita per cui si sono così duramente preparate, non possono sposarsi. Non si può essere geisha e moglie allo stesso tempo. Non avrebbe senso. Annullerebbe il motivo fondamentale per cui gli uomini le cercano.»

«Per sfuggire al mondo reale» chiosò Tristan. Come stavano facendo loro due.

Juliana poteva essere la sua geisha solo per quel breve tempo che avevano.

Il ventaglio rosso scese più giù, sullo stomaco piatto e definito di lui. Fermandosi proprio sopra il laccetto che legava i pantaloni. E i brividi divennero un tremito.

«Non potrei mai fare l'amante. E non sarò mai nemmeno come Emelie.»

Qualcosa nel petto di Tristan sembrò sgretolarsi. Perché? Chiederle di vivere la loro storia di nascosto sarebbe stato da vigliacco. E non era quello che voleva per lei.

Ma sarebbe stato ugualmente vile tornare a chiudersi nel suo garage e riprendere la solita vita, tormentato dai rimpianti per ciò che poteva essere.

Juliana chiuse di scatto il ventaglio e lo posò sul comodino.

La pioggia batteva sui vetri.

E Tristan non sapeva più che pensare.

Il petto di Juliana si alzava e si abbassava come se stesse controllando il respiro, cercando di imporgli un ritmo più lento.

Poi, come se avesse fatto una scelta in quel preciso momento, si alzò sulle punte e allacciò le mani dietro la nuca di Tristan, solleticandogli la pelle.

La sensazione di ali di farfalla annullò ogni suo pensiero. E il suo sangue accorse verso il basso ventre, impetuoso e bollente.

Quando Juliana parlò, Tristan sapeva già che il tempo dei discorsi seri era terminato, per ora. E che una volta usciti da quella stanza, sarebbe finita davvero.

L'indomani si sarebbero ritrovati seduti l'uno di fronte all'altro, a contendersi il quadro.

E la realtà avrebbe fatto scoppiare quella bolla di fantasia che erano riusciti a costruirsi intorno. Effimera, fragile e destinata a rompersi.

«Dietro al collo le geishe si lasciano un triangolino di pelle libero dal pesante trucco bianco» mormorò Juliana disegnandone i contorni con i polpastrelli. «Ho letto che ne accentua l'incavo erotico.»

Quelle carezze erano troppo. Tristan le sciolse la cinturina.

«E sotto al kimono cosa portano?»

«Niente.» L'accappatoio si aprì. «Solo un sottile tanga di seta.»

L'accappatoio si spalancò del tutto rivelando il corpo pallido e snello di Juliana.

Non indossava niente nemmeno lei.

Col cuore che batteva impazzito, Tristan fece scivolare le mani sotto il cotone, all'altezza della vita, i pollici che strofinavano il ventre piatto.

Juliana gettò indietro la testa, come se avesse perso la forza di volontà, poi si riscosse e la rialzò, le labbra socchiuse.

Tristan ascoltò il battito primitivo del sangue.

E si arrese alla fantasia prima che scomparisse.

Diventare la sua amante, pensò Juliana.

Era soltanto così che poteva restare nella vita di Tristan? Lo stesso bivio a cui si era trovata di fronte la trisnonna Emelie. E che aveva rifiutato sprezzante. Però non si era mai più ripresa dal dolore per aver perduto Terrence.

Del resto, che altra scelta avrebbero avuto, lei e Tristan, una volta tornati a Parisville?

Intanto lui le sfilava l'accappatoio dalle spalle.

Nelle poche ore in cui erano stati insieme, lì in Giappone, Tristan l'aveva letteralmente travolta. E nel suo cuore Juliana sapeva che poteva offrirle molto di più. Era rimasto il ragazzo che sognava un giorno di aprire una grossa concessionaria di auto d'epoca, grande abbastanza da renderlo indipendente.

Era lo stesso Tristan Cole di cui era stata follemente innamorata.

C'erano ancora tante cose da scoprire, lo sentiva.

Eppure come potevano ignorare la lunga storia di rancori e rappresaglie tra le rispettive famiglie?

L'accappatoio cadde a terra.

La pioggia continuava a battere sui vetri.

Goditela finché puoi...

Lui la prese per mano e la aiutò a salire sul letto. Con le spalle appoggiate alla testiera alta e imbottita, la attirò a sé, la schiena magra di Juliana contro il suo torace solido, le sue gambe muscolose attorno a quelle slanciate e pallide di lei.

Davanti a loro c'era un grande specchio. Juliana si vide riflessa, bianca e nuda, avvolta da Tristan.

Il sangue pulsava tra le sue cosce.

Scostandole i capelli dal viso, lui sussurrò qualcosa al suo orecchio. «Insomma, cosa dobbiamo fare?»

Intanto le posò una mano sullo stomaco, disegnando cerchi concentrici sulla pelle. Una spirale infuocata si accese dentro di lei.

Juliana trasalì, già vinta dall'incantesimo. «Per adesso continua a fare quello che stai facendo.»

Avvertì la sua delusione.

Ma cosa si aspettava? Che trovasse una soluzione che, come per magia, avrebbe messo tutti d'accordo?

Era stufa di preoccuparsi soltanto di fare contenti gli altri. Per la sua famiglia aveva già rinunciato all'amore una volta. E poi anche alla società che aveva avviato a San Diego.

Quando Tristan le insinuò una mano tra le gambe, si aprì per lui, intenzionata a fare quello che voleva lui. Almeno in quel momento.

Lui affondò un dito tra le pieghe carnose del suo sesso già umido, poi lo premette piano sulla clitoride.

Juliana inclinò il capo di lato, mentre l'urgenza del desiderio cresceva dentro di lei, rovente come una fornace.

Da qualche parte della sua coscienza però aleggiava ancora il senso di colpa. Sebbene avesse deciso di metterlo da parte, non voleva andarsene.

Nonostante questo, il cuore le batteva così forte che ogni colpo riecheggiava in lei come un gong.

Tristan la stimolò con le dita esperte, cercando con delicatezza di portarla al culmine del piacere. Godendo insieme a lei. Juliana lo sentiva già duro attraverso i pantaloni di felpa.

«Sto tornando a casa» mormorò lui.

Era così frastornata che all'inizio non registrò le sue parole. «Tornando a casa?»

Sembrava ubriaca. Di lui.

Le dita di Tristan si muovevano su e giù, ora lente e ora veloci, attorno alla clitoride e poi dentro di lei.

Juliana annaspò, il corpo inarcato, e senza pensare posò una mano sulla sua, per spingerlo a continuare.

«Secondo anno di liceo» mormorò lui. «Sei venuta a un ballo con Pete Stosser e indossavi un abito blu che ti faceva sembrare una principessa. Quella è stata la prima volta che ti ho voluta davvero. Non più come un ragazzo alle prese con i primi turbamenti, ma come un uomo desidera una donna.»

Lei si bagnò sempre più, trasportata dalla nostalgia. «Non sapevo nemmeno che fossi lì.»

Tristan continuava a disegnare un infinito arabesco sul suo

sesso, dentro e fuori, con le dita bagnate e irrequiete, e Juliana
sentì la clitoride indurirsi così tanto che le sfuggì un lamento
prolungato e sofferto.

Voleva finire.

Voleva continuare.

La voce di Tristan suonò come un ruggito nel suo orecchio,
mentre le mordicchiava il lobo. «Non sono rimasto a lungo,
ma più passava il tempo e più sarei voluto correre da te e rive-
larti ciò che invece ho sempre nascosto, fino a quella notte in
cui siamo finalmente stati insieme.»

Spinse un intero dito dentro di lei e Juliana gemette.

La voglia era insopportabile.

Però lo era anche il pensiero di darsi a lui completamente,
quando invece avrebbe dovuto tirarsi indietro.

Ma non poteva. Non voleva.

Non finché non ci fosse stata costretta.

Col respiro corto, gli afferrò il polso e scostò la mano.
Quindi si mise carponi di fronte a lui, i capelli che le coprivano
in parte il viso.

Afferrò i pantaloni di Tristan e li tirò verso il basso, fino alla
sottile linea di peluria proprio sotto l'ombelico, dove gli addominali puntavano verso l'inguine.

Sentì il sesso contrarsi in uno spasmo.

E quando lo guardò negli occhi si accorse che anche Tristan
era fuori controllo.

Prima che Juliana se ne rendesse conto, l'aveva afferrata e
stretta a sé, i seni schiacciati contro il torace muscoloso, faccia
a faccia, il respiro strozzato.

Sorrise contro le sue labbra, letale, sfrontato. «Che ti passa
per la testa, Juliana?»

«Averti di nuovo dentro di me.»

Lui le accarezzò la schiena e lei chiuse gli occhi, senza ren-
dersene conto.

«Tutto qui?»

No. C'erano molte cose, troppe. Che non sapeva come affrontare.

«Sì» disse invece.

Gemette, quando lui le accarezzò le natiche sode riempiendosene le mani.

Quando parlò, Tristan era più serio che mai.

«Sto pensando ad altro, non solo al sesso.»

Non dovresti, non dovremmo, avrebbe voluto dirgli mentre lui strofinava un dito su e giù nell'incavo del fondoschiena. Era da folli ripetere la storia di Terrence ed Emelie, perché se c'era una cosa che avevano imparato è che l'amore può essere crudele.

Poi Tristan fece qualcosa che le arrestò il cuore.

Con tenerezza, la fece sdraiare sul materasso, guardandola negli occhi e sconvolgendole i pensieri, finché niente ebbe più senso.

Con la nocca del dito medio le toccò la clitoride, aumentando pian piano la pressione. Juliana gli si spinse contro.

«Dimmi cosa accadrà da adesso in poi» le intimò, con tono brusco.

Una fitta di panico la attraversò.

«Dimmelo, Juliana.»

«Perché?» chiese lei col respiro strozzato. «Tanto non possiamo cambiare le cose.»

«Ne sei così sicura?»

Tristan ritrasse la mano e si sfilò in fretta i pantaloni. Poi tornò da lei, rimettendosi seduto davanti allo specchio, con Juliana seduta in grembo, il sesso bagnato che sfregava contro le sue gambe.

«Sei così certa che potrai stare senza questo, ora che sai che puoi averlo?»

La clitoride pulsava, pronta e lubrificata per lui.

Fu Juliana a prendere l'iniziativa, sollevandosi in avanti e restando sospesa sulla sua erezione, sfiorandone la punta fremente.

Gemendo, Tristan la afferrò con forza per i fianchi facendola abbassare sul suo membro. Scivolò dentro di lei, strappandole un grido.

Nello specchio, Juliana guardò la base massiccia della sua virilità affondare in lei. E si eccitò come non mai.

Questa non deve essere per forza l'ultima volta, pensò rote-ando lentamente il bacino, prendendolo più a fondo che pote-va, spingendo su e giù, facendo leva sulle braccia.

Potresti averlo tutte le notti, se solo ne avessi il coraggio.

Le sembrò che un calore abbagliante si propagasse dal suo ventre, risalendo verso l'alto. Abbassò la testa, incapace di guardare ancora lo specchio, perché rivelava troppo. Tutto.

La sua estasi.

Le sue emozioni, messe a nudo per un uomo che non pote-va avere.

No. Niente emozioni, si disse, mentre le sembrava di essere sul punto di esplodere. No, no...

Travolta dalla pura disperazione, scivolò via da lui. E si chinò a prenderlo in bocca.

Lo succhiò, lo accarezzò con la lingua, lentamente ma con impegno, mostrandogli quello che provava, senza però andare oltre i limiti che si era imposta. Finché Tristan venne tra le sue labbra, scosso da brividi violenti.

Juliana premette la mano contro il sesso, cercando di scac-ciare il desiderio doloroso, che non voleva appagare.

Il respiro di Tristan si calmò.

Lei si rannicchiò contro il suo corpo, la testa sul suo petto, per qualche momento.

Poi si impose di dargli il bacio di addio.

E di chiudere quella storia su cui c'era sempre stata, ben stampata, la data di scadenza.

8

Chad e Sasha erano rimasti circa mezz'ora a parlare, seduti al bar dell'hotel, girando intorno a quello che avrebbero veramente voluto dire.

Lui evitò di pressarla. Aspettò che fosse pronta, rispettò i suoi tempi.

Nel frattempo Sasha gli raccontò del libro che stava scrivendo, ridendo imbarazzata quando dovette confessargli che era incentrato sulle attrazioni peccaminose di Tokio e dintorni. Chad era rimasto sbalordito.

L'esotico e l'erotico?

Non era da lei.

Ma Sasha aveva proseguito, come niente fosse, spiegandogli che era rimasta piuttosto indietro con il lavoro. E che perciò molto presto sarebbe dovuta partire in esplorazione per i luoghi del piacere proibito.

Ed era stato a quel punto che Chad aveva fatto un bel respiro, arrischiandosi a suggerire che, nel caso, poteva accompagnarla, tanto per darle coraggio, in un paese con cui non aveva ancora molta confidenza.

L'ultima cosa che si aspettava era che Sasha accettasse la proposta senza esitazione.

Solo perché doveva sbrigarsi a cercare materiale per il libro?

O invece era una comoda scusa per stare con lui?

Adesso, mentre si aggiravano sotto la pioggia per un quartiere sconosciuto, lontano dalla zona turistica di Roppongi, Chad non poteva smettere di sperare che fosse vera la seconda ipotesi.

Sfogliando la guida, con la consulenza di Tristan, aveva scelto il bar più romantico che poteva trovare. Camminare per quelle strade silenziose gli faceva pensare a una versione tutta loro di *Cantando sotto la pioggia*, quando Gene Kelly balla il tip tap sui marciapiedi bagnati, innamorato e desideroso di gridarlo al mondo intero.

Guardò il foglietto su cui il portiere dell'albergo aveva scritto l'indirizzo. Chad lo aveva mostrato al tassista che li aveva lasciati a un incrocio, cercando di dare loro altre indicazioni, in giapponese.

Non che avesse aiutato, tuttavia era stato un gesto gentile.

Le gocce tamburellavano sul suo ombrello. «Dovrebbe essere qui vicino.»

Sasha, da sotto al proprio, stava osservando gli edifici imponenti intorno a loro. Con una fila di auto lussuose parcheggiate davanti, come a Beverly Hills.

«Non ho fretta» gli rispose sorridendo. La sua espressione serena era in armonia con le foglie degli alberi inclinate dalla pioggia.

Chad notò che sembrava più rilassata di quanto non lo fosse stata al castello, come se ci avesse riflettuto. Alla sua maniera. Con i suoi tempi. E avesse preso una decisione.

Forse – ma solo forse – accettare di rivederlo per un drink era stato un primo grande passo.

Il sangue prese a scorrergli più veloce al pensiero di quale potesse essere il successivo.

E quello ancora dopo.

Si guardò intorno in cerca del bar. Il portiere gli aveva detto, in privato, che i migliori, i più suggestivi, erano quasi nascosti.

Dietro porte chiuse, anonime.

E per riconquistare Sasha, un po' per volta, Chad aveva intenzione di sfoderare tutto il romanticismo del mondo.

La notte prima, mentre analizzava la situazione con Tristan, aiutato da qualche birra, ogni cosa gli era apparsa chiarissima: doveva dimostrare alla donna della sua vita che lei era più importante di ogni altra cosa, per lui. Lavoro, legami familiari, orgoglio.

Perché questa era stata una delle ragioni per cui avevano rotto, ora riusciva ad ammetterlo. Si era sentito minacciato dalla carriera di Sasha, temendo che avrebbe finito per allontanarla da lui.

Troppo orgoglioso per affrontare la questione come avrebbe dovuto fare un vero uomo.

Ferito anche da quella che aveva interpretato come una mancanza di fiducia nei suoi confronti: il fatto che Sasha non esternasse i propri sentimenti.

Ma a partire da quel momento aveva intenzione di provarci con più determinazione, incoraggiandola ad aprirsi. Finché non avrebbe cantato con lui sotto la pioggia.

Sempre che fosse riuscito a superare quella serata, ovvio.

Stava cominciando a pensare che il Giappone fosse come Sasha: tranquillo e ordinato all'esterno, ma dietro le apparenze ribolliva di passione.

Giunti a un certo punto, scorsero una porta in fondo a una scaletta, quasi nascosta, sotto il livello della strada.

Chad la indicò con un dito e la vide sorridere.

Il suo cuore accelerò la corsa. La Sasha che conosceva prima avrebbe preferito qualcosa di più rassicurante.

Ma poi rifletté che la vecchia Sasha non si sarebbe nemmeno avventurata in un paese così distante e sconosciuto come il Giappone. E che addirittura volesse scriverci sopra un libro di viaggio a sfondo erotico era davvero difficile da credersi.

Forse stava cercando di sciogliersi di più. Chad lo aveva sospettato quando gli aveva parlato del lavoro. E poco a poco, Sasha stava cominciando a dimostrarglielo.

Era possibile che la rottura tra loro l'avesse cambiata nel profondo. Non osava sperare tanto.

«Non so se è proprio il posto che stiamo cercando» le disse, valutando la sua reazione.

Magari si era sbagliato.

E non era cambiata affatto.

«Non lo sapremo mai, se non scendiamo a controllare» rispose Sasha imboccando la scala.

Chad esultò in silenzio.

La pioggia era diminuita. Chiusero gli ombrelli.

Lasciò a lei il compito di aprire la porta. Sperando che apprezzasse il gesto. Voleva mostrarle che non pretendeva più di decidere sempre tutto lui. E che le avrebbe lasciato tutta la libertà di cui lei aveva bisogno. Contento di farlo.

Se Sasha poteva cambiare, poteva farlo anche lui.

I loro sguardi si incontrarono e una fiammata rovente lo avvolse completamente.

Nei begli occhi celesti lesse che il messaggio era stato recepito.

Sasha bussò, non ci fu risposta.

Allora girò la maniglia. E la aprì.

Ciò che vi trovarono li lasciò senza fiato, nella sua assoluta semplicità.

Una parete nera. E una rosa bianca, infilata in un vaso, dentro una nicchia, sotto un fascio di luce.

Il fiore candido gli ricordò la pelle vellutata di Sasha, il suo profumo.

Dio, che voglia di toccarla.

Sapeva però che sarebbe stata una pessima idea. Perciò si limitò a farle strada.

Dietro l'angolo c'era il guardaroba, dove depositarono soprabiti e ombrelli. Nell'aria c'era un forte odore di incenso.

Cercava un'atmosfera romantica?

Eccola.

Il locale era quasi al buio. La luce soffusa del bancone rischiarava i volti dei due baristi, con i capelli nerissimi pettinati all'indietro, bagnati di gel. Indossavano camicie bianche di lino e giacche nere. Poche persone ai tavoli. Stranieri, notò Chad. Capitati lì per caso, come lui e Sasha.

La sensazione di isolamento gliela fece sentire più vicina. Lui e Sasha, insieme, ad affrontare un paese sconosciuto, un nuovo mondo.

Le prese una sedia. Il barman fece un inchino. Lo ricambiarono. Chad ordinò champagne perché sapeva che le piaceva.

Sarebbe costato una fortuna, poco male.

«Grazie» disse Sasha. Una parola semplice come la rosa bianca all'ingresso.

442

«Per cosa?» le chiese lui, cercando di non farle capire quanto anche una sua sola parola contasse in quel frangente.

«Per aver scoperto una gemma nascosta come questa.» Il barista portò dei tovaglioli mentre Sasha prendeva il taccuino dalla borsa. Scarabocchiò qualche appunto veloce. «E grazie per avermi incoraggiato a uscire con te, stasera.»

Per un momento Chad si aggrappò a questa frase.

«Lo so, è una bella differenza rispetto a quello che ti ho detto al museo. Ma rivederti così all'improvviso è stato uno shock. Dopo che me ne sono andata mi sono arrabbiata con me stessa per come avevo reagito.»

Tutto qui quello che era disposta a dire? Era ancora sulla difensiva, anche se meno di prima.

Quando Chad cominciò a temere che si fosse allontanata di nuovo, Sasha fece un lungo respiro. «È tutta la sera che volevo dirtelo.»

Musica per le sue orecchie.

Non era il caso di festeggiare, però. Non ancora. Sasha aveva appena cominciato ad abbassare il ponte levatoio.

Il barista portò due *flûtes* di champagne ghiacciato, accompagnato da una composizione di ananas, melone e ciliege.

Sasha ne rubò una dal piatto e rise.

«La frutta è buffa?» chiese Chad, sconcertato.

Lei scosse la testa divertita. Poi lo guardò con i suoi occhi azzurro chiaro. E fu come prendere una scossa.

Impossibile dimenticare quanto erano belli.

«Mi aspettavo quasi che mi servissero del prezzemolo.»

Chad aggrottò la fronte, perplesso.

«È una battuta. Una donna non sposata sopra i venticinque anni qui in Giappone la chiamano *prezzemolo*. Perché è quello che resta sempre nel piatto, hai capito?»

Rise pure lui. «L'ultima cosa al mondo che mi ricordi, giuro, è un avanzo.»

Sasha gli sorrise con dolcezza, ribaltandogli il cuore nel petto.

«Anche Juliana sarebbe contenta di sentirlo.» Riportò lo sguardo sul quadernetto. «Dovunque si trovi.»

Chad sorseggiò lo champagne. Ottimo. Le bollicine gli solleticarono il naso. Erano ore che aveva smesso di pensare ai loro rispettivi compagni di viaggio. Da quando Sasha gli aveva detto che la sua amica preferiva restare in albergo.

Veramente gli era sembrato di vederla parlare fitto fitto con Tristan ma...

I suoi pensieri tornarono al presente. E a Sasha, che stava mangiando un'altra ciliegia, a occhi chiusi, mugolando di soddisfazione.

E Chad ricordò certe notti a letto, quando era dentro di lei...

«Mmh... Queste ciliegie sono magnifiche.»

«I giapponesi spendono un sacco, però si trattano bene.» Quasi non riusciva a parlare, tanto aveva la gola chiusa.

Sasha riaprì gli occhi. «Di certo sanno come appagare i loro sensi.»

Raggiante e sensuale.

Ecco la donna che aveva sempre desiderato scoprire. Quella che sapeva gemere di piacere assaggiando una semplice ciliegia o godersi il solletico delle bollicine di champagne sul viso.

Innamorata della vita.

Di lui, chissà...

E ora, nella penombra di un bar dall'altra parte del mondo, la sua luce brillava in tutto il suo splendore dorato, come mai prima, illuminando il cuore di Chad.

Avevano dovuto percorrere migliaia di chilometri perché questo accadesse. Incredibile.

«Potresti dedicare un capitoletto del tuo libro alla sensualità dei loro frutti perfetti e costosi» le suggerì, mentre ancora non osava credere a ciò che stava accadendo.

Sasha giocherellò con lo stelo di cristallo della *flûte*. «Forse...»

Sorrise, bevve un sorso e socchiuse di nuovo gli occhi, assaporando lo champagne.

La febbre di Chad spaccò il termometro.

È troppo presto per avvicinarti. Aspetta.

Lei posò il bicchiere e si guardò attorno nel bar.

«Quante ombre.»

«Aggiungono atmosfera.»

«Non sto parlando solo di questo posto, in realtà.» Cercò il suo sguardo.

Eccoci. Ci siamo.

Sono pronto.

No.

Sì.

«Puoi dirmi quello che vuoi, Sasha.» Corse il rischio e le sfiorò il braccio, poi tolse la mano e la posò sulla propria gamba. «Qualsiasi cosa.»

Lei sembrò farsi forza. «Volendo essere completamente sincera con te sul motivo per cui ci siamo lasciati, dovrei dirti che in parte è stato perché mi sono sentita messa in ombra dalla tua dedizione al lavoro e alla causa dei Cole. Mi ero convinta che non restasse abbastanza spazio per noi, per una vita insieme. Forse è per questo che mi sono tirata indietro. Anche se vorrei non averlo fatto.»

Era l'occasione per rimediare a tutti gli sbagli.

E Chad non se la fece scappare. «Pure io ci ho riflettuto parecchio. E sono arrivato alla conclusione che ci sono molte altre cose importanti nella vita. Ci sei *tu*. E tu per me sei tutto.»

Sasha si portò una mano al cuore, come per proteggerlo.

Poi, con fatica, la allontanò.

«Da quando abbiamo preso strade diverse» continuò, «ho creduto che dimostrare di non essere innamorata di te mi avrebbe reso più forte. Ho vissuto con questa convinzione per mesi. E adesso è difficile tornare indietro.»

Chad guardò il piccolo pugno socchiuso, posato sul tavolo, accanto allo champagne.

Adesso. Questo è il momento.

Con cautela, avvicinò la mano alla sua.

Lei non lo perse d'occhio, mentre Chad le sfiorava piano le dita.

Sasha le strinse forte.

Da quando aveva saputo che era in Giappone, Chad si era messo in testa che doveva rivederla. Subito. Aveva un bisogno disperato di sapere perché si erano lasciati. Voleva sentirselo

445

dire da lei. Anche per questo si era presentato al museo del castello.

Erano'mesi che viveva in una sorta di limbo. La sua vita era rimasta ferma nello stesso punto. C'erano soltanto due stagioni.

Prima di Sasha.

Dopo Sasha.

Si era persino chiesto se una parte di lui volesse riconquistarla giusto per non sentirsi più un perdente.

Ma la verità era una sola. E molto più semplice di così: la amava. Che altro c'era da dire?

Tornò il ragazzo del bar, con il secondo giro di champagne. Chad ne bevve un lungo sorso. Le bollicine lo fecero sentire più leggero.

A quanto pare avevano fatto lo stesso effetto a Sasha.

«Se stasera non hai di meglio da fare, ti andrebbe di accompagnarmi in qualche altro bar? Per la mia ricerca, voglio dire.»

«Speravo proprio che me lo chiedessi.»

«Bene.» Sasha sorseggiò altro champagne. Poi gli rivolse un sorriso radioso.

Uno che Chad non aveva mai visto.

E che lo fece innamorare come la prima volta.

«E magari domani potremmo sperimentare una certa cosa che in America non c'è» sussurrò lei, misteriosa. «Volevo già farlo da sola, ma adesso che ci sei *tu* qui...»

Chad acconsentì prima che lei finisse di parlare.

Il mattino dopo, Tristan andò a prendere il treno per Hakone alla stazione di Shinjuku, a quindici minuti a piedi dall'hotel. Lo accompagnava Chad. Quella sera, come previsto, sarebbe rimasto a dormire al *ryokan* di Jiro Mori.

Per non intralciare il fiume di gente frettolosa che affollava il marciapiede, si fermarono davanti a un baracchino che vendeva sushi e tempura *take away*.

Tristan posò il borsone da viaggio. Gli sembrava stranamente pesante. Ma forse quello che sentiva era soltanto il peso dei suoi pensieri, da quando Juliana se n'era andata e il suo letto era rimasto vuoto.

Il sesso era stato grandioso. Ma lui aveva chiesto di più. E aveva incasinato tutto.

Maledetto idiota.

Accidenti a lui. Avrebbe dovuto tenere la bocca chiusa. Soffocare tutte le emozioni. Che diavolo si aspettava?

Se solo...

La voce di Chad interruppe i suoi pensieri. «Sei pronto?»

Tristan annuì. Si era quasi dimenticato che aveva delle questioni molto più serie da risolvere.

E che riguardavano sempre Juliana.

Il dipinto.

Il *Dream Rising*.

Suo cugino lo stava osservando da dietro gli occhiali. Attento. Ma si capiva lo stesso che quella mattina camminava a dieci centimetri da terra.

Lui e Sasha avevano fatto progressi, la sera prima. Perlomeno uno dei cugini Cole sarebbe ripartito contento.

«Ti faccio sapere presto» disse Tristan, sperando di evitare domande sul suo umore nero.

«Sai già qual è la cifra massima che possiamo spendere per il *Dream Rising*» gli ricordò Chad.

«Sì.»

«Quindi chiamami quando è il momento di sbloccare i fondi.»

«Sei sicuro di non voler venire con me al *ryokan* per questo momento storico?»

Chad alzò le mani. «No. Tieni presente che Jiro Mori non mi ha invitato espressamente. Non vorrei fare la figura del maleducato presentandomi senza preavviso.»

Tristan non insistette oltre. Ben sapendo che Chad aveva promesso a Sasha di aiutarla nelle ricerche per il libro. Un primo passo, per provare a ricostruire il loro rapporto. Poteva seguire l'affare anche da lì, senza bisogno di arrivare ad Hakone.

«D'accordo allora» disse, stringendogli la mano.

Suo cugino non si lasciò ingannare. «Solo non presentarti alle trattative con quell'aria afflitta.»

«Di chi stai parlando?»

447

«Oh, dai. Come se non sapessi che hai un debole per Juliana Thomsen.»

Un debole.

Al diavolo, era molto, molto più di quello.

Era *un debole* che gli aveva concesso sì e no un'ora di sonno agitato la scorsa notte.

Era *un debole* che lo portava a chiedersi se poteva davvero tornare a casa e riprendere la sua solita vita.

Senza di lei.

O se avrebbe mai provato la stessa cosa per qualcun'altra.

Tristan fece per andarsene, poi si fermò. «Ascolta, so che finalmente tu e Sasha state provando a ricominciare da capo. E mi fa piacere. Credimi. Vorrei soltanto poter fare lo stesso con Juliana.»

Chad non sapeva che dire.

«Lasciamo stare i dettagli» aggiunse Tristan. «Ma credo che tutti noi meritiamo una seconda chance.»

«Non ho mai saputo che...»

Tristan alzò un dito. «E continuerai a non saperlo. Intesi, Chad?»

Suo cugino lo guardò senza parlare. Forse si stava domandando se era in grado di contendere il quadro a Juliana Thomsen, a quel punto.

Invece Chad lo prese per un braccio.

«Dai retta a me. Non permettere che la famiglia ti condizioni. Io ho commesso questo errore con Sasha e me ne sono pentito. Ho sempre creduto che tu fossi più scaltro e che non ci saresti cascato.»

Tristan non si mosse. «Probabilmente non lo sono stato abbastanza.»

L'aveva persa una volta e stava per perderla di nuovo. Perché era chiaro che Juliana non intendeva dare alcun seguito alla loro storia.

Stava per metterci la parola fine.

O forse era perché lui per primo aveva evitato di rivelare i propri sentimenti.

«Bene, allora» disse Chad, stringendo gli occhi dietro le

lenti degli occhiali, che erano idealmente diventate più rosa, dopo l'appuntamento con Sasha. «Non credi che sia ora di cominciare a cambiare?»

Senza aggiungere altro, si allontanò tra la folla agitando la mano in segno di saluto.

Tristan realizzò che suo cugino era andato avanti. Con Sasha e con la vita.

Lui invece stava soltanto restando indietro.

Juliana voleva comprare qualcosa di buono da mangiare per il viaggio. Perciò lei e Sasha si fermarono a un supermercato vicino alla stazione.

Prese un muffin alla crema di mirtilli e una focaccina al formaggio. Peccato non averle assaggiate prima queste delizie, ottime per scacciare la tristezza.

Già che c'erano, fecero un giro tra gli scaffali. Juliana sperava di distrarsi e di non pensare a Tristan, ma non fu così.

Era nervosa per quell'incontro di lavoro. Non era facile ritrovarsi di fronte, rivali in affari, sapendo che la loro storia era finita.

Più che altro era preoccupata per come avrebbe reagito lei, rivedendo Tristan.

Persino adesso aveva il battito accelerato.

Che ne era stato del flirt innocuo e senza conseguenze? Era partita con l'idea di togliersi qualche curiosità, esplorando il lato nascosto della sua sessualità. Per poi tornare sana e salva alla sua vita.

E invece guarda in che guaio si era infilata.

«Mi conviene passare in hotel prima di vedermi con Chad» disse Sasha, raggiante più che mai. I suoi occhi erano azzurri come il cielo senza più nuvole.

«Dunque hai davvero intenzione di portarlo a fare un giro dei *love hotel*, oggi?» le chiese Juliana, cercando di scacciare la malinconia. «Questo viaggio ti ha già cambiata, decisamente.»

«Intendiamo soltanto darci un'occhiata.»

«E se...?»

«Non correre troppo.» Si fermarono davanti all'ingresso della stazione, affollata di pendolari. «Abbiamo appena ricominciato a parlarci. Il resto è prematuro.» Sasha le lanciò un'occhiata incerta. «Non credi?»

«Dico che dovresti fare quello che ti sembra giusto.»

Si scambiarono un sorriso. E anche da quel piccolo gesto Juliana si accorse che la sua amica era davvero uscita dalla corazza dietro cui si era sempre nascosta.

Adesso però era lei che se l'era infilata.

Con Tristan.

Per tenerlo lontano.

Aveva sempre ammirato Sasha, specialmente quando aveva lasciato Chad per inseguire i propri sogni, senza farsi ostacolare da niente e da nessuno. Juliana aveva cercato la stessa indipendenza ma, come Sasha, sentiva che le mancava qualcosa.

«Ehi, stai di nuovo pensando a lui?» le chiese l'amica, prendendole una mano.

«A lui e ai miei. Sempre. Troppo.»

La ragazza tuttofare, leale alla famiglia, aveva cercato di cambiare pelle per qualche giorno. Ma non ci era riuscita.

E chissà se lo avrebbe mai fatto davvero.

«Ciao Jules» le disse Sasha, lasciandole la mano. «Buona fortuna. Chiamami, se hai bisogno.»

«Lo farò» rispose Juliana, senza averne la minima intenzione, mentre la osservava allontanarsi.

Come al solito, avrebbe risolto la faccenda da sola. Mettendo al primo posto il bene dei Thomsen. E tutto il resto in secondo piano, pur di non deludere chi le voleva bene e si fidava di lei.

Così era molto più facile.

Si voltò, diretta ai treni, sentendo che non stava andando da nessuna parte.

9

Come Atami, Hakone era una cittadina turistica nota per le sorgenti termali. Mentre la prima però vantava come attrazione turistica il museo per adulti, Hakone offriva una magnifica vista sul monte Fuji.

Una era peccaminosa, l'altra una succursale giapponese di *Yellowstone*.

Una volta sceso dal treno, Tristan seguì le indicazioni che gli aveva dato Jiro Mori e prese un taxi che in pochi minuti lo portò al *ryokan*, un tradizionale hotel giapponese a forma di pagoda, costruito su un pendio, tra gli alberi.

Guardandolo ebbe un tuffo al cuore. Era il classico posto per un weekend romantico. Dove lui e Juliana avrebbero potuto restare abbracciati per ore, chiudendo il resto del mondo fuori dalla porta.

Ma forse era proprio quello il problema. Al contrario.

Doveva convincersi a lasciare *lei* fuori dalla sua vita. Fingere di non essersi innamorato di quella splendida donna. Nasconderla proprio ai suoi familiari, che erano le persone a cui voleva più bene.

Quando se n'era andata, la notte prima, Tristan non aveva avuto la prontezza e la forza di opporsi. Se n'era pentito amaramente.

Se glielo avesse chiesto direttamente, invece di girarci intorno, magari avrebbe scoperto che anche Juliana non desiderava altro che raccontare la verità. Invece era stato zitto, per paura di venire ferito di nuovo.

Perderla una prima volta era un dolore che ancora oggi tornava a galla. Bastava e avanzava. Non c'era il bisogno di infierire una seconda.

Guardando il cielo, vide che minacciava pioggia. Avrebbe

voluto fare una passeggiata nei dintorni, prima di sedersi al tavolo delle trattative, qualche ora più tardi. Ma a quel punto era meglio soprassedere.

Sarebbe rimasto a rilassarsi in hotel. Si era portato un interessante libro sulla *yakuza*, l'organizzazione criminale giapponese, comprato mentre faceva incetta di souvenir.

Il suo corpo protestò, ricordandogli che c'era un modo molto più piacevole per passare il tempo, visto che sicuramente anche Juliana era già lì e...

Sì, certo. Come se bussare alla porta della sua stanza fosse facile, ora che era arrivato il quadro.

E ora che il sesso tra loro si era decisamente complicato.

Entrato in hotel, fu accolto da due donne in kimono. La più giovane uscì subito dalla stanza, mentre la più anziana gli rivolse un caloroso benvenuto in giapponese. Grazie a quelle poche ore di corso su dvd, riuscì a capire quasi tutto e a rispondere al saluto.

Poco dopo tornò l'altra impiegata, seguita da Jiro Mori. Tristan si stava togliendo gli stivali con la para per mettersi delle ciabatte di spugna, perché camminare con le scarpe in un *ryokan* sarebbe stato considerato un affronto.

«Tristan-san» lo approcciò il mercante d'arte facendogli un inchino. Indossava uno *yukata* e, persino con i capelli striati di blu, sembrava un altro, in quel contesto. «Lei è il primo ad arrivare. Ha fatto buon viaggio?»

«Sì, grazie.» Dunque Juliana non c'era ancora. La notizia fece sbiadire il panorama intorno.

«Mi sono assicurato che lei e la signorina Thomsen siate gli unici ospiti, stasera. La sauna, il bagno turco e tutto il resto sono a vostra esclusiva disposizione.» Fece cenno a Tristan di seguirlo. «Lasci che le mostri la proprietà.»

Gli fece fare il giro completo del *ryokan*, comprese le terme e i giardini verdissimi e bagnati di pioggia con le suggestive lanterne di pietra, le rocce, i ruscelli e i boschetti di bambù.

Ma ogni scorcio meraviglioso era un graffio al cuore. Perché Tristan pensava soltanto a come sarebbe stato bello avere Juliana accanto a sé, respirare insieme l'aria fresca che entrava dalle finestre senza vetri, guardare la pioggia. E guardare lei.

Attraversarono lunghi corridoi che profumavano di cedro, fino alla stanza che Jiro aveva destinato a Tristan. Aprì la tipica porta *shoji* in carta di riso e lo invitò a entrare. Scalzi: era vietato calpestare con le ciabatte i materassini *tatami* che coprivano il pavimento. Si potevano tenere soltanto i calzettoni bianchi.

«Le manderò subito la sua cameriera personale» gli disse Jiro. «Purtroppo però non parla inglese. So che saprà cavarsela con il giapponese, ma se ha qualche domanda particolare posso risponderle già io.»

Gli porse un foglio scritto in inglese con i consigli utili per soggiornare in un *ryokan* e a Tristan sembravano sufficienti, almeno per la prima notte.

Jiro Mori annuì e gli comunicò il programma della giornata.

«Alle cinque ci vedremo di sotto per parlare di affari. Poi vi verrà offerta una cena che non dimenticherete mai. Se vuole, può indossare il suo *yukata* anche fuori dalla stanza» aggiunse Jiro indicando il proprio kimono. «È qui per rilassarsi. E se c'è qualcos'altro che posso fare per lei non esiti a farmelo sapere.»

«Mi sembra un programma grandioso, non vedo l'ora.»

Si scambiarono un inchino, poi Jiro si allontanò.

Tristan studiò la camera, domandandosi quale fosse il posto più comodo per sedersi. Scartò subito la sedia, in pratica un cuscino posato per terra, con uno schienale rigido, allo stesso livello del tavolo con il piano in vetro. Meglio una delle poltroncine di bambù davanti alla finestra affacciata sul giardino.

Che avrebbe avuto il profumo dei capelli di Juliana.

Con un dolore nel petto, si avvicinò e guardò fuori. Scoprendo che la sua camera era praticamente un ponte sopra la vegetazione.

La finestra aperta lasciava entrare l'odore di foglie umide e di pioggia, mescolato all'aroma di cedro e di paglia, che probabilmente saliva dai materassi.

L'arredo era essenziale, ma elegante. Pannelli decorati di carta di riso. Un televisore piatto in un angolo, una piccola cassaforte, un vecchio telefono.

453

La pioggia che batteva sul tetto. E il canto degli uccellini.

Poteva quasi bastare a dimenticare il resto.

Arrivò la cameriera e gli fece cenno di accomodarsi sulla sedia rasoterra mentre versava il tè verde, accompagnato da un dolcetto di gelatina gialla avvolto in una foglia. Poi gli chiese di compilare un questionario in inglese con le sue preferenze: l'ora in cui gradiva la colazione, se preferiva usare le bacchette e così via.

Infine gli consegnò lo *yukata* che doveva indossare, quindi se ne andò.

Tristan bevve il tè, ascoltò la pioggia, cercò di leggere, prese il cellulare e accarezzò l'idea di fare uno squillo al suo facoltoso cliente di auto d'epoca e fissare un incontro per il giorno dopo. Ma non lo fece.

Dopo aver tergiversato per circa un'ora, non resistette più e uscì dalla stanza. Non voleva ammetterlo con se stesso, però la verità era che voleva vedere se era arrivata Juliana.

Lei era lì. La incontrò al piano terra. Indossava uno *yukata* bianco e grigio e curiosava in giro come una turista in un luogo misterioso.

Tristan smise di respirare.

Juliana non si accorse subito di lui. Stava guardando fuori da una finestra, con un'espressione così malinconica sul viso che avrebbe fuso anche una sbarra d'acciaio. Figuriamoci il suo cuore.

Che pure lei stesse fantasticando su come sarebbe stato bello passare del tempo insieme, in quel posto incantato?

«Tutto bene?»

Non voleva spaventarla, ma la sua voce sembrò comunque produrre quell'effetto. Juliana trasalì.

E quando si voltò, da come lo fissava, Tristan intuì che forse aveva *davvero* pensato a lui per tutto quel tempo.

«Allora, che te ne pare di questo *ryokan*?» le chiese, ignorando la tensione che aleggiava intorno a loro come una nebbia che appesantiva i polmoni.

«Vuoi saperlo?» Juliana si voltò di nuovo verso il giardino. «Un posto così può farti dimenticare ogni altra cosa.»

Proprio come il *love hotel*. E la sua stanza, la notte scorsa.

Tristan parlò prima di sapere cosa avrebbe detto. «In un mondo perfetto, mi sarebbe piaciuto portarti qui, come fossimo una coppia normale.»

Okay. L'aveva detto.

E ne era dannatamente contento.

Lei arrossì, come fosse stata colpita dalle sue parole.

E qualcosa si agitò nel petto di Tristan, premeva per uscire.

Ma poi Juliana abbassò gli occhi. E fu chiaro che intendeva tenere la linea dura.

Fedeltà alla famiglia.

A ogni costo.

«Non posso, Tristan» disse infatti. «Voglio troppo bene a mia zia e a tutti gli altri. E anche se mi sono detta che dovrei cambiare, non sono sicura che sopporterei la delusione che...»

Le si spezzò la voce.

Tristan avrebbe voluto correre da lei, stringerla e dirle che anche per lui era lo stesso.

Ma che, insieme, forse potevano convincere i loro familiari che tutto questo era sbagliato. L'odio tra Cole e Thomsen aveva distrutto la vita di Terrence ed Emelie. Non doveva accadere di nuovo.

Non fece in tempo. Juliana si allontanò dalla finestra e con un cenno del capo gli indicò di seguirla.

Dove? Il polso di Tristan cominciò a correre. Non necessariamente per ciò che poteva accadere, se l'avesse portato nella sua stanza.

Ma solo perché sarebbe stato con lei, quanto bastava perché il suo profumo, la sua essenza, gli avvolgesse i sensi, penetrando in ogni poro.

«Speravo di trovare una parte di giardino riparata dalla pioggia» continuò lei, con voce di nuovo ferma. Aveva ripreso il controllo. «Invece è tutto scoperto. Mi era venuta questa idea un po' vittoriana di mettermi a leggere le lettere di Emelie immersa nella natura, pensando che mi avrebbe fatto sentire più vicina a lei, offrendomi la giusta ispirazione per affrontare al meglio la trattativa per il *Dream Rising*.»

Posò la mano sulla cintura del suo *yukata* dove, notò Tristan, aveva infilato una serie di fogli.

Le lettere di Emelie – intuì – pensando alle copie dei diari di Terrence che custodiva nella sacca da viaggio.

Alla fine del corridoio, si trovarono davanti alla camera di Tristan. Lui la invitò a entrare, senza parlare.

La vide esitare. Forse voleva semplicemente fare due passi con lui, senza incontri ravvicinati.

Questo significava che anche a Juliana bastava stargli vicino.

Il battito del suo cuore raddoppiò la frequenza, mentre cercava di leggere dentro di lei.

Finché lei sorrise timidamente. Era un sì.

Oltrepassata la soglia, si tolsero le ciabattine e si misero a sedere sulle poltroncine di bambù davanti al giardino.

Tristan non sapeva quanto avrebbe potuto resistere senza almeno toccarla.

Juliana sfilò i fogli dalla cintura e li posò sul tavolo. Forse perché le davano fastidio, in quella posizione.

«Buffo» osservò, «ma a parte quel poco tempo che abbiamo passato insieme finito il liceo, e adesso tra le lenzuola, non sono sicura di conoscerti poi tanto bene.»

Aveva ragione. «Che vorresti sapere?»

Lei scosse la testa e ridacchiò piano. «Tutto... Se ti piace il tuo lavoro, per cominciare. O magari quante altre volte ti sei innamorato da quando ci siamo persi di vista. Questa parte l'abbiamo sempre saltata...»

«Sì, è vero.»

I loro sguardi si incontrarono, come succedeva sempre, quando erano insieme, in una stanza, per strada, ovunque. Tristan avvertì una scarica di adrenalina.

Okay. Era disposto a dirle tutto se...

Se cosa?

Cosa voleva esattamente da lei?

Continuò. «Le auto d'epoca sono la mia passione, da quando ero bambino. Trovare un rottame che abbia del potenziale e trasformarlo in un gioiello lucente che qualcuno vorrà comprare e custodire come un tesoro, questo è il mio lavoro. Lo amo. Mi rilassa. E mi tiene lontano dai guai.»

Juliana sorrise, invogliandolo a dirle altro.

«Quanto all'amore...» Prese coraggio con un lungo respiro. «Come potevo innamorarmi di qualcuna che non fossi tu, Juliana?»

Lei sobbalzò, poi arrossì violentemente.

Aveva colpito nel segno?

«Era la classica cotta tra liceali» disse infine, ma si capiva che stava cercando di convincere più che altro se stessa.

Senza riuscirci troppo, fu l'impressione di Tristan.

«Forse. Ma ho sempre sperato che un giorno saresti tornata, che ci saremmo rivisti e che sarebbe stato come se non fosse passata più di un'ora.»

La pioggia continuò a cadere sulle foglie.

«Anche io» ammise lei, con un sussurro.

L'aveva udita a stento e non ebbe il tempo di rispondere che Juliana riprese a parlare. «Crescendo però, i racconti su Terrence ed Emelie mi hanno influenzato più di quanto non sarò mai disposta ad ammettere. La loro storia è finita malissimo, scatenando addirittura una faida interminabile tra le nostre famiglie. Perciò credo che, inconsciamente, ho cominciato a stare in guardia, per evitare che mi succedesse la stessa cosa. Non penso di essermene nemmeno resa conto, prima di venire qui.»

«Che stai cercando di dirmi, Juliana?»

Lei respirò a fondo. «Quando ti ho lasciato e sono partita per il college non è stata una scelta facile. Però tu non hai fatto nulla per trattenermi. E io ho cercato di proteggermi da te, come Emelie avrebbe dovuto fare con Terrence. Forse ho anche voluto conservare intatto il ricordo di quello che c'era stato tra noi quell'estate, perché restasse...» Sembrò che le mancassero le parole per finire la frase.

Quando le trovò il suo sguardo si addolcì.

«Puro, volevo che rimanesse puro.»

Un sogno, pensò lui. Una storia romantica e perfetta, a cui poter ripensare di tanto in tanto. Com'era stata quella tra Terrence ed Emelie, all'inizio.

«Noi due ci conoscevamo appena» riprese Juliana scuotendo la testa. «Anche se passavamo tutto quel tempo insieme. Non c'era nessuna garanzia che da quei baci e da quei momenti rubati sarebbe poi sbocciato qualcosa di importante e duraturo, comunque.»

«Io volevo che restassi.»

Fu solo allora, quando lo guardò, che Tristan capì quanto fosse confusa.

«E allora perché non me lo hai detto?»

Perché anche lui si ricordava bene di Terrence ed Emelie, forse. Perché aveva avuto paura che avrebbero finito per provare le loro stesse inevitabili sofferenze, a causa dell'odio implacabile tra Cole e Thomsen, che non sembrava doversi spegnere mai.

Juliana posò le dita sulle lettere di Emelie. «Puoi immaginare come sarebbe tornare a casa e dover convivere con il senso di colpa? Le nostre famiglie non ci permetterebbero mai di dimenticare, Tristan. Dovremmo compiere una scelta. O noi o loro. Niente vie di mezzo.»

La stanza sembrò restringersi.

Una scelta.

Sarebbe stata disposta a fare adesso quello che non aveva osato allora?

Tenne la mano sopra i fogli, come se non volesse lasciarli andare, mentre lo guardava con gli occhi di un viola trasparente, che Tristan non aveva mai visto in tutta la sua vita.

E se invece fosse riuscita a mettere da parte quelle lettere e tutto ciò che significavano?

Lui, a quel punto, era davvero pronto a sottrarsi ai propri doveri?

Pensò al nonno e alla sua espressione preoccupata, persino mentre dormiva. Tristan lo aveva giurato a se stesso: avrebbe fatto qualsiasi cosa per restituirgli il sorriso.

Però voleva anche lei. Disperatamente. Così tanto che il desiderio lo stava dilaniando.

Terrence ed Emelie. E adesso lui e Juliana.

Stavano per cadere in una trappola, proprio come i loro

due antenati. E non avrebbero avuto scampo, se non avessero dominato l'orgoglio che aveva distrutto le vite di Terrence ed Emelie.

Ci era voluto quel viaggio fino in Giappone per capirlo. Ritrovarsi in un mondo che non avrebbe potuto essere più distante, per chilometri e per cultura. Un posto dove tutte le sue certezze erano state capovolte.

Quelle notti passate a nascondersi con la donna che amava tra le mura di un hotel lo avevano infine costretto a vedere con chiarezza.

Si alzò, prese le fotocopie del diario di Terrence dalla borsa da viaggio e le consegnò a Juliana.

All'inizio lei lo guardò sorpresa, come se non potesse credere al suo gesto.

Più potente di tante parole.

Ma poi Juliana sollevò le dita dalle lettere di Emelie. *Prendile pure*, voleva dire.

E mentre la pioggia cadeva picchiettando sulle foglie e sui rami, rimasero seduti l'uno di fronte all'altra, a leggere in silenzio.

Ridendo, Sasha e Chad si lasciarono cadere sul letto di un altro *love hotel*.

Era il terzo, quel giorno. Quel sopralluogo per il libro le stava costando un occhio della testa.

Però stava raccogliendo un sacco di materiale interessante...

«Non credevo che in vita mia sarei mai entrata in un posto come questo!» esclamò lei. «Fino a pochi giorni fa non mi sarebbe nemmeno venuto in mente. Credo che questo viaggio mi abbia cambiato.»

«In che senso?»

Il primo istinto di Sasha fu di sorridere senza aggiungere altro. Ma non aveva deciso di cambiare atteggiamento?

E allora: «Mi sento pronta a provare ogni esperienza».

Dopo una pausa – durante la quale sorprese Chad a mascherare un sorriso estatico – Sasha si sollevò sui gomiti e si guardò intorno. La stanza somigliava a un set di *Guerre Stellari*: il letto era un'astronave. Premendo un pulsante cominciava a vibrare, regalando sensazioni *galattiche*. In un angolo c'era una specie di bar interplanetario con alcolici e profilattici. Di fronte, una stazione spaziale completa di puntatori laser giocattolo, per offrire chissà quali brividi marziani.

Quando gli aveva proposto quel tour, all'inizio della giornata, gli occhiali di Chad si erano quasi appannati per la fiammata di eccitazione. Sasha però gli aveva subito chiarito che il tutto era soltanto a scopi di ricerca. Niente fuoriprogramma.

Ma quello che lui non poteva sapere era che, a ogni hotel che visitavano, lei stava seriamente riconsiderando la faccenda.

«Non so cosa darei per poter vedere una vera coppia giapponese in azione in una di queste camere» confessò Sasha, rimettendosi sdraiata con le mani dietro la nuca. «Piano eh, non sto dicendo che vorrei fare la guardona» aggiunse mentre Chad, allungato su un fianco, la guardava sbalordito. «La loro cultura richiede due modi opposti di mostrarsi, in privato e in pubblico. Sarebbe interessante scoprire quanto sono diversi.»

«Analitica fino alla morte.»

Lei sorrise, sapendo che era vero. Eppure dalla scorsa notte aveva cominciato a guardare il modo anche in un altro modo. Solo che non era pronta a confessarlo.

Il primo bar in cui erano entrati le era apparso come un'oasi celeste, e la rosa nel vaso come un'esplosione accecante.

Ma forse era così che succedeva quando riprendevi a fidarti di qualcuno. E a sperare.

«Hanno due parole precise per indicare le differenze di comportamento» spiegò Sasha. «*Honne* e *tatemae*. *Honne* è la reazione spontanea. *Tatemae* quella socialmente corretta.»

«Qui dentro mi sa che si vedrebbero un sacco di cosette molto *honne*» osservò Chad, divertito.

Sasha gli schiaffeggiò piano il braccio e lui rise, si alzò e cercò di capire come funzionava il congegno per far vibrare il letto.

Sasha restò immobile. Anche quando le luci del soffitto cominciarono a lampeggiare.

L'effetto era ipnotico. Sentì le palpebre farsi pesanti. Anche perché aveva dormito poco e dalla mattina presto non avevano fatto che correre di qua e di là.

Potrei chiudere gli occhi almeno per un momento, si disse. E si abbandonò al ronzio gradevole del materasso mentre Chad tornava a sdraiarsi accanto a lei.

Per quanto si trovassero in un posto strano – l'ultimo posto al mondo, forse, in cui si sarebbe mai immaginata di trovarsi – si sentiva...

Sorrise.

... si sentiva a suo agio. Ma questo poteva dipendere anche dal fatto che Chad era lì con lei. Aveva passato così tante notti a ricordare com'era stare con lui, che adesso la sua presenza le sembrava normale.

Doveva essersi assopita, perché prima che se ne rendesse conto, stava riaprendo gli occhi a fatica, ancora intorpidita. E si trovò sdraiata sul fianco tra le braccia di Chad, nella posizione del cucchiaio.

Il suo odore e la sensazione del suo corpo erano così familiari che fu quasi sul punto di riaddormentarsi.

Finché non realizzò che, come ai vecchi tempi, una mano di Chad era posata sul suo seno.

Spalancò gli occhi, scossa da una scarica di adrenalina.

È troppo presto, le gridò la sua mente.

Quando stavano insieme, si era svegliata così tante mattine in quella stessa posizione, che adesso non voleva muoversi.

Che Dio mi aiuti, quanto mi è mancato tutto questo, ammise. E mentre Chad faceva un lungo respiro, Sasha posò una mano sulla sua, premendola contro di sé.

Un groppo le serrò la gola.

Lo amava così tanto.

Non aveva mai smesso.

Il desiderio la incendiò. Premeva nel basso ventre, chiedeva di essere liberato.

Divenne sofferenza.

Chad.

Se non ora, quando? Avrebbe finalmente smesso di incolpare lui – e se stessa – per quello che non aveva funzionato la prima volta?

Avevano capito molte cose, restando lontani. E Sasha in questi ultimi giorni aveva anche imparato a uscire dai confini ristretti che si era imposta.

A lasciarsi andare.

Perciò cosa le impediva di metterlo in pratica?

Col respiro tremante, si mosse, sentendo il corpo di lui, lungo e magro, contro la schiena. Le cosce, il bacino, il torace, le braccia ancora avvolte attorno a lei.

Aveva desiderato l'indipendenza, ma voleva anche questo.

Voleva Chad con tutto il suo cuore.

Le dita incerte, cercò di sbottonarsi il primo bottone della camicetta. Continuò con gli altri, finché non riuscì a infilarci dentro la mano e ad aprire il gancetto del reggiseno, messo sul davanti.

Liberò l'aria dai polmoni, il polso frenetico, mentre si sdraiava di schiena. Le dita di Chad la accarezzarono sotto le costole. Con meno cautela, adesso, Sasha si denudò il seno, completamente.

Poi chiuse gli occhi una volta ancora.

Non potrai più tornare indietro, pensò.

Era ora. Era ora, accidenti.

Riaprì gli occhi, prese la mano di Chad e se la posò sul seno scoperto.

La scosse un debole lamento: la sua parte più selvaggia, che non aveva mai liberato prima, ora graffiava per venir fuori.

Troppo tempo, troppo tempo senza di lui.

Il respiro di Chad divenne più veloce e Sasha capì che anche lui si era risvegliato.

Eccome.

Le strinse i seni tra le mani sussurrando il suo nome.

Si era tolto gli occhiali. Affondò il viso nel collo di Sasha, ripetendolo ancora e ancora.

Il corpo in fiamme, lei si girò schiacciando la bocca sulla sua, in un bacio vorace che sognava da mesi.

Ma il sapore di Chad, la furia con cui labbra e lingua si divoravano era reale.

Intensamente reale.

Sasha premette il sesso contro quello del suo uomo, sentendolo indurirsi contro i pantaloni. Cedendo al desiderio devastante, sollevò una gamba portandola sopra quella di lui. E poi aderì contro il suo corpo, facendolo ingrossare ancora di più.

«Ti amo» gemette lui.

Le parole rimbombarono dentro di lei.

Finora si era trattenuta, ma a quel punto si lasciò andare.

«Anche io» confessò e l'ammissione le bruciò la gola ma aveva un bel suono. «Ti amo, Chad.»

Lui si tolse in fretta la camicia e Sasha godette al contatto dei seni sul torace nudo, i capezzoli eretti solleticati dalla peluria sottile.

Poi fu il turno dei pantaloni di Sasha, seguiti da quelli di Chad. Pochi istanti dopo si ritrovarono avvinghiati, l'erezione gonfia di lui che si insinuava tra le sue cosce.

Si sentì come divisa nettamente in due: le regole contro l'istinto, la paura contro lo slancio.

Da una parte c'era la Sasha fredda e razionale, dall'altra quella che voleva vedere il mondo in un'esplosione di colori.

«Ci sono quasi» sussurrò lui, la voce roca.

Se n'era accorta.

«Abbiamo tutto il tempo che vogliamo, finché vogliamo.»

Gli strinse il membro tra le mani e le sembrò naturale sentirlo correre tra le dita.

Con il pollice disegnò dei piccoli cerchi leggeri sulla punta vellutata e bagnata.

Chad gemette, soggiogato dalla squisita tortura, e Sasha avvolse l'altra mano attorno ai testicoli, sapendo che con quella mossa l'avrebbe mandato in tilt.

Lo accarezzò con ritmo sempre crescente per portarlo all'estasi.

Ma lui aveva altri piani.

«Voglio farlo dentro di te» disse, mettendosi a cavalcioni su di lei e tenendole le braccia ferme sopra la testa. «Ho aspettato un sacco di tempo e non voglio che succeda in un altro modo.»

Dentro di me. Non ho mai voluto altro.

Chad abbassò una mano, sfiorando l'incavo sensibile del braccio e Sasha sobbalzò, il sesso attraversato da uno spasmo di piacere doloroso.

Le prese un capezzolo tra le dita e lo massaggiò.

Lei inarcò i fianchi e l'erezione di Chad le urtò il ventre. Quando lui si chinò a prendere l'altro capezzolo tra le labbra, la fitta di godimento fu così intensa da proiettarla verso un orgasmo immediato e potente, un vortice che arrivò al centro del suo essere.

Lui continuò a succhiare, a carezzare, a leccare, trascinandola sul precipizio di un altro orgasmo.

Sapeva cosa fare.

Era sempre stato l'unico a sapere come amarla.

Le allargò le gambe e infilò il membro dentro di lei, dolcemente, come se fosse quello il suo posto.

Ed era così, pensò Sasha, mentre sollevava i fianchi prendendolo più a fondo.

Fu come se non se ne fosse mai andato.

Adesso le sembrava di pattinare sul ghiaccio sottile, mentre freddo e caldo si davano battaglia dentro di lei.

Ma fu quando Chad spinse più forte e più veloce che la superficie gelata si incrinò.

E Sasha seppe di non potersi più trattenere.

Si aggrappò a lui, muovendosi allo stesso ritmo, il suo corpo che si disintegrava centimetro dopo centimetro.

Finché...

Crack!

Il ghiaccio si ruppe.

E Sasha godette di nuovo, violentemente, gridando a pieni polmoni, infilandogli le unghie nella schiena.

Mentre il suo piacere scorreva come un liquido infuocato, irrorandole ogni cellula, Chad superò l'ultimo crinale e venne con vigore dentro di lei, prima di crollarle addosso, sfinito.

Erano ancora avvinghiati. Sasha avvertì una parte di sé che si allontanava. La lasciò andare.

E invece si aggrappò a quell'altra.
La parte *honne*.
Quella spontanea, più vera.
L'amore.
I colori dell'universo.
Abbracciò Chad ancora più forte.

10

Quando finirono di leggere, Juliana e Tristan si guardarono senza parlare.

Come se nessuno dei due sapesse che dire o che fare, a quel punto.

Quanto a lei, si stava ancora riprendendo da quello che Tristan le aveva rivelato poco prima, confessandole quanto avrebbe voluto che restasse con lui invece di partire per il college. Juliana lo aveva sempre sperato.

Purtroppo nessuno dei due aveva mai avuto il coraggio di scoprire la verità. E quello che poteva essere un amore era svanito, insieme a quell'ultima estate al liceo.

Alla fine fu comunque lei a interrompere il silenzio. «Dal suo diario... è chiaro che Terrence amava Emelie più di quanto mi è stato mai raccontato.»

«E anche per lei era così.» Tristan posò le pagine stropicciate. «Tutto ciò che è successo tra loro, dopo che si sono lasciati, è stato inutile. Quanto tempo buttato...»

Sembrava arrabbiato, ma Juliana sospettò che fosse una maschera per nascondere la tristezza. Perché era questo il sentimento che provava anche lei.

Tristezza per due persone – e due famiglie – che avevano davvero sprecato anni e anni a farsi la guerra. Per niente. Quando le cose invece avrebbero potuto essere chiarite e risolte già da un pezzo.

E probabilmente lei e Tristan non sarebbero stati costretti a rinunciare all'amore. Allora. E adesso.

Ma cosa era cambiato, in fondo?

Sapere che Terrence ed Emelie si erano amati alla follia e per sempre non poteva comunque annullare la contesa spietata per aggiudicarsi il quadro dello scandalo. Il

466

Dream Rising. Il sogno e la passione. Il simbolo di una battaglia sfuggita a ogni controllo.

Qualcuno bussò alla porta. Doveva essere la cameriera che li invitava a scendere, realizzò Juliana.

Si affrettò a raccogliere le lettere di Emelie e a infilarsele nella fusciacca del kimono.

«Ehi» le disse Tristan.

Non alzare gli occhi. Se lo fai, leggerà dentro di te. E saprà che hai paura di soffrire, come Terrence ed Emelie. Saprà che desideri più di ogni altra cosa allungare una mano per toccare la sua, stabilire un contatto con lui, quando invece sai che non dovresti.

Non riuscì a resistere.

Tristan la stava guardando come mai nessun altro, con un'emozione negli occhi che non aveva niente a che vedere con l'affetto premuroso di una zia o il calore di un buon amico.

No, questo era un amore profondo e disperato.

Le si avvicinò e Juliana si sentì tremare, senza più difese. Stava per dirgli che poteva prendersi quel dipinto, che per lui era disposta a tradire la famiglia e a sopportarne le conseguenze.

Poi la realtà di come sarebbe stato – gli sguardi feriti e increduli – le cadde addosso come un macigno.

Aveva sacrificato se stessa e la sua indipendenza, per aiutare zia Katrina. E non era stata una rinuncia di poco conto.

Eppure lo aveva fatto volentieri, perché non si può abbandonare chi, mettendo da parte tutto il resto, si è preso cura di te perché sei rimasta sola al mondo e hai bisogno di aiuto più che mai.

E fu questa parte di lei che vinse, in quel momento.

Prese la mano di Tristan nelle sue, mentre il corpo sembrò ripiegarsi su se stesso, schiacciandole il cuore.

«Vorrei che le cose fossero diverse» disse.

Lui ritrasse la mano. «Vorrei che capissi che potrebbero esserlo.»

Voltò il viso di scatto e si avviò alla porta. L'espressione impassibile, le spalle forti appena incurvate.

Juliana provò una fitta prolungata al petto.

Tristan non riusciva a vedere la situazione in maniera realistica, pensò, mentre la morsa la stritolava, togliendole l'aria. Si era lasciato suggestionare dalla favola perfetta raccontata nel diario di Terrence e nelle lettere di Emelie. Dimenticando che non c'era stato un lieto fine. Ma un muro di odio e di disprezzo.

La cameriera li accompagnò di sotto, in una grande stanza dominata da un lungo e basso tavolo di legno scuro e lucido, sistemato sopra un *tatami*.

Jiro Mori li stava aspettando, insieme a una giovane donna dal sorriso cordiale e i capelli a caschetto. Con la vista appannata dalle lacrime, Juliana vide, in un angolo, un cavalletto coperto da un telo. E capì che sotto al lenzuolo c'era il quadro.

Nel suo cuore si aprì una crepa.

Il *Dream Rising*.

La causa di tutto il dolore.

Fece appello a tutta la sua forza per mostrarsi fredda e professionale, salutando i presenti e ricacciando indietro il pianto. Jiro presentò la sua collaboratrice Midori Sakai, l'esperta che garantiva l'autenticità dell'opera d'arte. Poi fece loro cenno di sedersi mentre le cameriere portavano il tè.

Jiro e Midori si avvicinarono al dipinto, come fossero ansiosi di svelarlo ai presenti.

«È un quadro straordinario» disse lei in un inglese perfetto.

Juliana guardò Tristan, che la ricambiò, gli occhi di un grigio più scuro. Avrebbe voluto sapere cosa stava pensando, senza però correre il rischio di sentirsi rispondere confidenze che non voleva ascoltare.

Meglio non dire una parola. Meglio mettersi alle spalle quella faccenda, prima possibile, tornarsene a casa e...

Il suo petto non poteva più reggere quel peso.

La voce di Jiro spezzò quello scambio di sguardi. Lasciandola con un senso di vuoto che non riuscì a identificare.

«Siete pronti?» chiese il mercante d'arte.

«Sì» rispose Juliana, troppo in fretta.

Con la coda dell'occhio vide che Tristan annuiva appena, come se stesse pensando ad altro.

Jiro si voltò verso la sua assistente. «Procedi pure.»

Lentamente, Midori scoprì il quadro.

Il silenzio cadde nella stanza, mentre la pioggia che batteva sul tetto faceva da sottofondo.

I colori, fu la prima cosa che Juliana pensò, portandosi la mano alla gola. Non si aspettava l'intensità del rosso porpora sullo sfondo dell'acquerello, che più su sfumava in una nebbia viola attorno alle braccia sottili di Emelie, levate verso l'alto.

Non credeva che potesse turbarla così tanto.

Questa era la più palpitante, intensa e disarmata dichiarazione d'amore che Terrence avesse potuto affidare al suo pennello.

E le uncinò il cuore.

Amore. Juliana non ne aveva mai visto una raffigurazione così vitale eppure così struggente. E non era sicura che se ne sarebbe accorta, prima di allora.

Abbassò lo sguardo prima di tradire quanto era profonda la sua pena. Non sapeva che si potesse amare tanto qualcuno da vedere il mondo a colori abbaglianti.

Oppure sì?

Midori si era lanciata in una lunga spiegazione sul perché era sicura che il dipinto fosse quello originale. A quanto pare – fu tutto ciò che Juliana riuscì a cogliere – Terrence Cole aveva l'abitudine di nascondere le proprie iniziali in un intricato ricamo a margine di ogni acquerello.

Quando l'esperta concluse la sua dettagliata esposizione, Jiro guardò Juliana e Tristan.

Ma nessuno dei due disse una parola.

E il silenzio continuò finché fu proprio Juliana a parlare di ciò che aveva letto nel diario di Terrence. Con una voce che sembrava provenire dalla fitta nebbia purpurea del quadro.

Non era nemmeno sicura se era rivolta a Tristan, a Jiro Mori o a se stessa. «È tutto così tragico...» disse. «Sapevo che Emelie era perdutamente innamorata di Terrence e che quando lui l'aveva respinta aveva sofferto parecchio, ma adesso so che anche per lui è stato un grande dolore rinunciare a Emelie.»

Ogni parola le graffiava la gola. «Era disperato perché la lealtà verso la propria famiglia gli imponeva di accettare quel matrimonio combinato. Non avrebbe mai voluto separarsi da Emelie e con questo quadro volle mostrarle quanto era importante per lui. Intenzionato a tenerlo sempre con sé, pensando che, almeno questo, nessuno avrebbe potuto portarglielo via.»

Prese fiato. «Ma a Emelie non bastò. Pretendeva di più. Voleva *tutto* di lui e avrebbe dovuto averlo. Non sono mai riusciti a capirsi, a perdonarsi. A ritrovarsi.»

Sentì che Tristan la stava guardando.

Il resto, in realtà, le era indifferente.

La mano le ricadde in grembo. «Terrence ha dipinto la donna che amava» aggiunse. Parlava con Tristan, adesso. Solo con lui. «Ma allo stesso tempo questo acquerello rappresenta pure la sua anima. Perché Emelie *era* la sua anima. E non mi stupisce che la tua famiglia non abbia mai reso pubblici i diari di Terrence. Mostravano...» *Non dirlo.*

Lo disse.

«... la speranza per ciò che lui ed Emelie avrebbero potuto avere insieme.»

La voce di Tristan si inserì nella sua pausa. «E potrebbero ancora averlo.»

Il suo tono, profondo e turbato, la scosse.

Non lo guardò. Altrimenti sarebbe crollata e non poteva permetterselo.

Come se non ci fossero altri che lei nella stanza, Tristan proseguì.

«Emelie era convinta che Terrence intendesse lasciare a lei il dipinto. Il *Dream Rising* era tutto ciò che le restava di lui. L'unica cosa a cui aggrapparsi dopo aver perduto l'uomo che amava. Il quadro le diede la forza di resistere, nei pochi giorni in cui restò in suo possesso, poi le fu davvero rubato. Emelie ne parla in una lettera alla sorella.»

Tristan continuava a fissare Juliana. «Il ricordo le fu di conforto nei momenti più difficili ma lei, loro, avrebbero potuto avere molto di più, se Terrence si fosse opposto alla propria famiglia, rifiutandosi di accettare quel matrimonio combinato.»

Non guardarlo, ricordò Juliana a se stessa.

Si costrinse a fissare il quadro. Quelle mani protese in un gesto disperato.

Ma al posto di Emelie vide una donna che aveva perduto l'amore per paura di esserne travolta.

Poi tutto le fu chiaro di colpo: fare sesso con Tristan, abbandonarsi ai sentimenti, volare più su, dove comincia il sogno. E poi ritornare bruscamente sulla terra, perché donarsi anima e corpo a lui era un tradimento.

Come poteva cambiare tutto questo?

Sentì qualcuno schiarirsi la gola e realizzò che era stato Jiro.

«Se per voi va bene, possiamo andare avanti» disse il gallerista, con il tono di chi sapeva bene quanto il *Dream Rising* fosse costato alle rispettive famiglie... e quanto sarebbe costato adesso a uno di loro due.

Andare avanti.

A dirlo, sembrava così facile.

Ma poteva mai accadere?

Lanciò un'ultima occhiata a Tristan, prima di affrontare la battaglia finale.

Senza trovare risposta.

Chiusa la trattativa, come promesso, Jiro offrì loro una

cena sontuosa che era in sé un'opera d'arte: sashimi di salmone con fragole, fagottini di manzo e asparagi, involtini di astice e avocado, tempura di gamberi.

Tristan fece onore a ogni portata, nonostante avesse lo stomaco chiuso. Quando più tardi salì nella sua stanza per telefonare a Chad, gli sembrava di non provare assolutamente nulla.

Suo cugino rispose al terzo squillo. Sembrava rilassato e... appagato.

Tristan non fece domande.

«Duecentocinquantamila dollari» disse invece, senza preamboli. «Puoi procurarteli?»

Avvertì un cambiamento immediato nel tono di Chad. «Ce l'hai fatta, allora? Hai battuto i Thomsen e ti sei aggiudicato il dipinto?»

«Sì.»

La sua voce era piatta e incolore, ma non poteva che essere così, paragonata alle parole di Terrence ed Emelie. O allo splendore incandescente del *Dream Rising*, che gli aveva fatto capire con lancinante chiarezza cos'era che legava lui e Juliana.

Amore. Complicato da definire, difficile da imprigionare con poche parole. Ma innegabilmente amore.

Fermò lo sguardo su un ramo spiovente, fuori in giardino. Ne era sicuro: anche Juliana era innamorata di lui. Erano destinati a stare insieme. Da sempre.

Chad stava ancora parlando. «Certo che duecentocinquantamila dollari sono un prezzo piuttosto alto.»

Non poteva sapere quanto fosse costato a lui. «Dovrò saccheggiare i conti della famiglia, ma il denaro c'è.»

«Vero.»

Tristan sentiva che Chad voleva parlare ancora, ma chiuse in fretta la conversazione e lanciò il cellulare nella sacca.

Non se ne sarebbe andato senza rivederla, senza...

Bussarono alla porta.

«Avanti» disse, pensando che fosse il servizio in camera.

472

Ma non era la cameriera e il battito impazzito del polso glielo confermò.

I lunghi capelli biondi che le coprivano parte del viso, impedendogli di scorgere la sua espressione, Juliana si sfilò le ciabattine ed entrò nella stanza, ravviandosi le ciocche dietro le orecchie.

Era triste, pensò Tristan. Lo erano entrambi.

«Congratulazioni. Non sarebbe stato gentile partire senza farti i miei complimenti.»

«Non ce n'era bisogno, me li avevi già fatti subito dopo e poi ancora durante la cena con Jiro e Midori.»

Voleva chiederle perché era lì – voleva sentirselo dire da lei – ma temeva di spaventarla.

Sarebbe riuscito a farglielo confessare, prima che uscisse da quella camera. Dannazione, non intendeva tornare negli Stati Uniti senza di lei.

Juliana si avvicinò. L'aria del ventilatore nell'angolo le sollevò i capelli. Tristan se li immaginò soffici e profumati contro il suo viso.

«Glielo hai già detto?» chiese.

«Ho chiamato casa, ma ha risposto lo zio Gary.» Juliana serrò le labbra. Parlava con fatica. «Zia Katrina era così agitata per la trattativa che hanno chiamato il dottore.»

«Stai scherzando.»

«No, sta bene adesso, ma a volte le succede. Spero che queste crisi d'ansia non peggiorino. Sono terrorizzata al pensiero di come reagirà, quando saprà la verità sul quadro.»

Figuriamoci se fosse venuta a sapere della tresca segreta tra la sua pronipote e uno dei rampolli dei Cole.

Ma questo Juliana evitò di aggiungerlo, lo pensò e basta.

A Tristan non andava giù che la famiglia riuscisse a condizionare Juliana in questo modo. Tutta Parisville sapeva che abile manipolatrice si nascondeva dietro l'apparente dolcezza di Katrina Thomsen.

Si alzò. Le si avvicinò. «Juliana.»

E prima ancora che se ne rendesse conto, Juliana era addosso a lui, il viso contro il suo torace, le braccia attorno alla sua vita. Colto di sorpresa, Tristan restò immobile per una manciata di secondi. Poi le accarezzò con tenerezza i capelli, stringendola a sé.

Oh Dio. Questo non poteva finire. Non poteva.

«Non ce la faccio a darle anche questo dispiacere» disse Juliana. «Mi sentirei un'egoista.»

«Ho pensato la stessa cosa. Arriverà mai il momento in cui saranno loro a preoccuparsi della nostra felicità? Perché questa assurda guerra tra Cole e Thomsen deve contare di più di noi?»

Le prese il viso tra le mani. Le lacrime negli occhi di Juliana quasi lo uccisero.

Non poteva sopportare di vederla così. E se fossero tornati a casa annunciando ai quattro venti che stavano insieme, molte altre lacrime sarebbero state versate.

Forse per il resto della loro vita.

Lei gli premette la guancia contro la mano e Tristan non poté fare altro che abbracciarla.

E dopo?

Non lo sapeva più.

Juliana non avrebbe voluto lasciarlo.

Mai.

Però aveva la sensazione angosciante che, se avesse fatto una scelta ora, sarebbe comunque stato molto più difficile mantenerla, una volta rientrata a Parisville, dove le conseguenze le si sarebbero ritorte contro alla velocità della luce.

Dunque questa era l'ultima volta che vedeva Tristan.

Sarebbero finiti come Terrence ed Emelie. A vivere nella stessa città, ma divisi, per non aver avuto il coraggio di seguire la via del cuore.

Adesso però era lì con lui. E avevano ancora una notte.

Poi sarebbero tornati alla vita reale.

Basta giochi spensierati nel Paese delle Meraviglie.

Stretta a Tristan, forte e solido, si sentiva al sicuro.

Una volta ancora. Un ultimo ricordo.

Lui doveva aver pensato la stessa cosa, perché infilò le mani tra i loro corpi per aprirle il kimono.

E poi slacciò il suo.

Pelle contro pelle, nuda, rovente.

Juliana boccheggiò quando il membro di Tristan le urtò la pancia. Era già completamente eretto ed eccitato. La punta gonfia e bagnata spingeva contro di lei.

Senza staccarsi completamente, piegò una gamba e poi l'altra, sfilandosi i calzettoni.

Quindi si tolse il kimono e lui fece lo stesso.

Il sangue le affluì tumultuoso e caldo verso il basso ventre, a inturgidirle la clitoride, al punto che avrebbe voluto toccarsela per allentare la tensione.

Fece scorrere le mani sul ventre tonico di Tristan, poi sul fondoschiena muscoloso.

Ne fosse stata capace, avrebbe voluto dipingerlo, come Terrence aveva fatto con Emelie, per mostrargli quanto era importante. Per dirgli che un giorno, forse, avrebbero trovato il modo di stare insieme.

Lui intanto si era chinato a stendere per terra il suo *yukata*, come un letto improvvisato. La cameriera avrebbe portato un *futon* soltanto più tardi, perciò per adesso dovevano accontentarsi di quello.

Sarebbe andata bene qualsiasi cosa.

L'intensità del suo sguardo grigio la indusse a inginocchiarsi davanti a lui. Occhi negli occhi, mano nella mano.

Sembrava la promessa che avrebbero superato tutto, ma Juliana non poteva crederci.

Avrebbe voluto, ma conosceva il confine tra fantasia e realtà.

A un certo punto Juliana doveva tornare dall'altra parte. E questo faceva male.

Come faceva male amare Tristan.

E lei lo amava.

Forse lo aveva sempre amato.

Tristan lesse lo sconforto nel suo sguardo e quando lei gli toccò il pene, quel contatto bruciante lo fece sussultare.

Fu tentato di prenderla subito, per tacitare la disperazione.

Era questo che voleva davvero?

Il suo corpo disse sì, il cuore urlò no.

Voleva farlo per bene, lentamente, a lungo.

Voleva tutto ciò che lei non avrebbe più potuto dargli, se non in quel momento.

«Juli...»

Il suo nome gli morì in gola mentre lei faceva scorrere la mano su e giù.

Respiro. Cuore. Si era fermato tutto.

«Voglio farti felice» mormorò Juliana spingendolo piano, per indurlo a sdraiarsi con la schiena a terra. «Lasciamelo fare, finché posso.»

Mentre Tristan si inclinava all'indietro, lei si toccò il sesso, ci infilò dentro le dita e poi con quelle stesse gli circondò il membro duro, accarezzandolo tutto.

Saperla già così pronta per lui fu un lampo che gli trafisse il corpo, una scossa da migliaia di watt.

Perché non poteva essere così anche dopo?

Non riuscì a trovare una risposta, né la cercò più, quando Juliana lo afferrò alla base e risalì verso la punta, ruotando il polso e alternandosi con le due mani, senza mai smettere.

Sembrava che un liquido caldo gli scorresse addosso e Tristan si lasciò cadere sulla schiena, incapace di fare altro che sentire l'orgasmo montare dentro di lui.

Cercò di pronunciare il nome di lei un'altra volta, forse per fermarla, perché lo stava facendo impazzire con quella interminabile spirale di carezze.

O forse stava cercando di dirle che soltanto lei era capace di fargli questo. Di prendersi il suo corpo e tutto il resto. Anche quella parte più nascosta che mai nessun'altra aveva conosciuto.

Perché Juliana, solo Juliana, era il suo sogno.

«Mostrami quanto sei felice» disse lei. «Lascia che ti ricordi così.»

Aumentò ritmo e intensità delle carezze e Tristan si aggrappò al kimono steso sotto di sé, tirandolo, lottando contro il calore che ribolliva al centro del suo essere.

La foschia purpurea del dipinto...

La passione, l'estasi...

Esplose in un orgasmo incontenibile, irrorando il suo stesso ventre e le mani di Juliana.

E anche quando ebbe finito, lei continuò a stringerlo e a massaggiarlo, piano, sempre più piano.

Tristan vide l'emozione nascosta dietro il viola dei suoi occhi, un colore dolce come il crepuscolo, poco prima che il sole scompaia oltre l'orizzonte.

Se non era amore, allora avrebbe avuto torto per tutta la vita.

Juliana provava quello che provava lui. Lo sentiva.

E fu trafitto da una rabbia feroce, rabbia contro il mondo, contro quello che stava distruggendo ogni loro possibilità di stare insieme.

Si tirò su a sedere, la afferrò per la vita e la strinse a sé, il sesso caldo e bagnato sopra al suo membro. Non riuscì più a connettere razionalmente.

Juliana lo abbracciò.

Lui fece scorrere le dita sulla sua guancia, sul collo, sul petto.

Sul cuore.

«Voglio credere che mi basterà stare qui dentro» disse. «Ma non è così. Non mi basterà mai.»

«Tristan...»

Era tormentata dai sensi di colpa.

«Juliana» ripeté. E in quel nome adesso c'erano tutte le sue emozioni.

La guardò e la vide esitare, vacillare, chiedersi cosa doveva fare.

Si chinò a baciarla proprio sopra il seno, dove il cuore batteva come se cercasse di uscire dal suo riparo.

Juliana si aggrappò alle sue spalle, mentre Tristan si portava il capezzolo alle labbra, prendendolo in bocca, disegnandoci intorno piccoli cerchi con la lingua, succhiandolo con devozione.

Lei mugolò e lui allora scese con le dita lungo lo stomaco e sulle gambe. Gliele aprì, percorse l'interno delle cosce, lento, a risalire.

Juliana sussultò, si dimenò e lui implacabile avanzò sempre più su, sempre più vicino al suo sesso.

Senza smettere di suggerle il capezzolo, la fece sdraiare con la schiena a terra.

Poi passò all'altro seno, continuando ad accarezzarla tra le gambe. Juliana muoveva i fianchi pregando che non smettesse.

Tristan si fermò per guardarla in viso.

Pochi istanti... E poi sferrò un altro attacco.

«Ogni notte... Potremmo avere questo ogni notte...» le sussurrò.

Juliana riaprì gli occhi, come se soltanto allora si fosse accorta di quello che stava accadendo.

Li richiuse un istante dopo, abbandonando la testa, con un gemito di resa.

Tristan intensificò le carezze e lei gemette più forte.

E ancora.

Ancora...

Juliana stava cercando di resistergli.

Ma avrebbe vinto lui.

11

Anche se la sua pelle era ormai in fiamme e il suo corpo non rispondeva più alla mente, l'enormità di quello che stava facendo continuò a tormentare la sua coscienza.

Non pensare ad altro, solo a Tristan, si disse, sollevando il bacino in cerca delle sue carezze, assecondando il gioco delle sue dita esperte.

Non pensare a loro.

Lui raggiunse il suo punto più sensibile, lo sfiorò e poi si ritrasse, e Juliana si contorse in agonia.

«Non smetterò» mormorò Tristan, zigzagando provocante sul monte di Venere.

Lei si morse il labbro con forza.

Non puoi cedere, pensò mentre la mente le presentava gli scenari peggiori, uno a uno. Restare sola, senza più nessuno, come le era successo quando era piccola, senza più i genitori, finché la zia non era arrivata a prenderla...

Tristan si chinò e posò un bacio leggero sul suo seno. Poi le lanciò uno sguardo così appassionato che Juliana sentì una corrente calda risalirle nelle vene.

«Non varrebbe la pena sopportare ogni istante di infelicità in cambio di questo?»

Sì, pensò lei.

Poi lui la baciò ancora, sotto la curva del seno stavolta, e quando le labbra lasciarono la sua pelle Juliana andò a cercarlo, inarcando la schiena. Nessuno era mai stato così paziente con lei... o così tenace. Nessuno le aveva mai dimostrato tanta dedizione nel volerla amare.

Questa consapevolezza incendiò ancora di più il suo corpo, facendole pulsare il sesso quasi con dolore. Privandola anche dell'ultimo milligrammo di forza di volontà.

Come se lo avesse intuito, Tristan tornò a baciarle il capezzolo, con più prepotenza, succhiandolo con avidità, fino quasi a strapparle un grido. E nello stesso tempo, con il pollice, prese a massaggiarle la clitoride turgida e rosa.

«Bellissima Juliana» sussurrò. «Perfetta Juliana.»

Un'eco dal passato. Di quando le diceva le stesse cose avvinghiati dentro la sua auto, tenendola stretta, baciandole il collo. Il tempo, adesso, non aveva più scansioni, era un unico, ininterrotto fluire di giorni. Senza un prima né un dopo.

Non ho mai smesso di avere bisogno di lui, pensò Juliana, firmando un atto ufficiale di resa.

Non smetterò mai.

Era la verità. Accettarla la aiutò a scacciare il senso di colpa, almeno per il momento. Intrecciò le mani nei suoi capelli neri.

Sì, alla fine sarebbe tornata a casa dalla sua famiglia. Ma l'avrebbe sempre amato.

Questa consapevolezza la liberò di ogni remora, rendendola dieci volte più disinibita.

E sensibile...

Tristan si spostò sull'altro seno, muovendosi con lentezza, in adorazione, come se non volesse mai finire. Juliana gli affondò le unghie nella nuca, mentre lui le mordicchiava con delicatezza la punta rosata, leccandola finché non fu dura ed eretta.

La lingua prese lo stesso ritmo delle dita che le accarezzavano il sesso. Juliana gemette come se stesse soffrendo, ebbra di un doloroso piacere che la faceva sentire più viva che mai.

E quando Tristan infilò il dito medio dentro di lei, continuando a succhiarle il capezzolo, il gemito di Juliana divenne un miagolio di godimento puro.

Allargò le gambe per lui, invitandolo ad andare più a fondo.

Acceso ed eccitato quanto lei, Tristan la distese a terra, prese la propria erezione e la guidò tra le sue cosce. La punta del pene la urtò e Juliana d'istinto sollevò il bacino.

«Adesso» gli intimò, incapace di attendere un secondo ancora.

Entrò in lei con un solo colpo.

Lei lo accolse gridando il suo nome. Tristan la riempiva completamente. E mentre affondava di nuovo nel suo sesso dischiuso e palpitante, spezzò ogni sua resistenza, massiccio e potente, implacabile.

Un tuono rombò nelle viscere di Juliana.

Si guardarono negli occhi, i fianchi sempre più frenetici. Lei fece leva sul pavimento per avvicinarsi ancora di più, come se volesse fondersi con Tristan.

Adesso quell'uomo magnifico era davvero parte di lei, non poteva più negarlo.

Il tuono divenne una scossa sismica che disintegrò il suo corpo, faglia dopo faglia, cellula dopo cellula.

Poi un'onda gigantesca, come un muro d'acqua, si sollevò e restò sospesa per un istante infinito, abbattendosi poi come una violenta cascata, insinuandosi nelle crepe profonde del suo fragile essere, portandola all'esplosione primordiale, finché rimasero soltanto frammenti di pensiero.

E poi più nulla.

Tristan.

Juliana stava ancora godendo quando, spinto oltre il limite dagli spasmi del suo orgasmo, venne anche lui, impetuoso, torrenziale.

La forza delle contrazioni continuò a dilaniarla.

Pezzo dopo pezzo...

Prima uno...

Poi l'altro...

E alla fine, dopo quelle che le sembrarono ore, ebbe un ultimo sussulto e lo attirò contro di sé, nascondendo il viso nel suo collo.

Respiravano insieme, affannati e stanchi. La pelle di Tristan sapeva di sale e sudore e colonia e questo mix celestiale finì di ubriacarla. I suoi capezzoli erano doloranti e arrossati e niente le era mai sembrato così bello.

Mentre il battito pian piano tornava normale, Juliana continuò a stringerlo, sapendo che era quasi ora di lasciarlo andare.

Ma più si aggrappava a lui e più inconsistenti le sembravano le ragioni per dirgli addio.

Mi passerà, prima o poi, pensò, cercando di fare appello all'innato senso pratico che le aveva consentito di affrontare e superare ogni difficoltà. Compreso il dispiacere di dover rinunciare a un lavoro che le piaceva e alla libertà, per tornare a Parisville.

Certo che doveva passare, o sarebbe impazzita.

La bocca di Tristan si spostò su un punto delicato dietro l'orecchio e Juliana pregò che non avesse frainteso, dando per scontato che quell'ultimo amplesso le avesse fatto cambiare idea.

Chiuse gli occhi. Odiandosi ferocemente. Ben sapendo però, che avrebbe provato la stessa sensazione se avesse scelto lui e non la sua famiglia.

Mi sento impotente. L'amore non dovrebbe farmi questo effetto.

Come se intuisse il percorso dei suoi pensieri, Tristan tese i muscoli. E nel battito infinito del loro silenzio, la ribelle che c'era in Juliana si mise a immaginare come sarebbe stato raccontare la verità ai suoi cari. Mostrarsi per quella che era, lottare per quello che voleva.

Solo che poi, al dunque, le sarebbe mancato il coraggio, ammise. Come quando, all'inizio di quel viaggio, aveva giurato di dire addio al suo alter ego di ragazza tuttofare. Come no. Non aveva fatto altro che prendere in giro se stessa.

«Dunque finisce così» disse Tristan, contro la sua pelle.

Lei lo strinse ancora di più. «*Deve* finire così.»

Mentre lui la abbracciava, Juliana si ripeté che stavano facendo la cosa giusta.

Come mantra suonava bene.

Dentro però le lasciava un senso desolante di vuoto.

«Juliana, hai tu il martello e i chiodi?» chiese Sasha entrando nel soggiorno del suo appartamento, invaso dagli scatoloni, due settimane dopo. Anche se indossava una tuta di felpa, riusciva comunque a essere impeccabile, come sempre. La frizzante brezza dell'oceano entrò dalla finestra aperta e le scompigliò i riccioli biondi, finalmente sciolti sulle spalle.

Ma forse quell'aspetto radioso dipendeva dal sorriso che portava stampato sul viso, adesso che aveva deciso di trasferirsi in una cittadina sulla costa del Pacifico, ad appena mezz'ora da Parisville.

Seduta sul divano di finta pelle rossa, Juliana le porse il martello. «Eccolo, Sash.»

«Perfetto.»

Teneva in mano una veduta dello *skyline* di Tokio dipinta ad acquerello, comprata in un mercatino e spedita a casa con un corriere.

Dopo che Juliana era tornata negli Stati Uniti, Sasha e Chad erano rimasti in Giappone per un'altra settimana, ospiti di un suggestivo e isolato *ryokan*. Di giorno partivano in esplorazione per trovare altro materiale esotico ed erotico per il libro di Sasha. Di sera facevano lunghe passeggiate al chiaro di luna. Di notte... be', di notte mettevano in pratica i suggerimenti raccolti per il lettore...

Intendevano tornarci presto, per un giro molto più lungo.

Sasha salì sul divano a piedi scalzi e provò come stava il quadro sulla parete. «Cosa ne pensi? Va bene messo così al centro della stanza?»

«Sì, bene.» Juliana non lo guardò nemmeno. Non voleva mai più vedere un acquerello in vita sua, nemmeno la cornice.

L'amica si accorse di quanto era distratta. E si acciambellò sul sofà con il dipinto in grembo.

«Sei diventata la regina dei depressi e io non ho la più pallida idea di come farti reagire.» Provò a schioccarle due dita davanti alla faccia, come se questo potesse compiere il miracolo.

Juliana detestava mostrarsi così giù di corda, perciò faceva del suo meglio per tirarsi su. Ma era un'allegria di facciata.

Aveva deciso lei di chiudere con Tristan, giusto?

Ma era più dura del previsto, sapendo che ormai era tornato in città anche lui. Inoltre la zia Katrina e gli altri Thomsen non erano esattamente di ottimo umore e non era proprio uno spasso averci a che fare quasi ogni giorno, alla libreria.

Sasha sospirò. «Se tu e gli altri siete così afflitti già adesso, non so immaginare come starete tra un'ora.»

«Oh, dai retta a me, assisterete a dei bei fuochi d'artificio.» Quel pomeriggio i Cole davano una grande festa al centro ricreativo sulla piazza principale di Parisville. E il *Dream Rising* sarebbe stato l'ospite d'onore.

I loro eterni rivali, i Thomsen, erano furiosi per quell'ulteriore affronto. Guai in arrivo, poco ma sicuro. Juliana aveva sentito confabulare la vecchia guardia del clan, riunita nel caffè della libreria di zia Katrina.

Era certa che avrebbero fatto qualche sciocchezza. Come intrufolarsi al party o gironzolare nei dintorni, giusto per mostrare ai Cole che non avevano paura di affrontarli.

Si domandò se ci sarebbe stato anche Tristan. Magari nel prevedibile caos si sarebbero scambiati occhiate complici e divertite. Sapendo che loro due erano al di sopra di questa meschina faida familiare.

Se questo era vero, però, perché allora in quel momento non stava con lui?

Perché non aveva coraggio, ecco perché. Si era già risposta da sola. Cento e mille volte.

Dannazione, stare senza di lui non funzionava.

Non riusciva a smettere di pensare a Tristan, di sentirlo ancora sopra e dentro di lei. E invece lui non l'avrebbe mai più toccata. Per forza che era depressa. Le mancava la sua risata. E come si sentiva avventurosa e piena di vita, quando erano insieme.

Sasha posò il quadro sul pavimento, di lato al divano. «E io che pensavo che il Giappone avesse... non so... cambiato le cose, in qualche modo.»

«Per te, sicuramente.»

«Anche per te.» Lo sguardo di Sasha si era fatto serio. «Ma immagino che quelle sulla libertà ritrovata e la voglia di scoprire una nuova te fossero soltanto chiacchiere...»

Juliana accusò il colpo. L'amica aveva colto nel segno. Dopo essersi sentita così diversa durante il viaggio, era tornata alla solita vita, e a tutte le vecchie abitudini da cui era stata così desiderosa di scappare.

E non ne poteva già più. Porca miseria, non ne poteva più

dal primo giorno, quando all'aeroporto era stata accolta dalle facce deluse di sua zia e di cinque cugini. Del tipo: ci hai provato ma ti è andata male. Non le avevano rinfacciato esplicitamente che era colpa sua se si era fatta soffiare il *Dream Rising* come una pivella, ma si intuiva tra le righe. Dietro i baci e gli abbracci affettuosi.

Juliana avrebbe voluto gridare che al mondo c'erano cose molto più importanti di quelle idiozie. Ma come poteva dirlo, se lei per prima non aveva il coraggio di rinnegare il suo essere una Thomsen?

Sasha le aveva posato una mano sul braccio, come per addolcire il suo giudizio, ma ancora bruciava.

E fu allora che entrò Chad. Portava un paio di jeans larghi, una maglietta dei *Coldplay* e gli occhiali. I capelli castano chiaro erano arruffati, ma non sembrava curarsene.

«Ehm... Non ho potuto evitare di ascoltarvi dall'altra stanza...»

Sasha si alzò e andò a battergli un dito sul petto, con finta aria di rimprovero.

«Stai facendo la spia in campo nemico?»

Risero entrambi. In quei giorni Chad aveva di meglio da fare che interessarsi dell'eterno derby Thomsen contro Cole.

«Ascolta» disse poi, rivolto a Juliana. «Se ti fa sentire meglio, da quando è tornato, Tristan non ha mai messo il naso fuori dal suo garage alla tenuta o dall'officina che ha in città. Ha persino accorciato il viaggio in Giappone, giusto il tempo di incontrare quel suo cliente importante.»

Queste notizie non le diedero alcun sollievo. Detestava l'idea che anche Tristan avesse ripreso la vecchia vita.

Sasha abbracciò Chad e il cuore di Juliana affondò.

«Se hai ascoltato con attenzione, Jules» le segnalò l'amica, poggiando la testa sulla spalla di Chad, «il mio fidanzato sta cercando di dirti che Tristan è a pezzi, come te. È innamorato perso, come tu di lui. Fate qualcosa. Se non per amore, per che cosa vale la pena lottare?»

Juliana non le confessò che se l'era chiesto all'infinito. Concludendo che aveva scelto l'affetto della sua famiglia.

Eppure Sasha aveva ragione: il vero amore non lo si incontrava ogni giorno.

Non valeva la pena di cambiare?

Il cuore le scalciò nel petto. Ci posò una mano sopra per calmarlo.

Se Emelie e Terrence avessero messo da parte l'orgoglio e fossero corsi l'uno dall'altra – lui senza pretendere che Emelie si accontentasse di diventare la sua amante clandestina, lei senza incolparlo per aver preso in seria considerazione un matrimonio combinato – e se avessero affrontato le rispettive famiglie, mettendoli di fronte al fatto compiuto, la storia magari sarebbe cambiata.

La voce di Sasha la riscosse. «Jules...»

Juliana alzò lo sguardo e vide che entrambi la stavano fissando, come se volessero rivedere la speranza accendersi nei suoi occhi.

Era la stessa cosa che aveva augurato lei a Sasha.

Non permettere che la storia si ripeta.

Non lo farò.

«Tristan ha in programma di uscire dal garage, oggi? O devo andarlo a cercare, come abbiamo fatto con quel dipinto?» chiese Juliana con un guizzo improvviso, il battito accelerato.

Sasha e Chad sfoderarono un sorriso smagliante.

Un sabato senza senso, pensò Tristan, buttato su una sedia di metallo in un angolo del circolo ricreativo, sepolto dietro una schiera di euforici Cole venuti a Parisville da ogni dove per festeggiare.

C'erano vino e birra nei bicchieri alzati per brindare e l'aroma di pollo fritto e mais alla griglia riempiva l'aria, che risuonava di voci allegre. Avevano persino appeso delle stelle filanti al soffitto. Ma soprattutto, esposto su una pedana rialzata, c'era il cavalletto con il *Dream Rising*.

I suoi parenti continuavano a dedicargli ogni bevuta e lui ricambiava da lontano, mostrando il bicchiere.

Non aveva nessuna voglia di gioire.

Non quando sentiva tanto la sua mancanza.

Juliana.

I suoi capelli biondissimi, il viola dei suoi occhi... ogni altra cosa, in confronto, sembrava scialba e incolore.

Strano come si fossero trovati in Giappone, all'altro capo del mondo, mentre qui, in questa piccola città, erano lontani come non mai.

Sua madre, i capelli neri con qualche filo d'argento legati in uno chignon, gli sorrise mentre spingeva la sedia a rotelle del nonno. Il vecchio aveva sempre avuto un debole per sua nuora. Da quando era morto il padre di Tristan, i due erano più uniti che mai.

Zachary Cole, le gambe magre e senza forza, come due rami sottili piegati dalle intemperie, guardò il suo pronipote con malcelato orgoglio.

«Ecco l'uomo del giorno.»

Tristan esultò, scorgendo la felicità nello sguardo luminoso del nonno. Durò poco. Un istante dopo rifletté che era merito soltanto di quel dannato quadro.

Avrebbe voluto che Terrence ed Emelie fossero lì a spiegare a tutti che non c'era niente da celebrare.

Sua madre sembrò aver intuito che c'era qualcosa che non andava, Tristan glielo leggeva negli occhi grigi, così simili ai suoi.

Forse sapeva riconoscere così bene un cuore spezzato perché ne aveva uno nel petto, da quando era rimasta vedova.

«Non startene qui tutto solo» gli disse. «Ci manchi.»

Nessuno più di lei poteva capire bene cosa significava soffrire per aver perso qualcuno.

«Preferisco rimanere qui, tanto è uguale.»

«Nossignore» intervenne il nonno. «Il nostro eroe non dovrebbe nascondersi in un angolo.»

Mentre girava la carrozzella, sua madre gli lanciò un'occhiata di comprensione. Tristan sorrise per rassicurarla che era tutto a posto.

Anche se niente era a posto.

Il party andò avanti. Mentre risuonava la voce di Frank Sinatra, Tristan notò che erano arrivati Chad e Sasha, bloccati sulla soglia da un qualche lontano cugino di New York.

Poco dopo le chiacchiere e i brindisi chiassosi cessarono all'improvviso.

Qualcuno tolse la musica.

Tristan si alzò in piedi, cercando di capire cos'era successo.

I Thomsen.

Un gruppetto di loro era appena entrato al centro ricreativo, con la massima disinvoltura. Si erano portati da casa delle bottiglie di vino e salutavano tutti come se fossero stati invitati, che facce di bronzo.

Juliana... Tristan fece per avvicinarsi, pensando che potesse esserci anche lei. Poi la mente gli ordinò di fermarsi.

Ricadde a sedere. Ovvio che non c'era. E guarda come si era ridotto, senza di lei. Un'ameba. Patetico.

Pezzo di idiota. Avrebbe dovuto fare qualcosa subito, due settimane prima. Seguire l'istinto e dirle che non si era mai sentito così con nessun'altra. Che lei aveva illuminato il suo mondo, facendogli capire che c'erano un sacco di avventure da vivere, anziché passare tutto il tempo con la testa sotto il cofano di un'auto.

Eppure, ancora una volta, aveva ripiegato sull'alternativa più rassicurante, come uno smidollato senza coraggio.

Perché?

Perché accettare questo destino deprimente, pur sapendo quanta inutile infelicità aveva già causato a Terrence ed Emelie?

Con la coda dell'occhio, Tristan notò che sua madre stava spingendo la sedia a rotelle del nonno verso la pedana.

La fermò ai piedi del *Dream Rising*.

Ovvio. Zachary Cole non avrebbe mai cacciato a calci i Thomsen – anche se forse il suo primo impulso sarebbe stato quello, se ne avesse avuto la forza. Ma avrebbe fatto tutto il possibile per umiliarli, gloriandosi pubblicamente per l'acquisto del dipinto, il simbolo della vittoria dei Cole.

Un mormorio indistinto si alzò dalla folla.

La tensione salì.

Poi Tristan udì una voce. Quella che risuonava nella sua mente nelle lunghe ore di veglia.

«Non la finirete mai, vero?»

L'aveva sentita davvero. Non era impazzito.

Il suo cuore dimenticò di battere.

Si voltò, la vide. E la luce di quegli occhi viola lo mandò al tappeto.

Restò senza parole. Annichilito da un'emozione che non riusciva più a contenere.

«Bene, continuate pure, con o senza di noi» aggiunse Juliana.

Non ebbe bisogno di aggiungere altro.

Sono qui a lottare per quello che voglio.

E quello che voglio sei tu.

Vinto, Tristan la prese tra le braccia, facendola aderire contro al suo corpo.

Il polso riprese a correre.

E lì, di fronte a tutti, Tristan Cole baciò Juliana Thomsen, come avrebbe voluto fare quattordici anni prima.

12

Quando la bocca di Tristan si impadronì di quella di Juliana, le sembrò di precipitare in un gorgo che ruotava velocissimo.

Alle fine erano usciti allo scoperto, fregandosene delle conseguenze. A ogni giro vorticoso si allontanavano le ombre e una luce intensa si intravedeva già in fondo al tunnel.

Juliana ci si tuffò a testa bassa.

Senza fiato, risalì in cerca d'aria, senza però staccare le labbra da quelle di Tristan. Si sorrisero storditi.

«Finisce così, dunque?» le chiese lui, ricordando quando si erano detti addio, al *ryokan*.

Lei rise e lo baciò di nuovo.

Qualcuno urlò dal fondo della sala, ma non si capirono le parole.

Poi altri gridarono dalla parte opposta.

Abbracciata all'uomo del suo destino, Juliana aveva quasi dimenticato la faida Cole contro Thomsen.

Senza staccare le guance, lei e Tristan si voltarono verso il frastuono crescente. Esclamazioni concitate, scambi di accuse, dita puntate verso di loro, le pietre dello scandalo. Una pecora nera per parte.

Persino il nonno Cole, che era ancora accanto al palco, stava cercando di alzarsi dalla carrozzina.

Accanto a lui, invece, la mamma di Tristan sorrideva.

Qualche scampolo di frase arrivò fino a loro.

«Tristan, pezzo di idiota.»

«Juliana, che diavolo stai facendo?»

Intanto Chad e Sasha cercavano di farsi largo tra la folla per provare a calmare gli animi.

Incurante del putiferio, Tristan la strinse tra le sue braccia.

Sono al sicuro, pensò lei, premuta contro quel corpo muscoloso.

«La bomba è esplosa» disse lui, quasi divertito.

«Che ne diresti di svignarcela?» propose Juliana e con un cenno del capo indicò l'uscita più vicina.

Il sorriso di Tristan le fece tremare le ginocchia.

Mano nella mano, ignorando qualunque domanda lungo il tragitto, guadagnarono la porta. Pochi secondi dopo si infilarono sul suo furgone rosso.

E siccome alcuni ospiti più ostinati li avevano seguiti nel parcheggio, Tristan si allontanò sgommando.

Ridendo di cuore, con la testa rovesciata all'indietro, Juliana non chiese dove stavano andando.

Non le importava, finché era con lui.

Fu soltanto dopo qualche chilometro che la sua allegria cedette il posto allo stesso nervosismo che l'aveva attanagliata appena prima di entrare al centro ricreativo, con il resto del suo clan, cercando Tristan in mezzo alla folla.

Anche lui era taciturno.

Juliana strinse il bordo del sedile. «Non mi stupirei se ci ritrovassimo le nostre famiglie sullo zerbino di casa, mia e tua, nel giro di un'ora.»

«Che facciano pure.»

Tristan sembrava così determinato e spavaldo che riuscì a trasmetterle sicurezza.

Sta facendo tutto questo per me.

Per la prima volta nella vita desiderò diventare una persona indipendente perché era sicura che, per un uomo così, valesse la pena rischiare.

Erano diretti alla tenuta dei Cole, lungo una strada polverosa costeggiata da querce ombrose e staccionate bianchissime, oltre le quali i cavalli pascolavano liberi nell'erba.

Imboccato un viale secondario, giunsero davanti a un

capanno di tronchi con un dondolo di legno sul portico e un garage di lato.

Semplice e robusto.

La casa di Tristan.

Di nuovo Juliana si sentì sopraffare dall'ansia. Stava per entrare nel suo regno privato, non in una stanza d'albergo o in qualunque altro posto, per qualche ora di sano divertimento.

E le sembrava il passo più importante che avesse mai compiuto.

Tristan smontò dal furgone, girò dalla sua parte e le aprì la portiera.

Quando se lo trovò davanti, con il vento tiepido che gli arruffava i capelli neri, Juliana si sentì stranamente leggera. Lui la faceva sentire fragile, ma in un bel modo.

Le tese la mano, come aveva fatto di fronte al *love hotel*, invitandola a oltrepassare un'altra soglia. Che forse la spaventava pure di più.

Trattenne il fiato, ma stavolta era diverso.

Non cercava il coraggio di tradire la sua famiglia.

Si stava soltanto preparando a restare senza fiato. Perché questo stava per succedere, ne era sicura.

Sentì una scossa, mentre Tristan la aiutava a scendere dal furgone, sollevandola di peso e stringendola a sé, contro il torace ampio.

Juliana nascose il viso nel suo collo, inalando il profumo di foglie, di terra, di lui...

Oh, Dio.

Senza posarla a terra, Tristan salì le scale come se portasse un peso quasi nullo.

Alla porta si fermò e Juliana si accorse che i loro cuori battevano insieme, uno contro l'altro.

Tristan era di nuovo dentro di lei. Soltanto in una maniera differente, che non aveva nulla a che fare con il sesso.

Lui le scostò i capelli dal viso, la guardò e lei si sentì struggere d'amore.

Poi Tristan aprì, fece due passi e la mise giù.

La stanza principale del capanno era come lui, essenziale, tipicamente maschile: con persiane al posto delle tende, coperte di flanella gettate sullo schienale del divano in legno di pino, attrezzatura da pesca in un angolo e pezzi di un motore sparsi sul tavolo.

Quei dettagli personali le ricordarono ciò che gli aveva detto, poco prima di lasciare il Giappone: anche se erano stati a letto insieme, sapevano ancora poco l'uno dell'altra.

Si avvicinò a una finestra. Si vedevano le montagne illuminate dal sole.

Accidenti, chissà perché si era spostata, quando poteva stare tra le sue braccia.

Era stato così facile raggiungerlo alla festa.

Ma ora?

Ora cominciava la parte difficile. La realtà.

Di' qualcosa, si ripeté in silenzio.

«Da casa mia non si vede un panorama così bello.» Juliana non abitava nella residenza dei Thomsen, ma in una semplice costruzione a due piani. Non troppo lontana, così che i familiari potevano passarla a trovare spesso. Ma quel minimo che le garantisse l'illusione della privacy.

«In effetti è bello svegliarsi ogni mattina con questa vista» osservò lui, imbarazzato quanto lei, adesso che erano usciti allo scoperto.

Non sapevano cosa sarebbe venuto dopo.

Se le loro peggiori paure sarebbero diventate realtà.

«Lavori sempre in questo garage?» gli chiese, indicando l'edificio laterale. *Che pena. Stava parlando a vanvera.* «Oppure nell'officina in città?»

«Tengo qui le mie auto preferite, quelle su cui non voglio che nessun altro metta le mani.»

Tutto questo era esasperante. Ridicolo.

E non li stava portando da nessuna parte.

Incrociò le braccia e distolse lo sguardo dal paesaggio. Ma non lo riportò su Tristan, non ancora. «Puoi chiedermelo, se vuoi.»

«Chiederti cosa?»

Che stress.

«Come mai ho cambiato idea e ti sono venuta a prendere al party.»

Lui ridacchiò e il suono le accarezzò la pelle.

«Non mi sono nemmeno posto il problema. Nel momento esatto in cui ti ho vista, non sono più riuscito a pensare ad altro.»

Juliana stava per sciogliersi definitivamente.

Si voltò e lo vide appoggiato al muro, con un sorriso soddisfatto sulle labbra. Come se stesse finalmente assaporando la gioia di averla portata nel suo rifugio.

Un fremito le attraversò il petto. Era contenta anche lei di esserci riuscita.

«Sapevo che i miei stavano tramando qualcosa» disse. «E quando ho scoperto che avevano intenzione di imbucarsi alla festa dei Cole, ho deciso di sfruttare l'occasione. Mi sono accodata alla spedizione, non per la ragione che credevano loro, però.»

«E cosa ti ha indotto a farlo?»

Lei tacque, con la gola chiusa. Poi il groppo doloroso si allentò.

«Quando diventi grande, scopri che le uniche cose che rimpiangi sono quelle che non hai fatto.»

Il sorriso di Tristan brillò. Non aveva mai incontrato una donna che sapesse citare una frase di Mark Twain, il suo scrittore preferito.

«Mi mancavi da impazzire» confessò Juliana. «Non riuscivo a dormire. Mangiavo poco o niente.» Deglutì. Bruciava. «Non mi era più possibile tornare alla vita di prima. L'ho già fatto una volta e non l'avrei sopportato una seconda.»

Tristan le andò incontro di qualche passo.

«Se non ti fossi presentata alla festa, ti avrei inseguita io da qualche altra parte.»

Incapace di restare lontana da lui un altro istante, Juliana si staccò dalla finestra.

Si trovarono a metà strada. Finalmente risentì il calore della sua pelle e poté guardarlo negli occhi grigi.

Le tempie le battevano. Tristan la eccitava, non solo fisicamente.

La vita era piena di possibilità, se c'era lui.

I suoi sentimenti erano così intensi che le venne quasi da ridere, non sapendo ancora come adattarsi a queste nuove regole del cuore.

«Hai mai la sensazione che abbiamo fatto tutto in un ordine strano?»

«Prima la passione, poi il sesso e alla fine l'amore?»

L'ultima parola esplose nell'aria e dentro di lei.

Amore.

Guardò più a fondo nei suoi occhi grigi. Era sempre stato lì, solo che non se n'erano accorti. Prima era una fantasia, adesso era reale. Stava soltanto a loro decidere che forma avrebbe avuto il sogno.

Tristan le accarezzò la guancia e lei la posò sul suo palmo.

Poi indicò l'attrezzatura da pesca nell'angolo. «Tanto perché tu lo sappia, non mi piace svegliarmi a ore assurde per lanciare ami in un lago fangoso.»

«Allora coltiveremo hobby diversi. Saranno un ottimo spunto di conversazione sul portico al tramonto.

«E non saprei nemmeno dirti la differenza che c'è tra una Ford e una Dodge.»

«Te lo insegnerò, se vorrai saperlo.»

Juliana sorrise, ma parlò seriamente. «Mi sa che ci sono un sacco di cose che potremo imparare l'uno dall'altro.»

«Sono uno studente volenteroso.»

«Così pare.»

Si avvicinarono, cercando un bacio.

Lei sentiva già un piacevole pizzicore sulle labbra.

Ma poi, a distanza di un fremito, lui si fermò.

«Lo senti?» sussurrò.

Certo che sì. Le campane che suonavano e i cori degli angeli.

E poi i clacson, là fuori, che rovinarono tutto.

Tristan li ignorò e la baciò comunque, facendole capire che niente li avrebbe fermati.

Nemmeno tutti i Cole e i Thomsen del mondo.

Con la bocca premuta su quella di Juliana, soffice e calda, si sentì l'uomo più fortunato al mondo.

Juliana voleva restare con lui.

Le succhiò il labbro inferiore, lasciandolo poi andare lentamente, con un tenero schiocco.

Poi la baciò un'altra volta, tenendole il viso tra le mani, la bocca lieve sulla sua.

«Pronta?» le chiese, mentre si udiva il rumore di portiere sbattute.

Lei sorrise, le labbra che si incurvarono sotto quelle di Tristan. «Sì, andiamo.»

Lui le accarezzò ancora la guancia con un dito, prima di avviarsi insieme alla porta, mano nella mano.

Quando la aprì e uscirono sul portico, trovarono ad aspettarli uno squadrone di parenti.

Sette, per l'esattezza. Schierati dietro gli sportelli delle auto, come fossero barricate.

Da una parte la prozia di Juliana, Katrina, spalleggiata da due zii.

Dall'altra, la mamma di Tristan che stava aiutando il suocero ad alzarsi in piedi, scortati da un paio di cugini.

Tristan strinse forte la mano di Juliana. «Eravate sicuri di trovarci qui, vero?» disse poi, rivolto alla piccola folla. «Troppo prevedibili, eh? E dove sono gli altri?»

Prima che chiunque altro potesse parlare, sua madre gli lanciò uno sguardo di scusa. «Qualcuno ha chiamato lo sceriffo dicendo che c'era una rissa in corso al centro ricreativo. Chad e gli altri sono rimasti per aiutarlo a tenere la situazione sotto controllo.»

Il vecchio Zachary Cole non li stava nemmeno a sentire. Tristan non riusciva quasi a guardarlo in faccia. Sembrava prossimo al crepacuore.

«Che sta succedendo, Tristan?» gli chiese, quasi con stanchezza, appoggiandosi alla Ford Fairlane del 1957 che il nipote aveva restaurato per lui.

Per un momento Tristan ebbe l'impulso di andarlo a sorreggere.

Ma sapeva di dover restare dov'era.

Accanto a Juliana.

Per fortuna c'era sua madre e Tristan la ringraziò in silenzio. Lei lo guardò come per infondergli forza.

«Sono innamorato di Juliana, nonno» disse semplicemente, senza giri di parole. Ma ebbe lo stesso impatto di un grido meraviglioso e incontenibile. «Lo sono da parecchio tempo. E lei ama me. Quando ci siamo rivisti in Giappone non abbiamo più potuto negarlo.»

Il nonno continuò a fissarlo. A che stava pensando? Perché non diceva niente?

Poi prese la parola una donna anziana con i capelli grigi e la figura robusta sotto un chiassoso vestito con stampa a girasoli. Era la prozia di Juliana. L'amata e ugualmente temuta Katrina Thomsen.

«Juliana» disse con voce dolce, paziente e quasi materna. «È questo il motivo per cui *quelli lì* ci hanno soffiato il quadro?»

La mano di Juliana si irrigidì in quella di Tristan.

«Zia cara, spero che tu non stia insinuando quello che credo: che avrei favorito Tristan di proposito, presentando un'offerta più bassa della sua.»

La signora sospirò, posandosi una mano sul petto e chiudendo gli occhi, come se avesse uno dei suoi attacchi di nervi.

Stavolta Tristan si fece avanti, davvero preoccupato per la donna.

Ma prima di lui intervenne Gary, uno degli zii, toccandole la spalla e scuotendo la testa, come per dirle: *adesso non è il momento*.

Un alleato imprevisto, chissà.

Tristan ricordava vagamente che un tempo in città girava voce che tra una delle sue zie e Gary Thomsen ci fosse del tenero, ma non se n'era mai avuta conferma. Solo pettegolezzi, scomparsi appena ne erano arrivati di più succosi.

Ora si chiese se anche Gary e la zia Joan si fossero lasciati spaventare dalla storica rivalità tra le famiglie.

E chissà quanta gente ci si era trovata in mezzo, senza volerlo, però non aveva avuto il coraggio di ribellarsi.

Non ebbe molto tempo per pensarci, perché la zia Katrina si riebbe di colpo, di nuovo forte come un cavallo.

Beccata.

Juliana sospirò di sollievo. Una delle leggendarie e strategiche crisi di ansia della zia Katrina. Che però l'aveva accolta e cresciuta come una figlia, perciò non poteva biasimarla più di tanto.

Tranne che per quella assurda guerra ai Cole che aveva stravolto la vita di ciascuno di loro.

Juliana ritrovò slancio. «Siete venuti tutti qui perché Tristan e io siamo diventati il nuovo trofeo da conquistare, visto che il dipinto ormai ha un proprietario? Be', potete scordarvelo. Noi non ci presteremo a questo gioco al massacro. Questa follia finirà qui. E subito.»

«Juliana» le intimò la zia Katrina, lanciando un'occhiata di traverso al vecchio Zachary. «È ora di salire in macchina. Lui è un Cole.»

Bastò questo a far ricominciare il parapiglia. Grida, sguardi minacciosi, promesse di rappresaglie. Soltanto il vecchio Cole restò in silenzio.

Dannazione a questa gente. Non volevano proprio capire. Forse non lo avrebbero fatto mai, rifletté Tristan, rassegnato.

La voce di Juliana sovrastò tutte le altre. Cogliendo anche lui di sorpresa. Non l'aveva mai sentita così determinata.

«Io non vado da nessuna parte, zia Katrina.»

C'era stato un tempo in cui Tristan si era convinto che lei non si sarebbe mai arresa a quello che c'era tra loro. E invece eccola lì, a lottare per lui.

Per Tristan Cole.

Nessuno che non fosse della sua famiglia aveva mai fatto questo.

E quando Juliana gli passò un braccio attorno alla vita, la attirò più vicino a sé, inspirando il suo profumo delicato. Polso e cuore ripartirono in accelerata, al pensiero che tra poco, mandati a casa i parenti terribili, sarebbero rimasti di nuovo soli.

Avevano tutto il tempo del mondo, adesso che non dovevano più nascondersi.

Tutti li stavano fissando come fossero due bambini ostinati e capricciosi.

Sicuro, come no.

«In Giappone, io e Juliana abbiamo fatto molti progressi, e non sto parlando solo del punto di vista personale. Per la prima volta, da anni, nella storia delle nostre famiglie, un Cole e una Thomsen si sono seduti a parlare come persone ragionevoli. Senza pregiudizi. E, strano a dirsi, ha funzionato.»

«Piuttosto bene, pure» rimarcò Juliana. Ma il doppio senso nascosto era rivolto solo a lui.

Tristan trattenne un sorriso. «Ci siamo persino scambiati gli scritti di Emelie e Terrence, per capire meglio le ragioni dell'altra parte.»

Zii e cugini non la presero bene e la tensione salì di nuovo.

«La caccia spietata a quel dipinto» continuò Tristan, alzando la voce, «era soltanto una questione di orgoglio ed è il momento di metterlo da parte. Tutti quanti.»

I cugini Cole scossero la testa. Il nonno restò immobile.

«Mai» proclamò la zia Katrina.

Intervenne Juliana. «Forse dovreste leggere cosa scrivevano sia Emelie che Terrence, conoscere anche l'altra versione della storia, per capire cosa accadde davvero.» Guardò Tristan. «Quei due si amavano più di ogni altra cosa al mondo. E se potessero vedervi adesso, impegnati a tramandarvi l'odio per il nemico da intere generazioni, ne resterebbero disgustati.»

Il gruppetto riprese a vociare e ad agitare i pugni.

Tristan li ignorò. Invece guardò Juliana e si perse nei suoi occhi, un futuro che aveva i colori del sogno.

«Nonno» disse poi al vecchio Cole. «Io ti voglio bene. Ma è così che vuoi che la gente ti ricordi?»

Zachary alzò lo sguardo. E Tristan avrebbe giurato di aver colto nel segno.

Si rivolse agli altri. «E lo stesso vale per voi. Volete restare un inutile ingranaggio di questa faida grottesca tra famiglie, oppure c'è qualcosa di più importante a cui dedicare gli anni che vi restano da vivere?»

Qualcuno restò interdetto. I più giovani cominciarono a inveire contro di lui.

Come se non riuscissero a perdere l'abitudine all'astio e al rancore.

Juliana appoggiò il viso sul suo petto, come se bastasse a far sparire tutto questo. Tristan la strinse a sé.

E decise che ne aveva abbastanza. Avevano fatto tutto il possibile, per adesso. Più avanti avrebbero provato a far ragionare i loro familiari.

Sollevandosi sulle punte, Juliana gli posò un bacio leggero sullo zigomo. «Torno subito» gli disse poi.

Fu durissimo lasciarla andare proprio ora che si era abituato a tenerla tra le braccia.

La vide andare verso la zia Katrina. Intuì cosa aveva in mente. E a sua volta si avvicinò al nonno.

«Se vuoi continuare questa schermaglia con i nostri ospiti» gli disse con calma, davanti al cofano dell'auto, lontano dal resto della famiglia, «ti sarei grato se volessi farlo da un'altra parte, non qui.»

Zachary Cole era l'uomo più ostinato e inflessibile che conosceva. Ma quando guardò il nipote tutto questo sembrava scomparso.

«Perché ho la sensazione di non avere scelta, Tristan? E che tu abbia già preso la tua decisione?»

Il nipote gli posò una mano sulla spalla curva. Aveva sopportato tanti pesi negli anni. Quando Tristan era bambino, e il nonno era forte come una roccia, lo portava a spasso seduto a cavalcioni, e lui si sentiva in cima al mondo.

«Nonno, che farò e dove andrò io, dipende da te.»

Sua madre lo guardò con una luce negli occhi. Stava ricordando com'era bello essere così innamorati.

Il vecchio Zachary non disse altro. Aprì la portiera e si lasciò cadere sul sedile.

«Tristan, tuo padre sarebbe orgoglioso di te» gli bisbigliò la mamma posandogli un bacio sulla guancia.

Poi salì in auto anche lei, seguita dai cugini, che continuarono a lanciargli occhiate di riprovazione.

E il nonno?

Il vecchio rimase a guardarlo dal finestrino, mentre l'auto si allontanava per il vialetto.

A quel punto, Juliana aveva convinto anche i suoi parenti a togliere il disturbo. Li osservò rimettersi in macchina e partire, con le mani sui fianchi, le punte chiarissime dei capelli mosse dalla brezza.

Tristan sentì un mulinello di emozioni turbinare nell'animo e poi riposarsi. In poche ore era cambiato tutto: nel suo cuore, nella sua vita.

«Non è stato poi così difficile» le disse.

«Zia Katrina mi ha detto che ne riparleremo a cena.» Juliana fece una pausa. «Ma ha capito che rischia di perdermi ed è terrorizzata quanto me.»

«Mio nonno ha ricevuto lo stesso messaggio. Vedremo presto che cosa succederà.»

Juliana gli si avvicinò e il suo cuore prese velocità. «Prenderanno la decisione giusta, non credi?»

Tristan non aveva una risposta.

Lei gli prese la mano.

Il suo tocco gli infuse calore in tutto il corpo. Tornarono insieme verso il portico e sedettero sul dondolo di legno a guardare la polvere posarsi a terra.

Juliana si rannicchiò contro di lui. «Mia zia ha promesso che andranno dritti a casa. Basta bravate, almeno per oggi.»

«Grazie a Dio.»

Lei tacque, pensierosa. Pochi sapevano che la terribile Katrina nascondeva un lato romantico. La libreria Thomsen vantava la più fornita sezione di letteratura rosa nel raggio di cento chilometri. E lei li aveva letti tutti. Juliana idem. Con il permesso di Tristan, voleva mostrarle i diari di Terrence. Forse avrebbe aiutato.

O forse no.

Non restava che aspettare.

Qualunque fosse stato l'atteggiamento dei suoi familiari, però, non l'avrebbero mai convinta a lasciare Tristan.

Lui rise, all'improvviso. Una risata profonda.

«Che c'è?»

La attirò più vicino. «Pensavo che siamo una bella squadra, io e te.»

«Proprio vero.»

Strofinò il naso contro il suo collo e gli posò una mano sullo stomaco. Sentì gli addominali contrarsi sotto le sue dita.

Una reazione che innescò in lei una scossa di desiderio che la fece rabbrividire.

«Visto che stiamo per ricominciare da zero, mi spiace di essere stata così ostinata.»

«Non devi scusarti.»

«No invece, devo.» Juliana risalì fino al torace e cominciò ad armeggiare con un bottone. «Fino a oggi, tu eri l'unico ad avere il coraggio di rivelare quello che provavamo l'uno per l'altra, io no.»

«C'è da dire che io non devo convivere con i finti attacchi d'ansia di zia Katrina...» Tristan le sollevò il mento e la guardò. «Inoltre alla fine ti sei rivelata una vera guerriera.»

E un istante dopo la stava baciando, delicato e allo stesso tempo prepotente.

Sembrò durare per ore. Juliana tirò su le gambe per stargli più vicina e assaporarlo come fosse il primo bacio.

Si abbandonò alle sensazioni – e a lui – completamente, docile e arrendevole tra le sue braccia, cullata dal vento tiepido.

Erano all'aperto. Chiunque poteva vederli.

Alleluia!

E poi Tristan fece una cosa che la fece sragionare: le succhiò il labbro superiore, passandoci sotto con la lingua.

Juliana sobbalzò, come se l'avesse leccata tra le gambe.

Lui rise piano e continuò a stuzzicarla.

Le sembrò di essere sollevata di peso dal dondolo. Su, più su.

Mentre il desiderio diventava intollerabile agonia.

Tristan usò la lingua con maestria e Juliana si bagnò tutta, prossima all'esplosione.

Senza fiato, si aggrappò a lui. Tristan non aspettava che un segnale. La sollevò tra le braccia e si alzò.

«Sì» disse. «Credo che le cose andranno piuttosto bene, dopo tutto.»

Si avviò alla porta, senza mai lasciare il suo sguardo.

«Potresti ancora scoprire che sono impossibile» lo avvisò lei.

«Io amo scoprire tutto di te.»

Le uniche parole che Juliana sentì furono: *io amo*. E riecheggiarono tutto intorno.

«Pure io... non sai quanto... Ma amo di più te, ragazzaccio.»

Tristan sorrise. «Ti amo anch'io» sussurrò, portandola dentro. E con un calcio alla porta chiuse fuori il resto del mondo.

Epilogo

Qualche settimana dopo, Tristan stava svuotando degli scatoloni che aveva riposto in un armadio del capanno, anni prima. Alcuni erano appartenuti a suo padre, finora non era mai riuscito ad aprirli.

Non voleva risentire l'odore dei suoi vestiti o rivedere vecchie fotografie. Ma farlo con Juliana, che lo stava aiutando a traslocare nell'appartamento che avevano preso insieme, la stava rendendo un'esperienza molto meno dolorosa di quanto credeva.

Al momento lei stava fissando divertita una foto in cui il papà di Tristan, da giovane, era in posa accanto a una fiammante macchina sportiva rossa.

«È da lui allora che hai ereditato la passione per le auto d'epoca?»

Tristan annuì, togliendole uno sbaffo di polvere dal viso. Le dava un'aria così carina, da monella dickensiana, che era quasi un peccato pulirla.

«Sì, è vero, mi ha passato la febbre dei motori. È stato con quel bolide che si è messo a corteggiare la mamma. Era palesemente truccato. Si divertiva a sentirla gridare di paura quando schiacciava l'acceleratore lungo le stradine di campagna.»

«Immagino che tua madre in realtà se la spassasse davvero un mondo.»

Juliana e la signora Cole avevano legato in fretta. In realtà se la stava cavando piuttosto bene anche con il resto della famiglia. Persino con il vecchio Zachary, che dopo aver letto gli scritti di Terrence ed Emelie aveva finalmente capito a che cosa i due sfortunati innamorati avevano rinunciato...

E non voleva che accadesse anche al suo amatissimo nipote.

504

Tristan alzò gli occhi. Sulla parete della stanza accanto vide il *Dream Rising*. Era stata un'idea del nonno.

Un gesto di distensione. Il primo, per due famiglie che stavano cercando di cancellare il passato turbolento. E diventare unite.

La prozia Katrina aveva voluto essere presente, quando lo avevano appeso al muro della nuova casa. Lei e il nonno avevano persino accettato di pranzare insieme ai ragazzi, per celebrare l'evento.

Ma in fondo non era poi stato troppo difficile convincere Katrina. Da quando aveva letto i diari di Terrence aveva capito che la verità non stava da una parte sola. E che comunque Juliana non avrebbe mai rinunciato a Tristan.

Quanto agli altri, i più avevano seguito l'esempio dei due capifamiglia. Qualche ostilità resisteva ancora tra i più giovani, bisticci di poco conto. Ci sarebbe voluto del tempo, prima che tutti potessero davvero mettere da parte l'orgoglio. Ma un giorno le cose si sarebbero sistemate.

Mentre Juliana continuava a scorrere le fotografie, Tristan spolverava dei vecchi libri.

Una raccolta di letteratura americana dell'Ottocento.

Un saggio sulla storia della California.

E...

Si soffermò su un volume sottile, con la rilegatura strappata, avvolto nella plastica. Lo aprì. Erano pagine ingiallite, scritte a mano.

«Ma guarda tu!»

La sua esclamazione sorpresa incuriosì Juliana, che subito lo raggiunse. E restò sbalordita vedendo in che stato era ridotto il libro.

Tristan lesse la prima pagina e poi si fermò. «Un altro diario di Terrence. Non l'avevo mai visto prima.»

«Perché non ci dai un'occhiata, mentre io finisco di controllare cosa c'è nelle altre scatole?» gli suggerì lei, lasciandolo solo.

Non prima di avergli posato due dita sulla guancia. Forse aveva anche lui uno sbaffo nero di polvere sulla faccia. No.

Dall'espressione intenerita sul viso di Juliana capì che era solo un piccolo gesto che veniva dal cuore.

«Ma...»

«Coraggio, dai. Lo so che non vedi l'ora.»

Lo baciò velocemente sulle labbra e poi si allontanò, con in braccio uno degli scatoloni pronto per essere caricato sul furgone.

Pochi istanti dopo, Tristan era così immerso nella lettura del diario, pagina dopo pagina, che quasi non si rese conto di Juliana che continuava ad andare e tornare con pacchi e cartoni.

Passò più di un'ora. Quando finì, le fece cenno di avvicinarsi.

Gli occhi viola di Juliana brillavano di curiosità. Si era immaginata che in quel diario inedito fosse custodito un segreto sconvolgente. Ma Tristan scosse la testa.

«Non so perché papà avesse tenuto da parte questo diario in particolare. Non c'è scritto niente di speciale. Forse è finito per caso tra i suoi libri.»

«Può darsi. Di che parla?»

«Soprattutto di Emelie. Terrence lo ha scritto quando era già ammalato di tubercolosi, pochi mesi prima di morire. Doveva aver capito di essere arrivato alla fine, quando ha cominciato questo diario.»

«Triste.»

Lui annuì. «C'è un punto tuttavia...»

Juliana gli ravviò i capelli con tenerezza.

«Quale punto?»

«Lui ed Emelie non si sono più visti per anni, dopo che lei sposò Klaus Thomsen. Vivevano nella tenuta che oggi è di zia Katrina.»

Il magnifico edificio originale era stato distrutto da un incendio, cinquanta anni prima. Ne erano rimaste soltanto le fotografie, incredibili. Klaus era diventato ricco con la corsa all'oro e quando aveva conosciuto Emelie possedeva un patrimonio considerevole.

«Non si incontravano spesso» aggiunse Tristan, immaginando una malinconica Emelie che passava le sue giornate a guardare fuori dalla finestra, verso la residenza dei Cole, dove viveva Terrence. Lui aveva fatto lo stesso con Juliana. «Ma un giorno, in occasione del matrimonio di una delle figlie di Emelie, alla chiesa di Union Street, Terrence si trovò faccia a faccia con lei.»

Juliana gli accarezzò la nuca. «Chissà se si sono mai domandati come sarebbe stato invecchiare insieme.»

«Terrence sì. Ma la cosa più importante che si scopre leggendo questo ultimo diario, è che l'aveva perdonata per essersi presa il *Dream Rising*. Il suo astio si era trasformato in rimpianto e quando i loro sguardi si incrociarono, quel giorno, sentì che anche per lei era lo stesso.»

«Non si fermarono nemmeno un istante?»

«No.» Tristan prese la mano di Juliana e la tenne stretta. «Emelie non gli fece capire che lo amava ancora, anche se fu così fino alla fine dei suoi giorni. E Terrence restò in silenzio. Un attimo dopo erano già lontani. Il dipinto era andato perduto per sempre. E così pure la possibilità di essere felici insieme.»

Il silenzio si dilatò tra loro.

Fu Juliana a spezzarlo. «Non è una buona cosa allora che noi due invece ci siamo fermati?» chiese con appena un brivido nella voce.

«Sì» concordò Tristan prendendola tra le braccia, respirando il suo profumo. Non l'avrebbe mai più lasciata andare. «È una buona cosa.»

Mentre si tenevano stretti, chiuse il diario. Mettendo da parte il passato.

Pronto a vivere il suo futuro.

«Ti amo, Thomsen» disse.

«E io amo te, Cole.»

♦HARMONY
extra

ti fa rivivere i romanzi d'amore più belli
e le autrici che in questi anni ti hanno
appassionato dalla prima
all'ultima pagina.

Questo mese trovi
2 imperdibili antologie
di **3** romanzi ciascuna:

SEGRETI E POTERE

di Heidi Betts - Tessa Radley - Day Leclaire

e

ESOTICI PIACERI

di Debbi Rawlins - Michelle Rowen - Crystal Green